Das Buch

Österreich um die Jahrhu
riesiges, zum Teil noch wil
ist eine Hauptstadt der Kul
Aus England ist Robert Cl
des Donaukanals seine Ma
schäft floriert, und als der Sonn das heilig
wird er zum Teilhaber. Eine geordnete Welt, so scheint es:
Man macht Karriere, unterhält Geschäftsbeziehungen, gewinnt
oder verliert eine Geliebte, alles ohne Skandale und Probleme.
Man will die Risse und Hohlräume im Fundament dieser Gesellschaft nicht sehen ... Wie schon in der ›Strudlhofstiege‹
hat Doderer eine Fülle von Gestalten und Szenen festgehalten,
die authentische Realität für sich beanspruchen dürfen. Die hin-
tergründigen Beziehungen der Figuren, ihre kunstvolle Komposition und ihre eigentliche Verwobenheit machen dieses reife
Spätwerk zu einem literarischen Genuß.

Der Autor

Heimito von Doderer wurde 1896 als Sohn eines Architekten
in Weidlingau bei Wien geboren. 1916 geriet er in russische
Gefangenschaft und kehrte, nach einer Flucht durch die Kir-
gisensteppe, 1920 nach Wien zurück. Er studierte Geschichte
und veröffentlichte 1923 seinen ersten Gedichtband, 1930 seinen
ersten Roman, ›Das Geheimnis des Reichs‹. Nach der Veröffent-
lichung seiner Hauptwerke ›Die Strudlhofstiege‹ (1951, dtv-
Bände 377/378) und ›Die Dämonen‹ (1956) gilt Doderer, in der
Nachfolge von Broch und Musil, als einer der bedeutendsten
österreichischen Schriftsteller des 20. Jahrhunderts. Die Struktur seiner Romane ist von barocker Fülle und Vielschichtigkeit;
kunstvoll wird sie unterstützt durch die simultane epische
Konstruktion. Im Dezember 1966 ist Doderer in Wien gestorben. Sein letztes großes Werk, eine Tetralogie, die vier Romane vereinigen sollte, blieb unvollendet. Weitere Werke
›Der Fall Gütersloh‹ (1930), ›Ein Mord den jeder begeht‹
(1938), ›Ein Umweg‹ (1940), ›Die erleuchteten Fenster‹ (1950),
›Die Peinigung der Lederbeutelchen‹ (1959), ›Die Merowinger‹
(1962), ›Tangenten. Aus dem Tagebuch eines Schriftstellers‹
(1964, dtv-Band 520), ›Unter schwarzen Sternen‹ (1966), ›Der
Grenzwald‹ (1967), ›Frühe Prosa‹ (1968), ›Repertorium‹ (1969).

Heimito von Doderer:
Roman No 7
Erster Teil

Geweb' der Zeit während der Monate vor der Hochzeit, er fiel hierher auf den sumpfig-sandigen Uferrand; und die halbvertrockneten, von der Hitze gelblichen Binsen standen in Reihen aufwärts in den lackblauen Himmel.

Sie gingen zum Wagen zurück, der ganz langsam im Schritt weitergefahren war, und stiegen ein.

Am nächsten Tage waren sie schon auf der weiteren Reise in's Exotische; diese begann mit dicker Hitze im Halbcoupé erster Classe so lange der Zug noch in der Halle des Südbahnhofes stand. Das Gepäck war schon oben in den Netzen untergebracht worden. In der Wärme dunsteten Leder und Polsterung; feiner Rauchgeruch kam durch's Fenster. Es schien Clayton, daß Harriet viel weniger die Hitze fühle als er selbst. Allerdings hatte er sich auf dem Perron mehr bewegt gehabt als sie, war dem Gepäckträger entgegen gegangen und hatte ihm dann auch beim Verstauen der Koffer geholfen. Harriet Clayton lehnte in der Ecke. Clayton war langbeinig, um die Körpermitte äußerst schmal, oben erheblich breiter. Harriet blickte aus ihrer Ecke auf ihn, der noch stand. Ihr Gesicht sah keineswegs erhitzt aus, die Nase glänzte nicht im geringsten. Über dieser waren die starken Augenbrauen fast zusammengewachsen. Sie sah ihren Mann mit Vergnügen an. Er gefiel ihr. Seine sehnige Hagerkeit und außerordentliche Länge (der Sohn Donald sollte sie dereinst erben!) waren nach ihrem Geschmacke. Sie sagte nichts und bewegte sich nicht. Ihr Strohhut hing an einem der hier angebrachten Haken. So war ihr dunkelbraunes Haar ganz sichtbar, von dem sie fast abnorm viel hatte. Über ihrem Mund stand ein feiner dunkler Flaum. Als der Schnellzug sachte anfuhr und die Halle verließ, konnten sie bald etwas Zugwind erzeugen durch die offenstehende Coupétür und das dem ihren am Gange draußen gegenüberliegende Fenster. Bei rascherer Fahrt begann Harriet's Hut gleichmäßig zu pendeln. Es wurde fühlbar kühler und angenehmer. Clayton zog seine Pfeife und den halb aus Leder, halb aus Gummi bestehenden Tabaksbeutel hervor.

„Das riecht heimatlich", sagte Harriet, als er den Capstan in der Pfeife entzündete.

Damals fuhr ein Schnellzug von Wien bis zum eigentlichen Beginn der Strecke über den Semmering nicht viel weniger als zwei Stunden. Die Gegend war öde. Sie heißt ‚Das Steinfeld‘. Harriet las. Clayton hatte durch den Hotelportier eine zwei Tage alte Nummer der ‚Times‘ erhalten können. Jener Hotelportier ist gewissermaßen richtungsweisend bezüglich der Reise-Route des jungen Paares gewesen. Er hieß Andreas Milohnić und war ein Dalmatiner, von der Insel Krk, der Sohn eines kroatischen Schiffskapitäns. Herr Andreas war beachtlich hübsch – Harriet sagte, sie habe sich als Schülerin die alten Römer so vorgestellt – und sprach perfekt englisch; dies hatte sein Vater, der Seemann, der es selbst gut beherrschte, ihn frühzeitig lernen lassen. Herr Milohnić junior aber konnte noch mehr, nämlich Französisch und Italienisch (freilich auch Deutsch wie sein Vater), obendrein Latein und Griechisch, denn er hatte in Agram das Gymnasium besucht und die Reifeprüfung ordnungsgemäß abgelegt: dann erst brachte er Lehrzeit und Schulen des Gastgewerbes hinter sich, aus reiner Vorliebe für diesen Berufszweig. Ein aussichtsreicher Hotelportier. Der Alte – übrigens Inhaber eines Patentes für große Fahrt und gleichwohl von seiner Jugend her einer der besten Kenner jener vor der dalmatinischen Küste liegenden Insel- und Klippenwelt, ihrer Kanäle und Durchfahrten – der Vater also nahm im höheren Alter und nach seiner Pensionierung einen seltsamen Weg. Erbsachen führten ihn nach Bregenz in Vorarlberg. Dort, am Wirtstische, gab er im Gespräch mit einem fremden Herrn von ungefähr zu erkennen, woher er komme und was er seiner Profession nach gewesen sei: eben dies aber schien den Fremden ganz gewaltig anzugehen und aufzuregen. Er machte sich bekannt – ein an der Reederei, der Schiffahrt und dem Werftbetrieb am Bodensee vielfach beteiligter Mann, dem sogar drei große Passagierdampfer gehörten – und beschwor den alten Milohnić, der ihm augenscheinlich gut gefiel, nach Bregenz zu übersiedeln. Es sei fast unmöglich, richtige Kapitäne für die Bodensee-Dampfer zu kriegen, solche aber wären für dies keineswegs immer harmlose Gewässer unbedingt erforderlich. Summa: der alte Milohnić schwamm jetzt auf dem Bodensee, und es ging ihm hervorragend gut dabei.

Milohnić junior aber, tüchtiger Sohn eines tüchtigen Vaters hatte in Wien für Mr. und Mrs. Clayton eine Reise-Route ausgeheckt, wie sie wohl nur ein sehr eingehend des Landes Kundiger erstellen konnte. Es befanden sich innerhalb jener Route auch Ziele, von denen sogar viele Österreicher nie im Leben was gehört hatten.

Als der Zug nach einem Halt von etwa zehn Minuten wieder in Bewegung war, merkten Clayton und Harriet bald, daß es nun bergan ging. Die Gegend war nicht mehr flach. Jenseits einer breiten Talsohle zeigten sich waldige Berge. Sie hörten die Lokomotive jetzt in zahllosen eilig-keuchenden Ausstößen den Dampf hervorpuffen. Der Zug fuhr flott. Rechter Hand, durch die offene Coupétür und das Gangfenster, war nur ein steiler Abhang zu sehen, buschig und waldig. Clayton beugte sich links ein klein wenig in den Wind, blickte über die Talsohle zu den Bergen, dann voraus, und sah, daß man in sanften Kurven an jenem Hange entlangfuhr. Nun erblickte er den vorderen Teil des Zuges. Die große schwere Maschine arbeitete heftig, die Luft schmeckte frisch, das war trotz des Rauches zu spüren, und der Lärm erzeugte jetzt kräftigen Widerhall. Im Fahrtwind sich zurückwendend entdeckte Clayton, daß am Schlusse des Zuges eine zweite große Lokomotive lief, die also schob, nicht zog. Ihr Rauchfang entließ eine donnernde Dampfsäule, deren Weiß von dunklen Kohlenschwaden getrübt war.

Die Berge drüben wuchsen hoch an. Nun stand man wieder. Ein ländlicher Perron. Viele Personen verließen die Waggons; wie es Clayton schien, waren das Personen der höheren Stände, Herren und Damen, jene zum Teil mit nachlässig über die eine Achsel gehängten Rucksäcken, diese mit elegantem Gepäck; eben rollten unten auf einem Wägelchen mehrere gelbe Handkoffer und flache Nécessaires vorbei. Einige der Herren und Damen schienen erwartet worden zu sein, es gab Begrüßungen, Händeschütteln, Gelächter; die Schirm-Mützen von Hoteldienern tauchten auf.

Harriet sah nicht hinaus. Clayton stand am Fenster. Was ihn hier berührte, war heimatlich, aber warum nur? Es gab in England keine Bahnstationen mitten im Gebirge, vielleicht in Schottland, aber dort war er nie gewesen. Der Perron lag leer. Der Zug setzte sich wieder sanft in Bewegung. Clayton sah voraus und bemerkte, daß die Strecke nach links drehte. Kaum hatte er den Viadukt, dem man sich jetzt näherte, erblickt und als solchen erkannt, so verschwand schon das Terrain neben den Geleisen wie verschluckt: man fuhr bereits auf den mächtigen gemauerten Bogen in enormer Höhe dahin und über eine lang gestreckte Ortschaft, deren Straße unten durchlief.

Vom Überfahren des Viaduktes an ließ sich Clayton nicht mehr auf seinen Platz neben Harriet nieder.

Die Strecke wandte sich und bald immer wieder. Es war, als stiege man über eine gewundene Treppe zum Dach eines Gebäudes empor. Das kurze zischende Vorbeifliegen der Wand in gemauerten Einschnitten gab den Blick wieder frei für ein neues Bild, das jetzt in's Treffen trat und sich in die Aussicht schob, die viele Male schwarz verschluckt und verschlossen wurde von den Tunnels. Clayton hatte die Empfindung, schon sehr hoch zu sein, aber es ging noch höher. Jetzt sah er drüben in weitem Bogen die Bahntrasse liegen, über welche man eben vorhin gefahren war. Die Abstürze neben der Strecke wurden steiler und tiefer und schließlich schwindelnd, als man durch eine Art offener Galerie fuhr. Ihre Pfeiler zischten vorbei. In der nächsten Kurve sah er, so rückwärts wie vorne, die Lokomotiven donnernde Dampfstrahlen emporwerfen.

Es gab Stationen. Bei ihnen stiegen ähnliche Leute aus wie auf dem letzten Bahnhof vor dem Viadukt; und am Perron ging es ganz ebenso zu. Noch mehr Hoteldiener.

Clayton war während der ganze Fahrt über den Semmering in ununterbrochener Bewegung; bald vom Gang einen steilen Abhang emporschauend, dann vom Coupéfenster in die Tiefe blickend. Wieder fuhr man über einen hohen Viadukt. Clayton sprang auf den Gang hinaus, er wollte das eingerissene Waldtal aufwärts sehen. Nun war's vorbei. Der Steilhang kam dicht an die Strecke. Er betrat wieder das Abteil, entschuldigte sich bei Harriet wegen des häufigen Aus- und Eingehens und schaute aus dem Fenster in eine hier aufgegangene vielfältige Ferne, darin die Sonne sich an einzelne Felszähne lehnte, die sanft aus den Wäldern leuchteten, Wälder fern und wie Moos. Harriet lächelte. Clayton empfand den Ausblick geradezu als ein Übermaß. Sie bemerkte freilich und dachte es deutlich, daß sein Interesse an dieser Bergbahn über das des Ingenieurs hinausging. Zudem, er war ja kein Eisenbahnbauer und kein Ingenieur in jenem gehobenen Sinne, der hier demonstriert wurde, sondern ein Spezialist für mechanische Technologie in der Maschinenfabrik seines Vaters, ein angehender Betriebsdirektor, der auf Verbesserungen sann. Immerhin Techniker; so mochte er auch hier manches verstehen, was sie garnicht sah. Diese Sachen dachte Harriet hinter ihren zusammengewachsenen Augenbrauen. Sie spürte eine leichte Verlegtheit des Gehörs, etwas wie Watte in den Ohren, erkannte aber nicht die Ursache davon: das rasche Durchmessen eines bedeutenden Höhenunterschiedes. Clayton trat vom Fenster. Er blickte Harriet an; aber sie sah jetzt nicht auf; anders hätte sie bemerkt, daß sein Antlitz sich sozusagen eingetrübt hatte. Eine Station kam. Aus dem Reisehandbuch wußte Clayton, daß man sich nun in einer Seehöhe von nahe an 900 Metern befand. Danach endete eigentlich alles in der langen ziehenden und sausenden Finsternis eines Tunnels. Die Lampe an der Decke, für welche der Schaffner noch vor dem Beginn der Gebirgsstrecke gesorgt hatte, bestrahlte mäßig diese Kammer mit den Polstersitzen, die mit ihren beiden Bewohnern durch die Dunkelheit eilte. Clayton hatte die Fenster geschlossen. Im Tunnel dachte Harriet noch einmal an sein Entzücken über die Bahn, sein Aussehen dabei, das ihr sehr gut gefallen hatte. Der Gedanke, sich jenem Entzücken anzuschließen, streifte sie jetzt so wenig wie früher. Der Tunnel war weg. Der Zug fuhr klappend und schlagend schnell bergab; man fühlte es deutlich. Auf dem Berge war die Fahrt stellenweise sehr langsam geworden. Die Landschaft draußen beruhigte sich in waldigen Höhen, die flacher wurden. Jetzt plötzlich war Harriet's Gehör wieder ganz frei. Sie sagte es ihrem Mann und er gab ihr die Erklärung für diese Erscheinung.

In Agram vermeinten sie manchmal, sie seien noch zu Wien; in einem großen Café etwa. Besonders die Gesichter der Kellner waren ganz so wie in Wien, aber auch die mancher Gäste. „Austrian faces", sagte Harriet. Robert fand das angenehm.

Die Fahrt über den Semmering erwähnte er hintennach nie mehr.

Ihr nächstes Reiseziel war ein Marktflecken in Krain namens Cerknica, ein Ort, den man damals auch Zirknitz benannte. Er liegt nahe einem See, der manchmal – samt allen Fischen und sonstigem Getier – durch unterirdische Emissäre verschwindet, in jahrelangen ganz unregelmäßigen Abständen, ähnlich wie der Neusiedler See im Burgenlande, dessen so geartete Besonderheit schon Plinius gekannt hat.

Hier hatte Herr Milohnić – in einer Art von Reise-Dictionär, den er für das Ehepaar angefertigt, und der auch die notwendigsten Wörter Englisch-Slovenisch und Englisch-Kroatisch enthielt – eine Randzeichnung angebracht: nämlich einen kleinen Krebs: daneben ein großes Ausrufungs-Zeichen. Mit solcher Hilfe hatte man abends im Wirtshause bald eine hochgetürmte, in Servietten eingeschlagene Schüssel am Tische, die sich als ein Berg jener rotgekochten Tiere entpuppte. Der salzige frische Geschmack tat das seine – es waren enorme Burschen – und der Požeganer Riesling mundete dazu in unbeschreiblicher Weise.

Aber Clayton – der nun einmal Molchgläser gleich interessiert untersuchte und sich für eine Bergbahn weit über das Technische hinaus zu erwärmen vermochte – verlangte dorthin geführt zu werden, wo er diese Krebse lebend in ihrer natürlichen Umgebung zu betrachten Gelegenheit haben könnte. (So weit langten Milohnić' Dictionär und die Zeichensprache!) „Ja, ja", meinte der Wirt, und „es sind nur ein par hundert Schritte bis dahin."

Sie wurden am nächsten Tage bald getan. Es war nicht der eigentliche See, sondern irgend ein kleineres Gewässer, vom frischen Zirknitzbach durchflossen. Das Ufer war schattig. Die Wasseroberfläche aber spiegelte im Licht. Clayton legte sich in's Gras auf den Bauch, nahe dem Abbruch des Ufers und beugte sich ganz hinab. Der Teich war hier am Rande kaum armtief und völlig klar. Zu seinem Erstaunen sah er alsbald drei oder vier der großen Krebse in der Nähe vom Ufer-Abbruch und von dessen Höhlungen umherkriechen. Clayton sprang auf. „Ich seh' schon welche!" rief er Harriet zu, die in der Wiese stand. Er warf den Rock ab, krempelte die Hemdärmel bis an die Achseln auf, legte sich wieder auf den Bauch und kroch so weit vor, daß seine langen Beine ihn eben noch im Gleichgewichte hielten. Dann tauchte er den rechten Arm langsam ein: das angezielte Tier aber, mit einem kräftigen Schwanzschlage nach rückwärts schwimmend, schnellte in die Tiefe des Wassers davon. Clayton, den dieser Vorgang überraschte (er hatte noch nie einen Krebs in freiem Wasser gesehen) und zugleich außerordentlich ergötzte, näherte sich mit der Hand einem anderen der Tiere; es saß unweit einer Uferhöhlung mit dem Kopf und den mächtigen Scheeren gegen den Teich gekehrt. Clayton wollte auch dieses zu einem putzigen Sprunge veranlassen; jedoch wurde die Annäherung seiner Hand von dem besonders großen Exemplare offenbar garnicht bemerkt. Da wagte er's denn und griff zu, und ohne darin Erfahrung zu haben, ganz auf die rechte Art: er bekam den Krebs am vorderen Teil des Körpers zu fassen, den man das Kopfbruststück nennt. Clayton zog den Arm herauf. Der Schwanz des Tieres schlug kräftig gegen die Bauchseite, das gepanzerte Geschöpf bog sich ganz nach rückwärts durch, die weit geöffneten großen Scheren versuchten nach hinten zu greifen. Es war freilich vergebens. Clayton drehte sich auf die linke Seite und setzte den Krebs in's Gras, der sogleich in sichtlicher Wut hoch auf seinen Beinen zu marschieren begann, die Scheeren bedrohlich vor sich hinstreckend. Clayton lachte. „Ich hab' ihn gekriegt!" rief er Harriet zu, die näher herangekommen war.

Sie lächelte und sah auf ihren Mann und dessen lebendige Beute nieder. In der Stille hörte man die Zirknitz kräftig rauschen, die unweit von hier über eine Stufe des Gesteins in den

Teich einfloß. Clayton blieb liegen und setzte den Krebs, der sogleich die Richtung gegen das Wasser genommen hatte, wieder zurück. Nach einer Weile aber nahm er ihn neuerlich behutsam beim Kopfbruststück und brachte ihn so, mit dem Arm hinablangend, dicht an den Rand des Wassers, aus welchem eine kleine Steinplatte flach herausragte. Hierher gesetzt, zögerte das schalige und scheerige Ungetüm anscheinend ein wenig, stieg aber dann mit Bedacht in's Wasser und verschwand gegen die Tiefe zu: Clayton, so lang er ihn sehen konnte, folgte seinem Weg, das Gesicht dicht über den Wasserspiegel haltend.

„Hat mit mir Bekanntschaft gemacht", sagte Clayton und deutete dem entschwundenen Krebs nach in den Teich.

„Wird nicht eben erfreut gewesen sein", meinte Harriet.

Eine weitere naturkundliche Jagd auf Krebse fand nicht statt. Harriet wollte auch keine mehr essen; ihr sei der Appetit darauf vergangen, sagte sie, seit dem Anblick des braungrünen kriechenden Tiers im Grase; es habe wie eine große Spinne ausgesehen. Clayton stimmte ihr lebhaft und wie erfreut zu. „Ich will auch keine Krebse mehr essen", sagte er.

Sie aßen jetzt Fische, deren es im See viele gab und die man hier vortrefflich zu braten verstand.

Sie blieben länger als vorgehabt und verschlampten dabei ein wenig hinsichtlich ihrer Toilettegewohnheiten. Es gab kein Badezimmer im kleinen Gasthof. Das tägliche Schwimmen – nicht in jenem Wasser, wo Clayton den Krebs gefangen hatte, sondern im See – wurde als sportliches Vergnügen betrieben, besonders von Harriet, die darin, wie auch im Tauchen, überaus tüchtig war, und nicht so sehr der Abkühlung wegen. Trotz des hochsommerlich blauen Himmels litt man hier nie unter der Hitze. In diesem kühlen Grunde schien alles vom Wasser und dem dichten Grün beherrscht. Mit Verwunderung gedachten sie des Aufenthaltes zu Wien, etwa so, als hätten sie in einem Dampfbad gelebt, und schon gar, als der zufällige Blick auf ein am Fenster befindliches Thermometer ihnen zeigte, daß die

Temperatur hier um nichts niederer war als dort. Die Fülle des Laubes überall, die plätschernden Gerinne der Zirknitz, das Weg-Biegen eines Wiesenpfades aus der Sonne unter die mächtigen Kuppeln der Bäume, der Wasserstaub, darin ein einzeln durchs dichte Geäst dringender Sonnenstab lag, dies alles schlug blaue Schattenbuchten überall selbst in die Helligkeit des Mittags und überwog die herrschende Wärme.

Das Zimmer hatte Grün. Links im Fenster war ein Baumwipfel teilweise sichtbar. Nach acht Tagen war es eigentlich schon ihrer beider eigenes Zimmer. So sehr hatte es sich verändert. Sie empfanden das, sagten aber nichts davon. Die Vorstellung, wie Harriet in der Wiese gestanden war (dahinter stand sie auch an jenem Tümpel im Wiener Prater) blieb für Clayton schmerzhaft. Er wußte auch schon, daß er sie eigentlich deshalb geheiratet hatte, dies vorausahnend und vorwegnehmend. Dann und wann war der Himmel bedeckt, das Licht lag wie grauer Staub in den Ecken des Fensters. Das Zimmer war geräumig, von dem matten Lichte bis an die rückwärtige Wand durchlegt. Es gab einen großen Tisch. Harriet war stets bereit, Briefe zu schreiben. Sie besaß alles dazu, auch ein verläßlich schließendes Reise-Tintenfaß. Es hatte, wenn geschlossen, die Gestalt einer Jokey-Mütze, es stellte eine solche vor, war auch dementsprechend gestreift. Clayton war nicht imstande, Briefe zu schreiben, aber Harriet vermochte das sogar abends nach dem Essen noch zu tun. Es machte Clayton einmal geradezu den Eindruck, als habe sie hier eine geordnete Kanzlei eröffnet. Sie schrieb rasch. In einer Stunde vier bis fünf Briefe. Nach England, nach Canada und sonst noch wohin. Ihre Schrift war groß und aufgerichtet, die Feder machte viel Geräusch, wenn sie über das lila Briefpapier fuhr. Clayton lag am monströs geschwungenen mächtigen Diwan. An Milohnić in Wien schrieben sie einmal eine Karte.

Nach zehn Tagen erst weiter. Dem slowenischen Wirt war leid um solche Gäste, die von ihm gehegt und gepflegt worden waren, so daß die Claytons, wenn auch auf altväterische Art, mehr Komfort genossen hatten als man heute in manchem großen Hotel antrifft. Die nicht allzu lange Reise führte in ein wahrhaft anderes Tal, das von einem tief in sein enges Bett gezwängten Flusse gebildet war. Aber als sie, nach einer Wagenfahrt von Cetin bis zur Korana, an dieser entlang ihren ersten Spaziergang machten, wurde bald offenbar, daß der immerwährende und zunehmende Donner, welcher hier den Luftraum erfüllte, unmöglich von dem eingeschnittenen Flußbette neben ihnen ausgehen konnte.

Wie aufgerissen war dieses linker Hand nach einer Biegung. Die Einmündung aber zeigte sich bald abgeschlossen durch eine senkrechte weiße Wand von enormer Höhe, die, eins mit ihrem Donner, jetzt in geringer Entfernung vor ihnen stand.

Einen Augenblick lang rang Clayton nach Atem, als wäre ihm dieser wirklich ausgeblieben. Man kann nicht annehmen, daß ihm die einfachste Erklärung damals oder später eingefallen ist für die Übermacht des Eindruckes, den er jetzt erlitt: daß nämlich große Wassermengen von ihm bis dahin nur als waagrechte gesehen worden waren – etwa auf Seereisen – nie aber als senkrechte Wand aufgerichtet (sie erschien wenigstens im ersten Augenblicke als senkrecht und als einheitlich).

Auch Harriet schwieg. Auch sie war doch dem Schrecken zugänglich.

Oben an der weiß-schäumenden Kante – der untere Teil der Fälle stand in Schleiern – zeigten sich unverständliche Einzelheiten: Dächlein, Brücken, Gitter oder dergleichen, von altem braunem Holze. Diese Dinge dort oben wirkten schrecklich; gerade sie waren eigentlich das Schrecklichste an dem Katarakt, und doch lag es so ganz jenseits der Sagbarkeit, warum eigentlich.

Sie gingen jetzt weiter. Der Donner stand links, dann hinter ihnen, der Fall ihren Blicken entzogen.

Es sind die Wasserfälle der Slunjčica – fast mitten im Orte Slunj gelegen – eine sehenswerte Merkwürdigkeit jener Gegend, am allermeisten freilich war es ihre Bekrönung. Sie ist heute in solcher Weise nicht mehr vorhanden und dürfte schon vor mehreren Jahrzehnten zum Teil verschwunden gewesen sein. 1877 jedoch breitete sich noch dies eigentümliche Gerümpel mitten im schäumenden Wasser über die ganze obere Kante des Absturzes, mit Verbindungs-Stegen, geringen Geländern, Hüttchen und nicht immer Vertrauen erweckenden Brücken dazwischen. Es waren Mühlen, was sich da über die Breite des Kataraktes zog; und zwar sehr viele. Jede gehörte einem anderen Bauern.

Clayton und Harriet überschritten das tief eingewühlte Bett der Korana als sich eine Brücke bot und traten in eine veränderte Gegend. Die Slunjčica kam von weit her durch eine Art steiniger Planei: und hier jetzt das Wasser – es war in mächtige Breite auseinandergeflossen, brodelnd und unruhig in seiner ganzen Ausdehnung. Unmittelbar daran und dahinter die ersten Häuser des Marktes Slunj. Die Linie der Mühlen, welche den Katarakt bekrönten, wurde von Harriet und Clayton jetzt von rückwärts gesehen, aus einer Entfernung von etwa hundert Schritten: und darüber hinweg fiel der Blick in den leeren Luftraum. Erst indirekt erkannten sie, was diese braunen Wasserhütten eigentlich zu bedeuten hatten. Von der Straße hier zweigte eine andere in spitzem Winkel ab, gegen den Fall zu, dicht an das Wasser heranführend. Dort standen Wagen, hochbepackt mit Säcken, welche abgeladen und von einzelnen Männern über die Brücklein hinaus längs des Falles getragen wurden. Einige der Männer gingen nicht sehr weit, zur dritten oder vierten Hütte im schäumenden Wasser. Andere sah man ganz draußen klein mit den Säcken über die Stege gehen.

Was an dem gesehenen Bilde auf Clayton und Harriet innerlich tief und für den Augenblick fast vernichtend einwirkte, ist schwer zu sagen. Ein Wasserfall ist kein seltenes Naturphänomen. Die Mühlen an seinem oberen Rand allerdings bildeten eine Curiosität, die sie doch gerade als solche nicht zu empfinden und also abzuwehren vermochten. Beim Heimwege wandten sie sich noch einmal nach den Fällen um und sahen oben wiederum klein deren Bekrönung.

Wie auch immer – das Ganze drängte sie zueinander und sie machten den Weg zum wartenden Wagen zurück Arm in Arm längs des Flusses; und waren glücklich, abends in der Wirts-Stube, und glücklich in ihrem Schlafzimmer.

Nach der Rückkehr aus dem Süden erfuhren sie bedeutsame Neuigkeiten. Diese wurden dem jungen Paare vom ganz alten Clayton – damals erst zweiundsechzig – mitgeteilt. Ihn gab es ja immerhin auch, Roberts Vater: sogar in recht maßgeblicher Weise.

Das auf die Neuigkeiten bezügliche Gespräch fand am Tage nach ihrer Ankunft in Brindley-Hall statt: tatsächlich in der Halle. Man war nach Tische vor das bereits erforderliche lebhafte Kaminfeuer gegangen. Vater Clayton teilte überraschend mit, er sei inzwischen in Wien gewesen, um einige Vorbesprechungen zu führen. Die Errichtung eines Werkes dort für landwirtschaftliche Maschinen sei für ihn nun eine beschlossene Sache. Über die enormen Absatzmöglichkeiten in den zum Teil wenig entwickelten Gebieten des Südostens bestehe kein Zweifel. Der Import aus England könne sich aus vielen Gründen – worunter die Fragen von Transport und Zoll nicht einmal die vordringlichsten seien – an Rentabilität niemals messen mit einer Erzeugung aller Geräte und der zu ihrem Antrieb erforderlichen Lokomobilen gleich an Ort und Stelle, nämlich in Österreich selbst. Zuletzt sagte der ganz alte Clayton, daß er schon Gründe gekauft habe und daß man unverzüglich mit der Adaptierung von bereits vorhandenen Anlagen und dem Hinzubau neuer beginnen werde. Das Technologische vor allem sei jetzt von erstrangiger Bedeutung: die zu erzeugenden Typen müßten dem zu deckenden Bedarf – auch einem solchen in den Alpenländern –

genauestens angepaßt werden. Schließlich: „Du wirst Deutsch lernen, und womöglich noch Kroatisch oder andere derartige Sprachen dazu und deinen Sitz mit Harriet in Wien nehmen. Das Technologische duldet hier überhaupt keinen Aufschub. Ich habe alle Informationen mitgebracht, so daß wir hier im Werk sogleich die Dinge entwickeln können. In Wien muß sofort ein Bureau eröffnet werden, das die Sachen dort in die Hand nimmt. Leider ist es mir in der kurzen Zeit nicht gelungen, jemand geeigneten dafür zu finden, für eine Kanzlei, meine ich. Mit Inseraten und Stellenvermittlungen will ich mir nichts anfangen."

„Wir schreiben an Milohnić", sagte Harriet zu Bob.

Der Sohn erklärte dem Vater, wer das sei.

„Gut", sagte der Alte.

Man kann nach diesem allem leicht denken, daß sich in der folgenden Zeit vieles änderte und daß, als ein und ein halbes Jahr vergangen waren, sich noch viel mehr bereits geändert hatte. Das Werk Clayton & Powers in Wien stand, das heißt eigentlich, es lief bereits, und aus vollen Kräften. Der alte Clayton hatte sich nicht geirrt. Im Bureau schaltete Herr Chwostik. Noch andere brauchbare Leute waren von dem tüchtigen Milohnić – den man für solche Dienste freilich honorierte – herbeigebracht worden. Bob Clayton sprach bereits passabel Deutsch, und kroatische Stunden nahm er bei dem trefflichen Andreas. Harriet hatte inzwischen – übrigens genau neun Monate nach ihrem seinerzeitigen Eintreffen in Slunj – einen Sohn geboren, den man Donald nannte.

Als der Abschied von England näher gerückt war – ohne daß man bisher eigentlich so ganz anschaulich dieses Bevorstehenden gedacht hatte – erwies er sich als eine gewichtige Sache, die von irgendeinem Tage an das Herz zu belagern begann, und auch dasjenige Harriets. Ihr damaliger Zustand erlaubte ohneweiteres noch das Reiten; und so waren Robert und sie – Harriet auf dem Fuchsen – mehrmals oben am breiten Hügelkamm, und ihr Pferd machte seine Sprünge über die gleiche Wiese wie damals, als sie Robert Clayton zum ersten Mal gesehen.

Das Wetter war nicht ganz klar, es war milde und milchig und man erblickte den Kirchtum jenseits des Flusses nur als einen dünnen Strich.

Donald Clayton kam am 10. Mai des Jahres 1878 in Wien zur Welt, wurde jedoch, sobald er das schulpflichtige Alter erreicht hatte, nach England gebracht und dort erzogen. Hierin lag eine gewisse Härte gegen Harriet, die zu üben dem ganz alten Clayton offenbar leicht fiel. Der Bub lebte, so lange er die Elementarschule besuchte, im Hause seines Großvaters. Später kam er in eine public school (Realschule). Die technische Hochschule absolvierte Donald jedoch zu Wien – von Kindheit an hatte er Deutsch, daneben noch andere Sprachen gelernt – und erwarb als Maschinenbauer im Frühsommer 1902, also mit 24 Jahren, den Grad eines Ingenieurs.

Von da ab war Donald im Wiener Werk tätig, welches er schon aus mancher Ferienpraxis gut kannte.

Von da ab gewannen auch Vater und Sohn Clayton, die sich immer ähnlicher sahen je älter sie wurden, den Charakter einer festen Prägung, wie die beiden Seiten einer Münze. Donald ergraute schon gegen sein dreißigstes Jahr an den Schläfen, während sein Vater noch hoch in den Fünfzig ein unverfärbtes und ungefärbtes Haar am Haupte trug. In England nannte man sie bereits ‚Clayton bros.‘, was so viel bedeutet wie die Brüder Clayton. Der einzige sehr starke, ja scharfe Unterschied zwischen Vater und Sohn war kein in's Auge springender. Donald hatte von seiner Mutter den gerade abfallenden Hinterkopf geerbt (welchen man unter der zeitmodischen Frisur bei ihr kaum sah). Roberts Schädel war rückwärts stark ausgewölbt.

Harriet blieb schlank, aber alterte früh. Sie ritt von Anfang an täglich in den Prater, die Hauptallee entlang und auch an jener Stelle vorbei, wo sie im Spätsommer 1877 mit ihrem Mann zwischen die alten Bäume und an den Weiher oder Tümpel getreten war, dort, wo die Stechmücken den Aufenthalt bald unerträglich gemacht hatten. Aber sie hielt ihr Pferd niemals an bei dieser Stelle. Der Fuchs war in England geblieben.

Clayton bros. pflegten zu Wien mitunter abwechselnd im Werk zu sein (besonders so lange der ganz Alte noch lebte und drüben alles führte) und so begegneten sie einem auch abwechselnd in der langen Straße, an welcher die Fabrik lag: der eine vormittags, der andere nachmittags, je nachdem, wie sich's fügte. Morgens ging meist der Vater in's Bureau, weil er dort gleich die Post sehen konnte, nachmittags der Sohn. Oft freilich waren auch beide da.

Die deutliche Doppelprägung konnte morgens um viertel vor acht und mittags um ein viertel nach eins nicht übersehen werden von mehreren Gymnasiasten, welche zu den angegebenen Zeiten hier in die Geleise ihres täglichen Weges zur Schule fielen oder von dieser heimkehrten. Auch sie empfanden die ihnen ja nur vom Sehen her bekannten Gestalten als Brüder und benannten sie bald auch so. Jedoch das deutliche Gepräge mit festem Wert wirkte auf die vierzehnjährigen Schüler um 1910 herum bereits in weitgehender Weise verändernd, ja revolutionierend.

Einer von ihnen, der Sohn eines hohen Beamten, namens Chlamtatsch, fing damit an. Die Brüder, welche von anderen Schülern schon ,die Engländer' genannt worden waren – so viel wußte man erstaunlicher Weise aus dem Augenschein ohne doch irgendetwas zu wissen! – wirkten aufrichtend und eröffneten den Blick auf nichts geringeres als eine neue Art zu leben, nämlich mit aufrechtem Gange, wenn man so sagen kann; denn bisher war dieser, im Zuge der verschiedentlichen Raufereien und Prügeleien am Schulwege, durchaus nicht immer herrschend gewesen: vom einen Tage auf den anderen wählte nun der junge Herr von Chlamtatsch einen anderen Weg zur Schule, der einigermaßen ein Umweg war. Dieser konnte freilich nur beschritten werden, wenn man morgens rechtzeitig aufstand und mittags ohne Verzug und Eckensteherei heimging, denn im Hause Chlamtatsch wurde pünktlich gegessen und Verspätungen bei so ernstem Anlasse duldete der Vater Chlamtatsch nicht. Zdenko von Chlamtatsch (so hieß unser Schüler) wollte aber seinen Umweg genießen, das heißt gemachsam dahingehen (wie er's bei den Engländern gesehen hatte), und dazu gehörte nun freilich einiges: nicht nur Zeit, sondern auch eine nicht gar zu flüchtig gemachte Morgentoilette, ja, im weiteren Verlaufe dieser Bestrebungen, auch ein korrekt erledigtes Pensum der Schularbeiten, denn es ging jetzt einfach nicht mehr an, sich knapp vor Beginn der ersten Unterrichts-Stunde noch schnell was durchzulesen oder solches zu tun, während der Professor schon auf dem Katheder stand. Die Sachen wurden immer mehr und mehr in aller Ruhe am Abend abgeschlossen; der Schulweg morgens war so hastig nicht mehr und nicht so direkt; es war ja ein Umweg.

Solche Wirkungen, welche durch eine, doch noch immer sehr distanzierte Berührung zweier Zeitalter auf den Schüler Chlamtatsch ausgeübt wurden, zogen bald weitere Kreise.

Freilich, die Umwegigkeiten des jungen Herrn von Chlamtatsch waren derart angelegt, daß er dabei Clayton bros. zuletzt doch begegnen mußte, und das fast täglich. Weil er nun hartnäckig auf seiner neuen Route bestand – mit jener Festigkeit, welche die frühe Jugend oft bei nichtigen Gegenständen zeigt und welche nichts anderes ist als die vorweg genommene Form späterer und härterer Entscheidungen (als wollte das Leben solches früh mit uns üben!) – so schlossen sich ihm allmählich einzelne an; wohl möglich, daß von seiner auch sonst sich mehr und mehr ändernden Verfassung einige Macht ausging. Unter jenen, welche auf solche umwegige Weise aus dem Frühsumpf ihrer Jugend stiegen und auf den festen Boden mit seinen viel gefährlicheren, weil von anderen übernommenen Verlockungen aus zweiter Hand, befanden sich die Gymnasiasten Heribert von Wasmut und Fritz Hofmock. Des ersteren Vater war gar Sektionschef im Ministerium des Kaiserlichen Hauses und des Äußeren, der alte Hofmock hingegen ein verhältnismäßig höherer Beamter bei den Finanzen.

Jene drei, die den Kern der Sache ausmachten, paßten also der Herkunft nach gut zusammen.

Schon zeigten sich auch deren Prätentionen.

Für uns hier hat es ja weniger zu sagen, daß die Schulfortschritte der drei innerhalb eines halben Jahres schon ganz erhebliche waren. Sie gehörten bald zu den Besten der Klasse. Aber das war nur die äußerste Haut eines erneuerten Leibes.

Wichtiger erscheint, daß Heribert, Fritz und Zdenko für ihre Eltern gewissermaßen handlicher wurden. Jene Renitenz jugendlicher Geschöpfe, unter welcher alle jene leiden, die es nicht haben lassen können, mit solchen die Welt zu bereichern, ließ nach, ja, sie schien zuletzt verschwunden. Nur von Zdenko wurde dabei eigentlich ein Abschied vom früheren Zustande erlebt; ja, man könnte es fast einen schmerzhaften Abschied nennen: als er nachts einmal – was bei ihm sonst nie vorkam – erwachte, und geradewegs ein langes halbes Jahr entlang sah, entlang wie an einer glatten Mauer, die bis zu einer Ecke weißgekalkt hinlief; und eben hinter dieser Ecke war er einst befindlich gewesen – er wußte sich dort; vermochte jedoch nicht mehr hervorzutreten, sondern blieb gleichsam in einer Nische verschlossen. In diesem Augenblicke drängte ihn Angst und er setzte sich rasch im Bette auf.

Nie war zwischen den jungen Leuten von Clayton bros. die Rede, niemals wurden sie erwähnt, sie blieben ein still vorüberziehendes, am täglichen Kurs liegendes Phänomen – zugleich ein äußerstes Intimum eines jeden von den dreien, ja, die unaussprechliche Angel, um welche die Existenz schwang und schwankte. Die ‚Engländer‘ unterlagen dem strengsten Tabu.

Chwostik war kein veränderungs-süchtiger Mensch. Er veränderte so manches nicht, was nach Ansicht seines gleichaltrigen Freundes Andreas Milohnić jetzt schon dringend zu verändern gewesen wäre; seit nämlich Josef Chwostik auf dem besten Wege sich befand, bei Clayton & Powers so etwas wie ein rechter Kanzlei-Chef zu werden. Denn in diesem einen Punkte hatte Chwostik sich eben doch verändert und, nach längerem Anraten und Zureden von seiten Milohnić', seine bisherige Stellung aufgegeben.

Sie war gut, aber nicht aussichtsreich gewesen. Chwostik konnte in der Devotionalien-Erzeugung Debrössy nicht mehr werden als er mit seinen kaum dreißig Jahren schon war, nämlich der eigentliche kommerzielle Leiter. Das Technische ging ihn nichts an. Obwohl nun dieses Geschäft eine der ältesten und größten Erzeugerfirmen am Platze vorstellte für religiösen Schmuck und Reiseandenken – weit über 365 Heiligenstanzen- und Schnitte, darunter auch viele, die nicht laufend verlangt wurden, etwa St. Tryphon (10. November) oder St. Smaragdus (8. August) und andere mehr – so war es eben doch eine kleine Quetsche von fast provinziellem Charakter (die Einrichtung der Geschäftsräume und die Art der Angestellten entsprach dem ganz!) und schon gar im Vergleich zu Clayton & Powers.

Doch hatte Chwostik recht gut in die Firma Debrössy gepaßt. Auch ihm eignete ein zwar nicht priesterlicher, aber doch mesner- oder küsterhafter Zug, wenn auch nur in leichtem, kaum feststellbarem Maße, und keineswegs wie es bei mehreren von den Angestellten der Fall war – sogar in faßbaren Einzelheiten der Kleidung ausgedrückt, in schwarzen breiten Atlas-Krawatten, schlichten dunklen Röcken oder gar in der unbeschreiblichen haubenhaften Hutform eines älteren Bureaufräuleins. Die ebenerdig gelegenen Geschäftsräume waren auch bei Tage nie recht hell gewesen. Zudem roch es nach den mitgebrachten Mahlzeiten der Angestellten, welche diese über einem Kocher wärmten. Zuletzt hatte es schon Gaslicht gegeben.

Chwostik also zeigte keine Besonderheiten in der Kleidung. Der immer gleiche himbeer-rote Maschinschlips war abgegriffen und von trüber Farbe. Dasselbe kann man vom Rand des schwarzen steifen Hutes sagen. Der Gummi an den Zugstiefeletten war längst erschlafft, sie standen daher um's Fußgelenk herum wie Töpfe oder Häferln. Chwostik war schäbig gekleidet. Den Engländern – Robert Clayton und einigen Herren, Ingenieure, die wegen der technischen Einrichtung zunächst hier sich aufhielten – war das vollends gleichgültig. Sie schätzten den Mann. Er lernte so rasch Englisch, daß es fast unheimlich berührte (so, als habe er zunächst nur vorgegeben es nicht zu verstehen!) und da er von der Mutter her Tschechisch konnte, wurde das Serbo-Kroatische ihm auch bald geläufig. Sein Auffassungsvermögen war erstaunlich. Chwostik hatte nie irgendwelche andere Ausbildung durchlaufen als eine – allerdings sehr gute und solide – Handelsschule. So ging er denn nun täglich eilfertigst und eifrig bei Clayton & Powers ein und aus, schäbig, wie er eben war.

Auch dieses letztere gedachte Milohnić bei seinem Freunde Chwostik mit der Zeit zu ändern. Doch gab es, wie schon angedeutet wurde, Änderungen, die ihm dringlicher erschienen.

Schon die Gasse, in welcher Chwostik wohnte, mißfiel dem ‚Milo‘ (so wurde er von Chwostik genannt, den er seinerseits mit ‚Pepi‘ ansprach). Wenn die Dunkelheit hereingebrochen war, erschienen in der schwach beleuchteten ‚Adamsgasse‘ (war dieser Name nun ominös oder nicht?!) auf dem Gehsteige vereinzelte Flecken, Gestalten, die stationär blieben oder sich in der Nähe eines Haustores nur wenig hin und her bewegten, teils auch unter oder vor demselben standen im geringen Schein einer Gaslaterne. Somit konnten diese Frauen nicht als Passantinnen gelten, und das wollten sie auch keineswegs. Einzelne Passanten jedoch wurden von ihnen angesprochen. Jede hatte in einem der Häuser ein Zimmer, wo dann einschlagenden Falles was passierte (die Hausmeisterin kassierte hierauf beim Weggehen des Gastes das Sperrgeld ebenso wie beim Kommen, also stets zweimal, und freilich weit mehr als von einer ‚soliden Partei‘). Entscheidend wird nun aber – und allein dieser Umstand ist es, welcher unser Interesse erwecken kann! – daß jene Häuser eben keineswegs zur Gänze den angedeuteten Zwecken dienten (es gab ja auch nie mehr als höchstens vier bis fünf Nicht-Passantinnen in der Gasse), sondern von Arbeitern, Angestellten, Pensionisten und Trafikanten und deren Familien bewohnt waren, wie andere Häuser dieser sehr modesten Gegend auch. Solche Mieter traten den Frauen ein Zimmer ab, nicht zum Wohnen, sondern für den gewerblichen Zweck. Die Menschen in den großen Städten waren damals sehr arm. Gab es keinen genügend separierten Zugang für den in Frage kommenden Raum – meist war es der beste in der Wohnung – dann mußte ein solcher Zugang oft auf komplizierte Weise geschaffen werden. Es entstanden ganze abgeschlossene Gänge, schmale Gänge zwischen an gespannten Stricken befestigten alten Teppichen, Bettdecken oder Bettlaken, und solche Gänge führten oft mitten durch ein Zimmer, es in zwei Räume teilend, und leiteten so zur Türe des Empfangsraumes der betreffenden Dame. Die Besucher, hinter ihr dreingehend, fast immer ernsten Gesichts, sahen durch die Behänge und Vorhänge die Petroleumlampen der sozusagen rechtmäßigen Bewohner gedämpft scheinen und rochen deren warmen Dunst, will sagen, sowohl den der Bewohner, wie der Lampen. Es soll hier nicht untersucht und festgestellt, sondern nur als immerhin möglich oder denkbar in's Auge gefaßt werden, daß bei den durch die Behänge scheinenden Lampen Schulkinder späte Aufgaben machten.

So also verhielt es sich mit der Adamsgasse (würde der griechische Historiker Herodot abschließend sagen), und dem Milo langte das alles weitaus für ein erwähntes lebhaftes Mißfallen.

Aber der Chwostik hatte selbst zwei solche Weiber in der Wohnung, allda tätig Nacht für Nacht.

Ohne Behänge, Laken oder Vorhänge allerdings, weil die Zimmer vom Vorraume aus (dort brannte die ganze Nacht eine Petroleumlampe) direkt und jedes für sich zugänglich waren.

„Wenn es die Engländer erfahren, fliegst du glatt hinaus", sagte Milo. Es ist merkwürdig genug, daß in bezug auf die Firma Debrössy solche Bedenken bei ihm niemals aufgetaucht waren.

„Ich verlange nicht von dir, Pepi", sagte er noch, „daß du augenblicklich deine Wohnung wechselst oder sofort die Weiber hinauswirfst. Beides ist nicht möglich. Das erstere wäre überhaupt die bessere Lösung. Aber du solltest doch wenigstens darauf sinnen, hier einen Wandel zu schaffen." Er redete sein etwas hart klingendes Deutsch manchmal nah an der Art schriftlichen

Ausdruckes. In der Tiefe blieb es doch für ihn eine erlernte Fremdsprache.

„Ich sinne", sagte Chwostik und sah säuerlich vor sich hin. Dabei hakte er den linken Zeigefinger in die Westentasche, wie er das gern zu tun pflegte.

Milo wußte im Grunde ganz gut, daß Chwostik ein unverbesserlicher Mensch war.

Es wäre denn auch keineswegs so einfach gewesen, in Chwostiks häuslichen Verhältnissen einen Wandel zu schaffen, wie es hier auf den ersten Anhieb erscheinen mag.

Wie war er zu den Weibern gekommen, die ihn jetzt nächtens links und rechts flankierten? Das geräumige Kabinett, auf welches er sich zurückgezogen hatte, lag mitten in der Wohnung zwischen den zwei in Benützung stehenden Zimmern. So trennte Chwostik die Liebeslager. Des Kabinettes Flügeltüren nach beiden Seiten waren freilich versperrt, verhängt, ja, verstellt mit Möbelstücken.

Wieso und woher die Weiber? Chwostik war noch nicht fünfundzwanzig gewesen, als er in einem und demselben Jahre beide Eltern verloren hatte; der Vater starb der Mutter nach. Der Vater hatte sein Leben lang den Beruf eines Kellners ausgeübt, durch seine letzten zehn Jahre in einem nahegelegenen Beisl, wo Pepi und Milo heute noch gelegentlich saßen (auch das früher wiedergegebene Gespräch ist ebendort geführt worden, und es sollten noch einige von dieser Art folgen!). Der Wirt kannte Chwostik freilich als den Sohn seines einstmaligen ‚Ober'. Pepi blieb arm zurück, bei Debrössy war sein Gehalt noch klein, dort kam er später erst hinauf, das heißt eigentlich: er brachte das Geschäft in die Höhe.

Ihm blieb nach des Vaters Ableben fast nichts als die Wohnung mit den einigermaßen greulichen Möbeln.

Nun freilich, er war allein im eigenen Heim.

Und er war jung.

Er hatte eine Stellung und vermochte sich zu erhalten.

Jedoch knapp, ja schlecht. Zudem ist man mit fünfundzwanzig kein einteilsamer Rechnungsrat. Eines Tages bedeutete ihm die Hausmeisterin – Frau Wewerka, ein troglodytisches Knollengewächs, das aus der Hüfte hinkte – sie würde abends hinaufkommen, ihm was sagen. (Nun ja! Das doppelte Sperrgeld!) Die Zimmer seien sehr geeignet, ihre Lage, heißt das, meinte Frau Wewerka, obendrein im Hochparterre! Und: er, Chwostik, könne es doch wirklich besser haben! Sie überschlug's. Es war beträchtlich. Sie würde es schon machen. Zwei sehr nette anständige Frauen. Die Wewerka wußte freilich ganz genau, daß nicht sie, sondern nur Pepi Chwostik an den Kuppelei-Paragraphen des Strafgesetzes anstreifen mußte, durch das Aufnehmen der Weiber. Immerhin, die Sache war polizeilich in dieser Gasse toleriert, mindestens so lange niemand eine formelle Anzeige machte.

So kam's. Finy und Feverl (Josefine und Genoveva). Sehr bescheiden, sehr zurückhaltend beide. Um die dreißig. Eher mehr. Eher korpulent. Heute wären die zwei nicht denkbar. Damals jedoch war die ganze Lage dieser Branche eine bessere und die Mode den Dicken nicht feindlich.

Burgenländische Trampel bäuerlicher Herkunft, mit neunzehn durchgebrannt, des Jochs müde (vomere fessae), lieber in Wien auf dem Rücken liegend für ihren Unterhalt, als in Podersdorf die Heugabel schwingend oder in St. Marienkirchen, jenseits des Neusiedlersees, schon gegen dessen nördliches Ende zu: dorthin waren sie auch verdingt gewesen. Diese Gegend ist getüpfelt von Seen und Lacken. Finy und Feverl schwammen und tauchten bald wie die Fischottern darin herum, aber in wursthautartigen Badeanzügen, und nicht wie die ungarischen Bäuerinnen, die gleich mit ihren Kleidern bis zur Brust in's Wasser gehen.

Chwostik hat mit den beiden Weibern nie gesprochen, sie kaum jemals zu Gesicht bekommen, höchstens einmal verschwindend und verhuschend im Vorzimmer. Das war die Bedingung von seiner Seite. Die Hausmeisterin mußte alles arrangieren. Bei seinen neuen Untermieterinnen wie bei ihm bewährte sich von vornherein ein Instinkt für gewisse nicht zu überschreitende Grenzen, jenseits derer man ohne jedes Nachdenken mit

Sicherheit ein ganz anderes Gebiet, andere Situationen und deren Gesetze wußte. Beide Frauen hatten es dahin gebracht, ohne Zuhälter das Auslangen zu finden. Vielleicht war es nicht immer so gewesen. Vielleicht gab es eben darum für beide kein Zurück in diesem Punkte. Solches wußte übrigens auch die Wewerka.

Als die Hausmeisterin mit Trinkgeld abgegangen war, stand Chwostik am Fenster und sah in die Gasse hinaus. Dieses Zimmer war das Schlafzimmer seiner Eltern gewesen. Noch standen die Ehebetten, wo sie durch Jahrzehnte gestanden hatten. In der Gasse unten ging niemand, zeigte sich niemand, sie lag leer in Grau und Gelb. Die Hausmeisterin hatte gesagt, daß man in jedes der Zimmer links und rechts des von ihm bewohnten Kabinettes eines von den Betten stellen müsse, übrigens auch ein Sofa, aber darum brauche sich Chwostik nicht zu kümmern, im Wohnzimmer sei ohnehin eines, und ein zweites, bei einer Übersiedlung stehen geblieben, wisse sie am Dachboden und werde es herunter schaffen lassen; es sei so ähnlich wie sein Diwan im Kabinett, auf welchem er schlafe . . . . . Er war bedrückt, Chwostik; die Aussicht auf ein beinahe verdreifachtes Monatseinkommen half augenblicklich nur wenig, seine Stimmung zu verbessern.

Plötzlich aber, auf einen der Füße blickend, worauf die Ehebetten recht hoch standen, auf den linken vorderen, wußte er, daß hier die Stätte des größten Glückes war, das er je im Leben empfunden: mit der neuen Eisenbahn, dem einzigen kostbaren Spielzeug seiner ganzen Kindheit. Sorglich bewahrt. Bis heute. Er besaß sie noch, in ihrer schönen mächtigen Schachtel.

Er hatte sich in den Weihnachtstagen in's Schlafzimmer seiner Eltern damit zurückziehen dürfen, um ungestört zu spielen. Der Schienenkreis war um den einen Bettfuß herumgegangen, und der Zug immer wieder im Dunkel verschwunden und daraus hervorgekommen. Ganz wie die Wiener Stadtbahn mit ihren Tunnels.

Es gab also das Glück. Chwostik kannte es ja aus eigener Erfahrung! Er kannte es auch von den Ausflügen mit Vater und Mutter auf die Raxalpe. Dies war das einzige Vergnügen gewesen, das der Kellner Chwostik sich von Zeit zu Zeit vergönnt hatte, und bis in seine letzten Jahre: früh auf am Sonntag, bei Dunkelheit noch, aber vor dem Mittag bereits auf der Höhe. Die windgeschützte Rast irgendwo und der staunende Ausblick über die jähen Kalkklippen auf die wie dunkle gebauschte Tücher hingeworfenen Wälder unten.

Pepi kannte den Berg. Viele seiner Schründe, Wände und Steige. Vergessen alles, seit er bei Clayton & Powers war. Aber es sollte wieder sein.

Die Wewerka, welche mit dem hausmeisterlichen Gatten (welch' Wort des Schreckens wird das hier!) und ihrem Stiefsohn im Erdgeschoße, ja, fast im Keller, in troglodytischer Enge hauste (viel später erst gab es auch dort Gasbeleuchtung), wäre nach Ableben des Ehepaares Chwostik gerne Aspirantin auf die Wohnung geworden. Aber es ist ihr damals nicht gelungen, den Hauseigentümer (der in einem anderen Stadtviertel lebte) zur Kündigung der Wohnung des jungen Chwostik zu bewegen. Der Hausherr sah einfach keinen Grund dazu, und blickte die Wewerka nicht sehr freundlich, sondern eher schon gläsern an, als er merkte, wo sie hinaus wollte; also, daß jene sich veranlaßt sah, rasch einiges Vorteilhafte über Herrn Chwostik zu sagen. Eine Hausmeisterin müsse im Parterre wohnen, das sei überall so, meinte der Hausherr, und sie habe sich ja bisher auch beholfen. Es sei bei ihm nicht der Brauch, Wohnparteien ohne Grund zu kündigen. Wenn jedoch der junge Herr Chwostik seinerseits einmal würde anderswohin übersiedeln wollen: dann wäre er gerne bereit, als nächsten Mieter in erster Linie ihren Stiefsohn in Betracht zu ziehen.

Von dieser Seite also war die Chwostik'sche Festung nicht zu berennen, das sah die Wewerka ein. Jetzt aber, seit die Weiber oben ihr Wesen trieben, hätte sie doch immerhin etwas über Chwostik zu sagen gewußt; zumindest dies, daß er, was seinen Lebenswandel, seine Führung, seinen Leumund betraf, entschieden eine schwache Stelle hatte, daß er auch vom gesetzlichen Standpunkte anfechtbar war. Man sieht, Finy und Feverl waren zu einer Art gedoppeltem Trojanischen Pferde geworden, nur hatten sie gegenüber einem solchen zwei wesentliche Vorzüge: man mußte ihretwegen keine Mauern niederreißen (im Gegenteil! man mußte sogar Möbelstücke vorschieben), und außerdem: sie warfen was ab. Nicht gerade goldene Äpfel, was ja das trojanische Pferd garnicht getan hat; mindestens aber jede für jede Nacht vierzig Kreuzer an Sperrgeldern. So blieb die moralische Entrüstung der Wewerka über Chwostik's Treiben vorläufig latent. Sie hielt es wie die Polizei; sie tolerierte und schwieg zunächst; freilich auch dem Hausherren gegenüber, den man zudem hier noch höchst selten zu sehen bekommen hatte.

W as wir wissen, wußte Chwostik auch. Mindestens aber dies, daß ein Hinauswurf der Frauen mit Sicherheit eine hintennach erfolgende Anzeige wegen Kuppelei durch die Wewerka nach sich gezogen hätte, wobei das Knollengewächs wohl in der Lage gewesen wäre, darzutun, daß der Hinauswurf auf ihr Drängen hin erfolgt sei, nachdem sie das Unwesen in Chwostiks Wohnung einmal zweifelsfrei festgestellt hatte. Zudem: die Polizei glaubte damals einer Hausmeisterin mehr als jedem anderen Menschen.

Was wir wissen also, wußte auch Chwostik. Er lag schmal in der Mitte, gleichsam eingekeilt, und trennte die Lager greulicher Wollust; etwa wie ein säuerlich-verkniffener Zug, eine scharfe Falte, mitunter ein Antlitz zu teilen vermögen. Ein Teil-Strich, aber kein ausschlag-gebendes Zünglein an der Wage, leider: ein solches bildete nur die Wewerka.

Am ärgerlichsten wurde die ganze Sache erst Jahre später, als seine Position bei Debrössy bereits sehr gesichert war (das Geschäft hing schon geradezu von ihm ab), und Chwostik der Zuschüsse aus dem Mietverhältnisse Finy's und Feverl's längst hätte entraten können. Das Verhältnis zur Wewerka blieb immer ein freundliches. Nach seinem Stellungswechsel lag ihm nun Milo in den Ohren. Allmählich stumpfte Chwostik dagegen ab. Eingeklemmt, wie er lebte und lag, betäubte er sich nun geradezu in der Arbeit, blieb so lange im Bureau als irgend möglich und fiel abends todmüde in's Bett. Nun merkte er wirklich nicht mehr, was links und rechts von ihm vorging. Den sonntäglichen Kirchgang behielt er bei. Aber den Sonntag-Nachmittag verbrachte er jetzt geteilt bei zwei Sprachlehrern. Damals, während des ersten Jahres bei Clayton & Powers, ist es auch gewesen, daß Chwostik sich in's Technologische warf und, wann immer es möglich war, sich im Werke selbst umtat – sehr zum Unterschied von seinem Verhalten bei Debrössy, wo ihm die 365 Heiligenstanzen wenig zu sagen gehabt hatten. So kam es dann, daß die Kanzlei der Maschinenfabrik unter Chwostik's Leitung garniemehr Fehler im Technologischen machte (was sonst leicht vorkommt, und auch hier zu Anfang vorgekommen war), weil Chwostik schlechthin alle überhaupt möglichen Positionen, Apparate, Combinationen und das ganze Zubehör anschaulich und auswendig jederzeit im Kopfe hatte.

Es hätte nicht Milo's bedurft, um ihm das Indiskutable seiner häuslichen Verhältnisse zu zeigen. Es bedurfte anderseits geradezu der Artung Chwostik's, um durch so viele Jahre in solchen Umständen zu bleiben, wahrhaft tolerierend, und zuletzt nicht anders darauf reagierend als mit einem säuerlichen Seitenblick.

Morgens um halb sechs rollte ein Güterzug langsam auf die Brücke hinaus, deren schmaler Strich hier hoch über dem sogenannten Donau-Kanal (einst der Hauptstrom) stand: alsbald gleichsam verdickt durch den Zug, wagrecht besäumt von weißen Watteballen ausgestoßenen Dampfes. An einer bestimmten Stelle, bevor die Maschine sich dunkel auf die Brücke hinausschob, pfiff sie. Chwostik hörte es jetzt im Sommer täglich. Seine Fenster standen offen. Er war um diese Zeit längst auf. Es war seine einzige freie Zeit geworden während des ersten Jahres bei Clayton & Powers. Mr. Clayton hielt einen allzufrühen Arbeitsbeginn in der Kanzlei für unnötig. Ihm genügte es völlig, wenn die Angestellten um halb neun erschienen. Nur die Putzfrauen mußten um sieben Uhr da sein, um gründlich zu lüften und sauber zu machen. Chwostik ließ jeden Morgen im Sommer frühzeitig die ihm wenig liebe Behausung hinter sich und ging spazieren. Meistens kurz nach sechs, wenn die Wewerka eben das Haustor aufsperrte. Freundliche Begrüßung: „So zeitlich schon, Herr Chwostik?!" Fast jedesmal.

Fünf Uhr dreißig also fuhr der Zug über die Brücke und weiter auf dem Viadukt gegen den sogenannten Praterstern zu.

Die Auen lagen leer. Es gab Leute, die ähnliche Gewohnheiten hatten wie Chwostik und sich vor dem Tagesbeginn Bewegung machten: nur in nobilitierter Weise; auf den Reitbahnen, links und rechts der Hauptallee, spritzte die herb duftende Gerberlohe in rötlichen Brocken unter dem Hufschlag.

Auch die Gassen lagen noch leer. Chwostik ging keineswegs immer nur in den Prater. Er ging auch durch die Gassen. Die damalige Verbauung der Ufergegend war nun freilich lange noch nicht so vollständig, wie es in den nächsten zwei Jahrzehnten wurde. Aber es gab schon Straßenzüge mit – damals eben – neuen Häusern. Sie zeigen heute noch, sofern man die Fassaden nicht geändert hat, recht grausliche Zierrate.

Die ‚Hauptallee' im Prater läuft zwischen ihren Kastanienbäumen pfeilgerade vom Praterstern bis zum sogenannten ‚Lusthaus': ein lang ausgezogenes Perspektiv, ein optischer Kanonenschuss in's Weite. Chwostik kannte Harriet Clayton damals noch nicht. Die rötlichen Brocken der Gerberlohe spritzten. Die Dame ritt vorüber. Er hatte kaum aufgesehen. Rechts zog sich eine breite Wasserfläche zwischen die alten und schwindelnd hohen Bäume des Auwalds hinein. Hier hätte Chwostik nun seinerseits den Morgenspaziergang nobilitieren können, wenn schon nicht kavalleristisch, so doch nautisch. Aber der Bootsmann schlief freilich noch. Die bunten Schiffchen lagen gereiht am leeren Stege. Eine leichte Milchigkeit verschleierte die Morgenluft. Sättigung an Gerüchen: links der Allee entließ der hier versumpfende Wasserarm kühlen Dunst; auf den Reitbahnen lag die Gerberlohe; allenthalben in der Luft aber stand noch der Aushauch von so vielem wuchernden Gewächs während einer ganzen Sommernacht. Schon legte sich auf die weithin gedehnten Wiesen des Tages Sonnenlast und wuchs zu getürmter Hitze.

Trat man in die Mitte der breiten Fahrbahn, dann sah man mit dem perspektivischen Schuss ganz am Ende den gelben Fleck des ‚Lusthauses‘.

Ein Barock-Pavillon. Er enthielt zahllose schwatzende Papageien. Vielleicht stammten auch sie noch aus dem vorigen Jahrhundert.

Später ist es ein Café-Restaurant geworden und auch geblieben bis auf den heutigen Tag.

Die Wasserfläche entfernte sich von der Allee; es gab unweit von dieser dann rechter Hand noch einen flachen ausgedehnten Tümpel zwischen den alten Aubäumen. Chwostik trat dort gern an den halb sandigen, halb sumpfigen Rand. Am Morgen stachen die Schnaken nicht. Die hochgekuppelten Kronen weithin, der kühle Aushauch glitzernden Wassers, die Wendung eines Wegs zwischen dichte Gebüsche hinein, wo noch die Frische der Nacht liegen mochte: dies alles hielt blaue Schattigkeit fest bei hoch heraufgekommenem Tage und dämpfte hier noch mit milchigem Dunst die sich sammelnde Wärme.

Man sieht, er war recht allein, unser säuerlicher Maschinschlips. Auch sonst wenig Umgang. Milo. Chwostik fühlte es freilich, daß Milo ihn gern hatte und freute sich jedesmal, ihn zu sehen. Die wiederkehrenden Ermahnungen wegen Finy, Feverl und den Engländern waren dem Chwostik nicht eigentlich lästig; und er war weit entfernt davon, den Andreas etwa deshalb zu scheuen. Auch zeigte er keinerlei Verstocktheit. Er verhielt sich nur säuerlich-passiv. Es gab übrigens bald auch privaten Umgang mit den Bureau-Kollegen bei Clayton & Powers; mit dem oder jener etwa. Hier war bemerkenswerterweise niemand, den irgendwer nicht mochte. Durch die nur von Milohnić getroffene Auswahl des Personales zeigte jenes eine physiognomische Gemeinsamkeit, die wechselseitige Sympathien hervorbrachte. Für die Firma bildete dies eine Art von latentem aber ständig wirksamem Vorteil.

Des Chwostik Morgen-Spaziergänge erstreckten sich, wie schon erwähnt wurde, nicht nur durch die Wiesenpläne und Buschwälder im Prater, sondern auch durch die Gassen, teils weithin durch die Gassen, teils hier in der Nähe. Eine lange, schon großenteils verbaute Zeile lief ein Stück fast parallel mit dem Flusse, der hier allerdings einen weiten und flachen Bogen schlug. Chwostik sah das blasse Morgenlicht an die gestreckte weißgekalkte Häuserfront gelehnt und einzelne hochgelegene Fenster von der Morgensonne bereits leuchtend angesprochen. Freilich, nicht jeder Morgen war klar. Zudem gab es schattige Fenster. In solchen stand und lag auch jetzt im Sommer dies und das zur Aufbewahrung. Etwa Milchflaschen. Chwostik kannte das Fenster eines Zimmers im ersten Stock des Eckhauses, wo er im Vorbeigehen manchen Wechsel zu beobachten vermochte (später einmal im Jahr, am 6. Dezember, dem St. Nikolaustage, standen kleine Schuhe auf dem Fensterkissen, in welche offenbar der Beschützer aller braven Kinder was Gutes hineingetan hatte, es sah oben mit rotem gekrausten Seidenpapier heraus; um diese Zeit endeten Chwostik's Morgenspaziergänge gänzlich; er machte nur mehr nach acht Uhr einen kleinen Umweg auf dem Gange in's Bureau). War der Himmel bedeckt, so lag das Licht wie grauer Staub in den Ecken der Fenster-Reihen. Die Räume in diesen neuen Häusern mochten groß sein, die Fenster waren breit, nicht so wie in der Adamsgasse, und das matte Licht fiel bis an die rückwärtige Wand.

Einmal mußte Chwostik um elf Uhr vormittags das Bureau verlassen und er ging unweit von hier vorbei und über die Brücke auf die andere Seite des Flusses. Dort wohnte der Herr Doctor Eptinger.

Er war ein tüchtiger Rechtsanwalt und vertrat die Firma Clayton & Powers.

Heute vormittags war er nicht in seiner Kanzlei, welche sich in der Inneren Stadt befand, auch nicht bei Gericht, sondern erwartete Herrn Chwostik – um dessen Kommen er gebeten hatte – in seiner Wohnung. Chwostik ging zum ersten Mal dorthin.

Dr. Eptinger bearbeitete auch die Steuer-Sachen der Firma (dies war zu jener Zeit noch kein eigener Berufszweig). Man darf nicht vergessen, daß es sich hier um eine steuerliche Neu-Veranlagung handelte, angesichts von jüngsten und sehr hohen Investitionen. Es ging also darum, von vornherein eine günstige Bemessungs-Grundlage zu erreichen, als Voraussetzung für alles Folgende: es ging um den Ausgangspunkt. Es ging um die Gewinnung eines richtigen Urteils bezüglich des hier eben Erreichbaren: und es mußte erreichbar sein, ohne Gefahr der Erschütterung des moralischen Credites bei der Behörde. Im ganzen: diese Aktion, dieser Grund-Ansatz würde für die Rentabilität des Unternehmens durch Jahre, ja, eigentlich für immer von bedeutendem Einflusse sein.

Der Doctor Eptinger beschäftigte sich nun seit vielen Monaten schon mit diesen Sachen. Man kann sagen: er liebte das Problem. Nun, es waren eigentlich mehrere. Eines von ihnen betraf die Grundkäufe des alten Clayton in Wien, womit ja das Ganze eigentlich begonnen hatte. Diese – übrigens sehr günstigen – Grundkäufe wollte Dr. Eptinger in die Investitionen hinein nehmen, er wollte sie als einen Teil derselben angesehen wissen, und also gewissermaßen integriert. Auf der Steuer-Administration war man zunächst nicht dieser Auffassung, sondern gedachte sich jener Werte bei der Veranlagung einer Vermögens-Steuer für den ganz alten Clayton in Österreich zu entsinnen, zusammen mit einer respektabeln Villa am Rande des Praters, die er gleichzeitig von einem Kommerzialrat Gollwitzer gekauft hatte, der in eine ererbte Hietzinger Villa übersiedelte und froh war, das große, kostspielige und obendrein kellernasse Haus im Prater los zu werden (worin nunmehr Robert, Harriet und der kleine Donald wohnten – selbstverständlich hatte der ganz Alte dort auch seine Zimmer).

Der Referent, welchem sich Doctor Eptinger auf der Steuer-Administration gegenüber sah, ein Kommissär Dr. Hemmeter, mit einem bemerkenswert schönen, schmalen niederösterreichischen Bauernkopf, gehörte zu jener Art von Beamten, deren durchgebildetes fiskalisches Denken doch einem Angeschienen-Werden von rein volkswirtschaftlichen, ja, patriotischen Erwägungen zugänglich blieb: was hier freilich auf die Einsicht hinauslief, in einem Einströmen englischen Kapitales nach Österreich auf jeden Fall zunächst ein Positivum zu sehen. Solche Herren, wie der Dr. Hemmeter, handelten zwar fiskalisch, aber zugleich im wirklichen Staatsinteresse, was nicht immer dasselbe sein muß. Freilich vertraten sie dann den einmal genommenen Standpunkt auch nach oben, gegenüber ihren Vorgesetzten.

Dem Doctor Eptinger war es geradezu darum zu tun, Herrn Chwostik, auf den er längst aufmerksam geworden, einmal persönlich und ungestört zu sprechen, und er hatte dies Robert Clayton auch gesagt: „Dieser Mann hat für kaufmännische Dinge einen scharfen Instinkt. Ich halte ihn für sehr intelligent." „Das will ich meinen!" sagte Clayton lachend. Es war an sich vielleicht befremdend, daß der Rechtsanwalt den Bureauvorstand erbat, wie zu einer Konsultation. Für die Engländer war so etwas nicht befremdend. Die Schwierigkeiten mit ihnen lagen auf einer anderen Ebene. Sie dachten den österreichischen Behörden gegenüber sozusagen viereckig statt rund und brachten den Doctor Eptinger mitunter durch ganz unvorhergesehen auftretende moralische Bedenken in Verlegenheit.

Chwostik ging über die Brücke. Er trug fest unterm Arm eine Aktentasche von starkem Leder: in ihr befand sich der eigentliche Vorwand, unter welchem Robert Clayton ihn gebeten hatte, heute zu dem Doctor Eptinger hinüber zu gehen, dem gerade diese Documente hier zum Steuerakt noch fehlten: sämtliche detaillierte Facturen nämlich über die in England gekauften und nach Österreich importierten Maschinensätze und Werkzeuge samt den Begleitpapieren und den zollamtlichen Freigaben und Quittungen. Es war nicht möglich, dies einem Bureaudiener anzuvertrauen. Chwostik ging langsam. Eben die Sache, welche er hier sorglich unter dem Arm trug, lag ihm auch im Kopfe. In der Mitte der Brücke blieb er sogar für ein paar

Augenblicke stehen und sah über das Geländer in das grünliche rasch ziehende Wasser hinunter. Tat man so, dann schien durch Sekunden die ganze Brücke sich wie eine breite Bühne stromauf zu bewegen. Chwostik kannte das aus seiner Bubenzeit. Er verließ jetzt die Brücke und wandte sich nach links, stromaufwärts, die Lände entlang.

Diese war hier zum großen Teil noch unverbaut. Gegen den Prater zu zeigten sich rechter Hand Türmchen und Giebeldächer von Villen. Erst näher an der Eisenbahnbrücke begannen wieder Häuserzeilen. Als Chwostik die Nummer gefunden hatte, suchte er im Hausflur auf dem sogenannten ,Tableau' den Namen des Dr. Eptinger und fand ihn. Das Haustor stand mit beiden Flügeln offen. Man sah auf den Donaukanal hinaus. Das Geöffnetsein des Himmels über dem Wasser schien mit seinem sehr vielen Lichte das Haus gleichsam zurückzudrängen.

Ein Stubenmädchen öffnete Chwostik. Gleich kam der kleine spitzbärtige Rechtsanwalt heraus, durch eine Tür mit Milchglasscheiben, und bat Chwostik, hier einzutreten. Das Zimmer hatte zwei große Fenster gegen das Wasser. Es war sehr hell und schien vollgeräumt mit lauter repräsentativen Dingen: ein mächtiger Schreibtisch, Fauteuils, eine Vitrine mit Nippes, ein breiter Diwan. Chwostik sah durch einige Augenblicke – nicht bei den Fenstern hinaus, sondern eigentlich in ein drittes Fenster, das sich zwischen den beiden auf den Donaukanal sehenden jetzt öffnete. Es war ein Bild. An einem Tischlein saß im blauen Kleide mit bloßen Beinen und kurzen Socken ein etwa zehn- bis zwölfjähriges Mädchen. Das Bild war groß, lebensgroß. Es schlug für Chwostik eine viereckige blaue Vertiefung in die Wand. Das Kind sah ihn daraus an. Der Doctor Eptinger rückte einen Stuhl zurecht, das Stubenmädchen erschien mit zwei Gläsern Malaga auf einem Tablett. Chwostik mußte von dem Bilde halb abgewendet Platz nehmen, er sah es jetzt nur mehr aus dem Augenwinkel, linker Hand.

Es behinderte Chwostik, daß Dr. Eptinger, sozusagen unauffällig, seinen Anzug betrachtete: schon im Vorzimmer war das der Fall gewesen. Vielleicht hatten auch andere Leute die Schäbigkeit dieses Anzuges beobachtet: genug, Chwostik spürte es hier und heute zum ersten Mal.

Er nahm die zum Steuerakt gehörenden Stücke und legte sie vor sich auf das runde Tischchen. Dabei kam ihm ein Einfall: er konnte die leere Ledertasche auch nach links ablegen, auf eine Art Etagère, die hier stand. Dabei würde er für einige Augenblicke das Bild sehen. Wieder blickte ihn das Kind an. Es waren die Augen einer erwachsenen Person. Sie lagen sogar wie in kleinen Hängematten oder Täschchen, jedenfalls war unter den Augen etwas Dickliches.

„Sie wohnen doch hier in der Gegend, Herr Chwostik?" sagte Eptinger.

„Ja, drüben, auf der anderen Seite", (des Donaukanales, meinte er), „in der Adamsgasse. Aber zufrieden bin ich dort nicht", fügte er nach. Es kam plötzlich hervor, als hätten Lippen und Zunge diesen Satz ganz allein gesprochen, ohne Chwostik. Obendrein fühlte dieser deutlich, daß er mit jener letzten Bemerkung eigentlich nur auf die früher erfolgte Musterung seines Anzuges geantwortet hatte.

„Hm", sagte der Doctor, „das kann ich mir denken. Eine schöne Gegend ist das ja nicht." Er blickte jetzt an Chwostik vorbei nach rechts, auf jenes Bild, das seine um einiges jüngere Schwester, jetzt Gattin des Zahnarztes Dr. Bachler, als Kind in einem blauen Kleidchen darstellte.

Chwostik dachte an Milo: und daß der ganz recht habe. Sowohl hinsichtlich des Anzuges wie der Wohnung. Vielleicht war es jetzt zu spät.

„Herr Chwostik", sagte Dr. Eptinger, „ich möchte Ihnen bei dieser Gelegenheit hier auch etwas Privates sagen. Wir werden dann gleich unsere Sachen besprechen" (er wies auf die am Tisch liegenden Papiere), „aber der Wink, den ich Ihnen zu geben habe, könnte für Sie von Interesse sein."

Jetzt kommt es, dachte Chwostik. Links hinter ihm blaute das Bild, das neue Fenster. Plötzlich wieder – es war wie ein Einschuss, ein Pfeil von der Zimmerdecke – vertraute er doch dieser

Lage hier; gerade dieser Lage hier und jetzt, darin er sich befand, vertraute er.

„Wenn Sie Ihre Wohnung wechseln wollen, und das wäre vielleicht gut, dann weiß ich Ihnen Rat. Hier in der Gegend" (er nannte jene Straße auf der anderen Seite des „Kanales", die ein Stück parallel mit ihm lief) „gibt es einen Hausbesitzer, der ein Klient von mir ist. Im Hause wohnt auch meine jüngere Schwester, die Frau eines Arztes, in einer viel zu kleinen Wohnung. Sie hat schon ein Mäderl, und vielleicht werden da noch Kinder kommen; kurz und gut, sie will übersiedeln, nach Döbling, in eine Wohnung, die groß genug ist, daß ihr Mann auch seine Ordination dort einrichten kann. Er hat noch dazu die meisten seiner Patienten draußen unter den Villenbesitzern. Es ist nun bereits einiges in Aussicht genommen, aber diejenige Wohnung, welche sie sich eigentlich wünschen, wird erst nächstes Jahr mit dem Beginn des dritten Quartals frei. Definitiv ist vorläufig noch nichts, aber ich glaube, die gegenwärtige Wohnung meiner Schwester wäre für Sie, Herr Chwostik, als Junggesellen, sehr geeignet. Falls was aus der Sache wird, würde ich, wenn es Ihnen angenehm ist, Sie derart verständigen, daß Sie noch termingerecht kündigen können. Es ist in der letzten Zeit enorm viel gebaut worden. Oft stehn jetzt Wohnungen längere Zeit leer. Der Hausherr ist mein Klient, und gerade meine Schwester ist es, die da ausziehen will. Ich würde dem Hausherrn gerne an die Hand gehen und ihm gleich anschließend einen mir bekannten soliden Mieter verschaffen. Die Lage wäre für Sie, Herr Chwostik, günstig. Sie hätten von Ihrer neuen Wohnung auch nicht weiter in's Bureau wie jetzt. Und in Ihrer derzeitigen Wohnung können Sie doch auf die Dauer kaum bleiben."

Das letzte empfand Chwostik – sicher ganz zu Unrecht! – fast wie eine Drohung. In Wahrheit bildete es nur eine Verstärkung der Stimme Milo's, die solchermaßen gleichsam anschwoll.

„Herr Doctor", sagte er, während des Andreas durch Eptinger verstärkte Stimme noch immer in ihm nachklang, „ich wäre Ihnen außerordentlich dankbar, wenn Sie wirklich die Güte hätten, mir in der Wohnungs-Angelegenheit zu helfen. Die

Verhältnisse im Hause, unter denen ich derzeit wohnen muß, sind unangenehm, gelinde gesprochen. Jedoch mir fehlt einfach die Zeit, mich um eine geeignetere Wohnung umzusehen. Das ist es ja. Ich bin – gewiß glücklicherweise, kann man sagen – so sehr beschäftigt, daß mir gerade noch die Möglichkeit bleibt, mit meinen höchst notwendigen Sprachstudien weiterzukommen: Verbesserung im Englischen und Französischen, Kroatisch, Slowenisch und Serbisch bei Herrn Milohnić (Sie kennen ihn ja), und jetzt beginne ich Türkisch zu lernen.“

Er schwieg. Immerhin schien ihm, daß er alles richtig vorgebracht hatte. Auch der Satz über ‚die Verhältnisse im Hause‘ schien geglückt: nicht zu viel, nicht zu wenig.

„Wenn Sie es wünschen, Herr Chwostik, werde ich sehr gerne die Wohnungs-Sache für Sie in die Hand nehmen“, sagte der Rechtsanwalt. „Sie müssen nur vor Augen haben, daß es nicht von heute auf morgen gehen wird. Wie Sie selbst wissen, gibt es vier Zinsquartale und also vier Termine, an welchen man kündigen kann, wenigstens hier in der Vorstadt; in der Inneren Stadt ist das bekanntlich anders. Das erste Quartal ist vom 1. November bis zum 1. Februar. Von da bis zum 1. Mai. Dann wieder 1. August. An diesem Tag erst könnte die Wohnung frei werden, die meine Schwester haben will, und auch das ist noch nicht ganz sicher; sie selbst ist zudem nicht völlig entschlossen dorthin zu ziehen. Sollte es nun so weit kommen, dann müßten Sie, Herr Chwostik, ebenso wie meine Schwester, am 1. Mai kündigen. Bis dahin ist es noch lang. Wird jedoch aus der Sache nichts, so will ich Ihnen hier in der Gegend was anderes verschaffen. Ich habe Häuser in Verwaltung. Jetzt bereits etwas zu besichtigen, hat jedoch wenig Sinn. Wir wissen ja noch nicht, welches Objekt für meine Schwester ernstlich in Frage kommt. Verbleiben wir also dabei, daß ich Sie, Herr Chwostik, im Frühjahr rechtzeitig verständigen werde. Ich will es mir vormerken.“

„Ich danke Ihnen von Herzen, Herr Doctor“, sagte Chwostik und verbeugte sich. Sie gingen nun alsbald zu den auf dem Tischchen liegenden Akten über. Wieder wie ein Pfeil von der Zimmerdecke, ein leichter, zart ritzender, flog es Chwostik dabei an, daß er das blaue Mädchen dort links rückwärts hinter ihm jedenfalls noch einmal würde ansehen können beim Mitnehmen der leeren Aktentasche, die er auf jene Etagère gelegt hatte. Das hatte er gut gemacht. Er war sich selbst geradezu dankbar. Der Rechtsanwalt prüfte die englischen Facturen, die Begleitpapiere und Verzollungs-Dokumente.

„Der Doctor Hemmeter von der Steuer-Administration", sagte er dann, „will diese Beträge nicht in ihrer vollen Höhe als Investitionen anerkennen, das heißt sie dürfen nicht im vollen Ausmaße von der Bemessungsgrundlage in den ersten Jahren zur Abschreibung gelangen. Die Steueradministration steht darüber hinaus auf dem Standpunkte, daß hier nur eine Summe eingesetzt werden dürfe, welche den Anschaffungskosten der in Frage kommenden – nämlich der hier facturierten – Maschinensätze und Werkzeuge im Inlande entsprechen würde. Herr Robert Clayton tritt dem entgegen mit der einfachen Begründung, daß eine solche Bemessungsgrundlage der Wahrheit nicht entspräche. Ich würde gerne hierüber Ihre Ansicht hören, Herr Chwostik."

Dieser schwieg.

Dann sagte er:

„Natürlich hat Mr. Clayton recht. Aber das ist hier sozusagen nur eine zweite Sache, es ist nicht von entscheidender Bedeutung. Nach allem, wie ich höre, bleibt die Steueradministration in diesem Punkte fest. Soll sie fest bleiben, lassen wir ihr die Freud'. Aber ich bin überzeugt davon, daß man uns bei einigen viel wichtigeren Posten entgegen kommen wird, wenn wir eine inländische Taxierung oder Erstellung der Anschaffungskosten glatt hinnehmen. Ich hab' mir das gerechnet."

Chwostik zog sein abgewetztes Portefeuille aus der Brusttasche und entnahm ihm ein kleines Blatt Papier.

Diese Aufstellung war nun überzeugend. Der Doctor Eptinger betrachtete Chwostik erstaunt. Er hatte freilich die Sache auch schon durchgerechnet, und mit dem gleichen Ergebnis.

„Wie bringt man das jetzt den Engländern bei?" sagte er.

„Wenn Sie gestatten, Herr Doctor, will ich's halt noch einmal versuchen."

„Tun Sie das!" rief Dr. Eptinger lebhaft. „Vielleicht haben Sie Glück."

Beide Männer waren sich keineswegs dessen bewußt, daß sie die Sache der Firma vollends zu ihrer eigenen machten. Das Selbstverständliche ist hautnah. Es schläft und dunstet sozusagen mit uns. In diesem Punkte ist unsere Darstellung hier schon die eines fast historischen Sachverhaltes.

Chwostik erhob sich. Nun konnte er sich wenden, um nach seiner Aktentasche zu greifen. Schon sah er durch das dritte Fenster des Raumes, durch das blaue Fenster. Sie saß an einem weiß lackierten Tischchen. Das bemerkte er jetzt erst. Die Fäden spannten sich zwischen ihm und dem Bilde. In diesem Augenblick ertönte ein tiefes Brummen vom Flusse her. Dr. Eptinger war an's Fenster getreten.

„Schaun Sie, Herr Chwostik, der neue Dampfer, die ‚Leda'!" sagte er.

Chwostik mußte sich jetzt neben ihn stellen.

Das Schiff erschien als breit auf den Fluß gelagerter weißer Fleck unterhalb der hohen Eisenbahnbrücke. Während es durchfuhr, rollte ein Güterzug oben hinaus, pfiff, und verdickte dann den schmalen Strich, ihn zugleich mit weißer Watte waagrecht besäumend. Jetzt, im Näherkommen, streckte der Dampfer sich mehr und mehr aus, und zog schließlich schneeweiß und elegant vorüber (wie ein Schwan, könnte man ja wohl sagen, aber das gäbe, hinsichtlich Leda's, einen nicht zu entwirrenden mythologischen Pallawatsch) und jetzt auf die Straßenbrücke zu. Schon war der hohe Rauchfang geknickt, nun waagrecht umgelegt. Man sah, daß sich Matrosen an Bord bewegten, und unter den Sonnensegeln standen und saßen viele Passagiere.

Hier bei der Brücke, unter welcher ‚Leda' jetzt so rasch durchglitt, daß ein ebenso schnell dicht gewordenes Häuflein von Obendrauf-Zuschauern gleich wieder zerlief, von hier an verließen die Häuser-Reihen den Fluß-Lauf bald ganz: besonders am linken Ufer schloß sich dicht und grün die Au mit ihren Bäumen, mit dem ineinander gewachsenen hohen Gebüsch, das den Blick nur da und dort in die weiten Wiesenpläne dahinter entließ. Der Dampfer zog mehr und mehr durch eine reine Landschaft, welche, von Bord aus gesehen, gleitend war, ihr Gewicht und ihre Schwere verloren hatte.

Auf der Kommandobrücke stand der Kapitän, der alte Hanner. Dieser kannte die Donau genau, auch die schwierigen Stellen bei Persenbeug und im Strudengau. Hanner kannte übrigens auch seinen älteren Kollegen Milohnić, mit dem er in der Jugend an der dalmatinischen Küste gesegelt war. Jedoch Hanner war kein Seemann. Er war Spezialist für die Strom-Schiffahrt. Auch er hätte am Bodensee einen Dampfer kommandieren sollen. Aber er wollte es nicht. Sein Sohn führte dann ebenfalls die ,Leda' durch viele Jahre; dieser hatte eine ungemein schöne Tochter die Ella; sie blühte zu Wien um 1920.

Vom Doctor Eptinger ging Chwostik nicht in's Bureau zurück, sondern gleich zum Essen. Es war längst Mittag geworden. Er nahm die Mahlzeit bei einem Wirte namens Urschütz (keineswegs in jenem Beisl, wo sein Vater Kellner gewesen war). Es roch hier kühl und kellrig, ein wenig nach Bierfässern, vielleicht auch nach feinem Cigarrenrauch (Kaiser-Virginier?); und freilich gab es den Duft einer sauberen und guten Küche, wie er einem rechten Wirtshause wohl zusteht. Nirgends aß man besser als in solch einem bescheidenen Lokale. Sie blühten damals zu Wien.

Über die Gasse in's Café: durchaus fettfreie Luft, Kaffeeduft und Cigarettenrauch, Fallen der Tarock-Karten rückwärts im Spielzimmer, Stille, leises Klicksen und Klacksen der Billardbälle. Die Spieler verständigten sich nur murmelnd.

Vom Wirtshaus in's Caféhaus gehend, beim Überschreiten der Straße, fühlte Chwostik jetzt den vollzogenen Erdrutsch innen und außen, stark nachschwingend, das blaue dritte Fenster, den weißen Dampfer davonziehend unter der Brücke. Es war ihm etwa völlig klar, es war eine bereits beschlossene Sache, daß er sich von Kopf bis zu Fuße neu anziehen würde, und alle alten Kleider wegtun, auch den Wintermantel, die Schuhe, die Wäsche. Im Augenblick vermeinte er einen herbstlichen Duft vom Prater her zu fühlen, von den Kastanienbäumen der Hauptallee, den ersten herbstlichen Duft, die Ansprache der nun schon heranstehenden freigeräumten Jahreszeit: und er würde im kommenden Jahre in einem neueren lichteren Hause wohnen. Die Sonne durchlegte ihn, wie eine goldene Ebene, die ihn leicht durchdrang, das blaue Fenster war ein zweiter einfallender Schein, der weiße Dampfer der dritte.

Im Café ließ Chwostik die Zeitung liegen.

Er ging grüßend an der Sitzkasse vorbei, wo die Frau Chefin, von Spiegeln umrahmt, thronte, und rechter Hand zu einem kleinen verglasten Bücherschrank, der einige Nachschlagewerke zum Gebrauch für die Gäste enthielt (darunter den ‚Kompaß‘, dessen man auf dem weiten Meere einer ehrwürdigen Ämter-Hierarchie bedurfte). Chwostik entnahm aus Meyers Konversationslexikon den 11. Band (Lan–M), trug ihn zu dem Marmortischchen, wo sein ‚Schwarzer‘ stand, fand bald und las:

„Leda, in der griech. Mythologie Tochter des Thestios, Königs von Ätolien, Gemahlin des Spartanerkönigs Tyndáreos, genoß die Gunst des Zeus, der sich ihr in Gestalt eines Schwanes nahte, worauf L. zwei Eier gebar, aus deren einem Helena und aus dem andern Kastor und Pollux hervorgingen. Indessen weichen die hierauf bezüglichen Mythen in vielen Punkten voneinander ab . . .“

Chwostik sah sich hier unvermutet auf ein schmäleres Band des Voran-Kommens im Lernen zurückverwiesen, mit seinem Englisch, Serbisch und, sei’s schon, Türkisch (wobei er außerdem viel Persisch und Arabisch mitlernen mußte, denn kein Gebildeter im Orient spricht rein türkisch, es wimmelt die Effendi-Sprache von entlehnten Redensarten). Er sah jetzt, daß es sozusagen links und rechts davon noch vieles und ganz und gar anderes gab. Was ein Spartaner ist, wußte er wohl, und von der schönen Helena hatte Chwostik schon gehört. Aber was Mythologie etwa sein könnte, blieb ihm doch verschlossen. Immerhin hing das mit Sagen zusammen. Jedoch der plötzlich angebohrte Hohlraum schreckte Chwostik nicht allzu sehr. Er eignete sich eben das an, was er wirklich brauchte, und in solchen Fällen, wie dem der Leda, konnte er hier jedesmal nachschauen, dazu war ja das Lexikon da.

Nun stand er auf, um den Band einzustellen. Den freien Raum vor der Sitzkasse, wo keine Tische standen, durchschreitend, war's ihm plötzlich wieder, als sehe er durch das blaue Fenster und auf das weiße Schiff. Unmittelbar danach fiel ihm ein, daß er ein erhebliches Geld auf der Sparkassa hatte; schon in den letzten Jahren bei Debrössy hatte Chwostik sehr gut verdient, und jetzt verdiente er noch viel besser. Die Neu-Ausstattung war eine Kleinigkeit.

Es bleibt merkwürdig (aber es gehörte wohl zu diesem Tage), daß abends um sechs, als man bereits die Kanzlei schloß, in Chwostiks Zimmer – er hatte als Bureauvorstand freilich eines für sich allein – zwischen Robert Clayton und ihm unvermutet ein Gespräch über die Steuer-Sache in Gang kam. Chwostik brauchte sich dabei garnicht anzustrengen; auch lag es nicht in seiner Absicht, und wohl auch nicht in seiner Art, den englischen Chef hier und jetzt und auf der Stelle von irgendetwas überzeugen zu wollen und ihm Argumente aufzudrängen. Er ließ nur beiläufig fallen, daß die Haltung, welche die Behörde hier einnehme, eigentlich eine patriotische sei und also von sittlichen Gründen bestimmt werde; und vielleicht war überhaupt nur der englische Ausdruck entscheidend, den Chwostik jetzt verwendete („for ethical reasons"). Er hätte es ja schließlich auch anders sagen können. Aber, je ungezielter einer spricht, desto eher trifft er in des anderen Ohr. Clayton schien nun in diesem Punkte zu hören, ja, es ist ihm später sogar gelungen, seinen Vater zu überzeugen; so daß in der Folge die Sachen wirklich auf jene Weise geordnet wurden, die Dr. Eptinger und Chwostik in's Auge gefaßt hatten während ihres Gespräches.

Eine Woche danach fand ein solches zwischen Milo und Pepi im Beisl statt; man könnte diese Unterhaltung jedoch schon eher einen Kriegsrat oder eine Konferenz nennen. Wäre Andreas weniger klug gewesen, er hätte sich fast gekränkt fühlen können darüber, daß einem Wink des Rechtsanwaltes gelungen war, worum er sich so lange Zeit vergebens bemüht hatte. Ja, es war nahe an dem, daß er sich kränkte. Aber er bekämpfte es. Auch ahnte ihm, daß seine Mühe keine vertane gewesen war, sondern den Pepi für die richtige Stunde vorbereitet hatte.

Chwostik wandte sich an Milo auch wegen eines guten Schneiders, eines Schusters und einer Hemden-Nähterin, ja, mehr als das: überhaupt um seinen modischen Rat in dieser ganzen Sache. Ihr widmete sich Milohnić in der Folge mit echter Begeisterung. Er lieferte den Entwurf des Bedarfs – eine komplette Herren-Garderobe, da Chwostik rein nichts von seinen alten Sachen zu behalten gedachte! – und in den Entwurf wurde sogar ein Abendanzug aufgenommen, mit entsprechender Wäsche und Beschuhung, sowie eines jener langschößigen Ungetüme, die man damals beliebte und ‚Gehrock‘ benannte. Solche Bratenröcke sind später durch den Cutaway verdrängt worden.

„Mach’ es nächstes Jahr mit den Möbeln ebenso, wenn du übersiedelst!“ rief Milohnić. „Sie sind scheußlich. Du kannst sie nicht einmal zum Versteigern geben. Der Transport und Lagerzins kostet dich mehr als dabei am Ende herausspringt.“

„Das kommt mir auch so vor“, sagte Chwostik.

Merkwürdig und auffallend blieben in der Folge für Milohnić zwei Umstände. Nämlich erstens, daß Chwostik von den nach und nach fertig werdenden Stücken durchaus nichts tragen wollte, weder Kleider, noch Wäsche, noch Schuhe; vielleicht so lange nicht, bis die ganze Kollektion komplett vorlag? Gedachte er sich dann total und plötzlich zu häuten? Ferner zeigte er das größte Interesse für solide und elegante Gepäckstücke, auch Koffer geräumigeren Ausmaßes sowie Coupé-Koffer und Taschen. Hierin bewahrte er manches von seinen neuen Schätzen auf; vor allem wohl die Wäsche, vielleicht auch die Schuhe.

Seine neuen Anzüge aber hing er, wie sie vom Schneider kamen einen neben den anderen in den Schrank.

In die Zeit, welche damals sehr langsam noch verging, sich da und dort in Teichen sammelte, oder, ihres Fließens ganz vergessend, in Tümpeln stand und den Himmel spiegelte, denn wie Tümpel waren ihre so sehr beruhigten Zustände: in diese Zeit floß jetzt der Herbst ein, und noch lange vor einer Verfärbung der Bäume mit einer Veränderung des Luftgeschmacks, und wieder lange vor dieser mit einem gewandelten Licht, wenn man aus einer schattigen Gasse um die Ecke und damit in die Sonne trat.

Au und Baum und Wiesenplan begannen an der Grenze ihrer Reife zu hauchen. Den neuen und noch kaum benützten Schulbüchern eignete sauberer Duft, und manchen hat eigentlich nur dieser zum Lernen hingezogen, und so kam er gut in das neue Schuljahr und vermied, daß in dieses frühzeitig schlechte Noten ihm Löcher schossen, durch welche das wenige, was man wußte, dann auch noch hinausrann. Chwostik, ein Schüler in der Klasse ‚Ernst des Lebens‘, war jedoch stets gut vorbereitet, auch in den neuen Fächern, welche jetzt hinzugekommen waren (Türkisch, Französisch, auch bissel Leda und solche Sachen, jetzt kannte er schon das Bild von Correggio, gefiel ihm gut), und konnte getrost seine Morgenspaziergänge machen. Sie wurden allmählich kürzer, denn es wurde ja immer später hell. Die Wiesen lagen unter leichten feinen Batistkissen, die jedoch vor der Sonne schnell und fast diskret verschwanden. Die Sonne erzeugte jetzt Zustände im Prater, die man herbstrauchig aber nicht eigentlich neblig nennen könnte. Manche Bäume ließen eine Art langer Schoten fallen, gewunden wie Schlangenleiber; so lagen sie auf dem feuchten Gras. Und dann war es so weit, daß die ersten Roßkastanien fettglänzend hellbraun aus ihren beim Herabfallen geplatzten Stachelbälgen lugten und auf der Hauptallee immer mehr tabakfarbene fingrige Kastanienblätter den Boden bedeckten. Schon rauschte der Fuß. Es rauschten die Füße der

Kinder, die in Reihen gingen und es rauschen ließen. Die ersten Halsketten aus durchbohrten Roßkastanien wurden angefertigt. Dennoch lagen noch immer die bunten Boote am Steg, und sie stießen auch ab, die Ruder glänzten. Es überdecken einander die Jahreszeiten. Manch ein später Sommertag ist herbstlicher als der ganze Herbst zusammengenommen.

Die Villa der Claytons stand an der sogenannten ,Prinzenallee'. Schräg gegenüber gab es auf der anderen Seite den ,Bicycle-Club'. Damals war das Radfahren noch vornehmlich ein Sport, zu welchem man ein eigenes Kostüm trug, sogar die Damen mit ,Pumphosen'.

Als das Laub am Boden tiefbraun und bald schwarzfleckig wurde, entzündete man täglich in der Halle das Kaminfeuer.

Die Villa war in der Tat nach Art der englischen Landhäuser gebaut.

Jedoch diese vereinzelten herrschaftlichen Häuser am Rande der Auen hatten alle das gleiche Grund-Übel. Sie waren feucht, ja, kellernaß. Eben damals aber, als die Claytons sich hier niederließen, brachte eine Wiener Firma neu konstruierte Trockenöfen auf den Markt: das Plakat, womit dieser neue Artikel dem Publikum zur Kenntnis gebracht wurde, war fürchterlich. Man sah darauf den neuen Ofen in der Finsternis eines Kellers mit glühendem Maule aufgestellt; links und rechts wuchsen Arme aus dem Ofen mit hochgehobenen Fäusten: und vor solchem Ungeheuer flohen voll Entsetzen Schwämme und Modergeister mit von Todesangst verzerrten Gesichtern, während der wilde Glutschein aus des Ofens Maul weithin ihre panische Flucht aufspaltend begleitete. Sie konnten einem leid tun, diese der Vernichtung verfallenen Geschöpfe, diese rennenden Pilzbeinchen, klagenden Schwämme, eilenden Schwaden. Das Plakat mit dem Ofen und seinen drohend geschwungenen Fäusten war jahrelang in Wien zu sehen. Auch der kleine Donald Clayton hat es noch erblickt.

Solche Öfen also standen in den Kellern der Villa Clayton und wurden sachgemäß bedient. Die Wirkung ließ nichts zu wünschen übrig.

Harriet Clayton war an der Auffahrt draußen gestanden, die überwölbt lag und dicke Pfeiler hatte. Eine mächtige Laterne mit verzierten schmiede-eisernen Einfassungen schwebte unter dem hallenden Gewölbe und beleuchtete matt und schattenreich die Anfahrt. Vom Prater kam in der sinkenden Dämmerung ein Duft des gefallenen Laubes, der genau an der Grenze zwischen Reife und Fäulnis stand, zwischen noch braunen oder schon schwarzen Blättern. Harriet trat in das Haus zurück und durchquerte die nur schwach von einer einzigen Lampe erhellte Halle, in deren Hintergrund das Kaminfeuer eben zu flackern begann. Sie stieg über eine breite Freitreppe mit schmiedeeisernen Geländern empor – eine Joly-Treppe nannte man das damals – und gelangte in die oben um die Halle laufende Galerie mit den Türen zu den Zimmern. Aus der Nursery hörte sie halblauten Gesang. Harriet trat noch nicht ein, sie blieb in der halbdunklen Galerie stehen. Kate, das Kindermädchen, sang drinnen weiter. Kate war eine Engländerin völlig unbestimmbaren Alters, eine gelernte Pflegerin, die man als Nurse mit herüber genommen hatte. Sie trug einen deutschen Namen – übrigens einen recht seltsamen – ohne jedoch ein einziges Wort dieser Sprache zu verstehen. Sie hieß Kate Thürriegl. Ihr Gesicht war sehr regelmäßig, der Sattel zwischen Nase und Stirn dabei ganz schwach ausgeprägt: solche Physiognomien schwanken zwischen einem hellenischen Profil und einem Schafsgesicht: bald sehen sie so und bald so aus. Das Mädchen sang noch immer, in englischer Sprache, und begleitete ihr Lied sehr geschickt und polyphon auf einer Laute. Dem kleinen Donald schien das gut zu gefallen, man hörte jetzt sein vergnügtes fettes Kinderlachen. Harriet stand noch immer auf der finsteren Galerie.

Dies englische Kinderlied (es war „Baa, baa, black sheep, have you any wool . . . .") drehte plötzlich eine heftige, schmerzhafte Empörung aus ihrem Innersten hervor. Warum darf ich nicht daheim sein? – in dieser fast weinenden Frage kulminierte das. Warum muß Bob hier einen Fabrikherren machen? Dies Haus ist unser, es ist schon englisch, ja, aber es schwimmt auf einem fremden Meer – und freilich vergaß sie, daß jedes briti-

sche Schiffsdeck, und auf dem fremdesten Meere, ein Stück englischen Bodens ist.

Sie sah vor sich hin in das Halbdunkel. Aus der Halle unten
kam ein Knacken vom Kamin. Das war alles, was ihr gesagt wurde.

Dann hörte sie Bob in der Halle.

Sie betrat nicht die Nursery, sondern ging hinab.

Vor dem Kamin besprachen sie ein Abendessen, das nächste
Woche hier statthaben sollte; sie stellten die Liste der Gäste auf.
Unter diesen waren Chwostik und Milohnić.

Milo war um sechs schon bei Pepi. Er fand Chwostik bereits
angekleidet. Er staunte und sagte nichts. Sein Freund hatte es in
der letzten Zeit sogar verstanden, den eichhörnchenhaften
Schnurrbart durch allmähliches Stutzen derart zu verändern,
daß er nun die Form eines kleinen Bürstchens angenommen
hatte. Vom Abendanzug garnicht zu reden (mit Lackstiefeletten,
versteht sich). Er sah aus wie irgendein anderer Herr auch, den
man zum Dinner eingeladen hat. So fand jedenfalls Harriet, nur
kam ihr das weniger deutlich zum Bewußtsein als dem Milo. Sie
war fast enttäuscht. Robert Clayton hatte ihr viel von Chwostik
erzählt. Sie entdeckte an ihm nichts besonderes; auch Clayton
nicht (obwohl er ihn doch sonst in seiner ganzen Schäbigkeit
kannte!); eben so wenig in den nächsten Tagen, wenngleich dazu genug Gelegenheit gewesen wäre: denn eben von jenem
Abendesssen an trug Chwostik nur mehr seine neuen Kleider
und hatte alle alten weg getan.

Bei Tische war auch der Doctor Eptinger mit seiner Gattin.
Daß jener sich einiges dachte, ist selbstverständlich. Die Chwostik'sche Häutung begann ja erst ihre Gewöhnungzeit zu
durchlaufen. Diese Periode dauerte übrigens garnicht lange:
vielleicht vierzehn Tage. Milo war sehr zufrieden; am meisten
erstaunte er über Chwostik's gutsitzende Krawatte (man trug
sie damals weit größer als heute).

Frau Doctor Eptinger – schon in jenen Tagen führte zu Wien
die Frau den akademischen Titel des Gatten – war eine schöne

Person mit blauschwarzem Haar, und geradezu imposant: so lange sie saß. Stand sie auf, dann wurde sie, infolge ihrer Kurzbeinigkeit, nicht viel größer, sondern ging überraschend klein vom Tische weg. Man saß nach Essens vor dem Kamin in der Halle: Chwostik neben Harriet. Das Englische lag ihm bequem im Munde. Er berichtete der Hausfrau vom nahen Hochgebirge und dem Klettersport, welchen er geübt hatte: das fand auch Robert Clayton's Interesse. Bald hörten alle zu. Aber Chwostik brach nach einigen sachlichen Mitteilungen kurz ab und schwieg. Damals beschlossen die Claytons, unter Chwostik's Führung die Raxalpe zu besteigen.

Der Spätherbst und der Winter bedeuteten, vom geschäftlichen Gesichtspunkt, für Finy und Feverl die bessere, ja, die beste Zeit: bei Nebel und Feuchtigkeit wird die Männerwelt, soweit sie streunt, eher anfällig für die Vorstellung von geöffneten Cavitäten, in die man sich kuscheln kann. Wenngleich die beiden Weiber immer beisammen waren, kann man sie nicht abkürzen – etwa Feverl & Cie. – weil ihre Branche an der Person haftet. Das erscheint als auszeichnend für die Branche, nicht für die Person. Dabei muß doch gesagt werden, daß, vom Geistigen her gesehen, Finy und Feverl aussichtsreiche Existenzen genannt werden müssen, allein schon wegen ihrer Untätigkeit und der Simplicität ihres Daseins. Was ihre erfahrbaren Personen anlangt, so waren sie eher harmlos, wie die meisten Bewohner jenes Hauses in der Adamsgasse auch. Nur unten im Parterre bei der Hausmeisterin Wewerka gab es das furchtbar überflüssige Böse, die höllisch unermüdliche List.

Übrigens hatten ja die trojanischen Pferde ihr eigentliches Schlafställchen anderswo, wie wir schon wissen, und in der Adamsgasse nur ihre Amtslokalitäten. Sie bewohnten nicht allzuweit weg von diesen, jedoch immerhin schon in einem anderen Viertel, ein Kabinett mit Küche.

Es war nicht eben hübsch (garnicht), aber zur warmen Jahreszeit (während welcher das Geschäft schlechter ging) konnte man dem entfliehen. Und hier wird eine merkwürdige Eigentümlichkeit der trojanischen Pferdchen sichtbar: diese waren nämlich Wasser-Ratten.

τὸ ὕδωρ ἄριστον – das Wasser ist das Beste, sagte der griechische Odendichter Pindar, ᴉᴦ d vielleicht war wirklich gleich dasBlauen dieses edelsten Stoffes erforderlich, um auszugleichen, was Feverl und Finy Unbehagen bereitete (womit sie für uns in den Verdacht des Dilettantismus beim erwählten Berufe geraten). Genug, sie schwammen und badeten wie und wo sie Gelegenheit dazu fanden und sobald es nur warm genug war, teils am ‚Gänsehäufel‘, einem einstmaligen Donau-Arm, teils auch im Donaukanal, garnicht weit von der Adams-Gasse, obwohl die Polizei hier das Schwimmen nicht gerne sah. Schon die Kaiserin Maria Theresia hat dortselbst jedes Baden ‚unverschambter Weis'‘ strenge verbieten lassen.

So auch, als der Frühling kam, empfanden sie ihn nicht poetisch – das kann man in Ansehung ihrer Branche nicht von ihnen erwarten, die übrigens auch in diesen Wochen immer eine vorübergehend steigende Tendenz zeigte – sondern er war ihnen einfach ein Bote des Badens, das nun wieder näher rückte. Freilich, jenen Mahnungen des Frühjahrs, das ja, um's kurz zu machen, jeden peinlich und eigentlich taktlos anrempelt mit der stummen und penetranten Aufforderung, es möge aus ihm was werden, weil rund um ihn was wird, und das möge er ja nicht versäumen – jenen hautnahen Mahnungen erlagen Feverl und Finy auch; jedoch mit Geduld und ohne Gezappel. Sie ertrugen gehorsam und ohne zu fragen alle ihre Zustände, oder ‚Gustos‘, wie sie es nannten. Im Frühling war das eben immer so, und bald würde man dann wieder schwimmen können.

Als es endlich so weit war, tauchten sie in der großen Militärschwimmschule im Prater, die neuestens an gewissen Wochentagen dem zivilen Publikum offenstand, immer wieder bis auf den Grund des überaus geräumigen Bassins, und leiteten diesen Akt jedesmal mit derartigem Impetus ein, daß sie dabei stets durch einen Augenblick dem Himmel ihre dicken nassen Badekostüm-Popos zeigten (man hatte damals im Wasser noch sehr viel an), welches entenhafte Pürzel-Gehaben einigen älteren Mannsbildern, die am Geländer lehnten, zum gutmütigen Gaudium gereichte. Finy und Feverl war's wurst, und auf Anknüpfungs-Gelegenheiten legten sie hier schon gar keinen Wert. Nach einigem Tauchen und Springen vom Trampolin meldete sich heißer Appetitt; sie gingen zu einem Buffet, das sich hier aufgetan hatte. Dort verzehrte jede eine Knackwurst.

Durch die Militärschwimmschule kam bei den beiden das Baden im Donaukanal (welches ohnehin verboten war) gänzlich in Abnahme; zudem, man trieb in der starken Strömung schnell dahin, kam weit weg, weshalb immer eine bei den Kleidern bleiben mußte; die nasse Schwimmerin aber konnte am Rückweg leicht von einem Sicherheitswachmann gesehen werden, der sie dann aufschrieb. Das rasche Wasser des Donaukanales war übrigens schmutzig-trüb. Man hat später hier Städtische Strombäder gehabt, die auf einer Art schwimmendem Prahm kleine Bassins boten, durch welche die Strömung floß; doch waren da kaum ein paar Tempos möglich.

Die Pferdchen weideten jetzt lieber, besonders bei weniger warmem Wetter, an der grünen Uferböschung, wo das niedergedrückte Gras lang und tief war bis zum untersten Rande, der etwa einen Meter über dem quirlenden Wasser senkrecht piloticrt in dieses abbrach. Sie sahen über die eilig schlierende Wasserfläche zum anderen Ufer hinüber, wo nur einzelne Häuser standen, und mit dem grünen Gekuppel der Baumkronen und dem dunstigen Sommerhimmel über ihnen der Prater mit seinen Auen begann. So ließen Feverl und Finy die Zeit bis zum Abend vergehen, nachdem sie ausgeschlafen hatten, und hielten dabei mit Vergnügen ihre bloßen Füße in die linden Lüfte; Schuhe und Strümpfe lagen daneben im Gras.

Münsterer, des Knollengewächses Wewerka Stiefsohn, war ein wohlgewachsener schlanker junger Mann und lebte mit seinem Vater (eigentlich der Hausmeister) und dessen zweiter Frau (horribile dictu – schrecklich, es zu sagen!) in drangvoller troglodytischer Enge. Der Vater und Hausmeister trat kaum in Erscheinung. Er war um einige Jahre älter als horribile dictu und lehnte irgendwo versoffen herum. Nur dann und wann zeigte er Spuren einstmaligen Lebens und schimpfte etwa im Flur hinter Hausparteien her, die ihn garnicht kannten, denn die Wewerka hielt ihn meist unter Verschluß und er hatte, nach solchen seltenen Auflehnungen, sehr unter giftigenVerätzungen durch das Knollengewächs zu leiden, welche im Zornesfall von äußerster Bösartigkeit sein konnten. Auch entzog ihm die Wewerka dann stets den Wein, und er wurde in eine Kammer gesperrt, die an den Lichthof grenzte. Dort hielt sie ihn oft mehrere Tage.

Münsterer verteidigte den Vater nicht. Der Unsegen, welchen dieser durch das Knollengewächs in des Sohnes Jugend hereingebracht hatte – einen Hausmeisterposten, eine dementsprechende Wohnung und einiges Weintrinken erheiratend – schien dem Sohne so fluchwürdig, daß er dafür dem Alten jedwede Huntzung von Herzen gönnte.

Nun war dieser Münsterer neunzehn Jahre alt geworden und hatte seine Praktikantenzeit bei der Post hinter sich gebracht; nunmehr Manipulant, war er's doch bei so geringen Bezügen, daß sie ihm ein selbständiges Existieren außerhalb der troglodytischen Höhle und Hölle nicht ermöglichten. Er verdiente noch weit weniger als einst Chwostik bei Debrössy zu jener Zeit, als seine Eltern starben: aber dieser war im Besitz einer eigenen Wohnung gewesen, und war es noch.

Damit erscheint Münsterers Verhältnis zu Chwostik fixiert. Dieser wohnte. Jener hauste, hatte nicht mehr als ein Bett (wir kannten es, teilen aber keine Einzelheiten darüber mit).

Es war des jungen Münsterer Antlitz derart, als hätte die Natur, plötzlich wütend geworden, da hinein gegriffen; oder aber, als sei eine alte, aus vielerlei kleinen Grauslichkeiten durch lange Zeit zusammengeronnene Schande plötzlich an Tag gekommen. Derartige Leute laufen allezeit viele herum. Jedoch, während die meisten Menschen, welche wir kennen, mit den Jahren immer ordinärer aussehen, verhielt es sich mit Münsterer ganz gegenteilig. Das durch den Zornesgriff verunstaltete Antlitz heilte, es fügte sich gleichsam neu zusammen.

Er mied die elterliche Höhle so viel er's nur vermochte. Da er vom schmalen Gehalt sein Wirtschaftsgeld erlegte und nur wenige Gulden und Kreuzer im Monat für sich behielt, war er ein gewissermaßen selbständiger Mensch und das Knollengewächs konnte eine disponierende Autorität über ihn nicht mehr in Anspruch nehmen (sollte mann glauben!).

Nun gut; aber inzwischen hat sich bereits die Frage erhoben, wie denn der Wewerka Gatte, horribile dictu, Münsterer heißen konnte und warum sie nicht auch so hieß. Ja, doch, sie hieß. Aber nur auf dem Papier. Sie war nun seit bald dreißig Jahren hier die Hausmeisterin; sie war die Wewerka; und sie blieb's. Münsterer hingegen, so weit man ihn überhaupt kannte, erschien als späterer Zuzügling. Es gab Leute, die ihn den Herrn Wewerka nannten; und das verdiente er auch: ein gehausmeistertes und somit entehrtes Individuum, das sozusagen unter der dicken Schlamm-Schichte seiner Schmach ganz versunken war und nur mehr knapp mit den Nasenlöchern daraus hervorsah, so daß es eben noch atmen konnte. Der Sohn indessen wurde Herr Münsterer genannt; noch war er ja nicht mit solcher Schmach bedeckt.

Dieser also hauste. Jener (Chwostik) wohnte. Es gehört aber zu den Eigenheiten unserer Composition hier, daß die Sachen alle doch irgendwann einmal so weit kommen: Münsterer hat späterhin, wenn auch nur durch eine kurze Zeit, in Chwostiks Wohnung gehaust (weiter brachte er es damals, selbst unter einst so ersehnten Umständen, nicht), in Chwostik's Bett geschlafen, ja, auf dessen Matratzen, flankiert mehrmals von Feverl und Finy samt diesbezüglichen Partnern; und freilich in unbeschreiblichen Gefühlen.

Diese bezogen sich jedoch nicht auf die amtierenden Weiber nebenan, sondern noch immer auf den zur Zeit garnicht mehr vorhandenen Chwostik.

Nun, jetzt war er noch da. Münsterer grüßte ihn respektvoll, wenn sie einander im Hausflure begegneten, und stets ward ihm freundlich und zeremoniös gedankt.

Und jener entschwand nach oben, wo er wohnte, Münsterer aber versank nach unten und saß auf seiner von uns geflissentlich nicht beschriebenen Lagerstätte nieder (die Decke war ein grauer Kotzen, genug, es könnte einem das Kotzen kommen). Heute Stille, wohl auch Enge, jedoch sie war nicht drangvoll. Die Höhle leer. Vorne beim Abgang eine Lampe. Hier, im hintersten Auslaufe des Bockshorns, wohinein Münsterer gejagt worden war durch des Vaters Verhausmeisterung (conciergificatio), war's fast dunkel. Horribile dictu und ihr mit Schmach bedeckter Torkel waren heute zu zweit im Beisl (dort, wo Chwostik's Vater einst Kellner gewesen): der Sparverein des Bezirks hatte seine Sitzung, seinen Tag. Vorstädtische Gepflogenheiten: man zahlte durch's ganze Jahr ein und vor Weihnachten ward ausgeschüttet. Damals schon waren diese Sparbeträge, nationalökonomisch gesehen, beachtlich (heute sind sie enorm). Der Torkel durfte bei solchen Sitzungen im Wirtshause fast nichts trinken, nur ein ‚Achterl‘. Zuhause bekam er dann erst Bier, dann Wein: umso leichter war er aus dem Beisl wieder wegzubringen. Die Wewerka ließ ihn daheim voll laufen und ohrfeigte ihn sodann vor dem Schlafengehen, aber ganz ohne jeden Streit oder Anlaß, in aller Stille, möchte man sagen. Münsterer-Vater tobte garniemals: nur Brabbeln und leises Grunzen. Die Wewerka aber hatte, das muß nun einmal eingeräumt werden, auf ihre Art ein gewisses Format.

Münsterer saß auf dem grauslichen Bettlein. In ihm, in seinem Innern, stieg noch Chwostik die Treppen empor, dorthin, wo er wohnte, überstieg ihn, wie so oft schon. Dieser Vorgang in Münsterer war, wenn auch nichts als das Abbild einer äußeren Wirklichkeit, die jedermann sehen konnte, doch ein tief geheimer. Zum erstenmal heute aber stemmte er sich dumpf gegen diese Ziehung, wie ein Hund, welcher der Leine entgehen will: und er spürte durch Sekunden die Hundsnatur seines Vaters in sich und zugleich die Verehrung für Chwostik, die sich in ihm wie ein Spalt öffnete, welcher tiefer in's eigene Innere hinab reichte als ihm bisher je wissentlich gewesen: aber gerade dies befreite doch wieder von dem Vater und der Wewerka und dem

grauslichen Bett und dem Geruch nach Petroleum, der jedes-
mal einmal gleich zu spüren war, wenn man vom Hausflur in die
Unterwelt abtreppte und an der Lampe dort vorbei mußte: am
widerlichsten bei Tage, wenn dieser Lampengeruch kalt war.
Am Porzellanballon, welcher das Öl enthielt, klebten kleine
Fliegen und sommers die Nachtschmetterlinge.

Aber es geschah obendrein noch Chwostik's Häutung (nämlich seine Neu-Einkleidung) – ab jenem Abendessen bei Claytons, von welchem Münsterer freilich nichts wußte.

Damals brachte Münsterer in Erfahrung, wie alt Chwostik
eigentlich sei. Aber der nicht viel mehr als zehn Jahre betragende
Unterschied entschuldigte dem Münsterer nicht die troglodyti-
sche Zurückgebliebenheit der eigenen Person; auch ein Seitenblick auf sein jugendliches Alter vermocht' es kaum.

Seit der Häutung wurde Chwostik's Wirkung, die Ziehung
zu ihm hin und dort hinauf, übermächtig.

Münsterer, wenn er heimkam, betraf sich jetzt dabei, daß er
die letzten Schritte bis zum Haustore so dahinging, als ob er
Chwostik wäre, und auch das Haustor in langsamer Weise auf-
stemmte, wie dieser tat. Seit der Häutung begann Münsterer
viel Sorgfalt auf seine äußere Erscheinung zu verwenden, innerhalb der engen Grenzen seiner Möglichkeiten dazu. Und eines
Tages zerrte die Wewerka, die's längst ad notam genommen
hatte, Geheimstes an's Licht und sagte in der Küche, wo man
aß und zugleich die Lampe roch: „Hast a Menscherl, daß d' alle-
weil an dir umanand' schleckst?!"

Es geschah selten genug, daß Chwostik und Münsterer gleichzeitig den Hausflur betraten; denn der Manipulant verließ
pünktlich um sechs Uhr nach Dienstschluß das Postamt; Chwostik aber saß zeitweise bis sieben und halb acht am Schreib-
tische, wenn Robert Clayton sowohl als die Arbeiter und Angestellten Werk und Bureau längst verlassen hatten. Mitunter allerdings, wenn Chwostik nach Geschäftsschluß noch arbeiten
wollte, hielt ihn sein Chef davon ab: Robert Clayton saß dann
gern bei Chwostik in dessen Zimmer, rittlings auf einem Sessel,
unter welchen er eine bei solchem Anlasse mitgebrachte Whisky-

flasche stellte, und plauderte und lachte mit dem Bureauchef noch eine halbe Stunde vor dem Heimgehen. Dabei hielt er die grade Pfeife auf eine eigentümliche Art im Mund, so nämlich, daß er dabei die Zähne nicht zusammenbeißen mußte: es stand seine ‚Peterson' nicht waagrecht hervor, sondern sie hing vom Mundwinkel tief ab, wie das sonst nur eine gebogene Pfeife macht.

Feverl und Finy saßen auf einem alten Regenmantel unterhalb der Böschung mit dem wie in Büschen und Buckeln wachsenden tiefgrünen Grase, das aber nicht stand, sondern zum Wasser hinunter abhing, wie gekämmt, matt von der sommerlichen Hitze. Sie streckten ihre Beine von sich und waren ganz mit ihren bloßen Füßen beschäftigt. Finy nämlich vermochte ihre großen Zehen (lieber fast würde man hier wienerisch ‚Zechen' sagen) allein und für sich aufzustellen, was Feverl nicht fertig brachte; bei ihr bewegten sich die übrigen vier Zehen gleich mit. Um also jene bemerkenswerte Fähigkeit Finy's sich auch anzueignen, nahm sie bei dieser Unterricht, und Finy gab Feverls großen ‚Zechen' dabei eine Art leichter Hilfe, wie ein Turnlehrer, während sie die übrigen vier Zehen niederhielt. Daß es bei dieser geistreichen Beschäftigung nicht ohne Gegacker und Gequietsche abging, versteht sich von selbst. Im übrigen erscheint ein so hoher Grad von Eigenbeweglichkeit der großen Zehen, wie bei Finy, doch auch irgendwie verdächtig, er weist auf's Tierreich hin und im besonderen auf eine gewisse Art von Geschöpfen, die an den Füßen einen gegenüberstellbaren Daumen haben (also eigentlich vier Hände), und sich wahrhaft behend, weil vierfach behändet, von Baumwipfel zu Baumwipfel schwingen.

Heute keine pralle Sonne. Der Tag war warm, aber trüb. Über dem grünen Schaum der Praterbäume drüben kuppelten hohe dicke Cumulus-Wolken. Weiter unten stand die Brücke mit ihren grauen Eisengittern als ein starres Gestell über dem eilig unter ihr durchziehenden Wasser.

Sie hörten von der Straße oben den langsamen, vielfältig hallenden und schallenden Huftritt eines Schwerfuhrwerks.

Dann einen hellen Schrei.

Die Wagengeräusche brachen ab.

Finy ließ Feverls ,Zechen' los.

Beide wandten sich um. Im gleichen Augenblick erschien oben über der Böschung ein weißer Fleck, jetzt konnte das Kind seinen Lauf nicht mehr anhalten, es kugelte den steilen Hang herab und flog ein paar Meter oberhalb der Stelle, wo Finy und Feverl saßen, über den pilotierten Rand in's tiefe Wasser. Noch sah man's: das Kleidchen schwamm, es trieb heran. „Bleibst oben und laufst mit, ich gib dir's herauf!" rief Finy. Schon sprang sie. Das Kind begann eben zu versinken; Finy tat zwei Schwimmstöße; dann untergriff sie das Strampeln und hob die Kleine hoch über das Wasser, heftig mit den Beinen arbeitend, gegen den pilotierten Rand zu: im gleichen Augenblicke hatte sich Feverl oben auf den Bauch geworfen, erwischte das Kind am Kragen und zog es herauf. Finy war es gelungen, noch einen Schwung von unten zu erteilen, aber jetzt trieb sie schon dahin und gelangte erst ein Stück weiter stromab mühsam aus dem Wasser. Der Donaukanal ist tief gleich vom Rande an und rasch.

Ein vergrößerter weißer Fleck kam die Böschung heruntergetaumelt, von Feverl, die am Bauche lag, nicht gesehen, nur von Finy, während jener Augenblicke, da sie das triefende Kind Feverl entgegen gehoben hatte; und schon auch ward sie ja von der Strömung davongetragen. Jetzt kniete eine Dame in weißem Sommerkleid und mit großem weißem Hut neben Feverl und der Kleinen, die nicht ohnmächtig war, sondern Wasser erbrach, jedoch nur wenig, und dann (zum Glück!) gleich zu schreien und zu weinen begann. Die Dame hatte ihren Beutel und den Sonnenschirm beiseite geworfen. Feverl rannte zurück, dorthin, wo sie mit Finy gelegen war, und brachte den alten Regenmantel. Sogleich zogen sie jetzt dem laut schreienden Kinde die nassen Sachen herunter, rieben es ab und hüllten es ein. Finy kam heran mit klitschnassen Kleidern, das dünne Zeug klebte ihr am Leib.

„Kommen Sie beide mit, bitte, bitte, kommen Sie mit!" rief die weiße Dame und hob das in den Regenmantel gehüllte Kind auf den Arm. Feverl stützte sie; Finy lief um ihre und Feverls Schuhe und Strümpfe und sie zogen eilends ihre Fußbekleidungen an. Die Dame wollte gleich die Böschung hinaufsteigen, Feverl sprang ihr jetzt (mit herabhängenden Strümpfen) nach, um ihr zu helfen, und Finy klaubte die nassen Kindersachen zusammen, und den Beutel und den Sonnenschirm der Dame; diese hatte alles liegen gelassen. So gelangte der Transport über die Böschung. Jetzt querten sie oben die Straße, welche weit und breit leer lag in der Wärme, im gedämpften Nachmittagslicht, ohne Fuhrwerk, ohne Menschen.

In der Leere erschien jetzt den Dahineilenden ein langsam auf dem drüberen Gehsteig einherkommender Sicherheitswachmann mit Pickelhaube und dem halbmondförmigen Schild auf der Brust, der seine Dienstnummer trug. „Herr Inspektor!" rief ihn die Dame in Weiß an, und er kam alsbald mit raschen Schritten. „Ich bitte Sie", sagte sie gleich zu dem grüßenden Beamten, „mir ist mein Mäderl in's Wasser gefallen und die Damen hier haben es noch retten können" (sie wies dabei auf die klitschnasse Finy) „ich muß rasch nach Hause, die Kleine in's Bett stecken, und ich brauche sofort einen Arzt. Das Kind hat viel Wasser geschluckt. Mein Mädchen ist jetzt nicht in der Wohnung, mein Mann auch nicht daheim. Könnten Sie die große Güte haben, irgendeinen Arzt aus der Nähe zu mir zu schicken?!" „Jawohl, gnädige Frau", sagte der Beamte, „es ist eh' grad der Herr Doctor Grundl bei uns auf der Wachstube, ich werd's ihm gleich sagen." Sie gab ihm die genaue Adresse und er ging rasch davon und hielt dabei seinen Säbel. Finy und Feverl staunten betreten über dies höhere Wesen, das ohne weiteres einen Polizisten anredete. Das hätten sie niemals sich einfallen lassen.

Sie querten den ersten Häuserblock durch eine senkrecht auf den Donaukanal heraus führende Gasse und gelangten in jene lange, schon großenteils verbaute Zeile, die ein Stück fast parallel mit dem Flusse lief, der hier allerdings einen weiten und flachen Bogen schlug. Die hellen neuen Häuser erstreckten sich weithin im leblosen Licht des trüben und warmen Tages; in den langen Reihen der großen und in Abständen sogar dreiteiligen Fenster lag jenes Licht wie feiner aschiger Staub. Die weiße Dame mit ihrem Kind, stets langen Schrittes voraus – Finy und Feverl zeppelten hinterdrein – strebte quer über die Straße auf das Tor des Eckhauses zu. Der Hausflur öffnete sich geräumig und glatt, die Treppe war breit und hell, die oberen Teile der Fenster im Stiegenhause ließen das Tageslicht durch eine bunte Verglasung fallen. Sie stiegen nur eine Treppe hoch. Erst jetzt, vor der weißlackierten Tür, als sie aufsperren wollte, vermißte die Dame mit Erschrecken ihr Réticule: Finy hielt den Beutel gleich hin, sie übernahmen das Kind und die Tür wurde aufgeschlossen, nachdem der Schlüssel vom Grunde des Beutels hervorgekramt war, was einige Zeit gedauert hatte. Feverl las derweil an der Türe den Namen: Dr. Maurice Bachler.

In solch ein sauberes Ställchen waren unsere trojanischen Pferdchen noch nie geführt worden. Es war ‚peinlich sauber‘, wie man ja zu sagen pflegt – und so würde man auch richtig wiedergeben, was Finy und Feverl fühlten. Zugleich sprach sie der Genius loci mit leichter Säuerlichkeit an; vielleicht hatte man Gurkensalat zu Mittag gehabt. Vielleicht war es auch gar kein Geruch, sondern es war die Sauberkeit selbst.

Den Namen ‚Maurice‘ hatte Feverl etwa so gelesen: Mauritze.

Mit langen Schritten weiter voran durch ein großes Zimmer mit dreiteiligem Fenster und spiegelnd-polierten Möbeln, es war hell, das matte Licht des Tages lag weißlich an der rückwärtigen Wand. Feverl trug die kleine Monica nach – welche sich jetzt ganz still verhielt – in den benachbarten Raum und Finy zeppelte naß hinter ihr drein. Hier stand das Kinderbett und daneben eine Art Kommode, die wohl früher einmal auch als Wickeltisch für das Kleinkind gedient hatte, mit der glatten weißen Platte. Jetzt wurde Monica von dem alten Regenmantel befreit, saß nackt und patschierlich auf der Kommode, von ihrer Mutter mit raschen Küssen bedeckt und gleichzeitig mit einem Handtuch abgerieben. Sie hatte sich getröstet. Sie lachte sogar. Jetzt ward sie ins Bettchen gesteckt. Frau Doctor Bachler wandte sich herum und sah Finy stehen in ihrem nassen Zeug.

„Jetzt rasch", sagte sie, „so können Sie nicht bleiben."

Schränke und Laden werden geöffnet. Hier zeigt sich bei der Frau Dr. Bachler so etwas wie ein fester Zugriff und ein Talent, möchte man sagen, in der Verwaltung der augenblicklichen Lage eines anderen Menschen; eine fühlbare Moralität, diesfalls als Hilfsbereitschaft ausgeübt. Finy geht mit einem Packen von Sachen – auch Schuhe sind dabei, die ihr dann sogar passen – in die Küche; sie kriegt Seife, ein Handtuch, eine Bürste, und präsentiert sich eine Viertelstunde später in einem alten Sommerkleid der Frau Doctor, in welchem sie etwas explosiv wirkt, durch knappe Einknöpfung. Aus den nassen Sachen wird ein Paket gemacht, mit Packpapier und Spagat. „Gnä' Frau", sagt Finy, „das wird aber ein paar Tag' dauern, bis ich der Gnädigen die Sachen zurückbring', denn ich will's vorher waschen, was ich da jetzt trag'." Es sei nicht nötig, meint die Frau Doctor; aber Finy bleibt dabei. Sie will das Paket dann bei der Hausmeisterin abgeben.

Jetzt erst, im Wohnzimmer mit den spiegelnden Möbeln – die Schwimmerin bekam einen Cognac und es ward in der Küche ein heißer Kaffee vorbereitet – kam Frau Dr. Bachler recht eigentlich dazu, den Frauen zu danken. Plötzlich begann sie heftig zu weinen. Feverl, welche die Kurbel einer Kaffeemühle, die sie zwischen den Knien hielt, in Bewegung gesetzt hatte, brach erschrocken ab, und auch Finy sah ratlos drein: die Lage, für die trojanischen Pferdchen ohnehin leicht beklemmend, begann schwierig zu werden (und es begann erst, es wurde später noch erheblich schwieriger). Man könnte meinen, daß der ausgestandene Schrecken sich jetzt bei der Mutter in Tränen löste; aber es kam etwas anderes zum Vorschein.

„Ich kann ja nicht schwimmen!" rief sie laut. „Wenn Sie nicht gewesen wären, ich hätte ihr nicht helfen können. Es ist nicht auszudenken . . . .!"

Sie stürzte mit dem Gesicht in ihre hohlen Hände ab und lag schluchzend mit dem Kopf auf der Tischplatte; dann tastete sie nach Finy's Hand. „Wie soll ich Ihnen danken?! Sagen Sie doch, bitte, wie ich Ihnen danken soll?!"

In diesem Augenblicke klingelte es an der Wohnungstüre.

Mit dem Eintritte des Polizeiarztes Doctor Grundl (der sich sogleich in das rückwärtige Zimmer und an das Kinderbett begab, in welchem die kleine Monica bereits schlummerte) erreichte die Schwierigkeit der Lage für unsere trojanischen Pferdchen ihren Höhepunkt. Denn freilich kannten sie den Herrn Doctor Grundl – von den wöchentlichen Visiten her, bei welchen auf dem Polizeikommissariate zu erscheinen sie streng verpflichtet waren – und es war ja leider ganz außer Zweifel, daß auch der Arzt sie erkennen mußte.

Dieser untersuchte derweil die kleine Monica, welche auf den Wickeltisch gelegt worden war, setzte sein Hör-Rohr an ihr Herzchen, drückte ihren Magen und ihr Bäuchlein und veranlaßte die Mutter, das Kind für ein paar Augenblicke mit den Füßchen hochzunehmen. Monica gab kein Wasser mehr von sich. Sie verhielt sich geduldig und verschlafen. Doctor Grundl fragte, ob ein Fieberthermometer im Hause sei. „Dann messen Sie die Kleine heute abends, morgen früh und morgen abends. Bei der geringsten Temperatur-Erhöhung oder irgendwelchen Anzeichen von Verkühlung, Husten oder Schnupfen müssen Sie sofort den Hausarzt kommen lassen. Aber ich hab' den Eindruck, daß eigentlich alles in Ordnung ist."

Monica wurde wieder gebettet und sie traten in's Wohnzimmer zurück. Finy und Feverl waren, samt der Kaffeemühle, derweil in die Küche entwichen. Sie hatten eigentlich ganz verschwinden, ja geradezu durchgehen wollen. Aber es erschien ihnen solches doch ungehörig; und so machten sie sich denn jetzt, recht eingeschüchtert, durch Kaffeebereitung nützlich.

Wenn aber jemand sich heldenhaft oder aufopferungsvoll benommen hat und dadurch selbst in eine unhaltbare Lage gekommen ist, so hilft ihm nichts; er kann sich nicht mehr zurücknehmen. Sie fühlten das so ungefähr und waren nah daran, sich für dumm zu halten, weil sie sich da eingelassen hatten. Aber hätten sie denn die Kleine schwimmen lassen können?! Als der

Kaffee fertig war, drehten sie sich in der Küche zwischen den weißlackierten Möbeln herum – sie kamen sich wie hierher verwiesen vor – und betrachteten mit Interesse aber gedrückt einen glatten, weißen einbeinigen Schwenktisch, der irgendwie nach ärztlichem Untersuchungszimmer aussah (es war in der Tat ein Instrumententisch aus der zahnärztlichen Ordination des Herrn Doctor Mauritze, der dort durch einen neuen und geeigneteren ersetzt worden war). Das Ding machte ihnen keinen angenehmen Eindruck. Es half nichts: jetzt erschien freundlich lächelnd Frau Doctor Bachler. Wo sie denn blieben? Also mußten sie ihr behilflich sein beim Hineintragen des Kaffees und der Tassen. Sicher hat der Arzt ihr schon alles gesagt.

Dr. Grundl stand beim Fenster, war also der Etikette-Frage enthoben, die sich ihm wohl gestellt hätte, wäre er gesessen: ob er nämlich beim Eintritte Finy's und Feverls aufstehen oder sitzen bleiben sollte (denn natürlich waren die beiden von ihm gleich erkannt worden). Aber er hatte ja unmittelbar nach der Untersuchung des Mäderls gehen und dieser Lage hier entrinnen wollen und sich deshalb garnicht niedergelassen: nun bat ihn die Frau Doctor Bachler zu einem Kaffee und einem Cognac! Ein Gefühl der Verantwortlichkeit hielt ihn zudem zurück, angesichts ihrer Ahnungslosigkeit in bezug auf die zwei Frauenzimmer; er blieb unschlüssig stehen, während sie ihn freundlich bat, ihr seine Honorarforderung gleich zu eröffnen oder ihr eine Nota zu schicken. „Kollegenvisiten sind immer gratis, Gnädige", sagte er, „außerdem hab' ich mit Ihrem Herrn Gemahl studiert, wir waren gleichzeitig auf der Anatomie beim Professor Hyrtl." Und jetzt ging sie hinaus, den Kaffee zu holen; für ein rasches Entweichen aus dieser Lage war es zu spät! (‚Meiner Seel'! Sie bringt die beiden Weiber herein!') Aber er begegnete mutig der Lage, trat auf Finy und Feverl zu, gab ihnen die Hand und sagte: „Brav habt ihr das gemacht, Kinder!" Die Frau Doctor Bachler war somit der Möglichkeit enthoben, ihn den zwei Frauen vorzustellen, deren Namen sie nicht wußte. Aber, nachdem man am Kaffeetische zu viert Platz genommen hatte, erzählte sie jetzt ausführlich den ganzen Hergang am

Flusse: man erfuhr, daß die kleine Monica sich auf der Straße plötzlich von der Hand ihrer Mutter losgemacht hatte und über den Fahrdamm gelaufen sei, knapp vor einem herankommenden Schwerfuhrwerke, dessen erschrockener Kutscher eben noch habe die Pferde zurückreißen können. Ihr selbst aber sei eben durch diesen großen Wagen die Sicht verlegt und sie gezwungen worden, drum herum zu laufen; das wären aber die entscheidenden Augenblicke gewesen, denn so habe sie das Kind nicht mehr einholen und abfangen können. „Wenn Sie nicht eingegriffen hätten . . . .“ sagte sie zu Finy und Feverl (welche hier bereits wie die unpräparierten Schüler bei einer Prüfung saßen und ihre Kaffeetassen unberührt ließen). Die Frau Doctor brach ab und konnte sich kaum mehr beherrschen. „Ich – kann nicht schwimmen“, sagte sie zu dem Arzte, mit einer Stimme, welche bereits ein Tränenknödel bedrängte. Aber gleich wurde sie lebhaft: „Ich muß Ihnen beiden danken! Sagen Sie, ob ich irgendetwas für Sie tun kann, sei es was es sei, ich will es nach Kräften versuchen! Sagen Sie mir vor allem Ihre Namen und Wohnungsadressen!“ (Sie sprach ohne jeden Dialekt und im ganzen grammatikalisch, nur etwas zerfahren, vielleicht lag das an ihrer Erregung.)

„Ich bin die Finy, gnä’ Frau.“

„Und ich die Feverl. Und wir müssen jetzt gehen. Wir haben an Weg.“

Der Doctor Grundl, welcher durch einige Augenblicke schon recht nachdenklich dreingeschaut hatte, war dieser letzten Kundgebung der trojanischen Pferdchen denn doch nicht gewachsen und platzte mit dem Lachen heraus.

Da erhob sich Finy – in dieser desparaten Lage endlich zum Durchbruche gelangend! – und sagte, während Feverl gleichfalls aufstand:

„Gnä’ Frau, wir gehn.“

Um die Verdutztheit der Frau Doctor Bachler – welche hier mit ihren besten Absichten an eine unsichtbare Wand rannte! – ganz zu verstehen, muß man sich daran erinnern, daß die beiden Trampel ganz und gar nicht so aussahen, wie man sich Personen ihres Métiers sonst vorstellt.

Der Doctor Grundl aber war es, der plötzlich hier die Führung in einer ausweglosen Situation übernahm, energisch, ja, mit einigem Ernste. „Seid's g'scheit!" sagte er, „setzt's euch wieder nieder und trinkt's euren Kaffee. Wenn die gnädige Frau euch helfen will – wer weiß, vielleicht kann sie's wirklich. Und ich hab' von euch nicht den Eindruck, daß ihr gar so überglücklich seid in dem Leben, das ihr führt. Hier ist vielleicht der Ausweg. Ihr müßtet mich nur berechtigen, der Frau Doctor die Wahrheit zu sagen und ihr eure Namen und Adressen zu geben. Die hab' ich ja im Akt."

„Aber sagen Sie's erst, Herr Doctor, bis mir 'gangen sind."

Wirklich, sie tranken brav den Kaffee, und dann gingen sie, und der Frau Doctor Bachler war nach den Worten des Polizeiarztes wohl auch schon irgendein Licht aufgegangen. Aber sie entließ die beiden mit nochmaligem Dank, gab ihnen die Hand und sagte: „Ich hoffe von Herzen, daß ich von mir noch werde hören lassen können!" Finy's nasse Kleider hatten das Papier inzwischen aufgeweicht: so ward denn das Ganze noch einmal umhüllt und mit Spagat gebunden.

Der Arzt blieb noch ein wenig bei Frau Dr. Bachler und maß selbst die Temperatur des Kindes. Das Stubenmädchen war einige Minuten nach Finy's und Feverls Abgehen gekommen und machte Licht, vor allem dem Arzte im rückwärtigen Zimmer, wo die kleine Monica lag, die danach bald ihren Brei in's Bett bekam. Dr. Grundl sah keinen Anlaß zur Unruhe wegen der Kleinen. Im Wohnzimmer sprach er dann mit der Mutter. Es begann draußen dunkel zu werden. Der Arzt verhielt sich skeptisch, um so mehr, wie es schien, weil er bei der jungen Frau eine Art Enthusiasmus bemerkte, eine Freude an der Veränderung und (wie sie vermeinte) Verbesserung der Lage anderer Menschen (einen sozial-ethischen Enthusiasmus, so nannte es der Doctor Grundl bei sich). „Gnädige Frau", sagte er, „glauben Sie mir, es gehört jeder Mensch immer dorthin, wo er steht. Das hat mich nicht gehindert, Ihren guten Absichten bei diesen

Frauenzimmern eine Gasse zu brechen. Aber meine Erfahrungen – und freilich hab' ich ja welche gemacht mit Menschen von der Art der famosen Finy und Feverl – bleiben deshalb doch aufrecht. Womit nicht geleugnet und vergessen sei, daß sich die beiden tapfer und selbstlos verhalten haben; wenn auch mehr reaktiv als aus einem eigentlich moralischen Impetus."

Aber seine Worte gingen an ihr vorbei; und vielleicht war sie wirklich nicht nur ethisch aufgeflattert, sondern konnte der beiden Frauen jetzt nicht vergessen, die sie vor namenlosemSchmerze bewahrt hatten.

,Wewerka' heißt auf deutsch ,das Eichhörnchen'; mit einem solchen hatte das formatige Knollengewächs wahrlich nichts gemein (es sei denn das scharfe Gebiß, mit welchem es den Torkel zernagte). Aber es heißen ja auch Frauenspersonen ,Marguerita', also ,Perle', die man nur rasch vor die anderen Säue werfen möchte, oder ,Rosa', obgleich einem da mitunter ein einziger Dorn entgegen steht und sonst nichts.

Warum Chwostik ihr eigentlich nichts davon sagte, als er noch vor dem 1. Mai – auf Anraten des Herrn Doctor Eptinger – in einem formellen Schreiben an den Hausherrn seine Wohnung aufkündigte, vermögen wir selbst nicht genau anzugeben. Es wurde von ihm wohl für überflüssig gehalten. Die Hausmeisterin bekam er so oft nicht zu Gesicht und in die Unterwelt abzusteigen wäre ihm nie eingefallen. Zwischendurch einmal lehnte der Torkel besoffen im Hausflur und schimpfte Chwostik nach, während dieser die Stiegen zu steigen begann; vom ersten Absatz konnte jetzt, bei der Wendung, die Wewerka gesehen werden, welche aus dem Loche fuhr, den Torkel mit ihren Klauen ergriff und hinabzerrte.

In seinem Kündigungsbrief hatte Chwostik den Hausherrn in geziemender Form gebeten, ihm einen Abschiedsbesuch machen zu dürfen, in Anbetracht der Tatsache, daß sowohl seine Eltern wie er selbst durch so lange Zeit hier im Hause gewohnt hätten.

Es war solches keineswegs allgemein üblich. Wir begegnen hier vielmehr einem neuen Stil-Element bei Chwostik, das uns mindestens so bedeutsam erscheint wie seine nun längst vollzogene Häutung. Übrigens wäre es denkbar, auch das Übergehen der Wewerka bei dieser ganzen Angelegenheit so zu deuten.

Der Oberlandesgerichtsrat im Ruhestande Doctor Eugen Keibl – so hieß der Hausherr, nicht nur dieses einen Hauses, denn er hatte in Wien noch sechs andere – betrachtete nicht ohne Sympathie des Herrn Chwostik schöne currente Kanzleischrift, setzte sich dann zu einem barocken Sekretär mit ,Tabernakel' und zahllosen kleinen Laden und schrieb ein Billet, in welchem er Chwostik einlud, ihm das Vergnügen seines Besuches zu machen, an dem und dem Tage, um elf Uhr.

Es interessierte ihn immerhin, den Mann kennen zu lernen. Die Errichtung der Firma Clayton & Powers in Wien war dem Doctor Keibl nicht entgangen, da ein Verwandter von ihm Lieferungen von Heizungsanlagen beim Aufbau des Werkes übernommen hatte. Mr. Clayton aber sprach, wie man weiß, gerne von seinem erstaunlichen Bureauchef, das zeigt sich hier wieder einmal. Nun wollte Doctor Keibl diesen scheidenden Mieter doch noch sehen, welchen wohl die veränderten Lebensumstände veranlaßten, eine ihnen entsprechendere Wohnung zu nehmen.

Chwostik wählte für diesen Besuch den sogenannten ,Gehrock', zu welchem ein schwarzer Cylinder getragen wurde. Es war an diesem Tage so warm nicht, daß solche Tracht ihm wäre lästig geworden. Im Bureau hatte er sich entschuldigt. Er ging zeitig von daheim weg und befand sich besonders wohl. Das hing nun mit Andreas Milohnić zusammen. Dieser hatte ihm ein paar Tage vorher als kleines Geschenk eine Flasche von Joh. Maria Farina's Kölnischem Wasser gebracht, ein von Chwostik bisher nie benütztes Toilette-Mittel. Nun, am Tage seines Besuchs bei dem Hausherrn zog er den kleinen Pfropfen (und danach noch oft, und nicht nur bei dieser einen Flasche).

Der Hausherr wohnte auf der Wieden. Chwostik ging ein Stück zu Fuße, in der Richtung zum nächsten Fiaker-Standplatz. Aber erst in der Seidlgasse war's, daß er einen Fiaker kriegen konnte, sogar einen ‚Gummiradler‘, der zufällig leer und langsam im Schritt einherfuhr, vielleicht schon ausspähend nach einem Fahrgast. Chwostik stieg ein. Der Wagen wandte um. Die blank gestriegelten Pferde schienen heut noch nicht viel gelaufen zu sein, der Kutscher mußte sie halten, um im kurzen Trabe zu bleiben. Dann und wann sprach er zu ihnen, in nur halb articulierten Lauten, und schob dabei jedesmal den schwarzen Halbkrach – die ‚Butten‘, wie man den chapeau melon in Wien nannte – mit der hell behandschuhten Hand ein wenig in's Genick. Die lange dünne Equipagen-Peitsche spielte wie ein Krebsfühler in der Luft. Die Seidlgasse hatte Holzstöckel-Pflaster, hier ging's weich dahin, erst auf den Katzen-Köpfen der Landstraßer Hauptstraße hüpfte und zitterte der Wagen ein wenig. Jetzt rollte man gegen den Ring hinaus, denn der Kutscher vermied die Lastenstraße mit dem vielen langsamen hemmenden Schwerfuhrwerk, und folgte auch nicht dem Laufe der Wollzeile, die damals noch sehr steil war. Auf der Ringstraße erst mit ihren Alleebäumen kam das flotte Fahrzeug zu seiner wahren Natur, der Kutscher ließ den Pferden mehr die Zügel. Linker Hand lag tief und grün der Stadtpark. Chwostik sah sich in seinem Zimmer im Bette liegen, flankiert von Finy's und Feverls Amtsräumen, und empfand hier im Wagen diesen merkwürdigen, abruptstufigen Gegensatz, der noch immer durch sein Dasein lief: aber es hob ihn und schob ihn schon drüber hinaus, und dieses Geglicker und Geklacker der Pferdehufe vorne, und der leise hüpfende Gummiradler entfremdeten ihn seiner Adamsgasse, Geräusche aus einer anderen Welt. Milo's Eau de Cologne duftete. Jetzt war die Zeit bei Debrössy da und der Geruch, wenn die Angestellten ihr Essen auf den Kochern wärmten. Die Gassen im Bezirk Wieden waren still, zum Teil auch mit Stöckelpflaster belegt, das nun in der durchbrechenden Sonne leicht dunstete, ein Sommer-Sehnsuchts-Geruch, von Chwostik schon in der Kindheit so empfunden. Der Wagen hielt, die Nummer stimmte. Es war ein altes, nur zweistöckiges Privathaus. Über den Fenstern sah man halbkreisförmige Medaillons mit Putten.

Auch der Doctor Keibl hatte eine arme Jugend gehabt, aber auf der Ebene eines Standes, welcher diese Armut, diese unselige, verhängte, wie die Ränder einer klaffenden Wunde ständig zusammenpressen mußte, denn sie gehörte nicht zu jenem Stande dazu, ja sie durfte eigentlich garnicht sein.

Der Vater war ein höherer Rechnungsbeamter gewesen und der Sohn mußte Jura studieren, freilich, und saß dann mit dem noch weniger als schmalen ‚Adjutum‘ (ein paar Gulden) beim Bezirksgerichte, den Schriftführer machend. Später kam das ‚Relutum‘ hinzu; und von beiden zusammen konnte man nicht leben, es sei denn am Tische der Eltern. Mit zweiunddreißig war er Richter. Um diese Zeit schlug der Blitz zweimal bei ihm ein: zum erstenmal durch den Verlust beider Eltern innerhalb eines Jahres, ein schwarzer Blitz, ein Finster-Blitz, den Horizont verdunkelnd. Der zweite Blitzschlag aber riß hell und fremd alles und jedes entzwei: Eugen wurde durch Erbschaft nach einem Onkel namens La Grange, dem seine Kinder gestorben waren, ein sehr reicher Mann. Die Art, wie er diese Kassierung aller bisherigen Verhältnisse bestand, machte seine Persönlichkeit aus, ja, diese entstand eigentlich erst beim Nehmen einer Barrière, welche anders sein Leben zum Anhalten gebracht und zum Stillstand gezwungen hätte.

Zunächst: er blieb im Amte. Zweitens: er entdeckte dieses Amt erst jetzt. Die Durchdringung und Kommentierung des Allgemeinen Bürgerlichen Gesetzbuches – dieses stellt eine der großartigsten Leistungen im alten Staate dar – war damals erst wirklich in Fluß gekommen, und das durch die rasch sich verändernde Zeit und die ersten Einbrüche eigentlich modernen Lebens bedingte Auftreten neuer und noch flüssiger Rechtsmaterien, und ihre immer wieder zu leistende novellierende Bewältigung zwang den Juristen, wollte er wirklich einer sein und bleiben, zu anhaltender Arbeit. Sie wurde Doctor Keibls Braut und er blieb ledig. Schon Landesgerichtsrat, erwarb er obendrein noch die Dozentur an der Universität. In einer geruhigen, jetzt fast herrschaftlichen Weise lebend, glitt er mit festen Bahnelementen durch seine praktische wie theoretische Arbeit, und bei seiner Pensionierung hatte die zweite schon derart Gestalt angenommen, daß er die erste nicht vermißte, ja, die Lage als wesentlich erleichtert empfand. Ein Jahr nach seinem Übertritte in den Ruhestand erfolgte seine Ernennung zum außerordentlichen Professor mit Lehrauftrag.

Einem so beschaffenen Manne also trat Chwostik hier gegenüber, vom Diener geleitet, und verbeugte sich. Es waren beide Herren von kleiner und leichter Gestalt. Dem Doctor Keibl verlieh sein noch dunkler, in die Mundwinkel herabgezogener Schnurrbart einen irgendwie französischen Charakter, zusammen vielleicht mit den verbindlichen und etwas altfränkischen Bewegungen der Hände.

Chwostik, als sie jetzt saßen, war beherrscht von einer nicht abweisbaren widersinnigen Empfindung: daß man sich hier sehr weit weg befinde von jener Gasse, durch die er im Fiaker bis vor das Haus gefahren war, so als hätte dieses Haus eine Tiefe von mehreren Kilometern (zugleich meldete sich bei ihm ein zweifelloses Wissen in bezug auf die Kinderzeit: damals war alles und jedes in einer solchen Weise von ihm aufgefaßt worden, aber seitdem hatte sich die Umwelt verkleinert – auch den Teergeruch vom Holzstöckelpflaster hatte er als Kind ganz so erlebt, aber... wie nur?!). Es waren wenige Meter von hier bis zur Gasse, welche man jetzt allerdings nicht sehen konnte, denn die drei Fenster dieses übergroßen Zimmers öffneten sich gegen den Garten: ihn hätte man in solcher Tiefe und Ausdehnung von der geschlossenen Straßenzeile aus nie hinter diesem Hause vermutet: man sah nur Grün, es war völlig den Blick befangend, und hohe dichte Baumwipfel schlossen alles andere aus, kein benachbartes Haus war sichtbar, auch kein rückwärtiges Ende oder eine Mauer dieses kleinen Parkes.

Indessen hatte Doctor Keibl schon, während der Diener ein Glas Malaga servierte, geschickt und wohlwollend das Gespräch eröffnet, was bei jedem Zusammentreffen besser derjenige tut, welcher den anderen zu umfassen vermag, und ihn so in seinen größeren Umfang einbezieht: und dieser war hier nun einmal bei dem Oberlandesgerichtsrat, der alles hatte, was Chwostik hatte, nämlich die ganze einst erlebte Spanne und Spannung des Wegs von einer armen Jugend bis zu deren Überwindung, aber eben darüber hinaus die lange Praxis eines komplizierten und vielseitigen Berufs, und die Theorie dazu, ohne welche ja alles in trüber Direktheit und also doch zutiefst irgendwie menschenunwürdig bleibt. So also begann der hohe Jurist damit, daß er Chwostik zu dem großen Schritte vorwärts im Leben, den jener getan, beglückwünschte – das Eintreten in eine so bedeutende und zukunftsträchtige Industrie, zu vergleichen der Einschiffung auf einem großen und seetüchtigem Schiffe mit festem Kurs voraus – und zugleich Chwostiks Wunsch, dies neue Bild seiner Situation auch neu zu rahmen, nicht nur als durchaus berechtigt, sondern geradezu als eine Selbstverständlichkeit bezeichnete. „Ihnen werden ja auch gewisse repräsentative Verpflichtungen noch erwachsen", sagte er (und wußte sogar mehr als Chwostik! Sein früher erwähnter Verwandter hatte ihm gelegentlich erzählt, daß der Engländer, Mr. Clayton jun. nämlich, in Chwostik eigentlich den künftigen kommerziellen Leiter des ganzen Wiener Unternehmens erblicke, was vernünftigerweise auf eine baldige Erteilung von Procura hinauslaufen müsse, nur habe der ganz Alte in England eingewandt, daß Chwostik dafür noch etwas jung sei, und so möge man zuwarten). „Außerdem herrschen ja im Hause, wo Sie wohnen, Herr Chwostik, bei einzelnen Mietern möglicherweise noch immer gewisse Verhältnisse – nun Sie werden das ja bemerkt haben" (hier legte Chwostik gleichsam die Ohren zurück, sofort auch war ein Gefühl der Bedrohung da, ganz wie einst bei dem Doctor Eptinger!). „Ich habe dieses Haus seinerzeit geerbt – bereits mit solchen lieblichen Nebenumständen, die ich erstaunlicherweise nicht sogleich zu ändern vermochte – vielleicht hab' ich mich auch nicht genug bemüht, mag sein. Tatsächlich aber wurde mir ein Wink zuteil, ich möge, angesichts der in diesem Falle geübten behördlichen Toleranz, die Sache auf sich beruhen lassen, als hätt' ich keine Kenntnis davon; und formal trifft ja hier eine Verantwortung nur den einzelnen Mieter. Nun gut, ich wollte mich damit nie abgeben; auch verwalte ich meine Häuser garnicht selbst. Es gibt dafür eine Art Treuhand-Gesellschaft. Dieser habe ich allerdings mehrmals in der ganzen Angelegenheit strikte geschrieben, die Sache abzustellen. Ob das wirklich geschehen ist, weiß ich nicht. Was hatten Sie denn, Herr Chwostik, zuletzt diesbezüglich für Eindrücke?"

„Mir ist eigentlich nichts mehr aufgefallen", sagte Chwostik beiläufig. Das Unerhörte dieser Situation hier schuf ihm geradezu Distanz und schenkte ihm Ruhe. Im übrigen konnte er die Frauenzimmer jetzt wirklich hinauswerfen. Mochte die Wewerka zerspringen! Oder, noch besser: so bald wie möglich selbst ausziehen, dieses bezahlte Quartal garnicht zu Ende wohnen.

„Also", schloß Doctor Keibl das Thema, „summa summarum, Herr Chwostik, ich halte es nicht nur für durchaus begreiflich, sondern für durchaus richtig, daß Sie ausziehen wollen. Haben Sie denn schon eine neue Wohnung in der Hand?"

Im ganzen hatte der Doctor Keibl bei Chwostiks Eintritt und erstem Anblick sogleich gewußt, wen er vor sich habe. Und er wußte das eigentlich bei jedem neuen Gesicht (an praktischer Übung hatte es ihm wahrlich nicht gefehlt), ja, mehr als das: er vermochte die Oberfläche zu durchdringen, auch wenn sie Ungünstiges oder gar Abstoßendes darbot (was ja bei Chwostik durchaus nicht der Fall war) und gehörte keineswegs zu jenen Leuten, die in solchen Fällen gleich zurückspringen wie der Ball von der Wand (und schon ist die Antipathie fertig und mit ihr gleich das Urteil gefällt). Hier lag die Möglichkeit des Herrn Oberlandesgerichtsrates zu einer höheren Gerechtigkeit als die Jurisprudenz sie zu bieten hat. Eine solche Gerechtigkeit vertritt den anderen Menschen in unserem Inneren gleichsam durch einen Anwalt, den wir hier für ihn bestellt haben. Der Doctor Keibl hatte von solchen Möglichkeiten Gebrauch gemacht.

„Noch ist nichts definitiv entschieden", antwortete Chwostik auf die gestellte Frage. „Jedoch der Herr Doctor Eptinger, unser Advocat, hat mehrere Möglichkeiten für mich bereit und ich werde in der nächsten Zeit einiges besichtigen."

Deutlich fühlte er während dieser seiner eigenen Rede, daß ihn eine Art Zwang leitete, den Namen des Doctor Eptinger auszusprechen, der schon in den letzten Minuten durchaus gegenwärtig gewesen war, ja, diese letzten Minuten zutiefst beherrscht hatte: alles war jetzt irgendwie Doctor Eptinger. Es hätte der direkten Frage des Oberlandesgerichtsrates garnicht bedurft – Chwostik hätte von sich aus einen Vorwand gefunden, den Rechtsanwalt zu nennen, ja, geradezu ihn zu citieren oder zu beschwören. Doch jetzt, nachdem er's getan, öffnete es sich, genau gegenüber der wiedergekehrten Bedrohung durch den noch immer abrupt-stufigen Bruch in den Verhältnissen seines Daseins, wie ein von tiefem Blau erfülltes Fenster in die Freiheit, in ein von solchen Klemmen und Bedrängnissen freies Leben. Und Chwostik hielt, nun schon mit bewußtem Bestreben, diese Hoffnung fest. Er würde bald, in absehbarer Zeit, in einem anderen Hause wohnen, und so in den Herbst eingehen und in den nächsten Winter. Im Augenblicke fühlte er's wie einen herbstlichen Duft vom Prater her, von den Kastanienbäumen der Hauptallee.

„Nun, Sie haben ja noch genug Zeit zur Wahl", sagte Doctor Keibl. „Den Doctor Eptinger kenne ich übrigens von der Gerichtspraxis her. Ein ausgezeichneter Jurist. Wir hatten einen jungen Staatsanwalt, der sich vor ihm geradezu gefürchtet hat."

Das Gespräch zerfiel jetzt und zerstreute sich. Bald hielt Chwostik es für angemessen zu gehen. Der Oberlandesgerichtsrat stand noch vor ihm und sagte, er werde sich einmal erlauben, Chwostik einzuladen, es gäbe bei ihm dann und wann einen Herrenabend, und er möchte darum bitten, ihm die neue Wohnungsadresse mitzuteilen. Das große Zimmer schien jetzt ganz erfüllt von dem Widerschein der grünen Baumwipfel draußen, welcher durch die drei Fenster fiel.

Wir stülpen zwei Leute um wie die Handschuhe und fragen uns, wie sie's auf der abgekehrten Seite machen, die man sonst nicht zu sehen kriegt. Bei Chwostik ist das simpel. Er besucht in Abständen ein bekanntes Haus in der Bäckerstraße und führt sich dort im übrigen anständig und bescheiden auf, ohne zu trinken. Der Doctor Eugen Keibl aber hat ein Verhältnis mit der Frau des Zahnarztes Doctor Bachler. Es ist denkbar, daß diese sonst noch ganz anders ethisch aufgeflattert wäre, bei diversen Gelegenheiten, und mitten aus dem Gurkensalat-Geruch ihrer Wohnung heraus, ja, so recht und voll aus diesem! Der angegebene besondere Umstand jedoch wirkte dämpfend, ja vermenschlichend, humanisierend. Vielleicht ist hierin die eigentliche Wurzel ihres Verhaltens gegen Finy und Feverl zu sehen. Daß ihr Kind, welches jene aus dem Wasser gezogen hatten, von dem Doctor Eugen stammte, wußte sie mit voller Gewißheit. Es war also ein Kind der Liebe. Diejenigen, welche später nicht nachkamen, wären Kinder des Zahnarztes gewesen. Er kann als Feschak bezeichnet werden, als ein allzu fescher Kerl; und so verlor er frühzeitig seine Frau und merkte es nicht einmal.

Niemand merkte irgendetwas.

Sonst kommt doch alles heraus.

Aber es gibt Ausnahmen.

Es gibt eben alles. Wenn der Doctor Eugen, im Gespräche mit Chwostik, sozusagen ganz fremd getan hat, als der Bruder seiner Geliebten, der Advocat Eptinger, erwähnt wurde: so war das eben garkeine Tuerei; er hat ihn nur aus der beruflichen, nie aus der privaten Sphäre gekannt; auch seinen eigenen Contrepart, den Zahnarzt, kannte er nicht; ja, es kann, geht man's Mann um Mann, Frau für Frau durch, niemand gefunden werden, der beide zugleich kannte, den Doctor Eugen und die Frau Doctor Bachler. So lebten sie denn in völlig verschiedenen Kreisen. Dieser Sachverhalt wurde von dem Oberlandesgerichtsrate klar erfaßt und sorgfältig konserviert.

Monica sah er.

Jedoch nur, als sie noch ganz klein war.

Die Mutter brachte ihm das Baby.

In sein Privathaus freilich; außerhalb von diesem sind Eugen und die Frau Doctor nie zusammengetroffen.

So hat es denn keinen, auch nicht den geringsten Tratsch, keinen, auch nicht den geringsten Schatten eines Verdachtes jemals gegeben. Es war ein luftdicht abgeschlossenes Geheimnis, es kommunizierte nicht mit der Welt, es blieb fest verschalt im alten Hause Doctor Eugen's auf der Wieden. Mit der Zeit eignete dieser Liebes-Konserve, durch den Liquor perfektionierter Diskretion, in welchem sie schwamm und schwebte, ohne irgendwo anzustoßen, ohne irgendwas zu berühren oder irgendwie Anlehnung zu nehmen, ein mumifizierter, ein aus der Welt geratener Charakter. Und die Arztensgattin ging in Eugens altes Haus ein wie in ein anderes Zeitalter im gleichen Raume (vielleicht hat darin für sie ein Reiz gelegen). Sie kam aus dem Gurkensalat, und hier umschloß sie nun der gekühlte Duft, der vom kostbaren Holze alter Möbel ausging. Die Sphären mischten sich nie. Sie trafen kompakt und intakt aufeinander. Jede Perfektion ist unmenschlich, ja tödlich, man spürt es schon, man erkennt's an diesem Beispiel. Und, in der Tat: der Nerv der Sache starb denn auch ab und aus einer Geliebten wurde eine Tochter. Damals, als Monica in's Wasser fiel, war es schon bald so weit, oder mindestens befand man sich auf dem Wege dahin. Jede Sache, jeder Mensch: damit sie eigentlich leben und am Leben bleiben, müssen sie doch irgendwie unter die Leute kommen, und freilich auch – sei's denn! – in deren Mund.

Es bleibt nur die Frage übrig, wie die beiden aus so getrennten Welten überhaupt an einander geraten waren. Nun, der Regie des Lebens fällt solches leicht, unendlich viel leichter als uns hier; sie hat im Handumdrehen ihre Kulissen aufgestellt (man kommt niemals nach), alles dreht sich, alles bewegt sich; und während uns noch ganz dünn zumut ist, haben sich weit auseinander liegende Einzelheiten schon dick zusammengepappt und alles starrt nur so von Tatsächlichkeit, ja, in der ordinärsten Weise, möchte man fast sagen. Es hatte im Elternhause der Frau Bachler (Rita Bachler, geborene Eptinger) einmal ein Stubenmädchen gegeben, das später – wenn auch nur ganz kurz – in einen Kriminalprozeß verwickelt wurde, durch einen Geliebten, versteht sich; über die Vorvergangenheit jener Person mußte Frau Rita als nicht sehr wichtige Zeugin vor einem Geschworenengericht aussagen, dem der Doctor Eugen praesidierte. Sie erkannte sofort, daß sie ihn kannte, nämlich vom Sehen. Es war in der ersten Zeit ihrer Ehe mit dem feschen Doctor Bachler gewesen (und sie wohnten schon damals im Eckhause in jener langen Straße, nahe beim Donaukanal). Rita war durch ihre Heirat in eine Lage gekommen, in welcher sie bald vor Erstaunen einfach steckenblieb. Denn nachdem der Doctor Bachler sich mit Hilfe ihrer beträchtlichen Mitgift seine zahnärztliche Ordination eingerichtet hatte, kümmerte er sich überhaupt nicht mehr um sie. Es war mit den beiden nichts, es war von vornherein schiefgegangen, es hatte sich nie was rechtes ereignet. Es gibt solche Fälle. Niemand kann das geringste dafür, nicht die Frau, nicht der Mann.

Sie hatte unseren Doctor Eugen also schon gekannt, und lange noch bevor sie in den Zeugenstand getreten und von ihm angesprochen, belehrt und befragt worden war. Das Nichtstun junger wohlhabender Frauen von damals – noch waren seine hygienischeren Formen und deren Instrumente, der Tennis-Schläger, der Ski, das Training im Hallenbade auch winters, nicht am Kontinente eingebürgert – führte sie in den nahegelegenen ersten Stadtbezirk, die ‚Innere Stadt‘, wie man zu Wien sagt, fast jeden Vormittag; es stellte eine Art Ritus vor, daß man hier zwischen elf und eins an den glänzenden Schaufenstern der Geschäfte entlang flanierte, da und dort auch ein bekanntes Gesicht begrüßend, einen kleinen Einkauf besorgend. In allem war diese Zeit wesentlich durch das geprägt, was die im Lichte lebenden Menschen sich selbst als durchaus angemessen zubilligten, ganz so wie unsere Tage unter dem Zeichen des unermeßlichen Anspruches jener stehen, die damals so gut wie unsichtbar blieben; mindestens in der Inneren Stadt zwischen elf und eins wurden sie nie gesehen, es gab sie nicht. War man vormittags verhindert, die nächste Umgebung des Stephansturmes aufzusuchen, so nahm man nachmittags um fünf den Tee beim Demel am Kohlmarkt

Und sah dort manchmal, wenn auch selten genug und nicht etwa regelmäßig an einem bestimmten Wochentage, den annoch anonymen Doctor Eugen sitzen, der, das muß festgestellt werden, hier eine Schlacht gegen den feschen Maurice Bachler gewann, bevor diese noch begonnen hatte, und trotz seines schon sehr vorgerückten Alters. Die Besuche von Demels Konditorei und Tee-Salon wurden geradezu spannend.

Nach der Verhandlung, bei der Rita als Zeugin vernommen worden war, blieb er ganz aus, und erschien erst in der folgenden Woche wieder; aber, bei aller weiblicher Raffinesse und Mistviecherei, sie verfiel – infolge ihrer Unkenntnis davon, was ein ‚schwebendes Verfahren‘ bedeutet – nicht auf die richtige Erklärung seines Ausbleibens, welche für sie eine befriedigende gewesen wäre.

Beim nächsten Male grüßte er sie und redete sie auch ohne weiteres an, als sie beide beim Auswählen vor den langen Reihen der petits fours, den großen, kleinen, mittleren und winzigen Torten standen. Wie's denn geht, sie kamen auch an eines der Marmortischchen miteinander zu sitzen, einfach weil kein anderer Platz frei war (das gehört zur Regie des Lebens).

Freilich hat Rita sich mit Doctor Eugen auch über das Verfahren unterhalten, welches sie erst in den Zeugenstand und jetzt, bei Demel, an den rechten Mann gebracht hatte. Der Bursche, um welchen es dabei ging, hieß Okrogelnik und war ein fürchterlicher Kerl. Er ist damals, in dieser einen Sache, aus Mangel an Beweisen auf Grund des Votums der Geschworenen von der Anklage wegen eines Gewaltverbrechens freigesprochen worden. Die Vorstrafen waren doch reichlich. Bei neuerlicher Durchleuchtung von Okrogelniks Vergangenheit kam zur Sprache, daß in einem Falle eine sehr bedeutende Diebesbeute nie mehr hatte zustande gebracht werden können: und nun plötzlich fuhr der Angeklagte mit der Behauptung heraus, es sei ihm zu jener Zeit alles entwendet und hinter seinem Rücken verkauft worden, von einer einstmaligen Geliebten, einem Stubenmädchen namens Sophie Liesbauer. Doch geriet ihm dieser eigentlich sinnlose Ausfall nicht gar gut. Denn die Sophie, welche einst im Hause von Rita's Mutter gedient hatte – dort war sie nicht Sophie oder Sopherl, sondern, recht artig, Sopferl und schließlich sogar Zopferl genannt worden – wurde damals, trotz Okrogelnik's hochehrbarem Getue, bald von Unbehagen in bezug auf diesen beschlichen. Ja, sie wünschte ihn los zu sein; schon gar, als er immer mehr kleine Kistchen und Pakete brachte (zum Teil waren sie schwer), die Zopferl in ihrem Dienstbotenzimmer aufbewahren mußte: sie füllten bereits den ganzen Raum unter Zopferls eiserner Bettstatt aus, und an der Wand stapelten sie sich zur Mauer: „landwirtschaftlicher Bedarf" (?) sagte er, im Auftrage seiner als Gutsherrin im Steirischen lebenden Schwägerin eingekauft, und demnächst werde er das alles verfrachten. Der Zopferl wollt's nicht gefallen. Sie wandte sich vertraulich an das mit ihr gleichaltrige Fräulein Rita und sagte ihr, daß sie den Okrogelnik loswerden wolle, und seinen Kram dazu. Also beschlossen die beiden, es der Mutter Eptinger zu sagen (geborene Globusz), die's dann dem Okrogelnik kräftig besorgte, indem sie ihn hinauswarf, als er wieder einmal zu Zopferl in die Küche kommen wollte (meist ging er dann bald in ihre Kammer, um dort mit seinem Kram herumzuwirtschaften). Und er mußte alles augenblicklich wegbringen, was er – eigentlich garnicht so dumm! – in der Hut eines ehrbaren Hauses deponiert hatte. Sein Ausfall gegen die einstmalige Freundin Zopferl vor Gericht aber war ganz dumm, denn sowohl Rita Bachler wie ihre Mutter, welche zur Zeit noch lebte, sagten genau aus, wie's wirklich gewesen. Im übrigen scheint damals der Okrogelnik sehr rasch ein anderes und noch tauglicheres Versteck für seine Pretiosen gefunden zu haben. Denn schon kurz nach seinem Hinauswurf bei der Frau Eptinger wurde er wieder einmal plötzlich verhaftet, und zwar unter dem dringenden Verdacht des Beteiligtseins an der Verbreitung von Falschgeld.

Doch redeten sie nicht lange von dem Gerichtsfall (er nachbarte sich ihrem nunmehrigen Zu-Zweit-Sein nur mit einer Art roher oder ungarer Tatsächlichkeit, und entschwand bald). Bei Demel vielleicht sprachen sie noch davon; auf der Straße nicht mehr. Er war einer der ganz wenigen Gänge, die sie mit Doctor

Eugen gemeinsam machte; und das nur am Anfange ihrer Beziehung. Später kam es nie vor. So hatte ihr Gehen auf der Straße nebeneinander schon jetzt etwas durchaus Vorläufiges an sich, es bedeutete einen ganz anderen kommenden Zustand, es war keine vorgeschobene Blende, sondern führte geradewegs dahin, sie gingen darauf zu: es würde hier nie ein Vorprellen oder Zurückweichen geben, sie gingen auf das Nächstliegende zu, es fiel vor ihre Füße und sie mußten jetzt einfach hinübersteigen.

Der Tag hatte schon mit einem strahlenden Morgen weit ausgeholt, und nun stand er blau aufgerissen über den Gassen und glitzerte in Einzelheiten, die man nicht für sich wahrnahm, nur als verworrenes Lichtkonzert, mehr dem Stimmen eines großen Orchesters vergleichbar als dem eigentlichen Spiel. Er wollte Gemälde besichtigen, die in der Nähe vor einer Auktion ausgestellt waren und hatte in bezug auf diese bestimmte Absichten; es sollte da ein kleines Bild aus dem italienischen Manierismus geben, Zeit des Broncino etwa; man hatte Doctor Eugen davon erzählt; nun wollte er es sehen, und später vielleicht ersteigern. Jetzt sprach er davon. Sie ging neben ihm, wie schräg nach vorne gegen das viele Licht gelehnt, als ginge sie gegen den Wind. Sie war nicht aufgeflattert, und auch garnicht bereit zum Urteilen oder zum Ordnen einer fremden Situation (wie einst im Falle der Zopferl, und viel später im Fall der Finy und der Feverl). Sie trug folgsam eine kommende Last gegen den Lichtwind, der da wehte, verstand nichts von Bildern und schwieg diesmal bescheiden, zu einem Maße erwachsend und erwachend, das ihr fremd war, und das sich heute doch gebieterisch an sie legte.

Nicht viel über zwei Monate nach jenem Gespräche zwischen Chwostik und dem Oberlandesgerichtsrat – also gegen Mitte Juli – erschien Doctor Eptinger in Chwostiks Kanzlei und teilte mit, daß seine Schwester nun wirklich die erwünschte Wohnung in Döbling erhalten habe und alsbald übersiedelt sei: er könne das freigewordene Objekt besichtigen und, wenn die Wohnung ihm convenieren sollte, sogleich dort einziehen; es sei alles wohl im

Stande; übrigens seien einige Möbelstücke stehen geblieben, die ihm, falls sie gefielen, gegen eine sehr geringe Ablöse zur Verfügung stehen würden; den bescheidenen Betrag möge er dann gelegentlich an ihn, Doctor Eptinger, abführen. Die Hausmeisterin heiße Frau Wenidoppler. Sie sei am späteren Nachmittag immer da und bereit, Herrn Chwostik zur Besichtigung hinaufzuleiten.

Er ging am gleichen Tage noch hin: auf dem Heimwege vom Bureau, das er zu diesem Zwecke etwas früher verlassen hatte. Es war halb sechs. Er betrat die lange, dem Donaukanal parallel laufende Straße und sah wegen der Hausnummer noch einmal auf den Zettel, welchen Doctor Eptinger ihm gegeben hatte. Es war noch weiter, gegen die Eisenbahnbrücke zu. Die hellen neuen Häuser erstreckten sich die leere Straße entlang, in regelmäßigen Abständen zeigten sie auch große, dreiteilige Fenster. Die Wärme des Tages ließ noch nicht nach, in sie blieb alles verpackt, und gleichsam angelehnt an das Kissen der dicken Luft. In den langen verschlossenen Fenster-Reihen lag das Licht des noch immer hochsonnigen Nachmittages wie aschiger Staub. Chwostik erkannte nun, daß es das Eckhaus sei. Er warf einen Blick die Front hinauf und sah im ersten Stockwerke rosa Papier im dreiteiligen Fenster liegen. Dann drückte er das hell gestrichene Haustor auf, was einigen anlehnenden Kraftaufwand erforderte. Es schloß sich automatisch hinter ihm. Der Flur war nicht eigentlich kühl und doch schien es so, durch blaue Glas-Scheiben, welche das Licht im Treppenhause dämpften. Unter einem halbkreisförmigen kleinen Gesims, darauf ‚Portier‘ stand, wies sich ein blanker Messingknopf zum Klingeln.

Sogleich erschien Frau Wenidoppler, eine junge Person, die ihn gleichsam anschlich, erst spähend, aber dann brachte ein Lächeln ihr Katzengesicht richtig zum Vorschein. „Herr Direktor Chwostik . . .?“ sagte sie. Man mußte ihn ihr beschrieben haben.

Sie holte die Schlüssel und stieg vor ihm die Treppe hinauf. Chwostik hatte sich sozusagen noch nicht ganz aufgefangen, nachdem er dieses Haus wiedererkannt hatte, von seinen Morgenspaziergängen her im vorigen Sommer. Das bunte Licht im

Stiegenhause erweckte den raschen Wunsch, durch eine der blauen Scheiben zu blicken und alles draußige so gefärbt zu sehen. Sie gingen nur eine Treppe hoch, dann rasselte die Wenidoppler mit dem Schlüsselbund. Während Chwostik einen Schritt weiter rückwärts vor der hohen weißlackierten Türe stand, bemerkte er, daß die Hausmeisterin einen kurzen schwarzen Rock trug (vielleicht war es nur ein Unterrock, der Wärme wegen) und daß ihre nackten Beine in Pantoffeln staken. Er registrierte das wider Willen, es stieß ihn nicht eben ab und es zog ihn auch nicht an. Nun angelte die Wohnungstür auf.

Eintretend hinter der Wenidoppler, hier in dem halbdunklen Vorzimmer – das weiß lackiert erschien im ganzen und eine eingebaute Holzwand zeigte, mit großem Spiegel und Kleiderhaken – als es ihn jetzt umfing und anhauchte: er hätte nicht mit dem geheimsten stammelnden halben Worte sich zu sagen vermocht, was das war, was ihn da angriff: nur dies: noch nie empfunden: Angezogen- und Abgestoßenwerden zugleich, Sehnsucht nach diesem hier, was ja ohnehin handhaft da war und sein werden sollte, und zugleich die augenblickliche Wendung zur Flucht, die sich in ihm erhob. Er war auch keines Wortes mächtig. Sie öffnete die Tür ins Wohnzimmer. Überall waren die grünen Rouleaux herabgelassen, die Fenster dicht geschlossen. Es schien die Wohnung vorher gründlich durchgelüftet worden zu sein, jetzt war die Luft fast frisch und rein, doch stehend und in sich abgeschlossen. Hier wohnte ein kühler Duft, mit einem feinen Stich in's Säuerliche, wie beim Biß in einen Holzapfel, der den Mund zusammenzieht. Die Wenidoppler erklärte, zeigte, was an Mobiliar vorhanden und für ihn gegebenenfalls brauchbar wäre, auch, daß es Gasbeleuchtung gebe und die Frau Doctor sowohl die Beleuchtungskörper als auch einen Réchaud in der Küche zurückgelassen hatte, weil sie in Döbling draußen alles neu angeschafft habe. Und hier, sagte sie, indem sie das eine Rouleau ein wenig aufzog, sehe man zum Prater hinüber, weil gegenüber noch kein Haus stehe. Im Fenster lag ein rosa Seidenpapier. Es war nichts mehr darin eingepackt. Es lag leer. Zum ersten Mal hier erhob sich Chwostik aus zuwartend-säuerlicher

Gesamthaltung („ich sinne", hatte er zu Milo gesagt!) zu einer Art Pathos seines Lebens, was wir in keinem üblen Sinne meinen. Wir wollen Chwostik nicht verhöhnen. Die Hausmeisterin, welcher jenes liegen gebliebene rosa Papier im Fenster vielleicht unordentlich erschien, knüllte es zusammen und steckte es in die Schürzentasche. Chwostik empfand dabei fast etwas wie Schmerz. Seine sachliche Übersicht war zugleich perfekt, die Lage trug ihn wie ein flottes Fahrwasser, sie schien für ihn bereitgestellt worden zu sein, sie setzte sich jetzt gleichsam in Bewegung, unverzüglich, es war, als sei er in einen Zug gestiegen und der führe nun mit ihm ab. Die Wenidoppler zeigte ihm in der Küche einen praktischen weißen Schwenktisch, „aus der Ordination vom Herrn Doctor". Chwostik befand sich längst jenseits eines etwa noch zu fassenden Entschlusses oder einer Wahl. Er handelte bereits wie jemand, der einen strikten Befehl ausführt, an welchem er in keiner Weise zweifelt. Daß hier alles schon bereit stand, wessen er für's erste bedurfte, ward von ihm mit Vollzähligkeit erfaßt und erschien zugleich als selbstverständlich: ein leerer großer Kleiderschrank war im Dienstbotenzimmer geblieben und ebenso hatte Frau Doctor Bachler ein dorthin verbanntes Messingbett samt Nachtkastl mitzunehmen verschmäht. Monica's einstmaliger Wickeltisch war da, zusammen mit zwei weißen Sesseln; im vorderen Zimmer gar ein wackeliger kleiner Damenschreibtisch. Chwostik war hier überhaupt schon angelangt. Er dachte nicht im entferntesten daran, nun wieder auszuziehen. Die Wenidoppler erhielt fünf Gulden und versank katzenlächelnd vor dem Herrn Direktor unter den Teilstrich äußerster Devotion.

Chwostik ging, und sagte noch, daß er in den nächsten Tagen einziehen und inzwischen alles mit Herrn Doctor Eptinger ordnen werde.

Die Hausmeisterin lief ihm voraus und öffnete das Haustor.

Die Straße lag in den dicken Kissen ihrer noch unveränderten Wärme.

Er ging in die Adamsgasse und stand dort lange vor den geöffneten Schränken und vor seinen Koffern, ohne doch Hand anzulegen. Nicht einmal die Lampen brauchte er mitzunehmen; auch jene im Vorzimmer würde einfach stehenbleiben, wie alles andere hier. Es erleichterte ihn sehr. Der Handwagen des Kohlenhändlers und ein Bursche würden genügen. Die Einzelheiten marschierten auf, gefügig gereiht, ein kurzer, überschaubarer und geordneter Zug. Auf dem Handwagen, außer den Koffern, nur Eimer, Besen und dergleichen. Er war hier nicht mehr zu Hause. Er wandte sich ab, setzte seinen Hut wieder auf, ging essen, in das Beisl, wo einst sein Vater Kellner gewesen und wo derselbe Wirt wie damals noch immer hinter dem Schanktische stand. Milo mußte verständigt werden. Das fiel ihm hier ein, während er vor sich auf das blau-weiß gemusterte Tischtuch sah. Die Weiber links und rechts mußte er halt noch zwei oder drei Nächte ertragen; der Teufel hole sie. Die Wewerka sollte die Möbel haben und der Teufel sollte sie gleichfalls holen. Er steckte locker und nur mehr zur Hälfte in den annoch währenden äußerlichen Umständen seines Lebens. Das Neue war mit dinglicher Festigkeit bereits eingetreten und gewann das Übergewicht. Es gab jedoch eine Bruchstelle und einen Schmerz, fast einen Abschieds-Schmerz. Er dachte an die Betten seiner Eltern, die nun, geteilt, in den Zimmern der beiden Weiber standen. Diese Stelle brannte ein wenig und, seltsamer Weise, es war ähnlich, wenn er an das rosa Seidenpapier dachte, das die Hausmeisterin in ihre Schürzentasche gesteckt hatte. Verstehen konnt' er's nicht, und doch war es ihm vertraut. Die Naht zwischen Alt und Neu war noch ganz frisch, und der Ausblick in jenes wie in dieses unverstellt. Chwostik sah durch Augenblicke wie aus einem Januskopf (hätte er auch im Konversationslexikon nachschlagen müssen, es war ja dazu da).

Wir berichten über ihn vielfach in einer Ausdrucksweise, die ihm unverständlich gewesen wäre. Aber es geht nicht anders. Eine seinige gibt es nicht.

Es ging später alles glatt. Als die Koffer herunter gebracht wurden, fuhr die Wewerka aus dem Loche. Auch Drachen haben Ahnungen.

Ob er verreise?

Chwostik sagte, daß er ausziehe.

„. . . . jste blázen?!" (Ob er verrückt geworden sei? – In der Erregung brach tschechischer Urlaut aus dem Knollengewächs.) „Und de Madeln – sollens die jetzt am Boden liegen, wann Se Ihnare Möbel mitnehma?"

Chwostik griff in die Brust-Tasche. Darin befand sich eine rechtsgültige Erklärung – der Doctor Eptinger hatte sie für Chwostik ausgefertigt – worin er seinen Eigentumsverzicht an den Möbeln aussprach und diese der Frau Leopoldine Wewerka zur beliebigen Verwendung übermachte. Es war eine Schenkung. Sie zog die Brillen aus der Schürze und las. Weil sie nur Unrat witterte (es war ihr eigener), erhellte sich ihre gespannte Beiß-Physiognomie in keiner Weise. Chwostik, der sich inzwischen gründlich davon überzeugt hatte, daß alles bereits auf dem kleinen Handwagen verladen und festgemacht sei, übergab noch die Wohnungs-Schlüssel, grüßte und entschritt sodann, und sein Eigentum rollte hinter ihm drein, von dem Burschen des Kohlenhändlers im Verein mit einem großen Hunde gezogen.

Die Wewerka, als sie so weit ihre Nase über den eigenen Unrat hinaus und in das Blatt gesteckt hatte, welches ihr von Chwostik in der Hand geblieben war, um zu begreifen, was da nun wirklich vorlag: die Wewerka berstelte sich unverzüglich vor sich selbst als Hausmeisterin auf, sie hausmeisterte sich, möchte man fast sagen (genau und lateinisch: conciergificatio sui ipsius) und disponierte taktisch in der neuen Lage.

Demzufolge wurde Münsterer, als er abends vom Postamte heimkam, nach oben dislociert, welche Maßnahme einen deutlichen Beischuß von Verantwortungsbewußtsein und Moralität zeigte. („De Madln kennens ja oben net allanich bleiben!") Und so verließ er sein grausliches Bett und landete per sofort in demjenigen Chwostik's: als hausmeisterisches Aufsichtsorgan.

Doch ward er dessen nicht froh. Draußen im Vorzimmer brannte einsam die Petroleumlampe, um Finy und Feverl auf ihren Amtswegen zu leuchten. Noch hörte man die Frauen nicht.

Aber Münsterer krümmte sich in seiner eigenen Lächerlichkeit, als er jetzt daran dachte, daß er versucht hatte, Chwostik nachzuahmen (beim Aufstemmen des Haustores, wie man sich vielleicht erinnert). Nein, so einfach war das nicht: auf solchem kurzen Wege konnte man kein Chwostik werden. Nun lag er im Bette seines Idols als ein gehausmeistertes und somit entehrtes Individuum. Und Chwostik war entschwunden. Jetzt hörte Münsterer, wie sich ein Schlüssel in's Schloß schlich. Er warf sich im Bett auf den Bauch, biss in das Kissen und winselte leise. Es war die Hundsnatur seines Vaters, was aus ihm klagte.

Drei oder vier Tage etwa nach Chwostik's Auszuge steckten Finy und Feverl ihre dummen Nasen in ein Schreiben der Frau Rita Bachler, welches aber nicht etwa in der Adamsgasse eingelangt war, sondern unter der Adresse ihres Schlafställchens. Sie wurden um ihren Besuch gebeten; Tag und Stunde waren vermerkt; ebenso Straße und Hausnummer; in Döbling; die Reitlehgasse.

„I geh net", sagte Finy.

„Mir gengan", sagte Feverl.

„I mag net", sagte Finy.

„Sei g'scheit", sagte Feverl.

„Gehma baden", sagte Finy.

Sie gingen baden (das auf jeden Fall). In der Tat hatten sie des Abenteuers mit der Frau Bachler schon gänzlich vergessen gehabt, obwohl ihre regelmäßigen Gänge auf das Polizeikommissariat zur ärztlichen Untersuchung sie daran hätten erinnern können; der Doctor Grundl freilich tat und sagte nichts dergleichen.

Warum sie nun am festgesetzten Tage eben doch in die Reitlehgasse gingen, trotz der anfänglich geringen Bereitschaft – auch Feverl hatte ihr weniges Zureden bald eingestellt – das ist schwer zu sagen. Es ist möglich, daß die einzigen aber grundlegenden Vorzüge ihrer Daseinsform – die Simplicität und Untätigkeit nämlich – hier zu entscheidender Wirkung gelangten: einfach weil sie einem herantretenden Neuen ein freies Vorfeld ließen, so daß es wirklich und in aller Ruhe wahrgenommen werden konnte. Es ist ja bekannt, daß viele Individuen den Aus-

weg aus irgendeiner Lage deshalb nicht finden, weil ihre Lebens-
höhle von soviel ineinander verschränktem Krimskrams erfüllt
ist, daß eine längst offenstehende Tür garnicht bemerkt wird.

Sie gingen zum Schottentor – eine ihnen ganz ungewohnte
Gegend vornehmen Zuschnittes – stiegen in den Stellwagen
nach Grinzing und verließen ihn dort, wo die Döblinger Hauptstraße abzweigt. Hier weitergehend, befanden sie sich in Stille,
auf dem fast leeren Gehsteig, mit den Schattenflecken und Sonnenkringeln von den Bäumen, welche die Straße säumten. Eine
Unbehaglichkeit begann aus dem ganzen Unternehmen zu steigen, das ja eigentlich garnicht sein mußte; und bisher hatten sie,
außer von ihrer Kundschaft, doch nie von jemand was gewollt.
Man ließ sie hier irgendwie als Bittsteller kommen, oder um eine
Belohnung in Empfang zu nehmen, die sie nicht verlangten.
Aber, wie's denn geht: hat man sich einmal einer Aktion anvertraut, hat man sich nur einmal eingelassen (und das hatten sie ja
schon am Donaukanal getan), dann gibt's kein Halten mehr, ein
Schritt gibt den anderen. Sie traten um die Ecke und gingen jetzt
die Reitlehgasse hinauf, die ihren Begriffen von einer Gasse sozusagen in keinem Stücke mehr entsprach, sondern die beiden
Kindesretterinnen mit einer Reihe von – für den Geschmack jener Zeit – eleganten Häusern befremdend anstierte.

Sie schritten durch einen schmalen Vorgarten.

Es war im ersten Stock.

Es war gänzlich anders, als sie während der letzten Minuten
es sich vorgestellt hatten.

Ein Stubenmädchen öffnete. Im selben Augenblicke hörten
sie von irgendwo rückwärts lautes und kollerndes Lachen einer
Männerstimme. Frau Rita kam mit langen Schritten durch das
Vorzimmer und gab gleich herzlich die Hand. Hier schwebte
alles in Blankheit und Neuheit, man sah auch in den zwei Zimmern, welche jetzt durchschritten wurden, kaum irgend ein altes
Möbel, welches mit seinem von langem Leben vollgesogenen
Gewicht diese glatte Oberfläche der Dinge hinabgewölbt hätte
zu irgendeiner anonym gewordenen Vergangenheit (am Rande:
die Investierung von Rita's Mitgift in des Doctor Maurice Bach-

ler zahnärztliche Einrichtung schien sich ja gelohnt zu haben, so daß man beim Ausziehen aus dem früheren Heim die Sachen nur so hatte stehen lassen können – wenn auch nicht derart summarisch und pauschal wie Herr Chwostik). Im dritten Zimmer saß ein riesenhafter dicker Mann in rauhem Rock mit Schaftstiefeln, der, ohne sich zu erheben, den beiden trojanischen Pferdchen entgegen blickte, die nun schon ganz klein hereingerollt kamen, wie auf Brettchen mit Rädern, und als zöge Frau Rita sie an Schnüren als Spielzeug nach und vor den Gewaltigen hin.

„Das sind sie", sagte sie zu ihm; und zu ihnen: „Das ist mein Onkel Lala Globusz, ein Großgrundbesitzer in der Nähe von Mosonszentjanos oder St. Johann, ein Ökonom. Er kann euch vielleicht brauchen."

Man vermeine nicht etwa, daß der Finy oder der Feverl diese neue Art der Ansprache von Seiten Frau Bachlers entging. Aber beide waren hier sozusagen nur als Beobachter; und obwohl sie sehr klein hereingerollt waren und jetzt irgendwie noch kleiner gemacht wurden, blieb ihnen bewußt, daß dieser Besuch hier zu rein garnichts sie verpflichtete.

„Alsdann, Kinder, was könnt's ihr?" sagte Globusz.

Aber diese Stimme machte gespreizte Waffen überflüssig und ließ sie als ganz entbehrlich erscheinen. Das warm dröhnende Organ, zusammen mit dem Lachen, welches behaglich im großen Gesichte stand wie der Sonnenschein in einem Dorfteich, änderte mit breiter Macht die ganze Lage.

Es sah Globusz aus wie manche jüdische Pferdehändler damals in Ungarn, Leute, die weit herum kamen und denen eine dörfliche Urbanität eignete, obwohl das ja eigentlich ein Widerspruch ist. Aber die Gerissenheit solcher Leute ruhte doch auf einem bequemen Kissen echter Lebensfreude, mit welcher ihre Heimat sie durchwuchs, eine essensfreudige Heimat, mit breiten Landstraßen, die nur aus zerfahrenen Wagengeleisen bestanden, mit Dörfern, deren weiße Zeilen weit auseinander traten, so daß der ferne Himmel vom Horizont her sich mitten in den Dorfplatz flegelte, Gegenden, wo man ritt und manches Vergnügen mitnahm, das sich zwischen dem Zick-See und Apetlon beiläufig bot. Die Spurweite der Globusz war allezeit eine große. Der Profit wurde sozusagen von Herzen gemacht.

„Herr Globusz", sagte Feverl, die unter sotanem Sonnenschein aus Spielzeug-Größe (soll man hier an den Doctor Grundl denken und sagen: ‚Frau Rita's sozialethisches Spielzeug?') wieder zu ihrem normalen Maß erwuchs, „mir san beide aus Ihnarer Gegend. Was a Madel in Podersdorf g'lernt hat, wissen S' eh. Und wir waren scho' zwanzig, wie's mit uns dann so weit kommen is', z'Wean, natürli. Mir haben ja nach Wean müssen und waren net zum halten."

„Ist immer selbe Sache", sagte Herr Globusz. „Und gerade in dieser Gegend", fügte er, zu Frau Rita gewandt, erklärend hinzu. „Weil – no weil, hát, Wien ist nahe und Teifel schloft nicht."

Im Nu hatte er Finy und Feverl nach einigen Sachen gefragt, die Arbeit auf dem Felde und sogar in den Weinrieden betreffend, und auch nach Fertigkeiten, welche man unter dem häuslichen Dach bewähren mußte, wie etwa die Behandlung der Binsen und des Mais-Strohes. Frau Rita saß als Dritte bei solchem connationalem Gespräche, denn Finy und Feverl bildeten hier eine gemeinsame Person.

„Bei mir geht alles wie am Schnürl", fuhr Globusz fort, „a jedes werchelt sein Sachen herunter, aber wann irgendwo gebraucht wird a außertourliche Aushilf, daß einer hinspringen muß, ist niemand nicht da, und wenn ich Brief auf Post haben will oder Stiefeln geputzt, kann ich nachlaufen. Kommt's zu mir, werd's Adjutanten vom alten Globusz, daß ich wen zum Schikken hab', und mein Kaffee in der Früh. Mannsbilder werden euch eh beim Hals schon heraushängen, kenn' ich, waß ich eh. Große Ökonomie, jede Hand wird gebraucht."

Unter Globusz' Sonne schmolzen die Vorbehalte dahin. Das Gespräch ward von Feverl und Finy nicht mehr beherrscht; und es mag auch sein, daß der herauftretende Grund früher ländlicher Kindheit und Jugend – unter dem hohen blauen Himmel am spiegelnden Teich in solch einem offenen Dorfe – sich hier als ein nicht eben rationeller Factor geltend machte.

Wessen sie auf der Polizei bedurften, das war vor allem eine Erklärung ihres künftigen Dienstherrn, daß er sie aufgenommen habe; und in der Tat erhielt jede von ihnen ein solches Papier. Frau Rita Bachler hatte zudem mit Doctor Grundl gesprochen. Sie erschienen bei ihm und er schärfte ihnen alles ein, was sie bei ihrer Abmeldung zu beobachten hatten. Das ärztliche ‚Parere' erhielten sie nach einer nochmaligen Untersuchung von ihm selbst, und er ging dann mit den beiden Frauen durch einen langen halbdunklen weißgekalkten Gang zum Bureau des Polizeirates. Als günstig erwies sich, daß sie nicht in Wien bleiben, daß sie den Ort wechseln wollten.

Bei alledem war's Finy und Feverl zu Mute, als hätten sie einen umfangreichen Fremdkörper geschluckt. Er war nicht eigentlich benennbar und bestand nicht aus konkreten Einzelheiten, obwohl es jetzt deren genug gab, gemessen an der bisherigen Simplicität und Untätigkeit ihres Daseins: die Gänge auf die Polizei (so ganz einfach wird man das ‚gelbe Büchel' ja nicht los), die Besorgung fester Schuhe für den Landgebrauch, die Aufkündigung des Schlafställchens – hier hatten sie, was sich jetzt als ein glücklicher Umstand erwies, monatlich die Miete bezahlt, immerhin also noch für den ganzen Juli voraus – endlich der Einkauf eines Koffers, und noch anderes ... Aber es war nicht dieses zerlegbare Mosaik von Einzelheiten, was sie eigentlich einnahm, sie gingen nicht darin auf. Ihnen beiden unbewußt wurden sie von den schon mehrmals genannten zwei Grundqualitäten ihres bescheidentlichen Daseins vor solchem Gezappel bewahrt, und sie zehrten jetzt gleichsam von den alten und angesammelten Vorräten an Leere und Gleichgültigkeit, welche ein Leben ihnen hinterlassen hatte, das sozusagen fast ganz ohne ‚Angelegenheiten' verlaufen war; und um so eher, und mit fruchtbarem Befremden, und keineswegs ohne Staunen spürten sie jetzt das Neue, welches hier eintrat: sie verstanden sehr gut dessen hautnahe Mahnung und hatten Gehör und Gefühl für die Angel, in welcher eine Tür sich drehte, die ihnen aufging, während eine andere sich schloß. Sie ertrugen diesen Zustand mit Geduld, gehorsam und ohne zu fragen. Sie blickten nicht mehr in die verlassene Möglichkeit, die es ja jetzt wirklich nicht mehr für sie gab, seit sie sich einmal eingelassen hatten. Und so, im ganzen, schwammen sie wie zwei nebeneinander in's Wasser gefallene Blätter an der Oberfläche, augenlos über der Tiefe, doch auf ihre primitive Art von ihr wissend. Man könnte wohl sagen: Feverl und Finy oder Finy und Feverl reagierten auf die neuen Dinge nicht sachlich nur, sondern gewissermaßen auch lyrisch.

Lyrisch auch ihr Schmerz wegen des gestörten Badens. Das Blau des Wassers in der Militär-Schwimmschule unten im Prater war ein Verlust, und der größte blieb jetzt das Entschwundensein jener in sich selbst ruhenden, tief gleichgewichtigen und auf nichts anderes hin bezogenen Stunden zwischen Sonne, Holzdunst der Bretter und Wasserplantsch.

Sie gingen noch einmal hin. Aber sie sanken nicht mehr ganz bis auf den Grund dieser einstmaligen Schale ihres Daseins, welche sie so flach und freundlich untergriffen hatte und jetzt schon aufglänzte, wie von seitwärts gesehen und aus einiger Entfernung. Danach noch einmal in die Adamsgasse – bei Tageslicht! – um ein paar geringe Kleinigkeiten zu holen, Dinge des Toilettegebrauches, welche sie immer dort gelassen hatten.

Ein ahndungsvoller Drache fuhr aus dem Loch.

Sie sagten ganz schlichthin ihr Verslein: daß sie nur gekommen seien, um dies hier zu holen, und daß sie nun nicht mehr kommen würden.

(Obwohl sie doch auch hier bis Ende Juli bezahlt hatten).

Auch in diesem Falle erhellte kein Begreifen die gespannte Beiß-Physiognomie der Wewerka. Immerhin, als Finy und Feverl jede einen Gulden darreichten, kam eine Greifklaue nach vorn.

Und dann gingen sie. Die Wewerka trat ihnen nach durch's geöffnete Haustor und sah sie am Gehsteige mit wackelnden Popos davonzotteln. Angesichts des Unbegreiflichen entrang sich ihr raunender Urlaut: „Čert vás vem, vy starý kurvy, stejně už žádnýho chlapa sem nezatáhnete". Übersetzung ist nicht statthaft (für gelernte Österreicher wäre sie zudem überflüssig).

Morgens um halb sechs fuhr jeden Tag ein Zug irgendwo in der Ferne vorüber und pfiff; sein Rollen blieb eine Weile hörbar.

Das Zimmer, in welchem sie, unterm Dach eines Wirtschaftsgebäudes und über der Wagen-Remise, jetzt wohnten, war von geradezu enormer Ausdehnung, mit blankgeriebenem Fußboden, und wirkte fast leer. Es gab einen großen weißen Ofen in der Ecke, zwei ungetümliche Schränke, die gelb gestrichen waren, den Tisch mit zwei Sesseln in der Mitte, und an den Schmalseiten links und rechts je ein Bett, vom Format der Schränke, samt Nachtkastl und einem Kerzen-Leuchter darauf, welcher genügt hätte, einen starken Mann niederzumachen.

Wenn der Zug kam, lagen Finy und Feverl immer schon wach. Pfiff er, dann sprangen sie mit quakenden Tönen aus den Betten. Seit sie hier waren, quakten sie morgens so. Die Helligkeit im Raume war gleißend. Das Gebäude schloß den Gutshof gegen Südosten ab, und aus den drei Fenstern des Raumes ging der Blick frei in die Ebene, ohne irgend ein einzelnes Objekt zu fassen, über den blanken blauen Schild einer weiten Wasserfläche im Vordergrunde hinweg, fern am jenseitigen Ufer von Schilf besäumt, das in der Sonne einen scharfen grünen Strich zog.

Am Morgen nach ihrer Ankunft hatten sie bei Sonnenaufgang diesen See zum ersten Mal erblickt, dessen Ufer von der Rückseite des Gutshofes etwa hundertfünfzig Schritte entfernt sein mochte.

Ein trockener Geruch von altem Holze durchzog den Raum und auch den langen Gang draußen, welchen sie alsbald durchschritten, einer sehr unregelmäßigen Tagesarbeit entgegen.

Was Finy und Feverl am meisten befürchtet hatten – und diese Besorgnis brachten sie schon von Wien mit – war, daß man hier früher oder später einmal den Stein des Anstoßes, den ihre Vergangenheit bot, bei passender Gelegenheit würde aufheben und ihnen nachwerfen. Aber nichts davon geschah. Sie hielten nach einiger Zeit für möglich, daß Globusz – sein Spitzname ‚der

Globus von Ungarn' wurde ihnen bald bekannt – sich darüber nie hatte etwas entschlüpfen lassen, weder dem ‚Schaffer‘, noch dem Meier, noch dem Großknecht gegenüber. Auch fragte sie kein Mensch, wo sie vordem gewesen waren. Überhaupt schien sich hier niemand um einen anderen zu kümmern, und jeder hatte die Augen nur auf die eigenen Hände gerichtet, die voll waren von dem, was es zu tun gab. Dies blieb auch so, als die Ernte vorüber ging; während dieser wirkte der riesige Gutshof tagsüber erstorben; Feverl und Finy, die ja vor allem in den weitläufigen Gebäuden beschäftigt waren, kämpften anfänglich mit der Schwierigkeit, sich immer zurecht zu finden; und es begegnete ihnen dabei kaum jemand, den sie fragen konnten. Aber bald liefen sie den Weg zwischen der gigantischen Küche und dem Eiskeller, zwischen der Wäschekammer und den Zimmern der Knechte und Mägde mit wackelnden Popos und doch flink wie die Wiesel. Sie blieben nicht lange neu. Und man hatte sie von Anfang an nicht als Neue behandelt, sondern sogleich mit vollem Anspruche zugedeckt. Daß sie ihm genügen konnten wurde nur möglich durch den Untergrund ihrer dörflichen Jugendzeit, der jetzt plötzlich herauftrat und seine Fähigkeiten, Praktiken und Griffe freigab, die ein Leben lang in Vergessenheit geruht hatten. Feverl zeigte sogar eine erstaunliche Vorliebe für Stallarbeit, bei welcher sie, in der Eile der Ernte und der unvermeidlichen Not an Händen, mehrmals einspringen mußte. Im ganzen: die beiden waren bequem und zur Hand. Das wurde wohl auch ausgenutzt, und man fragte da nicht lange. Jedoch der ‚Globus von Ungarn‘ war es, welcher dem Grenzen setzte. Seinen persönlichen Bedürfnissen mußte genügt werden; und Feverl und Finy eilten, um ihm morgens den Kaffee pünktlich zu bringen und seine hohen Schaftstiefel blank zu putzen. Jetzt brauchte er nicht mehr lange nach jemand suchen oder gar selbst gehen, wenn ein Brief auf die Post mußte.

Es war diese ganze Wirtschaft hier ein großer Gutshof ohne Herrenhaus, befremdlich genug, schon gar in Ungarn; die Erklärung war darin zu suchen, daß sie von Globusz aus einem ursprünglichen Bauern-Anwesen durch immer mehr um sich greifenden Hinzukauf rundum liegenden verschuldeten Bodens zu einem reinen Ertrags-Gut entwickelt worden war: eher eine große Farm als ein überdimensionierter Bauernhof zu nennen. Er selbst hauste im alten kleinen Wohngebäude, hatte aber dort nur zwei Stuben. Die übrigen Räume dienten landwirtschaftlichen Abstell-Zwecken.

Sie verbauerten rasch, die Pferdchen, mit einem Worte. Von ihrer einstigen Untätigkeit war im Tatsächlichen nichts übrig geblieben, aber die Simplicität feierte Triumphe und Orgien. Als die Ernte vorüber war, und ihre Eingewöhnung unmerklich und ganz vollzogen, konnten sie dem blauen blanken Wassers-Schild des Sees, der allmorgendlich vor ihren Fenstern blitzte, nicht mehr wiederstehen, und gingen nach Feierabend – man verlangte da niemals mehr was von ihnen – beim rückwärtigen Hoftor hinaus, in Schwimmkleidern und mit Sommer-Mänteln darüber, in der noch immer schweren Hitze.

Ein Wagengeleise, wenig befahren und halb verwachsen, das unter ihren Fenstern an der Rückfront des Gebäudes hinlief: sie überschritten es und traten auf einen breiten, unregelmäßig begrünten Streifen Landes zwischen ihnen und dem Wasser, der, hätte man hier Schafe gehalten, als Weide für solche wäre geeignet gewesen. Auf dieser Seite lagen keine Äcker; sie dehnten sich, gleich beim vorderen Hoftor beginnend, nach Westen bis an den Horizont. Der Boden zeigte da und dort, wo Gras und Kraut zurücktraten, häufiger sandige Stellen, je mehr sie sich dem Wasser näherten, je weiter sie in diese vollkommene Leere hineinschritten, die nichts darbot außer dem blauen Schild des Sees, dem leuchtend grünen Strich des Schilfs am anderen Ufer. Hier gab es keines. Sie standen nun am Wasser, das ganz flach ansetzte, sozusagen mitten in der Wiese; wo es den Boden bedeckte, zeigte dieser Kieselgrund, der des Ufers flache Windung begleitete. Aber als sie jetzt, ihrer Mäntel und Schuhe ledig, hineinstiegen und in die lau aufrauschende Fläche hinausgingen, veränderte sich nach zwanzig Schritten der rutschende Kieselgrund unter ihren Fuß-Sohlen: diese wurden glatt und sanft vom Sande umgriffen. Es erzeugte ein Glücksgefühl. Das Wasser reichte noch nicht bis an die Knie. Sie warfen sich hin und wälzten sich. Dann gingen sie weiter hinaus und waren endlich bis unter die Achseln von kühleren Schichten umfangen. Jetzt schwammen sie, lagen auch auf dem Rücken, und sahen dann wieder das Ufer, welches sie verlassen hatten, und das Häuflein von ihren Mänteln und Schuhen dort, schon mehr als hundert Schritte entfernt.

So also wurden ihre Gewohnheiten neu begründet, und jetzt erst schwankte der Waage-Balken ihrer Lage ganz aus und beruhigte sich. Da die beiden simpel waren – und das bedeutet doch, daß einer von seiner jeweils gegenwärtigen Lage mehr durchdrungen wird, als daß er sie zu durchdringen trachtet – so blieb, bei aller Flinkheit der Hände und allem Gewerkel, in der Tiefe auch ihre Untätigkeit gewahrt: sie taten gewissermaßen nichts an ihrem Leben, sie consumierten es nur. Ja, die verschiedenen Anstalten, welche sie zuletzt hatten treffen müssen – alles als Folge ihres seinerzeitigen Abenteuers am Donau-Kanal – sie erschienen ihnen jetzt und hintennach als befremdlich betriebsam und auch als erstaunlich entschlossen. Aber sie hatten sich ja in Wirklichkeit zu garnichts entschlossen gehabt. Heute und hier aber lebten sie jenseits jeder Möglichkeit und damit Nötigung zu irgendwelchen Entschlüssen: eben dies aber machte ja den glücklichen Grund ihrer Lage aus, der jetzt, wir dürfen es auch hier wieder sagen, lyrisch herauftrat, nachdem die sachlichen Einzelheiten sich eingespielt hatten.

Sie nahmen es wahr. Im holzig-trockenen Geruch ihres Zimmers; im Pfiff des Zuges früh um halb sechs; im Blick auf den blauen Blitz des Sees, wenn sie morgens aus den Betten gesprungen waren; im Stiefelputzen, welches sie sodann in Globusz' Vorgärtchen in der Sonne übten: in solche Tatsächlichkeiten war's gefaßt. Anders: die Zeit stand; sie stand darin wie in Gefäßen gefangen. Und dies eben bildete den tiefsten Grund des Glücks.

Sie hatten nichts und niemand in Wien zurückgelassen. Sie hätten jetzt und von hier aus erkennen können, wie allein sie dort gewesen waren. Aber auch das lag ihnen fern. Hier aber hatten sie für nichts zu sorgen, nichts zu ordnen. Es sollte nur alles bleiben, wie es war. Kein Ziel spannte das Dasein in eine imaginäre Zukunft, drängte es aus dem ruhigen Ringe der Befangnis oder verzerrte dessen Rund. Die Simplizität feierte Orgien. Eine dicke junge Ente versuchte auf dem Gutshof einen kleinen Abzugsgraben zu queren, der vom Stalle herkam; ein Brücklein wäre nahe gewesen; aber das tolpatschige Geschöpf bestrebte sich wackelnd auf dem allerkürzesten Wege, fiel auf seinen dicken Bauch in den Graben, und mußte herausgenommen werden. Feverl und Finy gereichte dies ganze Manöver zur Erheiterung. Sie erinnerten einander nach Tagen noch daran und lachten immer wieder.

Einst aber begegnete ihnen ein weit erstaunlicheres Geschöpf und zwar im See. Es war ein Nilpferd (Hippopotamus). Sie sahen es, als sie an's Ufer gekommen waren, weit draußen stehen, ein massiger Leib, die vier Beine ganz im Wasser: so ruhte es, nach vorn gekippt. Dann aber, beim Wälzen, entstand ungeheures Gebraus. Erst erschrocken, stiegen Finy und Feverl doch in's Wasser und wagten sich näher. Es war Globusz, der hier badete. Als er sie hinausschwimmen sah, winkte er ihnen mit beiden Armen und rief sie herbei. Der Anblick des riesigen pritschelnden und prustenden Geschöpfes im Wasser war befremdlich, ja fast unheimlich. Globusz verlangte von ihnen, sie möchten ihn schwimmen lehren, da sie es ja augenscheinlich so gut konnten. Man ging dergestalt an diese Prozedur heran, daß – nachdem die Tempos genügend vorgezeigt worden waren – im tieferen Wasser Globusz' mächtiger Bauch durch Finy und Feverl von links und rechts abgestützt wurde, so daß der Hippopotamus auf dem Wasser liegen konnte. Sodann wurden die Tempos gleichmäßig geübt, wobei Finy und Feverl zweistimmig zählten. Globusz, der von da ab täglich eine Schwimmstunde zu nehmen wünschte, schlug dafür ein Honorar von fünfzig Kreuzern vor, also einen halben Gulden für jeden Unterricht, was immerhin beachtlich war. Beim zehnten oder zwölften Male geschah es, daß die riesige Masse sich erstmals von ihren Stützen löste und zwischen

Feverl und Finy hindurch davonzog, unter lautem Gebrüll, denn er rief: „Ich schwimme, ich schwimme!" und zwar auf ungarisch; erst nach etwa zehn Metern heftigsten Arbeitens ließ er sich mit den Füßen auf den Sandboden nieder. Es war ein gewaltiger Anblick gewesen. Aber der Koloß war nun einmal zum Schweben im Wasser gebracht worden und vertraute sich bald gelassener dessen Tragkraft an.

Solchermaßen hatte der Globus von Ungarn Schwimmen gelernt. Man sieht, daß Finy's und Feverls Funktionen in St. Johann auch an's Groteske streiften.

So, bei schon völlig vollzogener äußerer Eingewöhnung, war doch das Neue anwesend, in gereinigter Art, möchte man sagen, nicht mehr auf den Beinchen vieler Angelegenheiten laufend, sondern als deren eigentliche Mitte, die ruhte. Jeder Wechsel ist Wunder: daß sie nicht mehr spät am Vormittage erst erwachten und aus dem Schlafställchen sahen auf die leere Wand eines Hofs; daß ihr Zimmer jetzt so weit war, so holzig roch; daß die Militär-Schwimmschule sich zum See geweitet hatte, und die Böschung des Donaukanales abgeflacht war zum kiesigen Strand; daß sie benötigt wurden und gebraucht, daß jemand laut über den Hof rief: „Fi-i-i-ni!" oder Fe-e-e-verl!" Am Sonntage vollzog sich der Kirchgang dergestalt, daß zwei Leiterwagen angespannt wurden, deren ersten immer Globusz selbst kutschierte: so fuhr man die ein und ein halb Kilometer zum Dorf. Die Wagen waren mit rot-weiß-grünen Bändern und grünen Zweigen geschmückt. Vor der Kirche traten Männlein und Weiblein hinter dem Hippopotamus zurecht, und so zog man gemachsam ein. Und nach dem Amte, bei gleicher Anordnung, in die csárda, das Wirtshaus. Der Wein war frei, er ging auf Regiments-Unkosten.

Auch die geringen Muskelschmerzen der ersten vierzehn Tage waren vorbei und vergessen. Wir fragen uns, während wir dabei zusehen wie Finy's und Feverls Dasein sich neu in seine Falten legt, zu einer wahrhaft lasterlosen Existenz erwachsend, ob jenes denn jemals lasterhaft gewesen sein kann? Sachte gerieten sie aus der Zeit. Ob wir ihr Leben gerade jetzt betrachten oder im weiten Herbste, im Winter (wenn man mitunter auch im Schlitten zur Kirche fuhr), oder ein Jahr später oder zehn: das Neue war alt geworden, und doch blieb es als Neues verwunderlich über dem Horizont, und immer noch nicht ganz ohne Staunen, ja fruchtbarem Befremden. Nach 1900 wurden sie schon derbe alte Weiber.

Sonnabends genossen Finy und Feverl meistens Ruhe, schon am Nachmittage.

Der Schaffer, ein kleiner schlanker Ungar namens Gergelffi, der die beiden Trampel gerne mochte, hatte Feverl ein Paar Schaftstiefel geschenkt, ihrer gelegentlichen Stallarbeit wegen, weil sie damit besser im Mist herumsteigen konnte. Diese Stiefel, welche ihr zufällig wie angemessen paßten, wurden von Feverl als hohe Auszeichnung aufgefaßt und von da ab auf dem Hofe ständig wie ein Rang- und Amtsabzeichen getragen. Jetzt, an einem Samstag-Nachmittage, eben nachdem sie das unerwartete Geschenk erhalten, probiert und alsbald blank geputzt hatte (im Stiefelputzen eignete den beiden ja schon einige Übung), schritt Feverl im großen Zimmer auf und ab und wiegte sich geradezu in ihrer neuen Pracht.

„Schöne Stiefel", sagte sie und sah an sich herab.

„Wie an Ungarnmadl", sagte Finy, die am Bette saß. Die Stiefel zeigten wirklich vorne am oberen Rand, der geschweift war, jene kleinen Rosetten aus Leder, wie man sie auch bei den Husarenstiefeln der alten Armee hat sehen können.

„Die trag' i' jetzt tägli'."

„Aber in d' Kirchen net."

„I werd' doch net mit Stiefeln in d' Kirchen gehn."

„I mein' nur. In d' Kirchen gehst ma in Stiefeln net."

„Na. In d' Kirchen net."

„San schöne Stiefeln. Aber in d' Kirchen tragst es net. Sonst tragst es. Aber in d' Kirchen net."

„I werd' dòch net mit Stiefeln in d' Kirchen gehn. Na, mit Stiefeln net."

Goethe schreibt einmal an Schiller: „Die Poesie ist doch eigentlich auf die Darstellung des empirisch pathologischen Zustandes des Menschen gegründet." Uns aber, soweit da von Poesie noch die Rede sein kann, geht, angesichts der beiden harmlosen Idiotinnen, die Pathologie und jegliches Pathos überhaupt aus; und worauf sollten wir dann gründen? Solche Figuren kann man nur aus der Komposition hinauswerfen, weil der Grad ihrer Simplizität unerträglich geworden ist und jedweder Kunst Hohn spricht (auch ihrer durchaus nicht mehr bedarf). Also: hinaus mit euch! Jeder noch einen kräftigen Tritt in den fetten Popo; freilich moderat; mit Patschen, Filz-Patschen. Mit Stiefeln net.

Nachdem wir diese Doppelfigur – denn wo, außer bei der Rettung des Kindes, waren Feverl und Finy wirklich zu unterscheiden gewesen? – glücklich los geworden sind (immerhin bleiben uns ja noch die Clayton bros.!), kehren wir zu Münsterer zurück, bei dem nach Abzug der Weiber und eben durch diesen Abzug nichts besser geworden war; justament dies aber hatte Münsterer erwartet. Es erscheint paradox, daß ihm gerade die Weiber, welche ihn links und rechts flankierten, ein Hindernis seiner, sagen wir einmal: ,Chwostik-Werdung' darstellten; denn eben jener Chwostik hatte sie doch durch viele Jahre zu beiden Seiten gehabt.

Er schlief schlecht.

Er lag oft mit dem Gesicht nach unten und preßte es in das Kissen.

Morgens um halb sechs hörte er das Rollen des Güterzuges und einen Pfiff.

Dies war neu. Es gab ihm Hoffnung. Er konnte hier die Fenster offen haben und hörte den Zug, den er von seinem Bettwinkel rückwärts im Bockshorn der Troglodytenhöhle niemals gehört hatte. Er hörte den Zug. Er spürte die frische Luft.

Eines Abends, gegen sechs Uhr, nicht lange nach Finy's und Feverls Abgang, trat der Hausherr in den Flur und schloß hinter sich langsam die Tür. Es fuhr die Wewerka aus dem Loche; ihr schienen feine Krebsfühler zu eignen (die Alten nannten dieses tierische Organ ‚Antennen') und sie ließ solche wohl ständig draußen im Flur und an der Treppe herumspielen. Sie erkannte den Doctor Keibl garnicht gleich; sehr wahrscheinlich wirkte ihre stets gespannte Beiß-Physiognomie schon auf sie selbst verdummend und lähmte die Apperception. Erst als sie von der unbewegten Kühle des Phänomens aus einer anderen Welt angeweht ward, holte ihre Wahrnehmung das Versäumte nach und sie versuchte ihren offensiv-defensiven Gesichtsausdruck zurückzunehmen. Es gelang nicht. Es wurde nur ein Feixen.

Ob Herr Chwostik schon ausgezogen oder vielleicht daheim sei? (Doctor Keibl sprach die Hausmeisterin mit ‚liebe Frau Münsterer' an).

Nun freilich ward sie gezogen wie ein Pfropfen aus der Flasche und alsbald sprudelte reichlicher Bescheid hervor. Die Greifklaue kramte aus der Schürzentasche das Brillenfutteral; in diesem befand sich – merkwürdig genug – Chwostik's Möbel-Schenkungs-Urkunde. Sie trug also dieses Dokument stets bei sich (vielleicht, um es vor einer Einsichtnahme durch den Torkel zu sichern, der aus dem manifesten Vermögens-Zuwachs etwa gar ein Recht auf Wieder-Erhöhung seiner Weinration raunzend hätte abzuleiten versucht, denn diese war nach Finy's und Feverls Abgang herabgesetzt worden, der verminderten Sperrgelder wegen). Nun, wir wissen, daß Herr Doctor Eugen Keibl seine Häuser durch ein Realitäten-Bureau verwalten ließ und daher über Einzelheiten meist nicht so genau informiert war; seine Nachfrage wegen Chwostik kam nur aus persönlichem Interesse, und weil er zufällig gerade hier vorbeigekommen war. (Übrigens hat Chwostik dem Oberlandesgerichtsrat garnicht lange danach eine Übersiedlungs-Anzeige mit seiner neuen Wohnungs-Adresse zugesandt).

Die Wewerka kam nun auf den Kern der Sache, auf das – für sie – Wichtigste: es sei unmöglich gewesen, diese vollständig eingerichtete Wohnung nur einfach abzusperren und ohne Aufsicht zu lassen; und sie habe deshalb, seit Chwostik's Auszug, ihrem Stiefsohn befohlen, oben zu schlafen.

Nun, sehr überzeugend erscheint uns das nicht. „Gehen wir einmal hinauf, liebe Frau Münsterer", sagte Doctor Eugen.

Immerhin, sie hatte ihre Erklärung rechtzeitig abgegeben, bevor noch das Auge des Hausherrn auf Münsterers Bett und Zahnbürstchen ruhen konnte.

Aber der Doctor Eugen dachte an ganz anderes. Es war hier möglich, Chwostik's Wohnung und einstmaliges Mobiliar zu sehen. Das hatte doch sein Interesse. Jetzt erst, während er hinter dem aus der Hüfte hinkenden Knollengewächs, das den Schlüsselbund schwenkte, die Treppe hinaufstieg, fiel ihm ein, daß er Chwostik's säuberlich geschriebenen Kündigungs-Brief damals, vor nun zwei und einem halben Monat, irgendwohin beiseite gelegt, nicht mehr zu Gesicht bekommen, und so auch nicht an das Realitäten-Bureau weitergeleitet hatte, was ja wegen Neuvermietung der Wohnung wäre erforderlich gewesen. Nun, wie immer. Sie traten ein. Im Vorzimmer stand auf einer Kommode eine Petroleumlampe mit breitem Fuß. In den Zimmern war es grauslich aber ordentlich. Die Spuren von Münsterer's Hausen im mittleren Raum äußerst spärlich. Das Bett sorgsam gemacht. Am Tische ein Tintenfläschlein mit Federstiel, ein Kamm, ein Bleistift, alles parallel ausgerichtet. Der Postmanipulant war ein Pedant.

Der Doctor Eugen sah sich um: beängstigt. Jetzt erst begriff er Chwostik ganz, der dies alles hinter sich hatte liegen und stehen gelassen.

„Was werden Sie mit den Möbeln tun?" fragte er die Hausmeisterin.

Es war heikel für die Wewerka. Sie wollte ja die Wohnung, und also auch, daß die Möbel an Ort und Stelle bleiben sollten. Aber ihr war des Hausherrn vordem geäußerte Meinung (nach dem Ableben der Eltern Chwostik's) gut im Gedächtnisse geblieben: daß nämlich eine Hausmeisterin im Parterre wohnen müsse. Die trojanischen Pferdchen hatten – auf's ganze gesehen, da sie ja mithelfend gewesen waren, den höher hinauf gelangten Chwostik auszutreiben! – ihre Aufgabe erfüllt; und von Seiten der Wewerka war das frei gewordene Vorfeld sofort durch ein hausmeisterisches Organ besetzt worden. Es galt nun, Münsterern weiter vorzuschieben.

Bei solchem Stande der Sachen schlich sich ein Schlüssel in's Schloß (Münsterer war hier immer ganz leise, warum, wußte er selbst nicht, aber vielleicht wirkte sich seine Verehrung für Chwostik nachklingend in dieser Weise aus).

Freilich hörte er die Stimmen aus seinem derzeitigen Zimmer, dessen Tür offen stand. Im gleichen Augenblick erst wurde ihm hintnach bewußt, daß die Gangtür sich nach einmaligem Umdrehen des Schlüssels schon geöffnet hatte. Sie war nur zugeklappt gewesen. Er hörte seine Stiefmutter reden. Sie ging einfach in sein Zimmer mit irgendwem (neuer Mieter?) und redete dort; und er schlich hier herein wie ein Hund. Jetzt folgte er den Worten der Wewerka: „. . . . ja, so is, gnädige Herr, für den Stiefsohn, was bei mir wohnt, wo wir eh kan Platz haben. Er möcht' heiraten. Is' bei der Post."

Aber er schlich nicht nur, er kuschte auch, der Münsterer. Er war ein hausmeisterisches Organ auf vorgeschobenem Posten im Machtbereiche der Wewerka (homo conciergificatus Wewercae).

Es lag eine Art automatischen Gehorsams darin (soll man etwa gar in geschwollener Weise sagen: ein Funktionieren war's unter dämonischem Machtgebot?!), als er jetzt, statt im Vorzimmer laut zu brüllen „Ich will garnicht heiraten", sich dezent räusperte, einige langsame Schritte tat, und sodann am offenstehenden Türflügel klopfte.

Er sah, eintretend, den kleinen Herrn, und beachtete seine Stiefmutter nicht, die ihn jetzt mit den Worten „Das is' er, gnä' Herr" gewissermaßen vorstellte. Münsterer verbeugte sich angemessen.

Doctor Eugen reichte ihm die Hand und nannte seinen Namen.

Münsterer lag zu Tage: was er eben erlebt, an sich selbst erlebt hatte, lüftete sein von einem Zornesgriff der Natur entformtes Antlitz wie eine Maske, die er noch trug; es hätte keines Doctors Eugen Keibl bedurft, um dahinter ein anderes zu sehen.

Ja, den Oberlandesgerichtsrat beschlich hier, in dieser widrigen und gewissermaßen toten Umgebung (leeres Gehäus Chwostik's?) ein Gefühl, als sei ihm für diese Augenblicke die Rolle einer handelnden Person in einer Tragödie zugespielt worden. So handelte er denn nach bestem Ermessen und Gewissen (fast immer überschätzt man das Entscheidende einer solchen Funktion).

„Sie wünschen diese Wohnung zu übernehmen, Herr Münsterer?" sagte er.

Der Stiefsohn verbeugte sich leicht.

„Ich werde das Nötige veranlassen, damit Sie vom 1. November an in das Mietverhältnis treten können."

Wäre Münsterer nun in der Lage gewesen, seine Wohnung zu bezahlen und sich selbst noch zu ernähren, unabhängig von der hausmeisterischen Sudelküche: er hätte, theoretisch, die Wewerka hinauswerfen können. Immerhin standen da noch ihre Möbel. Aber, auch abgesehen davon: zu vermeinen, man könne in einem Wiener Hause leben, bei bestehender Feindschaft mit der Hausmeisterin, ohne an Detailpeinigungen zugrunde zu gehen, wäre damals ein Hirngespinst gewesen; und auch heute verhält sich's nicht viel anders.

So blieb alles wie es war.

Nein, man kommt auf Stufen aus einem schmierigen Material nicht hinauf in ein reineres Leben.

So geschehen Verwandlungen nicht.

Wieder pfiff der Zug um halb sechs, kam die kühlere Luft vom Fenster. Indessen, eines hatte sich doch geändert seit jenen Augenblicken im Vorzimmer ‚seiner' nunmehrigen Wohnung, während er's gehört hatte, wie die Wewerka über ihn verfügte, und dann erleben mußte, wie sehr er ihr gehorsam war. Münsterer kriegte sich selbst in den Griff. Er lag von da ab nicht bloß für andere zu Tage. Seine Lage wurde ihm erkennbar, sie drehte ihn nicht mehr nur einfach um, so daß er auf dem Bauche lag und in die Kissen biß.

Morgens war das besonders fühlbar. Der kühle Lufthauch vom Fenster her drang wie aufspaltend herein, querte und entrückte alles.

Doctor Eugen stieg nach verrichteten Sachen in seinen Wagen, der vor dem Haustore in der Adamsgasse gehalten hatte. Jetzt wird besser erklärlich, daß die Wewerka so pünktlich aus dem Loche gefahren war – und mindestens diesmal nicht durch Antennen-Fühlung: sie hatte den Fiaker gesehen. Es war dies möglich, durch's Fenster der Kellerwohnung, aus der Froschperspektive; während ein Fußgänger, der ins Haustor einschwenkte, von ihrem Auge nicht erfaßt werden konnte. Die Pferde jedoch waren diesmal mit ihren Beinen just vor den Ausguck zu stehen gekommen. Freilich war das Anhalten ihres Trapp-Trapps auch zu hören gewesen. Hörbar blieb übrigens auch jedermann, der zu Fuße das Haus betrat. Dies bewirkte die Wewerka leichtlich, indem sie einfach unterließ, die Türangeln zu schmieren; sie quietschten vernehmlich, und bis in's rückwärtige Bockshorn. Wenn wir auch solchermaßen das Bild der magischen Fähigkeiten Frau Wewerka's mindern, so glauben wir gleichwohl fest, daß letzten Endes doch ihre Antennen-Gefühle die Hauptsache blieben: gerade diese aber waren durch den Wagen in Wirrnis geraten. Keineswegs häufig, sondern äußerst selten fuhr ein Fiaker hier in der Adamsgasse vor; und der Hausherr war bisher nie in einem solchen gekommen; sondern bei seinen äußerst raren Erscheinungen stets zu Fuße; und so konnte es passieren, daß die Wewerka beim Vorfahren des Fiakers an alles andere eher als an den Doctor Eugen gedacht hatte.

Vor drei Monaten schon waren Wagen und Pferde von ihm angeschafft worden.

Er wurde alt und er spürte es.

Nun befahl er dem Kutscher, in den Prater zu fahren.

Die muntren Pferde waren nach wenigen Schritten im Trabe. Das Gefährt rollte leicht hüpfend durch die lange öde Zeile.

Heute war's ein verhältnismäßig sehr günstiger Tag gewesen. Doctor Eugen, der vor Jahresfrist einen Vertrag mit einem juristischen Fachverlage geschlossen hatte, um dort seine Gesetzes-Kommentare zu veröffentlichen, lebte seitdem mit einem Termin belastet, und fühlte sich dadurch bei seiner Arbeit gedrängt: das hatte zur Folge gehabt, daß diese Sache von ihm etwas forciert worden war, vielleicht sogar allzu sehr. Er fühlte zeitweise Müdigkeit. Es entstanden gleichsam Hohl- und Leer-Räume der Müdigkeit, und es blieb oft wirklich nichts anderes übrig als zu warten, bis man wieder aus ihnen würde entlassen werden. Das hielt auf, und mit einer Gewalt, die in manchen Fällen so wirksam wurde, daß sie als wirklich unwiderstehlich gelten konnte. Er hatte nun viele Monate gearbeitet, ohne aufzusehen gleichsam.

Heute am späten Vormittage aber war da plötzlich, und innerhalb einer Viertelstunde, unwiderleglich offenbar geworden, daß er bereits alles beisammen hatte und kaum mehr als drei Wochen benötigen würde, um das Manuscript abzuschließen. Es gibt Fälle, in denen wir wie blind im Geschirre liegen und drauflos dienen, immer begleitet von dem Gefühl des langhin sich dehnenden Weges, und als ob wir eben erst ihn angetreten hätten; aber eines Tages werden am Rande dieses Weges neue Zeichen und Marken sichtbar, die Gegend ändert sich, verkreuzte Pfade laufen in glatte Straßen zusammen, und wir halten schließlich erstaunt in der befremdenden Landschaft der Vollendung.

Ein merkwürdiges Factum, dachte Doctor Eugen. Obendrein hatte er einen ganzen umfänglichen Abschnitt noch vor sich geglaubt, dessen fertige Reinschrift längst in einer versperrten Schreibtischlade lag.

Es war ihm wirklich gelungen, dies zu verstecken.

Der Termin stand auf dem 15. November, und jetzt war Mitte Juli.

Er konnte unterbrechen und nach Gastein fahren.

Der Wagen bog nach links ein und fuhr in raschem Trabe auf die Brücke zu. Jenseits stand in breiter Front das Grün der Baumwipfel. Die Wärme war noch immer dicht, jetzt, um halb sieben Uhr abends. Es glitzerte der Fluß auf und ab, zwischen den Stahlträgern der Brücke. Die Au empfing. Nun fuhr man, nochmals nach links biegend, im grünen Schatten einer Allee, an der Villa Clayton vorbei. Es hätte Doctor Eugen interessiert, das zu wissen.

Rita wohnte jetzt in der Reithlegasse. Er hatte keine Anschaulichkeit davon, so wenig wie von ihrer letzten Wohnung.

An diesem Punkte war für Doctor Eugen stets ein rasch ihn anfliegendes Unbehagen bereit, eines von der komplizierten Art, also ein wirkliches, ein tieferes, nicht nur ein vorüberziehender Wolkenschatten der Malaise, der dem vorgerückten Alter gewöhnlich ist. Früher einmal war es Schmerz gewesen, ja sogar Qual: die Geliebte dort draußen zu wissen, in unbekannter Umgebung, in zahlreichen unzugänglichen Zusammenhängen, und einem fremden Manne untergeordnet. Die absolute Herrschaft der Diskretion, von ihm selbst errichtet, nicht von Rita – welche wohl möglich bereit gewesen wäre, ganz andere Wege zu wählen – führte in Lagen, die als unwürdig empfunden werden mußten: man wagte es ja nicht einmal, einen Ausflug zu unternehmen, soupieren zu gehen, einander in der Stadt zu treffen. Man wagte es nicht: soll heißen, er wagte es nicht, hatte und hätte es nie gewagt. Rita wäre zu alledem ohneweiteres bereit gewesen, das wußte der Doctor Eugen gut: und eine Ehescheidung war ihr – trotz des Skandals, den das zu jener Zeit bedeutete – in den ersten Jahren wahrscheinlich als der angemessene Ausweg erschienen. Diese ersten Jahre gingen vorbei, und so auch schließlich einmal Qual und Schmerz für Doctor Eugen, der die Diskretion zu etwas Absolutem und Unantastbarem erhoben hatte; aber es konnten die Augenblicke nicht ausbleiben, da er sich fragen mußte: warum eigentlich?! Hatte er sich nur und ausschließlich seiner richterlichen Stellung wegen so verhalten? Die Frage war zu bejahen, das wußte er, und auch, daß gerade dies das Ganze nicht schöner machte. Aber solche Bejahung ließ doch etwas draußen, sie umfaßte und erschöpfte die Sache nicht.

So war es denn mehrmals schon zu Rebellionen des Doctor Eugen gegen seine eigene Lebensform gekommen, die er doch zähe verteidigte und eisern festhielt; und auch das wußte er freilich, der Doctor Eugen, wenn es auch nicht so plan auf der Hand lag, wie die Herkunft einer Diktatur der Diskretion von seinem hohen Amte.

Aber, wenn sich auch Schmerz und Qual mit den Jahren beruhigt hatten: sie kehrten verwandelt wieder, als Rita ihm die kleine Monica nicht mehr brachte, weil das Kind heranwuchs und schon zu sprechen begann: es wurde ihm nun von Rita entzogen; so nannte er das bei sich, und empfand es oft geradezu als eine Vergeltung, wenn nicht Rache. Zuletzt kehrten sich seine eigenen Vorkehrungen gegen ihn selbst; und der Doctor Keibl mußte erkennen, daß Vorsicht nicht immer auch schon Voraussicht bedeutet.

Der Wagen schwenkte in die Hauptallee und fuhr in raschem Trabe die gerade Fahrbahn entlang.

Die letzten Sachen und ihr nicht vorausgesehenes Ergebnis erkannte er klar, der Doctor Eugen. Aber ein dumpfer Druck im Gewissen ist als Motor des persönlichen Lebens wirksamer als die klarste Einsicht. Ein solcher Druck war hier nicht mehr vorhanden, jedenfalls nicht mehr in erkennbarem Zusammenhang mit Rita und dem Kinde. Das Unbehagen, welches ihm aus dem Zerfall seines Daseins in disparate Hälften kam, war gleichsam selbständig geworden und geisterte jetzt überall herum. Die Erfahrung, daß man so etwas wie ein Doppel-Leben führen könne, hatte Doctor Eugen nun einmal gemacht: jetzt aber zeigte sich in unbegreiflicher Weise, daß dieser einmal begonnene Zerfall fortschritt und schon zu einer Art von Zerklüftung geführt hatte, kurz: das Ganze hielt nicht mehr zusammen – es fiel aus der gemeinsamen Lösung, es wurde ausgefällt – und jeder Teil für sich begann in einer Art erstaunlich zu werden, die nicht fruchtbar zu nennen war, sondern nur mehr befremdlich: sei das nun sein Haus, das Schlafzimmer, das Arbeitszimmer, seine alte Haushälterin, das Professorenzimmer in der Universität, oder Rita, wenn sie kam: Doctor Eugen lebte in einem pluralistisch zerfallenden Inventar – zwischen dem auch die leeren Räume der Müdigkeit standen – das er gleichwohl, wenn auch mit Unbehagen, manövrierte; und sein Staunen über den Zustand mußte ihm unwürdig erscheinen, wenn er an seine hohen Jahre dachte und ihnen an alledem Schuld geben wollte. War das seine Lebensernte und letzte Weisheit, daß ihn Umstände umgaben, mit denen er täglich umging, die er selbst herbeigeführt hatte, ohne sie im geringsten mehr zu begreifen?

Weitaus nicht so deutlich wurde das gedacht, auch so deutlich nicht gefühlt.

Der Mensch, wenn er dauernd mit einer wissenschaftlichen Terminologie umgeht, wird schließlich sprachlos im Verkehre mit sich selbst: er kann sich da nicht mehr verständlich machen und wird von seinem eigenen Ich auch nicht mehr verstanden; dieses ist so nicht ansprechbar. Es verlangt eine ruppige Privatsprache, mit Ausdrücken, die für andere unverständlich wären; etwa so wie die verschiedenen Kindersprachen unter kleinen Geschwistern. Der innere Dialog bei Doctor Eugen erstarb.

Der Wagen war ans Ende der großen Allee gelangt, fuhr im Schritt um den Barock-Pavillon, der hier stand, und dann in der Gegenrichtung zurück. Am Himmel hatte der Sonnenuntergang indessen sein ernstes Schauspiel vollendet. Durch die Kronen einzelner hoher Praterbäume trat noch die Abendglut.

Münsterer, seit er nicht mehr nur auf dem Bauche lag, seit er nicht mehr nur wegwischen und austilgen wollte, was ihn da umstand, sondern es als stehend und seiend wahrnahm, als gegebenen Umstand eben: Münsterer erkannte nunmehr doch auch die Vorteile seiner Lage.

Wohl, er war gehausmeistert, er war nichts als ein Exponent, und noch immer Sudelküchenesser. Aber doch wartete kein grausliches Bettlein in Enge und Finsternis tief im Bockshorn: sondern ein eigenes Zimmer.

Er konnte abends die Troglodyten-Höhle verlassen und hier

heraufgehen; hier sitzen; bei selbstgekaufter Kerze. Die Lampe vermied er.

Er fügte sich. Das war entscheidend.

Wer es versteht und den Weg weiß, der lebt auch in der Hölle behaglich.

Eines Abends, als er wieder hinaufkam, leuchtete im Vorzimmer, wie einst, wie eh und je, die Petroleumlampe mit dem breiten Fuß.

Sie roch auch.

Warm und rundlich, sanft und doch penetrant.

Münsterer blieb hier im Vorraume stehen und versank in Nachdenken. Es war das beste, was er tun konnte.

Sodann ging er mit leisen und raschen Schritten an die Türe des rechter Hand benachbarten Zimmers und lauschte. Es blieb vollkommen stille. Das Vorzimmer schwamm im laulichen Lampendunst. Er drückte langsam die Klinke der Zimmertür und öffnete diese. Der Raum lag gleichfalls erleuchtet, von einer kleinen Stehlampe, die herabgeschraubt war und stark roch. Münsterer ging nach links und fand im anderen Zimmer den gleichen Sachverhalt. Er sah einen mit Wachstuch bezogenen Diwan, den ein weißes Leintuch bedeckte. Der hölzerne aufklappbare Waschtisch war geöffnet. Daneben stand ein emaillierter Eimer.

Nach solchen Konstatierungen zog sich Münsterer sogleich auf das ihm allein vorbehaltene Terrain zurück. Er entzündete seine Kerze – und eine Cigarette, was ihm sehr gut tat – versperrte die Tür und betrachtete erstaunt und erfreut eine perfekte Einsicht, die er aus dem Vorzimmer mitgebracht hatte: daß nämlich nur die einer jeweiligen Lage angemessenen Verschärfungen irgendwohin zu führen vermögen. Er war voll guten Vertrauens. Er ging zu Bett, und hörte es nicht mehr, als sich ein Schlüssel ins Schloß schlich.

Münsterer sollte nicht enttäuscht werden. Kaum eine Woche nachdem die Wewerka wieder Weiber in Chwostik's einstmalige Wohnung introduciert hatte – etwa wie man Krebse setzt in einen Bach – erhielt er seine Einberufung zum dreijährigen militärischen Praesenzdienste (als tauglich war er schon vordem befunden worden), und wurde zum k. u. k. Infanterie-Regimente No. 84 (Ergänzungsbezirk Wien und Niederösterreich) assentiert.

Er ist nie mehr in die Adamsgasse zurückgekehrt.

Dies nehmen wir triumphal vorweg.

Jedoch nicht ohne einen Hintergedanken. Der Augenblick ist da, wo die Wewerka aus der Komposition hinausgeworfen werden kann (und mit ihr die ganze Adamsgasse; sie ist ausgestorben; liegt sie nicht wie ein verlassener Termitenbau im kalkigen Licht dieses heißen Juli-Nachmittages, mit geschlossenen, blind spiegelnden Fenster-Reihen? Man sieht kein Grün. Nur den Himmel darüber, der von Quellgewölk überzogen ist und die sommerliche Hitze beisammenhält, den Sommer-Kerker der Stadt abschließend mit gewölbter Glocke. Und war denn diese Adamsgasse überhaupt etwas anderes als ein trübes Gewölk, daraus uns Chwostik emportauchte wie Aphrodite aus den Fluten? Chwostik-Aphrodite. / Hm! / Eine durchgegangene Metapher rennt halt, wohin sie will). Aber die Wewerka kann jetzt hinausgeschmissen werden; und damit kommt der Augenblick – ein allzu seltener, ein allzu kurzer! – wo der Romanschreiber nicht an die Eigengesetzlichkeit seiner Figuren gebunden bleibt, sondern zuletzt noch mit diesen machen darf, was er will. Man denke da etwa an den Abschied, der Finy und Feverl erteilt worden ist. Doch diesmal darf von Patschen oder Filzpatschen keine Rede sein! Gönn' es, oh Leser, dem Autor! Gönn' ihm den Hochgenuß zweier geradezu ungeheuerlicher Ohrfeigen, durch welche die Wewerka aus dem Buche hier hinaus und blitzartig bis an den Horizont befördert wird, wo sie platzt und grauslich zersprüht.

Und es soll uns ganz gleichgültig sein, wie sie das jetzt mit Chwostik's ehemaliger Wohnung macht und dem Mietverhältnis; Münsterer ist für sein Teil in ein solches garnicht mehr eingetreten.

Er war kein Prachtsoldat, aber für's Militär, und besonders für die Fußtruppe, gut geeignet. Er marschierte leicht und ausdauernd, und seine natürliche Schrittlänge war gerade jene der Vorschrift (fünfundsiebzig Centimeter); so sind ihm in der Abteilung von Anfang an keine Schwierigkeiten entstanden. Er fiel nicht auf. Die Ausbildung bei der Infanterie kannte damals nicht jene Härten, wie sie etwa bei der Reiterei oder der Pioniertruppe in Übung waren.

„Die 84er sind ein Indianerstamm, der seine Wigwams im Prater aufgeschlagen hat" – so begann einst Anton Kuh (enfant terrible der Literatur), der sein Einjährigenjahr bei jenem Stamme absolviert hat, die Schilderung seiner Dienstzeit. Es war freilich arg (und zu Münsterer's Zeiten nicht minder), weil von jenem platten und resignierten Witze durchzogen, der überall dort auftritt, wo Leute zwangsweise zu den Soldaten kommen, die dort nichts zu suchen haben, und denen also nichts anderes übrig bleibt als einen ewigen Stand – dem man nur aus freier Wahl beitreten kann – zu verwässern, damit er auch für ihresgleichen erträglich werde. So blühte denn der militärische Humor, auf welchen man nicht nur in Österreich stets großen Wert gelegt hat: denn er vernebelt die an sich absurde Situation dieses Kinderzimmers der Erwachsenen.

Münsterer ließ sich vernebeln. Ein reines Bett, vortreffliche Mahlzeiten und viel Bewegung in frischer Luft – von letzterer hatte er ja vordem wenig genossen! – taten das ihre. In aller Stille hielt er am ein für alle Male Gelernten fest: daß nämlich nur die einer jeweiligen Lage angemessenen Verschärfungen irgendwohin zu führen vermögen. Nach zwei Jahren war er längst Korporal. Nun, es besteht kein Zweifel, daß die Einrichtungen und Dienstvorgänge bei der Post schon damals erheblich komplizierter waren als das Exercieren im Zugs-, Kompanie- oder Bataillonsverbande, das Schießen oder die Vorschriften über Ubication oder Augmentation der Truppe, will sagen, das Unterkunfts- und Bekleidungswesen. Auf viel mehr lief's zu jener Zeit nicht hinaus.

Münsterer hat auch große Manöver mitgemacht, in der Untersteiermark, also schon so etwas wie ein richtiges unstätes Soldatenleben. Die Marschleistungen drückten ihn nicht nieder. Die praktische Fußbekleidung der alten Armee – ein nicht allzu schwerer Schnürschuh und die leichten ‚Kommodschuhe' für Kantonierungen – der fest und ohne Hin- und Her-Rutschen aufliegende fellbezogene Tornister: diese und andere, aus alter Erfahrung stammende Ausrüstungs-Arten ermöglichten einem bereits geübten Soldaten – Rekruten waren nie unter den Manövertruppen – den gestellten Anforderungen ohne deprimierende Erschöpfung zu genügen. Münsterer konnte sich sogar, im Rahmen taktischer Aufklärung, als Führer einer Patrouille auszeichnen, und rückte bald zur nächsten Unteroffiziers-Charge vor, die damals wie heute, nämlich ‚Zugsführer' hieß.

Damit halten wir mit Münsterern an einem Punkte, der schon Entscheidungsfrüchte zeitigte. Ihm wurde eröffnet, daß seiner Übernahme in die Laufbahn eines längerdienenden Unteroffiziers nach Ablauf seiner dreijährigen Dienstpflicht nichts im Wege stehe. Hierher gehört es nun, auch der Veränderung seines Äußeren zu gedenken: sie wäre auffällig gewesen für jeden, der ihn noch in der Adamsgasse gekannt hätte: am auffälligsten im Antlitz, danach erst in bezug auf Gang, Haltung und Hautfarbe. Was Münsterers Physiognomie betraf, so könnte man sagen, daß jetzt diejenige endgültig an Tag kam, welche der Oberlandesgerichtsrat Doctor Eugen Keibl bereits in Chwostik's einstmaligem Zimmer erschaut hatte.

Nun aber: Münsterer schwankte immerhin, als jene neue Laufbahn sich ihm darbot. Damit ist erwiesen, daß er für seine durch die Einrückung entstandene Lebenslage bereits genug Zustimmung aufbrachte, um sie nun wieder verlassen zu dürfen, (ohne erst angemessene Verschärfungen abzuwarten). Bei der Post kam ihm die während seines militärischen Praesenzdienstes wirksame ‚Zeitvorrückung' zu gute. Als er abrüstete, fand er sich bereits als Officiant. Einige Gebühren hatten sich für ihn auch angesammelt.

So finden wir denn unseren abgerüsteten Münsterer im Postamte eines damals noch fast ländlichen Außenbezirkes von Wien wieder, wo er ein möbliertes Kabinett bewohnte, und allerseits achtungsvoll behandelt ward. Die Zeit der Epochen, Verschärfungen und Entscheidungen war vorbei. Von nun an legte sich jahrweis Gleiches zu Gleichem und es wuchs der biographische Turm auf weniger bewegte Art aber nicht minder unaufhaltsam an. Wir möchten noch hinzufügen, daß ein Hausgärtlein von Horizont entstand. Von einem im eigentlichen Sinne grauslichen Privatleben wäre nichts zu melden. Es wurde denn auch nicht geheiratet. Noch stand des Vaters gräßliche Schmach vor dem inneren Auge. Um 1900 sehen wir Münsterern als Postamtsvorstand in einer beliebten Sommerfrische, zwei Bahnstunden von Wien. So gerät uns zunächst auch dieser Adamsgassler aus den Augen.

Chwostik erwachte. Die Weißlackiertheit des kleinen Dienstbotenzimmers umgab ihn. Er hatte es als Schlafraum gewählt. Das Messingbett und der große Kleiderschrank waren an Ort und Stelle geblieben, ebenso der Waschtisch. Das Fenster stand offen; es sah auf einen Hof; auch die Tür in's Vorzimmer war geöffnet; in dieses blickte Chwostik vom Bette. Gegenüber seine beiden Wohnräume; in den rückwärtigen sah er von hier aus hinein. Alles in Lüftung, nirgends eine Tür oder ein Fenster geschlossen, die geöffneten Türflügel mit davor gestellten Stühlen fixiert. Aber es herrschte kein Zugwind; nur die Nachtkühle, war es gleich schon hell. Der Zug pfiff; es war etwas schwächer und entfernter zu hören als von der Adamsgasse. Chwostik erhob sich und schloß überall alles, um die kommende Hitze abzuwehren.

Seine Toilette war umständlich. Er hatte sich verschiedenerlei angewöhnt; etwa das Massieren des Haarbodens mit Franzbranntwein.

Als er fertig war, betrat er sein rückwärtiges Zimmer und blieb dort stehen.

Die Sessel standen verschoben. Bei ihnen ein kleiner Tisch mit Getränken.

Milohnić war abends bei ihm gewesen.

Hochbefriedigt, versteht sich.

Er hatte zu Chwostik gesprochen wie zu jemand etwa, dem es gelungen wäre, sich aus einem Moor heraus zu retten.

Wieder jetzt, in dieser Morgenstille, erhob sich Opposition dagegen in Chwostik. Schließlich war er ja da in der Adamsgasse auch sozusagen schon ein Mensch gewesen, hatte dort gelebt, gelernt und sich gemüht. Hier aber begann jetzt eigentlich erst seine Ankunft, nachdem noch dies und das und jenes hatte geordnet, ergänzt und angeschafft werden müssen: Bedienung durch die Wenidoppler. Hinzukauf einiger Möbelstücke (Beirat: Milo). Anbringung von Vorhängen (Durchführung: Wenidoppler). Jetzt war es ruhiger geworden. Jetzt langte Chwostik hier erst wirklich an. Die Einzelheiten gehörten eigentlich noch zum Alten. Es war mit alledem schon Mitte des August. Er meinte manchmal hier eine Spur von Kampfer oder Naphthalin zu riechen, besonders in der Schlafkammer, wenn er den großen Schrank öffnete. (Dorthin war übrigens der weiße Schwenktisch aus der Küche gestellt worden, das früher beim Bett befindliche Nachtkästchen wurde Eigentum der Frau Wenidoppler, die sich aus irgendeinem Grunde darüber ganz auffallend freute.) In den Zimmern, besonders im rückwärtigen, wo er jetzt stand, ging noch immer ein strenger, leicht säuerlicher Duft um, dann und wann, wohl von den Polituren der neuen Möbel. Chwostik stand lang da. Endlich schritt er nach vorne, ließ die herabgelassene Jalousie wieder hochgehen und sah über den Fluß hinüber und auf die grünen Kuppeln der Praterbäume.

Nach links, flußaufwärts, konnte er nicht sehen, hier nahmen ihm neue Häuser den Blick.

Das blaue Kinderbild in Doctor Eptingers Empfangszimmer war hier näher als in der Adamsgasse: keine trennende Stufe dazwischen; es gehörte jetzt wirklich zu Chwostik's Umwelt.

Die Wenidoppler war zu hören. Sie sperrte die Gangtür auf. Nun ging sie in die Küche.

Milo wird Wien verlassen. Zunächst hatte er einen Posten als Empfangschef ('Chef de réception') in einem großen Belgrader Hotel in der Kralja Milana angenommen gehabt: für 1. Oktober dieses Jahres 1879. Jetzt schrieb man ihm, daß man vorziehen würde, diese Stellung jemand anderem zu übertragen, ihn jedoch, bei freilich weit höherem Gehalte, als Director zu engagieren: „auf Grund von uns vorliegenden Referenzen", hieß es. Was waren das nun für neue ‚Referenzen'? Dortige? Seine hiesigen waren von ihm alle angegeben worden und auch sein Chef – der ihn sehr ungern ziehen ließ – hatte für Milohnić ein excellentes Zeugnis geschrieben. Hier mußte eine neue Karte in's Spiel geraten sein. Milo entsann sich schließlich eines reichen serbischen Bojaren, Großgrundbesitzers und Viehexporteurs, der vor nun schon längerer Zeit im Hotel auf der Josephstadt gewohnt hatte, das ihm (wie so manchen, zum Beispiel den jungen Claytons) wegen der Stille und Zurückgezogenheit ansprechender erschienen war als die großen Fremdenhotels der Inneren Stadt. Jener Serbe war glücklich gewesen, mit Milohnić in der Muttersprache reden zu können; und Milo hatte ihm mit ortskundigem Rate gedient. Vielleicht war eine für den Belgrader Hotelier gewichtige Empfehlung von dieser Seite gekommen.

Nichts eigentlich markierte für Chwostik so deutlich ein neues Stadium, wie dieser eine Umstand: daß es Milo bald in Wien nicht mehr geben würde.

In diesen Minuten, während er hier am Fenster verweilte und in den Prater hinüber sah, drehte sich unter ihm rascher die Scheibe der Zeit, während er selbst unbeweglich darüber schwebte, in der Luft stehend, wie gewisse Insekten auf den Wiesen, und in einer noch nie empfundenen Leere, so jung er war. Er war angelangt. Er hielt hier. Er nahm es vorweg, daß in dieser Wohnung, im Umschwung jener Scheibe, Jahr für Jahr gleiches zu gleichem sich legen würde, in feinen aschigen Schichten, wie Staub auf Staub. Einen winzigen Augenblick lang lastete das Tägliche, das mit Selbstverständlichkeit allmorgendlich Wiederkehrende, als eine ungeheure Mühe auf ihm, die keineswegs unbeachtet vorüberglitt, sondern einzelweis immer neu und mit ganzer Ausführlichkeit vollbracht werden mußte. Und das war freilich zu viel. Es konnte kaum zwei oder drei mal mehr gehen ... Chwostik ließ die Jalousie wieder herabgleiten, schloß das

Fenster und kehrte in's rückwärtige Zimmer zurück. O ja, die neuen Möbel waren hübsch, sie sahen elegant aus, alles aus allererster Quelle, von der Firma Portois & Fix. Der kleine wackelige Damenschreibtisch war nach rückwärts gestellt worden. Chwostik hatte ihn unbedingt behalten wollen.

Die Depression verging. Er ließ sich in einem der neuen Sessel nieder, bei dem verlassenen kleinen Tische mit den Gläsern und Flaschen. Nach einer Weile kamen die Schritte der Wenidoppler. Sie öffnete die Tür zum Spalt, sagte „Das Frühstück, Herr Direktor", und verschwand.

Der ganz alte Clayton hat es wirklich fertig gebracht, Harriet ihren Buben wegzunehmen, als dieser das schulpflichtige Alter erreichte. Donald kam nach Brindley-Hall zu seinem Großvater und besuchte in Chifflington die Schule. Vorbei waren die Zeiten der Nursery in der Prinzenallee zu Wien, und die zur Guitarre gesungenen Lieder der Kate Thürriegl. Diese allerdings blieb im Hause. Nicht mehr als Kinderpflegerin, sondern als Haushälterin, Hausdame. Sie war ja nun schon ein Fräulein in vorgerückteren Jahren.

Mit alledem war es stiller geworden in der Halle und in den Zimmern oben entlang der Galerie. Die Abwesenheit des Kindes – mochte sie immer von den Eltern als unnatürlich empfunden werden, und das war bei Robert Clayton vielleicht noch mehr der Fall als bei der Mutter! – wirkte praktisch doch entlastend und schenkte Bewegungsfreiheit. Da zudem im Werke die Sachen sich mehr und mehr einspielten und einspurten, nahm man, nach den Verschärfungen der sozusagen epochalen ersten Jahre in Wien, frühere Gepflogenheiten wieder auf: auch Harriet war vor ihrer Verheiratung schon gerne gereist, und nun tat sie das mit ihrem Mann. Es gab Ferien in Mentone und Nizza, aber sie besuchten auch Ägypten und Griechenland; gelegentliche längere Anwesenheiten des ganz Alten ermöglichten dies noch leichter; in solchen Fällen wurde Kate Thürriegl nach England geschickt, als Aufsicht für Donald. Der ganz Alte kam allerdings in seinen letzten drei oder vier Jahren nicht mehr herüber. Keineswegs etwa, weil er krank gewesen wäre; er ist als gesunder Mann gestorben, einfach an Alters-Schwäche. Das kam bei jener Generation noch häufiger vor als später oder gar heute. Sondern der Großvater Clayton sah schließlich, daß die Dinge in Wien liefen, wie sie laufen sollten; und er war zudem garnicht gerne außerhalb Englands. Er selbst, der ganz Alte, ist es übrigens gewesen, der zu Beginn der Achtzigerjahre – obwohl er ja früher geraten hatte, damit noch zu warten! – seinem Sohne empfahl, Chwostik nunmehr zum kommerziellen Direktor zu machen, wobei sich die Erteilung der Prokura von selbst verstand.

Für Chwostik war ein anfänglich schwieriger Punkt noch durch Milo zunächst bereinigt worden: das betraf die Gewinnung geeigneter Vertreter im Südosten, sowohl solcher mit festem Sitz, als auch reisender. Milohnić, der mit vielen serbokroatischen Landsleuten hier in Wien Verbindung hielt, konnte einen jungen Maschinen-Ingenieur, namens Vincenz Wosniak, der die Hochschule eben absolviert hatte und im Begriffe war, nach Belgrad zurückzukehren, für die Sache der Claytons interessieren. Wosniak, ein aufgeweckter Bursche, zog im Südosten noch andere und ältere Leute von der Branche an sich und brachte es innerhalb eines Jahres fertig, eine zunächst hinlängliche Verkaufsorganisation in jenen wichtigen Ackerbauländern auf die Beine zu stellen. Der Export nach dem Balkan nahm zu und drang rascher und weiter vor als erwartet worden war, ja, bis in den Vorderen Orient. Schon war Robert Clayton selbst nicht nur in Sofia und Bukarest gewesen (wobei seine Frau ihn begleitete), sondern auch in Konstantinopel und Beirut. Jedoch, hier zeigte sich ein unvorhergesehener Faktor, und er ward von Clayton, der nicht eben zu Selbsttäuschungen neigte, mit hinlänglicher Klarheit erkannt: daß er nämlich sehr wohl mit Harriet, der das gefiel, im Orient herumreisen konnte, aber geschäftlich und persönlich die nötige Fühlung dort nicht gewann, ja, sogar im einen oder anderen Falle geschädigt und getäuscht worden war. Mit alledem bereitete sich eines vor, was weiterhin von großer Bedeutung werden sollte: die Reisen des Herrn Direktors Chwostik nämlich, höchstpersönlich. In späterer Zeit hat er dabei zu wiederholten Malen den jungen Donald mitgenommen.

Jetzt aber wuchs der kleine Donald noch in England im Hause seines Großvaters heran und besuchte zu Chifflington die öffentliche Schule. Harriets Verhalten erscheint doch merkwürdig: daß sie sich einfach den Buben hatte wegnehmen lassen, eigentlich ohne Widerstand (und hier lag der Grund, warum auch Bob, der zutiefst über seine Frau erstaunte, keinen ernstlichen Einwand erhob). Daß es ihr Wunsch war, Donald möge als Engländer in der Heimat aufwachsen, scheint begreiflich. Merkwürdig und weniger durchsichtig aber war ihr Verhältnis zum Schwiegervater überhaupt.

Diesem war Bob vollends unähnlich. Es präsentiert sich uns der ganz alte Clayton als ein kleiner, breitschultriger und in hohen Jahren noch dunkelhaariger, sehr lebhafter Herr. Conan Doyle hätte von ihm das gleiche gesagt wie von seinem berühmten Sir Henry Baskerville: daß er keltischer Herkunft sein müsse. Die schwarzen dichten Augenbrauen wurden sekundiert von Haarbüscheln in Ohr und Nase. Auffallend war sein Schädel; obgleich gedrungen doch rückwärts flach. Harriets länglicher Kopf zeigte die gleiche Eigenschaft, durch die damalige weibliche Haartracht allerdings fast verborgen; von seiner Mutter hatte der sonst dem Vater so ähnliche Donald diesen flachen Hinterkopf geerbt. Bei ihm sah man das deutlicher.

Harriet hat ihrem Schwiegervater überhaupt nie und in keiner Sache jemals widersprochen, vom ersten Augenblicke an nicht, weder in wichtigen Sachen, noch in Nebensächlichkeiten. Hielt er es für richtig, mit einem Schleifzügel zu reiten, besonders auch für eine Dame, so tat sie alsbald das gleiche, bei ihren gelegentlichen Anwesenheiten in Brindley-Hall; und sogar ihr Fuchs, den sie während der ersten Jahre drüben noch hatte, wurde so gezäumt. Aber auch in Wien ritt sie jetzt im Prater nie ohne ‚Martingal‘. Weil der ganz Alte sich den Whisky verkehrt einschenken ließ – nämlich das Soda voran – wurde im Hause Harriets nur verkehrt eingeschenkt. Man könnte da noch manches nennen. Aber es geschah das alles nicht nur, um dem

Schwiegervater gefällig zu sein; nein, es wurde von Harriet selbst alsbald für das Richtigere und das Bessere gehalten; Beweis dessen ist, daß sie zum Beispiel auch in Wien mit dem Schleifzügel ritt, und anderes dieser Art. Ihrem Mann gegenüber kannte Harriet keineswegs eine solche Observanz. Im ganzen und überhaupt: sie schien geradezu den Schwiegervater für einen vernünftigeren Menschen zu halten als ihren Bob.

Dieser, dem am Reiten weniger lag als seiner Frau, hatte sich einem behaglichen Golf-Sport ergeben, wofür es im Prater einen Club und Plätze gab. Auch Chwostik, dessen Gesellschaft Bob Clayton angenehm war, wurde veranlaßt, in den Club einzutreten und die nicht eben einfache Kunst zu erlernen. So marschierten denn die beiden über den kurzen Rasen der weiten Wiesen in der Krieau, gefolgt von kleinen Buben, die man ‚Caddies' nannte; sie trugen die Taschen mit den diversen Stöcken. Die Golf-Spielerei begann schon in jenem Herbst 1879, als Milo nach Belgrad abging und er hat sie in Wien noch erlebt, und sich darüber gefreut, und darin auf seine Art auch ein Stück des rechten Weges gesehen, den sein Pepi nun beschritt. Damals wurde übrigens auch noch die Ersteigung der Raxalpe realisiert – ein Unternehmen, das man in späteren Jahren oft wiederholte – und es ist für Milo denkwürdig geblieben, wie geschickt, ruhig und umsichtig sich die Claytons bei einer kleinen Kletterei anstellten, die sie durchaus hatten mitmachen wollen. Chwostik stieg voran. Ihm waren aus früher Jugend hier manche Steige vertraut. Sein Vater hatte ihn schon als Knaben mitgenommen.

So rasteten denn Harriet und die drei Herren unterhalb der hier senkrecht emporkanzelnden Wände des Kalkgesteins auf einer schrofigen Matte und sahen in die weite Aussicht. Harriet in einem knöchelfreien, grauen Lodenrock und ebensolcher Jacke, mit grünen Aufschlägen; sie trug hochgeschnürte, gelbe Bergschuhe, und die Männer waren ähnlich beschuht, zu Pumphosen und umgeschlagenen Wadenstrümpfen, die Clayton nicht mit einem Gummi-Elastik, sondern nach englischer Art mit einem unter dem Umschlage herumgelegten längeren Band aus dehnbarem, rauhem Gewebe befestigt hatte. Die Morgensonne lag auf dem Hang. Sie sahen auf die Spitzen der Tannen unter ihnen, die sich weiter weg im dunklen Grün der abfallenden Wälder verloren; von links und rechts wanderten diese auf den Vorbergen dahin, und wo die Kämme tiefer unten zusammenliefen und sich schnitten, lag zwischen ihnen nur ein kleines Stück der Ebene offen und wie getragen von den gekreuzten Höhenzügen.

Milohnić hatte indessen seine Reisevorbereitungen vorangetrieben; nun war er's, der – ganz wie einst Chwostik – auf elegante Gepäckstücke ausging; und seine Ansprüche lagen höher als die Pepi's damals. Aus Milo's Garderobe flog hinaus, was solchen Ansprüchen nicht genügte; und das waren immerhin noch sehr schöne Sachen. Sie kamen dem Herrn Wenidoppler zugute, dem Gatten der Hausmeisterin in Chwostik's Wohnhause, der aber keineswegs ein gehausmeistertes Individuum war, sondern echten hausmeist'rischen Ur-Geblüts: er selbst hatte gehausmeistert, nämlich seine Gattin Mizzi – o nein! keineswegs horribile dictu! das hatte Chwostik gleich auf der Treppe bemerkt! – durch die Heirat (conciergificator non conciergificatus). Jene Mizzi, geborene Nechwatal, stammte aus ganz anderen Auswüchsen und Bockshörnern unseres lieben Lebens, dessen unappetitliche Möglichkeiten ja unbegrenzt sind. Ihr Vater war ein Roßfleischhauer. Herr Wenidoppler jedoch hatte eine recht gute Stellung inne, als Aufseher und Auslieferer in der Expedition einer großen Tageszeitung. Ursprünglich war er dort Kutscher gewesen.

Drei Wochen, bevor Milohnić Wien endgültig verließ, fuhr er nach Bregenz und ging sogleich an Bord der ‚Rohrschach‘, die sein Vater befehligte. Das Schiff lag, weiß und mächtig hoch, am Landungs-Steg in der strahlenden Herbst-Sonne. Der Alte kam ihm über das Deck entgegen, braun und breitschultrig, in seiner blauen Jacke, und umarmte den Sohn. Milo erhielt eine Kabine und fuhr zwei Tage mit seinem Vater. Sie sprachen nur kroatisch miteinander. „Mein lieber Sohn", sagte der Kapitän,

„wenn deine Mutter seelig noch gelebt hätt', ich wär' vielleicht nicht hierher gegangen. Aber ein Schiffmann ist ja überall daheim. Die Menschen sind hier anders als bei uns dort unten. Jeder wie eine aufgeklarte Koje. Singen tun sie nur, wenn zwanzig oder dreißig beisammen sind; einer allein läßt sich das nicht einfallen; und so ein langes Lied, wie die Geschichte vom Vuk Branković, würde sich keiner merken. Für meine Draga wär's nichts gewesen. Nächstes Jahr mach' ich einmal Urlaub und fahr' heim, setz' mich unten vor dem Haus in die Klippen und fisch'. Das Segelboot hab' ich übrigens jetzt kalfatern lassen, der Nachbar, der kleine Italiener, hat's gemacht; ist in Ordnung, schreibt er. Setz' dich vorn in den Salon und trink' einen Schnaps. Wir fahren bald."

Damit ging er auf die Brücke. Allmählich hatte sich das Schiff mit Passagieren gefüllt. Im Salon wurde schon Frühstück serviert. Milo verließ den Saal wieder, dessen etwas zimperliche Eleganz mit Vorhänglein und Quasten an den Fenstern ihm Unbehagen bereitete; er ging außen an den Fenstern vorbei auf den sauberen Planken des Seitenganges an der Reeling bis zum Bugspriet, dessen vorderste Spitze mit dem Ankerspill für die Passagiere durch eine weißlackierte Kette gesperrt war. Links stand ein Mann, der jetzt ein Halte-Tau an Bord zog; als Milo dort vorne angelangt war, empfand er das leise Beben von den schon laufenden Maschinen. Im selben Augenblick tutete der Dampfer zum dritten Mal und es begann ein ganz langsames Vorbeigleiten von nahen Einzelheiten am Lande und am Wasser; die Masten von Segelbooten, die hier vertäut lagen, blieben zurück. Auf der Kommandobrücke des Schiffes, die Milo jetzt zum Teil sehen konnte, als er sich umwandte, erschien für einen Augenblick der Vater, mit seiner weißen Schirm-Mütze. Vielleicht hätte es der Mutter hier doch gefallen. So sehr viel abwechslungsreicher: die Stadt dort rückwärts, die Berge, die Schiffe und Ruderboote, nicht die Brandung nur unten vor dem Haus an den Klippen. Milo sah seine Mutter jetzt vor sich. Er hatte sich wieder gegen den See gewandt, der unendlich gestreckt in die Sonne hinaus lag. Das Bugspriet schnitt in diese Fläche. Dort draußen schien das Bild seiner Mutter zu stehen. Sie war fast größer als der Vater gewesen, sehr aufgerichtet in der Haltung, langsam schreitend; die schwarzen Zöpfe hochgetürmt; Milo hatte nie mehr im Leben so große dunkle Augen gesehen, wie die seiner Mutter. Wenn Milo in den Schulferien daheim gewesen war, und es kam gerade der Vater, nach monatelanger Reise, von Konstantinopel, von Ägypten oder gar von Indien: das kleine Haus schien sich zu erweitern, es wurde zum Festsaal, und von der Mutter ging eine tiefe, dunkle, fast wilde Freude aus.

Mittags aß er mit dem Vater in dessen Kajüte. Der Alte ehrte den Gast, öffnete vor ihm die Tür und ließ ihn vorangehen. Milo sagte zu seinem Vater noch ‚Sie‘ oder eigentlich ‚Ihr‘.

„Du bist weit gekommen, mein Sohn", sagte der Kapitän, „so jung du bist. Du wirst jetzt eine große Stellung antreten. In der Fremde sollen wir nicht fremd sein. Es ist nur eine Schwäche. Man tritt in Sidney den Boden auch nicht anders als in Dubrovnik."

Milo sah durch das Bullauge auf die Wasserfläche hinaus. Was sein Vater da sagte, lag ihm durchaus. Jetzt fiel ihm Chwostik's neuliche kuriose Äußerung über das Golf-Spiel ein: er nenne es bei sich das Wiesen-Billard. Daraus sprach eine verwandte Art die Sachen zu nehmen. Doch schien das bei Chwostik tiefer und sicherer zu sitzen. Er selbst hatte stets sich bestrebt – und in seinem Berufe genug Gelegenheit dazu gehabt – die Lebensformen jener Leute zu erforschen, welche für ihn die große oder die weite Welt bedeuteten, vom leicht nachlässigen Binden einer Krawatte bis zu der Art, wie man im Lehnsessel lag oder an das Pult des Portiers trat, mit ein paar langsamen Schritten, um seinen Schlüssel zu verlangen: dies alles wurde von Milo einzelweis vermerkt und taxiert, weil eben solches Taxieren zu Milo's Geschäft gehörte. Aber er hätte sich ein Interesse solcher Art bei Pepi garnicht vorzustellen vermocht: dennoch bewältigte Chwostik alles, was auf jener Ebene lag, ganz erstklassig. Erstmals – während er hier in der Kajüte beim Essen seinem Vater gegenüber saß – wehte es Milo an, daß es eine Art von Überlegenheit war, was ihn bei Chwostik immer angezogen hatte.

Sie sprachen über einen möglichen Urlaub im Lauf des nächsten oder übernächsten Jahres, auch einen solchen Milo's, und daß man ihn gemeinsam verbringen könnte, im kleinen Hause über den Klippen: jetzt, in diesen Augenblicken, wurde es von Milo wirklich erst entdeckt, als ein so lange gehabtes, doch nie recht gesehenes. Wie viele Feriensommer, bis herauf in die Jahre, da er zu Agram schon das Gymnasialstudium abschloß! Welche durch Monate gedehnte Fülle von Zeit! Sie schien in ihrer Geräumigkeit überall Nischen und Winkel zu bieten, sie war von einer ungeheuren Ausführlichkeit und Gelassenheit, wie es eine solche später eigentlich nie mehr gegeben hatte. Das Meer zeigte oft, bei heißem Wetter, eine violette Schwellung gegen den Horizont. Am Strand gab es eine Fülle von brennenden Interessen. An einer einzigen Stelle, links unterhalb des Hauses, war Sand, sonst Klippen. Zwischen diesen gab es die Krebse. Der Sandstrand war höchstens sechs bis acht Meter breit. Die Buben des Italieners von nebenan machten immer neue Entdeckungen; Milo wurde dann eingeweiht, wenn er in die Ferien kam. Sie gingen oft kilometerweit immer oberhalb des felsigen Ufers. Jetzt stand die Mutter wieder über dem Wasser, groß und aufrecht. Die Schiffsglocke schlug an. Man lief mit verminderter Fahrt auf den Dampfersteg von Lindau zu. Der Vater setzte die Kaffeetasse hin, nahm seine Mütze und ging auf die Brücke.

Die Wenidoppler hätte es vielleicht nicht gewagt, jenes Nachtkastl, das Chwostik ihr geschenkt hatte, auseinanderzunehmen oder aufzusprengen, wenn sie nicht am Tage vorher im lokalen Teile ihrer Zeitung eine Notiz gelesen hätte, die besagte, daß „der bekannte Gewalt-Täter und Berufs-Verbrecher Vaclav Okrogelnik" in einem Wirtshause am Hernalsergürtel von dem Anführer einer ihm feindlichen ‚Platte' (so nennt man noch heute in Wien die Verbrecher-Ringe) niedergestochen worden und auf der Stelle tot geblieben sei.

Auch in der damaligen Mizzi Nechwatal Leben war jener Vaclav in Erscheinung getreten, zur selben Zeit sogar, als er das

Stubenmädchen der Frau Eptinger beglückte, beziehungsweise deren Kammer als Beutelager benutzte. Die Mizzi war sogar durch einige Wochen beinah zur Konkurrentin jenes Mädchens geworden. Vaclav sagte, daß er sich wirklich nichts aus dieser mache, aber er benütze sie jetzt zur sicheren Unterbringung seiner – – na, nennen wir es: Effekten. Vaclav neigte allezeit zum Renommieren. Er habe dort, so erzählte er, verschiedenerlei, wovon jene Schneegans bei der Frau Eptinger nichts ahne: und sein sicherstes Versteck sei ihr Nachtkastl. Dort habe er Gold, viel. Mizzi glaubte ihm natürlich nichts davon. Zudem, nach einigen Malen gelegentlichen Herumziehens mit ihm – wobei es zu einer eigentlichen Verbindung jedoch nicht gekommen war – wurde er ihr unheimlich. Im Wurstlprater fanden sich allzu verwegene Gestalten um ihn ein, wenn er mit Mizzi in die Schießbude ging und dort der Reihe nach alle Preise schoss oder wenn sie in einem Biergarten sich niederließen. So kam sie denn schließlich zu keinem Rendezvous mehr; sie mied ihn; fürchtete sich aber dabei. Okrogelnik aber hat sich nie mehr um die Mizzi gekümmert.

Nicht lange nach deren Verhausmeisterung war das Ehepaar Bachler hier eingezogen (der fesche Herr Doctor zeigte übrigens von Anfang an den Wenidopplers gegenüber die offenste Hand, ähnlich wie jetzt Chwostik). Eine Hausmeisterin weiß alles, manchmal aber doch nicht so ganz genau; zudem war diese da neugebacken (nuper conciergificata). So wußte sie allerdings, woher die junge Frau kam, nicht aber von vornherein, ob eines von den Nachtkastln es wohl sein könnte (obendrein war ja sicher alles erlogen gewesen, oder der Okrogelnik hatte das Geld wieder herausgenommen – so viel aber war ihr bekannt: daß man ihn damals wieder einmal plötzlich verhaftet hatte, glücklicherweise als sie schon nicht mehr mit ihm ging). Beim Abladen der Möbel stand die Wenidoppler natürlich vor dem Haustore, half wohl auch da und dort mit Rat und Tat, als man die Stücke hinauf trug. Welche Hausmeisterin wird sich nicht für die Möbeleinrichtung einer zuziehenden Mietpartei interessieren? Unsere hier aber sah hauptsächlich auf die Nachtkastln. Es waren zwei neue elegante, die zur Schlafzimmergarnitur gehörten, und ein drittes, zwar ebenfalls mit eingesenkter Marmorplatte, aber schäbig, alt: dieses also konnte es sein, vielleicht hatte die alte Eptinger es ihrer Tochter überlassen, es sah nach Dienstbotenzimmer aus, und wurde auch hier wieder in die betreffende Kammer gestellt, wobei die Wenidoppler sogar half. Dort stand es seitdem. Beim Hinauftransport hatten die Männer, obwohl das Ding schwer war, die Marmorplatte nicht abmontiert und gesondert getragen, weil es ja nur ein Stockwerk hoch ging.

Nun also. Es konnte garnicht anders kommen als daß die Wenidoppler, nach anfänglicher Aufregung, auf das Nachtkastl und den Okrogelnik wieder völlig vergaß. Sie vermochte der Sache auch in den folgenden Jahren nicht mehr nahe zu treten. Schlüssel zur Wohnung – wie etwa jetzt beim Direktor Chwostik – besaß sie keine; und überhaupt hätte sie wegen einer solchen Dummheit nicht das Geringste riskiert.

Dann kam der Tag, an welchem das Ehepaar Bachler in's neue noble Heim nach Döbling übersiedelte. Oben war nun alles leer und still, und die Schlüssel hatte sie auch. Bei den Schlüsseln war noch etwas: nämlich ein genaues Verzeichnis aller stehengebliebenen Möbelstücke (der kleine wackelige Damenschreibtisch; der weiße Schwenktisch in der Küche, und so weiter, und schließlich auch das Nachtkastl im Dienstbotenzimmer; ein Duplikat dieser Liste habe der neue Mieter schon erhalten – man erkennt hier wohl die korrekte Hand des Herrn Doctor Eptinger! – und dieser werde dann bekanntgeben, welche Stücke er für ein billiges zu übernehmen wünsche; jedes Stück war kurz beschrieben).

Sie ging hinauf. Vorher hatte sie noch rasch ein kleines Stemmeisen aus der Werkzeugkiste genommen und in die Schürzentasche gesteckt.

Das lichte Treppenhaus mit den eingesetzten bunten Gläsern in den Fenstern behagte ihr; es trug sich (wie ein Kleid) jetzt besser als im Winter, weil es dann immer kalt und zugig hier war. Die herrschende Stille ruhte genau so tief als sie weit und breit schien, in der Ferne begrenzt durch das Geräusch eines auf dem Pflaster ratternden Wagens. Die Wenidoppler stieg langsam über die Stufen, und widerstand eben damit einer sich rührenden Aufregung. Sonst (wenn sie wo Schlüssel hatte) eine Aufsperrerin und Hineinspaziererin, als sei's die eigene Behausung und durchaus ihr Herrschbereich (wenn auch eines Roßfleischhauers Tochter, erscheint sie doch hausmeist'risch recht gut veranlagt), fehlte ihr heute die souveraine Sicherheit; und das vor einer leeren, einer verlassenen Wohnung. So ging sie denn hier gleichsam auf hölzernen Füßen durch die ausgeräumten und halbdunklen Zimmer, die in einer Art von grünem Wasserlicht schwammen, infolge der herabgelassenen Jalousien.

Immerhin, sie ging durch die Zimmer, wenn auch auf hölzernen Füßen, und nicht geradewegs vom Vorzimmer in die Dienstbotenkammer. Nun stand sie vor dem Objekt ihrer Überlegungen. Es war ein schieches Objekt, dumm-klobig und von ungewohnt breiter Form und dadurch etwas befremdend. Es sah aus wie vom Land. Mizzi zog die kleine Lade und öffnete die Tür. Der untere Hohlraum war nicht in zwei Teile geteilt durch ein Querbrett, wie sonst üblich. Auf der groben Bodenplatte war ein Ring sichtbar, vom Gefäß der Nacht, das hier seinen Sitz gehabt hatte. Die Wenidoppler schlug die Tür wieder zu, schob die Lade ein, und nahm das Stemmeisen aus der Schürzentasche. Die Marmorplatte war nicht angeschraubt, sondern nur eingesenkt. Sie ließ sich mühelos anheben und erwies sich als verhältnismäßig dünn; als sie beiseite gebracht war, zeigte sich unter ihr nichts als das rohe unpolitierte Holz. Vielleicht hätte die Wenidoppler nun doch ein Zerstörungswerk irgendwelcher Art vollbracht oder weitere Untersuchungen angestellt. Aber sie fühlte sich geradezu von Okrogelnik gefoppt. Sie war jetzt nur durch die unleugbare Tatsache getröstet, hier sicher unbeobachtet zu sein. Überdies: das Stemmeisen war in Aktion getreten, sie hatte es nicht bloß in der Schürzentasche bei sich geführt, sondern damit etwas getan. Es war hier endlich einmal was geschehen, in dieser Sache. Das mag ihr genügt haben. Sie senkte die Marmorplatte wieder in ihre Aussparung, ging direkt durch's Vorzimmer zur Wohnungstüre und stieg hinab, nachdem sie sorgfältig zugesperrt hatte.

Begreiflich, daß die ganze Sache in ihr noch einmal aufgejagt wurde, als sie las, der Okrogelnik sei kaltgemacht worden, und als ihr Chwostik dann obendrein das Kastl schenkte. Alsbald war sie wieder in Aktion versetzt. Sie trug das Ding hinab, und die Marmorplatte gesondert, es war auch ohne diese schwer genug. Da Herr Wenidoppler sich auf seiner Zeitungs-Expedition befand, blieb die Mizzi unbehindert. Gegen den Hof zu hatte sie eine Kammer, die für alles erdenkliche Gerümpel diente. Hier gab es auch die Werkzeuge. Sie stellte das Kastl hinein und ging noch einmal zum Eingang, um sich zu vergewissern, daß dieser gut verschlossen sei. Dann trat sie vor ihr Objekt. Sie öffnete zunächst das Türchen und konnte nun sehen, daß der untere Raum einst durch ein Querbrett geteilt gewesen war, das man später herausgenommen hatte; die Leistchen, welche es einst trugen, waren noch vorhanden. Jetzt zog sie die kleine Lade ganz heraus und betrachtete diese von allen Seiten. Aus dem Inneren des Möbelstückes kam irgendein schwacher aber nicht angenehmer ätherischer Geruch, wie von einem Parfum oder Medicament, vielleicht war etwas derartiges hier aufbewahrt worden. Mizzi stellte die Lade beiseite. Danach erst fiel ihr auf, daß sie trotzdem nicht durch die Laden-Öffnung in die untere Abteilung des Kästchens sehen oder greifen konnte, wie dies sonst bei solchen Nachtkastln gewöhnlich ist. Die Laden-Öffnung war nach unten durch eine Platte abgeschlossen. Mizzi fühlte hinein und bemerkte dabei auch, daß die kleine Lade auf Leistchen lief, wie gewöhnlich; unter diesen war dann ein Brett angebracht, das die beiden Abteilungen trennte. Sie drückte drauf; erst schwach, dann kräftiger. Aber sie brauchte nicht lange zu drücken: es krachte schon, und dann fiel das Brettchen polternd herab und lag im Innern des Möbels. Die Wenidoppler bückte sich, nahm das Brett heraus und spähte in's Innere. Hier war nichts. Und auch oben war nichts. Jetzt konnte durch den Ladenraum hindurchgegriffen werden. „Schmähtandler, alter!" rief die Mizzi dem Okrogelnik in's Jenseits nach.

Sie schob die Lade wieder ein, warf das Türchen mit der Fuß-spitze zu und ging in die Küche, mit dem kleinen Brett in der Hand, das sie neben den Herd zum Feuerholz warf. Dies alles geschah unter weiteren raunenden kleinen Nachrufen für den Okrogelnik, dessen sotane Exsequien man nicht eben als pietät-voll wird bezeichnen können. Es war Zeit zum Kochen. Das trockene Brettl schien zum Anfeuern geeignet. Sie zog's wieder herbei und nahm die Hacke. Eben als sie das Ding in der Mitte spalten wollte, sah sie, daß etwas mit Drahtstiften daraufgenagelt war, wie ein Flicken, von dünnem Fournierholz. Die eingescho-bene Schärfe des Küchenbeiles sprengte das sogleich ab und im nächsten Augenblicke waren Mizzi's nackte Waden und die Pantoffel, in welchen ihre Füße steckten, umflattert von Papie-ren, die sie verhältnismäßig spät und beinahe widerwillig als große Banknoten erkannte.

Nun freilich legte sie die Axt rasch beiseite und ging in die Knie (vielleicht sogar in übertragener Bedeutung). Das Schimp-fen auf Okrogelnik hörte darum noch nicht auf, und weil einer der Scheine unter die Anrichte entschwebt war, mußte er sich einen weiteren „Schmähtandler!" in's Jenseits nachwerfen las-sen (bei hochgestrecktem Hinterteil der Wenidoppler, die mit einem kleinen Kehrbesen herumangelte). Als alles geglättet auf dem Tische lag, waren es fünfhundert Gulden, also für jene Zeit schon fast so etwas wie ein kleines Heiratsgut. Das also war des Schmähtandlers ‚Gold'. Ein Renommierer. Bei nähe-rem Zusehen war's der Mizzi fast lieber so. Sie mußte nicht erst irgendwohin gehen, um es einzuwechseln. Es war bares Geld.

Von da an wollte die Wenidoppler das Nachtkastl los werden. Sie hätte es ja zerschlagen und verheizen können. Aber, abge-sehen davon, daß dieses massive Ding auseinander zu kriegen einige Arbeit kosten würde, fürchtete sie Umstände, Fragen des Gatten, was diese Möbeltrümmer da beim Herd zu bedeuten hätten, oder Einwände, daß man doch darin dies oder jenes hätte aufbewahren können . . . sie ärgerte sich schon jetzt. Bei einem Trödler jedoch oder im Pfandhause war das schäbige Ding kaum mehr anzubringen. Es ist, für's erste, garnicht so leicht, ein Nachtkastl los zu werden (man versuche es). Die Wenidoppler aber wollte das nun einmal unbedingt. Vielleicht vermeinte sie in der Tiefe ihres verhausmeisterten Gemütes, der Geist Okrogelniks wohne noch im Nachtkastl. Der Schmähtandler war tot. Nun sollte auch jenes Gehäus aus ihrem Gesichtskreise verschwinden.

Es gab damals die sogenannte ‚Brocken-Gesellschaft'. Das war ein wohltätiger Verein, der für die Ärmsten der Armen Dinge sammelte, die alt und doch noch tauglich, den Besitzern im Wege waren, jedoch für solche von Wert, die sich nichts kaufen konnten: Abbrändler oder von Naturkatastrophen Betroffene, Auswanderer oder arme Brautpaare. Erst neulich, vielleicht vorgestern, war davon etwas in der Zeitung gestanden: arme Auswanderer, denen die kaiserlich russische Regierung Grund und Boden geben wollte in zu besiedelnden Gebieten. Tatsächlich fand die Wenidoppler in ihrer Zeitung die vorgestern gelesene Notiz. Etwa eine Woche danach fuhr einer jener Wagen vor, die in den Häusern absammelten. Das Nachtkastl trat seinen Weg in die Ferne an. Aber die Marmorplatte war von der Wenidoppler zurückbehalten worden. Man konnte sie zu dem oder jenem verwenden.

Während der Jahre in Brindley-Hall, als Donald zu Chifflington die Schule besuchte, gab es noch dann und wann eine Art von Zurück-Kriechen in ihm, ein Zurück-Geneigt-Sein: zu dem Haus an der Prinzenallee am Rande des Praters, der ‚nursery' oben über der Halle, und vor allem zu Kate und ihrer Guitarre; war der Großvater in Wien, selten genug, und Kate hier (es erwies sich die überflüssige Gepflogenheit, sie in solchen Fällen hierher zu schicken, weiterhin als garnicht gut), dann mußte sie für den kleinen Donald spielen und singen. Wenn sie kam, musterte er gleich ihr Gepäck: ob die Guitarre dabei sei. Sie mußte unten im Park spielen und singen, am Rand des großen Teiches, der schon fast ein kleiner See war.

Niemand konnte jemals auf den Gedanken kommen, daß der Knabe auf solche Art geheime Nöte beschwor, und sogar wirksam. Donald war ein, man möchte sagen handliches, ein bequemes Kind, das in nichts über ein Mittelmaß hinausging, weder in der körperlichen Kräftigkeit, noch in der Rauflust, noch in irgendwelchen besonderen Interessen oder Talenten. Der Arzt empfahl, mit dem Sport und dergleichen bei ihm spät erst und dann sehr allmählich zu beginnen. Das Herz bedürfe noch der Entwicklung und eines gewissen Ausgleichs. Doch war Donald kein zartes, sondern ein kräftiges Kind. Seine frühen Jahre blieben von Krankheiten, außer den bei allen Kindern gewöhnlichen, ganz frei. Er gedieh. Niemand dachte viel über ihn nach. Es bestand dazu kein Anlaß.

Niemand also wäre auf den Gedanken gekommen, daß der Kate Thürriegl Saitenspiel am See für Donald eine Art Lebensnotwendigkeit bedeutete, welcher er zudem nur selten genugtun konnte. Was ihn bedrängte, war ein geheimes Leiden; und das Kind ertrug die Schrecklichkeit dieser Sache – der dabei doch Großartigkeit eignete! – in vollkommenem Schweigen darüber und in tiefster Abgeschlossenheit.

Es kam nachts. Es war nie vorher zu erwarten; blieb monatelang aus; erschien dann wieder mit voller Wucht. Der See hatte sich geschwenkt wie um eine Achse; aus dem waagrecht Hingestreckten seines Spiegels wurde eine senkrecht und furchtbar aufragende Wand von unermeßlicher Höhe. Sie stand unmittelbar vor den Fenstern des Zimmers, in welchem Donald schlief und drohte jeden Augenblick aus ihrer hochgetürmten Stauung über ihn hereinzubrechen. Die Wand bewegte sich rasend rasch von oben nach unten, sie bebte und zitterte von dieser Bewegung. Donald wollte ihren Fuß unten sehen, wo sie donnernd auftraf, wo es grauenvoll sein mußte; aber er vermochte es nicht, sich dem Fenster zu nähern und hinaus und hinunter zu schauen, so sehr er's wollte, so gewaltig es ihn anzog. Einmal fiel er aus dem Bett. Er hockte im Dunkeln auf dem Fußboden. Der Regen rauschte stark draußen. Hätte er sich doch aufgerafft, das Fenster geöffnet, hinunter geschaut, dorthin, wo die Wasserswand auftraf: er hätte sie damit längst in harmlosen Regen verwandelt, der dem Garten keinen Schaden tat.

Wenn Kate am See gespielt hatte und gesungen, wenn das glitzernde Wasser weithin sich geöffnet hatte, gefältelt wie ein Fächer, dann blieb die nächtliche Wasserswand für lange Zeit fern; ja, sie blieb vergangen und unvorstellbar.

Donald lebte mit dem jetzt einsamen alten Mann. Aber dieser war nicht unvernünftig. Er wußte, wessen ein kleiner Bursche wie Donald bedurfte, um frei und ungedrückt aufzuwachsen, getummelt nach allen Seiten. Auch die Haushälterin, Mrs. Cheef, war eine gute Frau. Nur vertrug sie sich schlecht mit Kate Thürriegl, wenn diese länger anwesend war, was übrigens nur zwei oder dreimal vorkam, weil der Alte England dann nicht mehr verließ. Von vornherein sah Mrs. Cheef im Erscheinen der Kate einen Eingriff in ihre Rechte: beim alten Herrn, beim kleinen Donald (das ganz besonders!), im Haushalt überhaupt; und weil die Thürriegl doch hier in Chifflington nicht ganz untätig bleiben wollte, wurde es oft wirklich einer.

Mrs. Cheef ärgerte sich, wenn sie Kate unten am See spielen und singen hörte. Es erschien ihr als Afferei, und als liebedienerisch vor den Marotten des Buben. Daß Donald sonst garkeine hatte und überhaupt keineswegs launisch war, bedachte sie dabei nicht.

Das Saitenspiel klang lieblich und hallend zwischen den hohen Bäumen des Parks und darüber lag Kate's ungeschulte und etwas spröde Alt-Mädchen-Stimme (wie ein gesprungener Topf, dachte Mrs. Cheef).

Die Stimme zog alles hierher, was für Donald fern und doch nah war: die Sonne und den Blätterschatten der ‚Prinzenallee‘, das Kinderzimmer und den großen Garten hinter der Villa und den sommers oft dicken und schweren Aushauch der Gewächse am Abend.

Donald hatte hier eine schöne Stube.

Brindley-Hall war kein alter adeliger Landsitz, keineswegs; aber doch ein wenig im Stil eines solchen gebaut; vom Großvater.

In Donald's Stube stand eine komplette Schulbank, mit Pult. Hier machte er seine Aufgaben. Es war von allem Anfang an reizvoll für Donald gewesen, diesen Sitz einzunehmen. Er lockte zum Lernen. Es schloß beim Lernen gewissermaßen gegen das übrige Zimmer ab, es hielt jede Ablenkung fern. Donald lernte mühelos, wenn er in der Bank vor dem Pult saß.

Manchmal überhörte ihn der Großvater. Dann mußte Donald in der Bank stehend antworten. Der Großvater fragte genauer und schwieriger als der Lehrer in der Schule. In den Heften entging ihm nicht der kleinste Fehler, sondern er bekam einen dicken roten Strich. Der Alte verbesserte die Prüfungs-Arbeiten, welche er Donald gab, immer in Donald's Gegenwart, der dabei in seiner Bank sitzen durfte. Wenn der Großvater einen roten Strich machte, tat er das lachend. So ging es, als Donald schon in die höheren Klassen aufgestiegen war. Das Maß der Lernerei wurde für Donald vom Großvater bestimmt. In der Schule zu entsprechen war dem gegenüber leicht.

Auch sonst war es dort leicht, obgleich der ganz alte Clayton Schwierigkeiten hätte voraus sehen können, und vielleicht auch voraus gesehen hat. Es bestand der Ort zum großen Teil aus Arbeitern seines Werkes, deren Kinder hier zur Schule gingen. Unter ihnen war Donald eine Art Gezeichneter, und mit ihm wohl noch einige andere Buben, Söhne der beiden Betriebsdirektoren, des technischen und des kommerziellen, und dazu noch die Kinder einzelner leitender Werkmeister, diese allerdings in weit geringerem Grade. Hier wäre, solchen Knaben gegenüber, von Seiten ihrer Mitschüler, ein zwischen Scheu und gelegentlich hervorbrechender Feindseligkeit schwankendes Verhalten anzunehmen gewesen. Und sicher war es auch so. Aber diese Spannungen von sehr ernster Art – und für jedes der daran beteiligten Kinder ohne Ausnahme im voraus entscheidend für's ganze Leben – sie bildeten um Donald herum eine Art Bucht oder Aussparung und berührten ihn nie. Das lag ohne Zweifel an ihm selbst, an seiner innersten Art und seinem äußeren Auftreten. Er vermochte dadurch in der Tat ein Problem für seinen Fall zu lösen, bevor es überhaupt sichtbar wurde. Donald erfuhr nie davon. Er war unbeteiligt und er blieb es; und das, obwohl er ganz offenbar auch fehlerhafte Neigungen hatte, etwa: daß er, wenn es zu einer Rauferei auf dem Schulwege kam – für ihn war dieser übrigens recht weit – immer etwas zu früh und etwas zu hart zuschlug, man könnte sagen, geradezu boxte. Es hätten sich aus solchen, im übrigen seltenen Fällen, schon ernstere Schwierigkeiten einmal ergeben können. Aber sie erfolgten nie.

Donald blieb unbeteiligt. Das war im Grunde auch des Großvaters Eindruck von ihm, je mehr der Knabe heranwuchs.

Ein gleiches mußte sogar die Kate Thürriegl erfahren, welche doch stets vermeint hatte, zu Donald einen besonderen Zugang zu besitzen. Bei ihrer zweiten Anwesenheit in Brindley-Hall verschlechterten sich ihre Beziehungen zu der großen und fleischigen Mrs. Cheef – einer Frau von zweiundsiebzig Jahren – fast vom ersten Augenblicke an zusehends, und kaum war der Großvater Clayton nach Wien abgereist, so kam es hier schon zu einem Zusammenstoß. Es mag sein, daß Frau Cheef einen einzelnen Umstand am meisten übel genommen hat: Kate wurde vom Großvater ebenso zu den Mahlzeiten zugezogen wie sie selbst; dies empfand die Haushaltsdame in eigensinniger Weise als Herabsetzung. Am gleichen Tage, als der Großvater Brindley-Hall verlassen hatte, um zum Kontinent zu reisen, begegnete ihr auf dem breiten Gang vor Donald's Zimmer die Kate Thürriegl, welche, die Guitarre umgehängt, Donald abholen wollte, um mit ihm in den Park zu gehen. „Sie können hier nicht eintreten", sagte Mrs. Cheef in einem vielleicht allzu entschiedenen Tone, „Donald hat jetzt seine Lernstunde." Das war gelogen, und die Thürriegl wußte es, denn sie kannte des Großvaters ein für alle Mal festgelegte Tageseinteilung für den Enkel, die stets eingehalten wurde. Sie erlaubte sich also die Bemerkung, daß jetzt garkeine Lernstunde sei. „Ich bin", entgegnete Mrs. Cheef, und wurde dabei schon recht laut, „verantwortlich für Donald's Fortschritte während der Abwesenheit des alten Herrn. Er wird ihn nach seiner Rückkehr streng prüfen. Ich gestatte nicht, daß Sie, Miß Thürriegl, Donald vom Lernen abhalten." „Das fällt mir garnicht ein", rief Kate, und auch nicht mehr gerade leise,

„aber Sie tun ja rein, als ob Sie Donald gepachtet hätten. Ich kenne ihn weit länger als Sie." Hier hatte Kate schon einen etwas kreischenden Ton in der Stimme. Eben in diesen Augenblicken aber öffnete sich die Tür halb, Donald sah heraus, sagte in ruhigem und eigentlich artigem Tone „Please stop that noise" und war alsbald wieder verschwunden.

Mrs. Cheef entfernte sich ohne ein weiteres Wort, und ebenso Kate Thürriegl mit ihrer Guitarre, aber nach der anderen Seite.

Der Auftritt bleibt erstaunlich. Daß Donald, als er die Thürriegl mit der Guitarre sah, ihr nicht sogleich folgen wollte! Dies wäre freilich auf eine Parteinahme gegen Mrs. Cheef hinausgelaufen und mindestens auf eine Unterstützung von Kate's Behauptung, daß jetzt garkeine Lernstunde sei.

Nichts von alledem geschah. Wir haben eine einzige Erklärung für Donald's Verhalten: daß nämlich seine geheimen Nöte zu jener Zeit schon nachließen – daß sich ihr Griff lockerte – oder aber, daß sie ihm gerade damals wieder einmal fern gerückt, ja unvorstellbar geworden waren.

Freilich kam auch die Mutter, einmal mit Kate, sonst, wenn der Großvater da blieb. Gegen Harriet konnte Mrs. Cheef sich in keiner Weise durchsetzen, und ihre rechte Affenliebe für Donald mußte der Mutter Raum geben. Auch bildeten der alte Herr und Harriet zusammen eine Art Block, gegen den in keiner Weise anzugehen war, der einem Guerillakrieg der Eifersucht keinerlei Möglichkeiten bot. Zudem, Harriet beanspruchte den Knaben kaum für sich. Sie ließ ihn laufen, man kann es nicht anders sagen. War Donald ein bequemes Kind, so Harriet eine bequeme Mutter. Undurchsichtig und unbeteiligt erschienen sie beide. Dem Schwiegervater galt Harriet's größte Sorgfalt. Den hochbetagten Mann begleitete sie auf seinem täglichen Ritt, der wohl nur mehr eine halbe Stunde dauerte, von welchem er aber niemals abließ. In den ersten Jahren ritt Harriet dabei ihren Fuchs, auf welchem Donald später noch reiten gelernt hat. Alles mit Schleifzügeln (ausgenommen das Reiten-Lernen).

In der ersten Zeit konnte sie hier in England noch ihren alten Onkel besuchen, bei dem sie aufgezogen worden war, in Pompe-House, ein paar Meilen nur von Brindley-Hall entfernt. Er hatte das reiche, aber früh verwaiste Kind von seinem Bruder in Kanada gewissermaßen geerbt. Nach seinem Tode fiel auch Pompe-House an Harriet, die freilich zunächst damit nicht viel anzufangen wußte. Aber sie hätte sich nie dazu verstanden, ein ihr gehörendes Stück englischen Bodens zu verkaufen, und schon garnicht, seit sie im Ausland lebte. Jetzt ritt sie manchmal hinüber.

Rechts vom Parktor weg (links ging es nach Chifflington), durch den schmalen Wald auf der Höhe, und dann senkte sich der oft gewendete Weg den sanften gegliederten Abfall des Terrains bis zum Flusse hinab, dessen dreimal gebogenen, fast stehend-spiegelnden Lauf sie während des Hinunter-Reitens immer wieder sehen konnte. Nach der Brücke ging es bald bergan. Am Hügelkamme oben, wo die Straße sich nach links kehrte, bog Harriet in einen Wiesenweg und galoppierte nach rechts über den hier breiteren Hügelrücken. An dessen Ende lag, mit der Aussicht auf den Fluß, Pompe-House. Auch von hier aus konnte man die hohen Schornsteine des Werkes von Clayton & Powers nicht sehen. Der Wald drüben entzog sie dem Blick. Ganz ferne, als ein dünner Strich, stand links vom Walde der Kirchturm von Chifflington.

Kam man Pomp-House nur in die Nähe, so wurde die Stille absolut herrschend. Am gekiesten Vorplatze gab es zahlreiche Büschel von Gras, das sich hier wieder angesiedelt hatte. Als der Huftritt des Fuchsen auf dem Kies hörbar wurde, erschien bald der Gärtner laufend um die Ecke der Terrasse, ein kleiner säbelbeiniger Mann mit einer alten Cricketmütze am Kopf, die er nun schwenkte; die Art seiner eiligen Bewegung hatte etwas knochenloses an sich, er warf seine Beine wie Würstel. Harriet übergab ihm das Pferd. Die Gärtnersfrau erschien, von weitem knixend, einen Strohwisch in der Hand. Der Sattelgurt wurde geöffnet, der Damensattel heruntergenommen, und dann rieb der Mann den Fuchsen ein wenig mit dem Strohwisch und führte ihn auf und ab.

Harriet folgte der Gärtnersfrau, welche mit den Schlüsseln vor ihr her lief. Diese Person bildete für Harriet einen Gegenstand des Staunens, ja, neuestens fast des leichten Neides: durch ihre Unveränderlichkeit. Sie sah aus wie eine Tasse Kamillentee, in welcher man eine Marguerite schwimmen läßt. Gerade in der letzten Zeit, die Donald noch bei dem Großvater in Brindley-Hall verbrachte, kam es Harriet zum Bewußtsein, daß sie früh zu altern begann, unmerklich noch für ihren Mann und die anderen, merklich doch für sie selbst. Eine Neigung zur Hagerkeit durchdrang ihren Körper. War das Reiten aufzugeben?

Sie ging in das kleine Arbeitszimmer oder Privatcomptoir ihres verstorbenen Onkels (ihr Mädchenzimmer ließ sie unbesucht), und hier wollte sie Tee trinken. Die Gärtnerin verschwand. Dieser Raum des alten wohlhabenden Jung-Gesellen war jetzt Harriets innerste Zelle geworden, ihr Rückhalt, ihre Festung, so selten sie hierher kam. Mit Befriedigung, ja, mit Genuß, sagte sie sich, daß dies nun ihr Haus sei und dieses kleine, braune, getäfelte Kabinett das ihre, und die beiden Gärtnersleute nunmehr ihre eigenen Angestellten. Nirgends schmeckte der Tee so gut wie hier. Er wurde mit strengster Sorgfalt für sie bereitet, ganz so wie sie ihn wollte. Sie hatte sich durchgesetzt. Man war ihres seltenen Kommens hier doch stets gewärtig.

Es hat sich kaum zwei oder drei Male gefügt, daß Bob sie hierher begleitete, wenn er einmal nach England zu seinem Vater kam (und dabei war Bob in der Brautzeit doch sehr oft hier gewesen), und auch Donald nur selten, später, als er schon halb erwachsen wurde. Vielleicht wußte Harriet alles das zu vermeiden.

Sie wollte hier allein sein. Dazu kam sie herüber.

Begreiflicher Wunsch, dieses zeitweilige Alleinsein, wird man sagen; den meisten Ehefrauen bleibt er freilich unerfüllt. Sie haben kein Haus außer dem Hause, kein Kastell. Und Harriet hat zunächst auch nichts damit anzufangen gewußt, erst später. Jener Wunsch nach Alleinsein bleibt überhaupt fragwürdig, denn niemand vermag sich mit der Einsamkeit ein vorübergehendes Verhältnis anzufangen.

Darum ging es nicht bei Harriet. Aber sie ruhte hier aus von einer Anstrengung, fast wäre zu sagen, von einem Belästigt-Sein, welches jeder Umgang mit Menschen ihr brachte, und das sich in ihr schon zu einer Art von stehendem Vorrat gesammelt hatte. Was ihr an Beziehung zu anderen Personen fehlte, mußte sie durch ständige Bemühung ersetzen – vielleicht ursprünglich des Glaubens, jene ließe sich durch diese erreichen – und schließlich lief das auf Ermüdung hinaus, als ihr sozusagen auf diesem Felde alles ausblieb. Sie konnte sich da in nichts hineinstürzen. Im Grunde war der alte Clayton, ihr Schwiegervater, noch der einzige Mensch, dessen Gesellschaft ihr gut tat. Er war's, der ihrer austrocknenden und ausgetrockneten Sicht standhielt. Bob blieb ein Kindskopf, der sich über eine Gebirgsbahn freute oder über ein Tier im Wasser staunte, und sich in Beirut bei Geschäftsabschlüssen übers Ohr hauen ließ.

Und Donald war ein Kind. Was wußte man schon.

Mit dem ganz Alten ging's noch am besten. Ein alter Mann. Er wird ihr fehlen.

Chwostik war lustig, ja. Milo war nun längst fort. Ein schöner Bursch. Ein Südländer.

Das braune Kabinett hier hatte in die Täfelung eingelassene Bilder von Vorfahren, und schwere foliantenartige Geschäftsbücher unten in einem Stehpult. Am Rand der Schreibtischplatte lief ein Gitter von Holz. Das Fenster sah auf den Fluß, aber man konnte kaum hinausblicken, es waren dicke, farbige Gläser, in Blei gefaßt. Harriet hob die Tasse und zog den Duft des Tee's ein. Erst jetzt empfand sie wieder etwas wie Lebensfreude, mindestens Behagen. Es war lange her seit dem letzten Mal.

Der ganz alte Clayton gehörte gewiß nicht zu denjenigen Leuten, die sich viel verwundern. Tieferes Staunen war ihm fremd. Aber in einem Punkte wunderte er sich doch.

Der kleine Donald hatte nun schon mehrere Reisen zum Kontinent und hierher zurück gemacht, entweder mit seiner Mutter, oder von Kate Thürriegl begleitet. Denn die Schulferien verbrachte er ja bei seinen Eltern, teils in der Prinzenallee zu Wien, teils in österreichischen Sommerfrischen, die von jenen gerne aufgesucht wurden (sie haben auch später ein Haus am Attersee gekauft).

Nichts jedoch war aus dem Buben heraus zu bringen von irgendwelchen Eindrücken, die ihm solche, damals noch etwas langwierige Reisen ja immerhin hätten hinterlassen haben können. Nichts von London, von Dover, von der Überfahrt, von der langen Reise mit der Eisenbahn – ein Schnellzug fuhr damals sechzig Kilometer in der Stunde – und schon garnichts von Wien.

„War es ein großes Schiff?"

„Ja, groß."

„Ist dir schlecht geworden?"

„Ein wenig."

„Hast du die Hofburg in Wien gesehen?"

„Ja."

„Schön? Groß?"

„Groß."

Er sagte auch nicht ‚grand' oder ‚pretty', sondern ‚large'. Der Alte war doch immerhin noch ein lebhafter Mann. Donald begann ihm unheimlich zu werden. Dabei war der Junge keineswegs stumpfsinnig oder dumm: je mehr er heranwuchs, um so leichter lernte er, ja, die Sachen schienen für ihn nicht schwieriger zu sein als das Cricketspiel. Wie alle intelligenten Kinder war Donald körperlich sehr wendig. Das zeigte sich dann auch beim Reitunterricht auf Harriet's Fuchs. Der ganz Alte war beim Longieren dabei.

„Die Fersen herunter!" rief der Großvater, „und die Ellbogen an den Leib!"

Von da an hielt sich Donald richtig.

Das Schlimmste für den Großvater war eigentlich Donald's Wohlerzogenheit (vielleicht nicht die stärkste Seite des ganz alten Clayton). Der Knabe antwortete stets bereitwillig und überaus artig – aber eben garnichts. Es war unmöglich, mit ihm ein Gespräch zu führen. Harriet schien das auch nie versucht zu haben.

Beim Großvater aber gab es eine Art Bemühung um den Knaben. Man könnte sagen, daß er um ihn warb. Vielleicht hat ihn die Anwesenheit Donald's rüstig erhalten, ihm das Leben verlängert. Er ist erst gestorben, als Donald schon im zweiten Jahr auf einer public school war.

So wuchs man heran; und streifte da und dort, und es blieb manche Spur. Schnell wie ein Rehbock in den Fluchten, flitzte die Zeit durch die ungelichteten und unerforscht zurückbleibenden Forste der Jugend.

Zu diesen gehörte auch die dampfende Au des Praters bei Wien, an dessen Rand man ja unmittelbar wohnte. Auch hier genoß Donald allen Spielraum, um frei und ungedrückt aufzuwachsen, getummelt nach allen Seiten. In zwei Ländern jugendlich lebend, umschloß ihn niemals die Verhärtung in einem einzigen, das dann allein den Blickpunkt bildet. Was dies anlangte, war Donald seiner Mutter fremd geworden; und es mag sein, daß Harriet – welche das anders gewollt hatte – es schon empfand. Den Gebrauch der deutschen Sprache im Elternhaus an der Prinzenallee – als Übung für Donald – mußte sie hinnehmen. Was er sonst an Sprachen lernte, slawische und die des Vorderen Orients, galt der Mutter als vernünftig. Ihr Donald sollte nicht in Beirut über's Ohr gehauen werden. Es war Chwostik, der mit dem Jugen serbokroatische, türkische und arabische Konversations-Stunden hielt.

Früh bildete sich zwischen den beiden jene Beziehung, die später im Orient von so vorteilhafter Wirkung für die Firma Clayton & Powers sein sollte. Dem polyglott veranlagten Österreicher, der im Lauf der Jahre seine zunehmende Vorliebe für das Erlernen fremder Sprachen bis zur Manie getrieben hatte und bis zu einer Art Sammelwut (die sich etwa eine genaue Kenntnis des Armenischen noch als exquisites Stück zulegte), kam ein ebenso starkes Sprachtalent Donald's entgegen, welches aber bei einem Engländer nicht eben als nationale Eigenart bezeichnet werden könnte.

Die public school war gut für Donald, er liebte sie sogar, und war dort lieber noch als in Brindley-Hall, und im Grunde froh, die zärtlich umsorgende Mrs. Cheef und auch die Kate Thürriegl los zu sein, mitsamt dem Guerilla-Krieg der Eifersucht zwischen den beiden. Der Tutor (eigentlich ,housemaster', aber so sagen wir nicht gern, man weiß warum), dem Donald's Schülergruppe unterstand, war ein guter Mann mit einem großen blondbeflaumten, irgendwie sandigen Gesicht, den alle Burschen gern mochten. Er war zugleich Fachlehrer für jene Disziplin, die man ,Darstellende Geometrie' zu nennen pflegt. Diese und andere Schulen solcher Art, in der Hauptsache realwissenschaftlich, bildeten eine Vorbereitung und Voraussetzung für den Besuch jedes Polytechnikums. Fleißig ward gerechnet – auch in den höheren Arten – und gezeichnet. Donald hatte eine saubere Hand. Als er viel später in Wien seine Aufnahmsprüfung zum Besuch der Technischen Hochschule machen mußte – und dies eben vornehmlich in der Darstellenden Geometrie – freute sich das ganze Prüfungs-Collegium über sein sicheres allseitiges Entsprechen und sein geschicktes und gefälliges Zeichnen.

Nichts drückte und verbog diese Jugend von außen gegen sie herdringend. Zu Wien sah Donald auch die Kate Thürriegl stets mit Freude wieder – getrennt von Mrs. Cheef. Hier – und nicht nur hier, sondern sogar in England! – bildete allezeit des Praters dampfende Au den eigentlichen Hintergrund seines Seins, ein Sumpf- und Busch- und Forstgebiet am Rande des täglichen Lebens, eine Art Reservation, in die man doch nur sehr teilweise eindrang. Sie begann gleich rund um die Villa.

Eigentlich schon hinter dem Tennisplatz, welchen Bob Clayton hatte anlegen lassen. Er war von hohen Netzen umgeben. Denn schwerlich hätte man einen verflogenen Ball im dichten Wuchs der Gebüsche wiedergefunden. Der nachbarliche Grund war noch unverbaut. Vom Tennisplatze gegen das Haus und seine rückwärtige Terrasse zu, auf welcher die bunten Strecksessel standen, zog sich eine einzige und unzerteilte Fläche kurz gehaltenen Rasens.

Aber tiefer drinnen in der Au und abseits, wie ist's?! Die

Pfade im Buschwald sind oft eng und verschlungen, aber das dichte Unterholz endet dort, wo alte Bäume weit auseinander treten. Hier ist freier Rasen. Gegen den Rand des Wassers, das hier unvermittelt ufert, fällt der Rasenfleck böschig ab. Der Wasserspiegel des einstmaligen Strom-Armes drängt die hohen alten Bäume auseinander und öffnet einen langen Tiefblick über seine Fläche, die vom leichten Winde gefältelt wird wie ein Fächer. Gegenüber langen Äste über das Wasser. Man kann sie vom Ruderboot aus erreichen; es gibt hier bunte Kähne zu mieten. Unweit von diesem offenen und tieferen Wasser lag an der pfeilgeraden Hauptallee, die zwischen ihren mit braunroter Gerberlohe bestreuten Reitbahnen in's Weite schoss, noch ein flacher, ausgedehnter Tümpel zwischen den mächtigen Bäumen. Sein Rand war halb sandig und halb versumpft.

Die Aulandschaft, zutiefst dem Strome verbunden und ihm nachwandernd, so weit immer sein Bett von hier sich verlegt haben mochte, blieb eine Art nachbarliches Jenseits im Diesseits für Donald, das geheim an ihn grenzte (selbst in England!). Er ist nie auf den Gedanken gekommen – auch später nicht, als er hier schon zu Pferd sich bewegte – einmal das ganze Gebiet, die Grenzen und das Ende dieser Au auszuschreiten, sich eine geordnete Vorstellung zu verschaffen von ihrer Lage in bezug auf die Stadt und von ihrer Ausdehnung. Das wuchernde Grün, die vom Winde gefältelten Wasserflächen, die weithin gestreckten offenen Wiesen bildeten ihm Teile eines in sich selbst zurücklaufenden und wie unendlichen Raums.

Es gab auch erschlossenere und gepflegte Teile, in welchen doch das gleiche in die Ferne verwischte Licht der Stromlandschaft lag wie hier überall. Gleich am Ende der Prinzenallee (wo linker Hand damals noch der alte Tiergarten bestand) öffnete sich alles mit breiten gekiesten Wegen, und am Rande dieses flachen Praesentiertellers mit kurzgehaltenem Rasen stand das Fachwerk-Gebäude ausgedehnter Reitstallungen.

Hier, wenn er mit seiner Mutter ritt, stiegen sie zu Pferde. Sobald Harriet in ihrem Damensattel saß und den Bügel hatte, strebte sie sofort, und ohne sich nach Donald umzusehen, gegen die Allee, das Pferd zu langem Schritte antreibend. Auf der roten Gerberlohe der Reitbahn angelangt aber ging sie alsbald in Galopp über, und verstärkte diesen bis an die Grenze der Carriere. Es war eine etwas rauhe und unvermittelte Art von Reiten und gewiß nicht die richtige Weise, ein Pferd morgens zu bewegen. Donald dachte es jedesmal, wenn er mit seiner Mutter ritt, aber er sagte nichts. Es war ihm gleichgültig. Das Galoppreiten strengte ihn nicht an. So hielt er sich schweigend neben seiner Mutter. Sie war hager geworden mit den Jahren, das Haar angegraut. Am Ende der Allee umritt Harriet, ohne anzuhalten, einen gelben Pavillon aus dem achtzehnten Jahrhundert, der hier stand (damals noch ein Papageienhaus, später ein Restaurant), und sodann galoppierte sie auf der drüberen Reitbahn wieder zurück und ließ das stallzu strebende Pferd rennen, was es rennen mochte. Die Tiere kamen oft dunkel vor Nässe heim.

Donald scheute nicht diese lieblose Galoppiererei. Wenn er allein im Prater ritt, hielt er's jedoch ganz anders. Er bummelte. Ein sanfter Trab, ein kurzer Galopp, nicht auf den spritzenden roten Brocken der Gerberlohe, sondern über die gedehnten Wiesen. Er stieg auch ab und führte sein Pferd und drang in den verwachsenen Buschwald der Au ein, ja, er ließ sich nieder, der Pritschsattel lag neben ihm, oder er setzte sich drauf, und ließ das Pferd am langen Zügel ein wenig weiden.

Es waren andere Arten von Anstrengung, welche Donald scheute und geradezu vermied, letzteres auch auf Anraten des Hausarztes der Schule, der ihn sogar aus der Hockey- und Fußballmannschaft herausgenommen und ihm von zwei Betätigungen dringend abgeraten hatte: vom Laufen auf der Aschenbahn und vom Boxen; am Unterrichte im letzteren teilzunehmen, war ihm von jenem Hausarzt späterhin strikte verboten worden.

Es war nicht an dem, daß Donald Herzbeschwerden gehabt hätte. Aber ein gewisses Ungenügen wurde von ihm früh gefühlt, auf dem Fußballplatz, wenngleich er niemals im Sturm gespielt hatte, sondern in der Verteidigung, wobei freilich auch hier die Beine was hergeben mußten, bei Durchbrüchen des

Gegners etwa, und wenn die Gefahr bestand, daß der Schiedsrichter eines ,offside' wegen pfiff.

Aber, hier zeigte sich früh ein Entscheidendes in Donald's Artung: er hat sich kaum jemals getrieben gefühlt, ein Ungenügen durch gesteigerte Anstrengung auszugleichen. Ein solcher Drang in der Richtung des größten Widerstandes – der vielfach den Menschen die Lebenskraft verzehrt, welche dann dort fehlt, wo ihre wahren Begabungen liegen würden – ein solcher Teufel des verkehrten und hartnäckigen Wollens ritt ihn nicht. Er ließ den Fußball, er ließ den Hockey-Schläger. Es gab genug wichtige Felder, wo andere hinter ihm zurückbleiben mußten. Etwa in der Mathematik oder der Darstellenden Geometrie. Auch im Reiten war er ja geschickter als so mancher.

Des Praters dampfende Au, so nannten wir's früher: sie war's, sie mußte von Donald so empfunden werden, am allermeisten des Morgens im Spätsommer. Die Kraft der Sonne hob aus der profunden Feuchte dieser Wald- und Wiesengründe einen vom Aushauch wuchernden Gewächses erfüllten Dunst, der nicht Nebel genannt werden könnte, und doch, wo immer der Sonnenschein sich auf den Boden, auf Baumkronen und Wiesengründe legte, seine Strahlen milchig milderte. Es begann dies schon im Garten und vor dem Hause, auf den Promenade-Wegen längs der Prinzenallee. Es ging diese Aura für Donald eine merkwürdige Verbindung ein mit dem Dufte des zum Frühstück genossenen Tees, aber auch mit dem herben Geruch der Gerberlohe auf den Reitbahnen. Es war wie der Anhauch von einer geheimnisvollen Appetitlichkeit und Reinheit höherer Ordnung, möchte man fast sagen. Und am stärksten konnte das gefühlt werden in der sogenannten Krieau, auf den weiten Wiesen, wo die Golfplätze lagen.

Hier nun bewegte sich Donald wirklich in der Richtung des geringsten Widerstandes und zudem in der ihm liebsten Gesellschaft: sein Vater und Chwostik. Hier ließ man auch alle Sprachübungen sein und redete englisch. Das nachdenkliche und besonnene Spiel (,Wiesenbillard', wie Chwostik sagte), der weite Himmel über den Rasenflächen – dieser schien in unaussprechlicher Weise schon dem hier näheren Hauptstrome der Donau nachzuziehen – die sauberen Schläger, welche man wählte und schwang: dies alles brachte einen Zustand ruhiger und reiner Zufriedenheit herauf, ein Wohlgefühl vom Scheitel bis zur Sohle, das sonst kaum wo zu gewinnen war, stets belebt von den nicht geringen Spannungen und Überraschungen der sportlichen Übung. Nach geendetem Spiel setzte man noch den Akzent eines behaglichen Kaffeetrinkens in der nahe gelegenen Meierei. Die Kellnerin mit der weißen Schürze kam geschwinde über den Kies, die Sonne des Spätsommers lag auf den Tischen. Hier war sozusagen die Grenze des offiziellen, des zivilisierten Praters für Donald: dahinter die in sich zurücklaufende und wie unendliche Au, mit Bruch und Sumpf, mit Buschwald und den riesenhaften alten Bäumen. Man spürte hier tief im Innern das sonore Fließen der Zeit, eben dadurch, daß sie gemachsamer ging, nicht vorüber schoss und flitzte. Man war nicht der Stunden Raub, man besaß sie, hier im Kaffeegarten, mit dem dahinten schon sich abendlich rötenden Himmel und den davor hoch hinauf ästelnden Wipfeln der Bäume.

Der Golfplatz hat Claytons in Wien mancherlei gesellige und gesellschaftliche Anschlüsse vermittelt (mehr jedenfalls als Harriet's etwas rabiate Reiterei), vornehmlich in den großbürgerlichen Kreisen der Industrie. Der hohe Adel, die sogenannte ‚erste Gesellschaft‘, erschien freilich nicht in solch einem bourgeoisen Club. Abgesehen davon, daß die Wiener Gesellschaft – die ‚erste‘, die ‚zweite‘ (das hohe Beamtentum) und die ‚dritte‘ (die Unternehmer und Industriellen) – sich niemals gegen Fremde mit einer chinesischen Mauer umgeben hat, etwa wie in den patrizischen einstmaligen Hanse-Städten des Nordens, kam den Claytons damals einfach der Umstand zu gute, daß sie Engländer waren (nicht einmal durchaus typische), denn damals hatte die englische Lebensart längst begonnen, in vielen kleinen Gerinnseln überall einzudringen und den Kontinent zu durchsetzen. Schon den Weltweisen Johann Nestroy haben die Anglomanen belustigt; und um 1900, ja noch lange danach, zählte man auf allen Tennisplätzen in englischer Sprache und gebrauchte auch deren Bezeichnungen beim Cricket oder Fußball.

Um die Zeit, als Donald ganz nach Wien übersiedelte, um die Technische Hochschule zu beziehen – also 1898 – verlor er seine Mutter. Die Todesursache, medizinisch wie immer definiert, wurde von dem Wiener Kutscher und Gärtner in der Prinzenallee unter seinesgleichen auf eine doch irgendwie treffende Weise bezeichnet: „Unsere Gnädige ist an der Auszehrung gestorben", pflegte er zu sagen.

Sie wurde selbstverständlich in Chifflington bestattet. Ihr Tod vermehrte für Bob noch den Ernst der Lage, welche vordem schon durch den Tod seines Vaters geschaffen worden war: denn er fand sich der Anforderung oft kaum gewachsen, das englische Werk und die Wiener Niederlassung gleichzeitig zu leiten. Durch den häufigen Ortswechsel kam etwas Unstätes in sein Wesen, und dem gesellte sich dann eine lange anhaltende Depression nach Harriets Tode bei. Um deren dunkles Zentrum, das oft schon den konkreten Anlaß, nämlich den Verlust der Gattin, ganz verbarg, so daß die Bedrücktheit gleichsam selbständig wurde, lag mitunter wie ein trüber Hof die Vorstellung, daß Harriet vielleicht in England, wohin zurückzukehren ihr Wunsch im Herzensgrunde stets gewesen war, länger gelebt hätte. Nach des Alten Tod hatte Donald immerhin noch mehrere Jahre auf der public school zu verbringen gehabt. Aber er, Robert, hätte das neue Wiener Werk so allein nicht lassen können, weit eher die Fabrik in Chifflington, wo alles längst in ausgefahrenen Bahnen lief und seine zeitweise Anwesenheit genügte. So hatte er denn allmählich in Wien Wurzeln geschlagen.

In den ersten Wochen von Donald's Wohnen in Wien – nicht in der einstmaligen ‚nursery', sondern in einem sehr großen Zimmer des oberen Stockwerks nach rückwärts gegen den Park – wechselten Vater und Sohn oft täglich nur wenige Worte.

Dennoch beruhte Bobs Hoffnung auf Donald und es war eine gegründete Hoffnung. Die Art, in welcher Donald sein Studium an der Technischen Hochschule zu Wien betrieb, muß als umsichtig und zeit-ökonomisch bezeichnet werden; leidenschaftlich war sie keinesfalls. Vom ersten Augenblicke an schien er es darauf anzulegen, diese Sache möglichst glatt und möglichst schnell hinter sich zu bringen, ohne je einen Termin zu versäumen, sei es für die Ablieferung der obligaten Zeichnungen oder die Absolvierung der sogenannten Colloquien. Dementsprechend ging es auch bei den Staatsprüfungen glatt ab. Donald zeigte auch keine Vorliebe für theoretische oder für praktische Fächer, und Mathematik I oder Mathematik II und die Mechanik galten ihm gleich viel wie die Mechanische Technologie (welche ihn doch ganz besonders anging, mit Hinblick auf seine Zukunft im Werk), ein Fach, über das gerade die Begabten häufig stolperten, weil es ein fast reines Büffel-Fach ist (etwa wie die Pharmakologie bei den Medizinern oder die Quellenkunde bei den Historikern). Donald büffelte umsichtig, wenn es sein mußte, doch, wie es schien, ohne jede Anteilnahme. Nie sprach er von der Hochschule, auch zu seinem Vater nicht, der doch vom gleichen Fache war. Fast ging es Bob mit Donald schon so, wie es einst dem ganz Alten zu Brindley-Hall gegangen war: er wurde, angesichts solcher Undurchsichtigkeit, allmählich zum Werbenden. In der Ferienpraxis, die jetzt nach jedem Semesterschluß im Wiener Werk begann, ließ er Donald vollends freie Hand, wunderte sich aber nicht wenig, als er sah, wie jener die Sache anging: nämlich zunächst offensichtlich nicht mit dem Bestreben, sich einen technologischen Überblick über alle Arbeitsgänge zu verschaffen, sondern vom Handwerklichen her (das hatte Bob Clayton beim ganz Alten in Chifflington nicht so gehalten). Donald lernte an der Drehbank, und danach die Bearbeitung der Bleche, und so immer weiter, und die Montage zuletzt.

Bob Clayton's Sorgen um die Zukunft wurden entschieden gemindert, als Donald im Juni 1902 mit dem Diplom eines Maschinenbauers nach Hause kam. Sogleich danach nahm er im Wiener Werk, das er nun schon durch und durch kannte – auch jeden einzelnen Arbeiter – seine Tätigkeit als Betriebs-Ingenieur auf. Donald war damals vierundzwanzig Jahre alt.

So besserte sich nach 1902 die Lage zusehends. Man hatte Donald und Chwostik in Wien, die sich gut vertrugen. Der alte Doctor Eptinger war noch aktiv. Robert konnte sich oft durch längere Zeit um das Werk in Chifflington kümmern. Für die Wien betreffenden Entscheidungen gab es ja notfalls das Kabel. In Brindley-Hall wurde Bob Clayton jetzt von Kate betreut, die man zurück verpflanzt hatte. Die alte Cheef war dahingegangen.

Öfter als vordem ritt er jetzt nach Pompe-House hinüber. Auch er saß jetzt dort, wie einst Harriet, im kleinen braunen Cabinette ihres Oheims, den Bob Clayton von Anfang an naturgemäß wie einen Schwiegervater empfunden hatte. War dieses Zimmer früher eine Art Stützpunkt oder archimedischer Punkt für Harriet gewesen: jetzt wurde es fast das gleiche für ihren verwitweten Mann. Allerdings, es war nicht die Einsamkeit, welche er in Pompe-House suchte. Auch in Brindley-Hall war er jetzt einsam. Brindley-Hall war groß, leer und weitläufig. Hier aber schloß sich die Umgebung besser zusammen, schon gar in diesem braunen Zimmerchen. Man saß hier wie im Innern einer Cigarrenkiste. Hier wurde das Alleinsein zum Genuß. Ein angemessener Genuß. Nun ging's schon die Fünfzig hinauf. Noch war das Haar unverfärbt. Hier konnte man in Ruhe eine Pfeife rauchen. Der Gärtner war sehr alt geworden, die Frau fast unverändert geblieben. Jedesmal lief sie mit dem Strohwisch heran, wenn ihr Mann den Pritschsattel abnahm. Dann führte er, säbelbeinig, das Pferd hin und her. Clayton hätte schwören mögen, daß er noch immer die gleiche Cricket-Mütze trug wie zu Harriet's Brautzeit.

Donald bewährte sich. Nicht nur im Werk. Er hatte sich gleich auf der ersten Orientreise mit Chwostik bewährt. Hier begann das Gebiet der Unsicherheit für Robert Clayton: seit Beirut. Vielleicht hatte diese Unsicherheit sich ein wenig ausgebreitet, auch andere Gebiete ergriffen . . . . Donald war ein Mensch ohne eigene Ideen. Hielt sich stets exakt auf den Richtlinien, die man ihm gab. Fast so unschätzbar wie Chwostik.

So saß er hier, Clayton, und rauchte seine gerade Pfeife, die er ganz steil vom Munde hängen ließ, wie das sonst nur eine gebogene macht.

Die Jahre zwischen dem Ableben seines Vaters und dem Eintreten Donald's in's Geschäft hatten ihn stark mitgenommen (äußerlich sah man's ihm durchaus nicht an). Vielleicht war dies Ganz-auf-sich-gestellt-sein garnicht seine Sache, sein Talent? Wird Donald nicht in die gleiche Lage kommen?

An diesem Punkte begegnete ihm ein Wunsch, den Harriet in den letzten Jahren oftmals ausgesprochen hatte; und schließlich war daraus eine feste Vereinbarung geworden.

In Montreal wurde ein Neffe von ihr erzogen – Bob hatte ihn nur als kleinen Buben gesehen – der jetzt dort schon auf einer höheren Schule war. Er hieß Augustus Cunish. In bezug auf ihn war man übereingekommen, daß er zu Wien die letzten zwei Klassen eines österreichischen Gymnasiums und sodann die Technische Hochschule absolvieren sollte, um in die Firma Clayton & Powers als Ingenieur einzutreten. Für gründliche Unterrichtung des Augustus im Deutschen wurde zu Montreal gesorgt; doch besuchte er dort keine rein realwissenschaftliche Anstalt, sondern erlernte auch die alten Sprachen. Deshalb würde es dann in Wien ein sogenanntes ‚humanistisches Gymnasium‘ sein müssen. Bob Clayton wußte vom Hörensagen, daß die Ansprüche solcher Schulen in Österreich ziemlich hohe waren; und er verfehlte nicht, dies den Eltern des Augustus in seinen Briefen einzuschärfen; doch ward ihm stets die beruhigende Auskunft, daß der Knabe ausgezeichnet lerne. Eine Ergänzungsprüfung nach Absolvierung des Gymnasiums würde weiterhin, trotz der österreichischen ‚Matura‘, für Augustus notwendig sein, da nur Realschüler ohne eine solche Ergänzungsprüfung die Technische Hochschule beziehen konnten. Den Augustus dafür vorzubereiten und dabei zu beraten, wäre dann Donald's Sache, der ja hierin Erfahrung besaß; jedenfalls aber würde man auf diese Art in etwa sechs Jahren einen jungen Mann aus der Familie als Assistenten im Betriebe haben.

Nun gut. Im Herbst sollte Augustus kommen. Bob Clayton klopfte die Pfeife aus und steckte sie in die Seitentasche seiner

Jacke. Es war Zeit, nach Brindley-Hall zu reiten. Kate wartete mit dem Dinner. Er verließ das braungetäfelte Cabinet und ging durch die Halle auf den Vorplatz.

Schon führte der Gärtner das Pferd heran. Der Sattelgurt war bereits angezogen. Einen Augenblick lang, während das Pferd die ersten Schritte tat, den Gürtel von Stille durchbrechend, der hier, wie eben immer, um Pompe-House lag, überlegte Clayton, ob es keinen anderen Weg gäbe, um zur Straße zu gelangen als den Wiesenpfad über den Hügelrücken. Ja, er wollte schon die Zügel anstellen, um das Pferd, das in munterem Schritt vorwärts strebte, anzuhalten. Aber es gab keinen anderen Weg. Clayton legte die Schenkel an und galoppierte kurz über den breiten Hügelrücken bis dorthin, wo die Straße, bei erreichter Höhe, sich nach rechts wandte.

Die gesellschaftliche Verwurzelung der Claytons in Wien war freilich nicht nur vom Golfclub her gekommen, sondern in weit ausgedehnterem Maße vom Geschäft. Man befand sich ja von Anfang an im Verhältnisse des Abnehmers und Belieferten gegenüber mehreren großen Firmen, nicht zuletzt die Stahlwerke in Ternitz, die Schrauben- und Werkzeugfabriken in Niederösterreich und im Steirischen, von den großen Baufirmen zu schweigen, die ja gleich am Beginne mitgewirkt hatten. Eine noch lebhaftere Quelle von Anschlüssen bildete dann Donald, insbesondere während seiner Jahre auf der Technischen Hochschule. Alles das führte in die schon früher bezeichnete Schichte. Donald gehörte bald zum Comité des ,Technikerballes', und später auch zu einer gleichen Vereinigung, welche die Industriellen hatten, um ihre Ballfeste zu arrangieren, wo man auf den mächtigen Büsten der Ballmütter Sammlungen von Schmuckstücken blitzen sehen konnte, die jedenfalls verwirrender waren – weil sie oft garnicht zusammenpaßten – als jene Büsten selbst.

Doch ist die Trennung der Gesellschaftskreise in Wien nie eine strenge oder gar ostentative gewesen. Sie war eher von verborgener aber zäher Art. Das adimistrative Beamtentum jedenfalls, in welches ja auch der Adel vielfach hineinreichte, fühlte sich doch von der blitzenden Pracht großer und reicher Häuser und ihrer opulenten Veranstaltungen da und dort gar sehr angezogen, und die Väter und Sektionschefs hatten am Ende nichts dagegen, wenn von ihren Söhnen aus diesen Kreisen Töchter heimgeführt wurden, die zumindest eine breitere Krippe gewährleisteten als jene war, an welcher man lebenslang hatte stehen müssen, und obendrein mit Decorum und mit repräsentativen Pflichten.

Solche Väter und Selktionschefs sah man überall. Sie hielten zum Teil auch den Kontakt aufrecht für eben erst heranwachsende Sprößlinge, damit diese dann sogleich in die rechten Kreise und Gleise gleiten konnten.

Die Halle in der Clayton-Villa war immer noch schwach und gedämpft beleuchtet, obwohl man doch jetzt schon elektrisches Licht hatte; hier lebte, in Gestalt von Steh-Lampen auf hohen Messingstielen und mit breiten Schirmen, eine Tradition Harriets fort. Die Galerie oben, von welcher die Türen in die einzelnen Zimmer führten – es gab keine Durchgangsräume, jedes Zimmer hatte seinen eigenen Eingang, wie in einem Hotel – lag fast ganz im Dunkeln. (In einem dieser Zimmer, dort wo einst die ‚nursery‘ gewesen, wohnte bereits, seit dem Beginn des Schuljahres im Herbst, jener Augustus Cunish aus Montreal, doch war er jetzt nicht anwesend, sondern bei einem Klassenkameraden namens Hofmock.) Nur an der Joly-Treppe leuchtete eine schwache elektrische Birne, die in einem muschelförmigen Gehäuse saß. Hätte jemand die beiden Herren jetzt sehen können, die aus einander genau gegenüber liegenden Zimmern im Abendanzug auf die Galerie traten, zur Treppe gingen und nebeneinander in die Halle hinunter stiegen: er hätte vielleicht den unheimlichen Eindruck einer vollkommenen Doppelung gehabt. So sehr glichen Vater und Sohn einander. Clayton bros. saßen unter einer jener hochstieligen Lampen in Fauteuils nieder, und alsbald brachte der Diener ein Tablett. Jedoch wurde der Whisky-Soda nicht mehr verkehrt eingeschenkt. Hier war die Tradition abgerissen.

Auch unter der Einfahrt war es so. Hier stand keine Kutsche mehr, sondern ein langer Knight-Minerva, dessen Räder viele dünne Speichen von Stahl hatten. Der Wagen konnte fast lautlos fahren, mit nur schwachem Summen. Am Steuer saß der Chauffeur und wartete. Der alte Kutscher – jener, der Harriet's letzte Krankheit als ‚Auszehrung' bezeichnet hatte – war nur mehr Hausmeister und Gärtner. Wenn Robert ihn sah, mußte er an den Gärtner in Pompe-House denken, obwohl der seine hier in Wien weder klein und säbelbeinig war, noch eine alte Cricketmütze zu tragen pflegte. Aber irgendeine Verwandtschaft bestand. Wenn man durch den Hof des Gärtnerhauses ging, links von der Einfahrt, sommers an Blattpflanzen vorbei, die immer in großen Blumentöpfen auf dem buckligen Pflaster standen, dann trat man in eine ähnliche Stille, wie sie um Pompe-House zu liegen pflegte. Nur war zu Wien ihr Radius kleiner. Sie reichte nicht über diesen Hof hinaus. Der Hausmeister in Wien war verwitwet. Wie er eigentlich hieß, ist in Vergessenheit geraten. Wir erfinden für ihn den Namen Broubek. So sah er aus.

Das Vorzimmer, in welchem Clayton bros. jetzt vom Diener in die Mäntel geholfen wurde, war eng und kahl. Es mußte für jedermann, der dieses Haus nicht kannte, eine Überraschung bedeuten, von hier in die weite Halle mit der Joly-Treppe zu treten.

In der Einfahrt warf die von allzuviel schmiedeeisernen Ornamenten behinderte Lampe unter dem Gewölbe einen, im Verhältnis zu ihrer dekorativen Größe, nur geringen Schein auf den Wagen und die Torstufen herab.

Es war nicht kalt, aber frisch. In dieser Frische stand noch ein letzter Ton des verwichenen Herbstes, und wie erstarrt; es war der Hauch von Kastanien- und Ahornblättern, die, längst schwarz geworden, am Boden lagen.

Der Wagen glitt bald über die Brücke. Die Duplizität von Vater und Sohn, wie sie da nebeneinander saßen, könnte befremdend oder gar lächerlich wirken, weil man sich die beiden jetzt allzuleicht so vorstellt, als säßen sie wie nebeneinander in den Wagen gesteckte Puppen aufrecht und steif hinter dem Chauffeur. Aber so war es ja nicht. Jeder lag in seiner Ecke, Robert rechts, Donald links. Sie schwiegen. Es fiel ihnen leicht, miteinander zu schweigen. Es fiel ihnen garnichts anderes ein, und sie fühlten sich wohl dabei. Robert hatte frühere Versuche, mit Donald zu sprechen (ähnliche Versuche, wie sie dessen Großvater gemacht hatte), längst aufgegeben.

In den Salons der Industriellenfamilie Harbach in der Reichsratstraße hinter der neuen Universität konnte man fast allenthalben eine der zahlreichen, pferdemäßig großen und langen Töchter des Hauses – alle waren hochblond – herumstehen sehen, Gäste empfangend und begrüßend. Doch setzte man sich bald nieder. Damals wurden die außerberuflichen utilitären Zusammenkünfte der Menschen noch nicht stehend abgemacht, wie auf der Börse, schon aus dem einfachen Grunde, weil nur solche Leute Gesellschaften gaben, die dazu genug Räume und Sitzmöbel hatten. Die Harbach-Töchter konnten von nur wenigen Männern überragt werden; und damit hing es wohl zusammen, daß sie ebenso langbeinige Freundinnen hatten; gemeinsames Unglück verbindet. Das Beisammenstehen solcher unnötig nach oben erstreckter Weiblichkeiten hat, besonders wenn sie, in der damals wie heute üblichen Weise, alle mehr oder weniger gleichzeitig reden, etwas seltsam Törichtes an sich: der erste Anblick schon drängt uns das auf, wir werden davon schlagartig überzeugt. Vom Sprechen zu schweigen.

Es waren fünf Töchter im Hause Harbach. Zwischen der ältesten und der jüngsten lag ein Unterschied von 14 Jahren. Die übrigen Unterschiede waren gering. Alle konnten als hübsche Mädchen gelten, die älteste sogar als schön. Aber sie zählte nun über dreißig. Einen noch älteren Sohn gab es auch. Dieser war verschwunden. Sein Vater sagte von ihm durch einige Jahre, er sei ein Taugenichts, besaß aber dafür keinen anderen Urteilsgrund, als daß Paul nicht hatte in's Geschäft treten wollen. Er lebte zu München als Arzt, sogar als ein höchst angesehener, so jung er war, noch keine vierunddreißig. Sein dem Vater unwillkommenes Medizinstudium hatte er nicht auf elterliche Kosten gemacht und auch nicht in Wien. Er war von anderer Seite finanziert worden. Diese Seite wurde vom alten Harbach ‚die Frauensperson' genannt. Paul war früh dem Pferdestalle entwichen, gleich nach der Reifeprüfung. Es scheint da in München schon alles für ihn bereit gewesen zu sein. Hier auch hatte er studiert – unter günstigen äußeren Bedingungen – seine Prüfungen und die klinischen Jahre gemacht und sich schließlich als Facharzt für Innere Medizin niedergelassen. Doch war er unverheiratet geblieben (‚Frauensperson'?!). Paul pflegte seine Eltern in Wien zu besuchen, wenn auch selten; die Distanz, welche ihm zu erstellen gelungen war, mußte von jenen schließlich hingenommen werden, sie war nicht mehr zu überhüpfen, die Hecke vor einem ihnen gänzlich fremden Leben war dicht gewachsen. Doctor Paul Harbach befleißigte sich übrigens seinen Eltern gegenüber der größten Aufmerksamkeit und Artigkeit; das gehörte wohl zur Distanz. Fast von selbst versteht es sich zuletzt, daß er gänzlich anders aussah als seine Eltern und Geschwister. Er war mittelgroß und dunkel.

Vielleicht wäre er, trotz der Unstimmigkeiten zwischen dem Vater und ihm, in Wien geblieben und hätte hier sein Medizin-Studium durchlaufen, wäre nicht, noch bevor er die Maturitäts-Prüfung abgelegt hatte, eine für ihn wesentliche Bindung an die Heimat fortgefallen und abgebrochen: durch die Übersiedlung der Familie Russow nach Budapest. Die Russows hatten ihn noch mit dem Elternhause verbunden, ja, sie allein, wenn man's genau nimmt. Irma Russow, damals halbwüchsig, gehörte zu den Freundinnen seiner heranwachsenden zwei ältesten Schwestern, obschon sie durch ihre geringe Körpergröße dazu wenig geeignet schien. Aber es war ja die Zeit der Konkurrenz, der höheren oder geringeren Notierungen, des ganzen Pferdehandels also, für Hilda und Jenny und gar für Grete noch nicht angebrochen; man kälberte ohne Spannung und Absicht im Vorzimmer des Lebens, das weit mehr wie ein Kinderzimmer aussah.

Hierin liegt ja eine unserer profundesten Täuschungen. Wir vermeinen, das Spiel gälte erst, wenn wir erwachsen sind, und die Punkte vorher würden sozusagen nicht gezählt. Aber wer ist schon erwachsen? Wer auf sich selbst nicht mehr hereinfällt, könnte da geantwortet werden. Hiezu genau befragt, müßten auch ältere Personen feststellen, daß ihre Erwachsenheit von vorgestern stammt. Darauf wartet die Punkte-Zählung keineswegs. Vielmehr hat es den Anschein, als sei diese bis zum achtzehnten oder siebzehnten Jahre sehr genau, und werde dann schlampiger und liberaler. Bis fünfzehn geht einmal sicher nichts durch und alles wird später genauestens präsentiert. Damals haben wir also wirklich gelebt, mit Strich-Ätzung sozusagen. Später wird's dann ein Geschmier und Gepatze. Man könnte jenen, die in unkontrollierter Weise allein an die Gültigkeit ihres ,erwachsenen' Lebens glauben, ein nettes Ärgernis und Gelegenheit zu heftigen und honetten Protesten geben, wenn man ihnen sagte, daß mit Fünfzehn schon alles vorbei gewesen sei, und das Folgende die unordentliche Ausführung, wenn nicht überhaupt nur schlechtere und verschwommene Wiederholung eines ursprünglich sauberen und genauen Entwurfes.

Jedenfalls stand da hinten alles in Klarheit noch heute für ihn, den Doctor Paul Harbach. Die Mädchen waren damals nicht mit auf dem großen Eislaufplatze beim Stadtpark gewesen (wo er sich nie im geringsten um sie zu kümmern pflegte, es war ja die Gouvernante dabei). Von dort also kommend und mit den zusammengeschnallten Eislaufschuhen unterm Arm – die ,Halifax'-Schlittschuhe waren an den hochzuschnürenden Stiefeln fix angeschraubt – betrat er das Vorzimmer in der Reichsratstraße. Warum die Schuhe? Es war nicht mehr möglich, sich daran zu erinnern. Man hatte doch in der Garderobe des Eislaufplatzes ein versperrbares Kästchen gehabt, und dort seine Schlittschuhe unter Verschluß. Vielleicht war etwas daran zu reparieren gewesen. Hier blieb ein Loch. Im Vorzimmer stand jene Tür weit offen, hinter welcher der Raum der größeren Mädeln war. Hier durfte Paul nie eintreten. Sie drängten und boxten ihn immer gleich hinaus, wenn es sich fügte und er irgendeines dieser Geschöpfe suchte und in ihr Zimmer kam. Die Tür stand offen. Paul trug die Schlittschuhe unterm Arm. Um diese Zeit hatte er Emilia Ergoletti schon gekannt, ja, es war alles zwischen ihnen längst im Reinen gewesen. Mitten im Zimmer stand die etwa vierzehnjährige Irma Russow ganz allein. Keine von den Schwestern war da.

Paul gab ihr die Hand. Irma hatte eine verhältnismäßig große Nase, war blaß, schlank und blond.

Gleich nach seinem Eintritte kamen zwei oder drei von den Fratzen und drängelten ihn hinaus.

In seinem Zimmer durchfuhr es ihn wie eine zweizinkige Gabel, beide Spitzen scharf ausgezogen und völlig unvereinbar. Die aufgesprungene Tür, die weit offen stand, die sich kurz nach Neujahr schon vor ihm überraschend geöffnet hatte, einen bisher unbekannten Raum in seiner ganzen Breite und Tiefe weisend, sie führte nicht in das Zimmer der Schwestern und zu Irma Russow, sondern weit weg davon und in ein ganz anderes Leben, nämlich nach München.

Die Eltern Russow waren winzig kleine Leute und von unleugbarer Distinction. Aber auch hinter einer solchen steht oft Geld und Geschäft, diesfalls der Getreidehandel. Das also war's mit Budapest. Sie hatten ein großes Haus dort; und dem Vater Russow, nachdem sein Bruder in Pest verstorben war, schien's doch besser, sich wieder in's eigentliche Zentrum der Affären zu setzen.

Mit diesem Entschlusse kamen die Russows noch vor dem Frühjahr heraus, und damit endigte sich für Paul Harbach ein Konflikt, der doch kein eigentlicher gewesen war mit gleichschwebenden Schalen, sondern nur ein immer wieder erfolgendes Abweichen von dem, was gewiß, in das, was trotzdem noch möglich blieb. Alles ging danach in einen lang hinausgezogenen Abschied über.

Vordem hatte er sich schon mehrmals den Mädchen auf dem Eislaufplatze angeschlossen, und die langbeinigen Fratzen wußten solche neue Gepflogenheiten wohl zu deuten in bezug auf Irma, die dabei mancher Peinigung ausgesetzt war. Um diese

Zeit traf Paul auch – wie es denn immer in solchen Sachen geht – unvermutet die alten Russows bei seinen Eltern an, und da sein Interesse für Vater und Mutter Irma's ein echtes war, gewann er mit diesen Herrschaften Kontakt und gefiel (sogar sehr). So wurde er bald mit den Schwestern (sie behandelten ihn jetzt bereits gönnerhaft) zusammen in die Lenaugasse eingeladen, wo die Russows wohnten, garnicht weit von Pauls Elternhaus.

Das alles änderte nichts und minderte nichts an dem Eingriffe, den die Ergoletti schon kurz nach Neujahr bei ihm getan hatte. Diese aufgesprungene Flügeltür blieb allezeit offen, der Raum dahinter weit, breit und erleuchtet erstreckt.

So war das frisch gebrochene Tor in ihm und es blieb frisch, auch als es schon einige Wochen alt wurde, und er bereits mit Irma Russow auf's Eis ging und in die Lenaugasse zu ihren Eltern.

Denn so ganz unvermutet und gleich auch entscheidend, wie Paul Harbach von der Ergoletti, wird selten einer gepackt.

Das Wetter nach Neujahr war naß und lau, durch eine Woche etwa (nichts war's mit dem Eislaufen), es regnete zeitweis. Damit hing's zusammen, daß dem Paul ein kleiner, schlanker Schirm übergeben wurde, mit dem Auftrage, ihn in's Hotel Bristol am Kärntner-Ring zu bringen: eine Dame habe ihn heute vormittags stehen gelassen, so und so. Da war also der Name Ergoletti, der dem Paul Harbach weiter nichts sagte. Seine Mutter befahl ihm, einen anderen Anzug zu nehmen als jenen, welchen er vormittags in der Schule getragen hatte. Paul hätte das von selbst getan. Er sah gut aus, war gut ausgestattet. Man hielt darauf. Wie denn anders; die Harbachs stellten feine, bürgerliche Leute vor, sie konnten sich aristokratische Verschlamptheiten in keiner Weise leisten.

Der Tag war, durch das laue Wetter zu dieser Jahreszeit, schon vom Morgen an ungewöhnlich und erregend gewesen. Paul ging zu Fuß. Der Damenschirm hing mit dem gebogenen dünnen Griff an seinem linken Arm. Das Stubenmädchen hatte

ihn einhüllen wollen, in Packpapier, offenbar aus der Empfindung, daß der junge Herr nicht mit einem Damenschirme gehen
könne; aber Paul hatte ihr den Schirm aus der Hand genommen.

Es ist hier vielleicht wichtig zu sagen, daß Paul Harbach damals von nichts irgendwie okkupiert war. Schon garnicht von
der Schule; er besaß zwei unschätzbare Eigenschaften, die ihm
das Lernen fast zu einer Spielerei machten. Einmal eine für sein
Alter ungewöhnlich starke Fähigkeit zur Konzentration, fast
möchte man sagen: ein Fressen der Gegenstände seiner Aufmerksamkeit. Bei allen solchen Anlässen quollen seine Augen
etwas vor, schienen auffallend stark gewölbt, ja, beinahe glotzend. In dieser Weise pflegte er dem Unterrichte zu folgen. Es
war da in ihm zugleich ein Wunsch, seine Lehrer bei Irrtümern
zu ertappen. Mehrmals gelang ihm das auch. Doch äußerte er
niemals etwas darüber. Aber jener Wunsch wurde zum Antrieb,
sich der Gegenstände besser zu bemächtigen als seine Mitschüler.
Der zweite Vorteil aber, den er genoß, war eine hohe Merkfähigkeit. Was er glotzend hörte, wurde gleichsam in ihn hineinge-
schrieben und wie auf eine Phonographenplatte. Es blieb von
da an auch in einer schachtelweis geordneten Evidenz. Später
hat ihn das auf der Hochschule weitgehend entlastet.

Die Merkfähigkeit beschränkte sich bei Paul nicht auf Lern-
fächer. Unter Umständen konnte er Hilda oder Jenny genau
entgegenhalten, was sie vor vier Wochen gesagt hatten. Diese
‚ekelhafte und unerträgliche Art‘ (so nannten sie es) trug ihm
Boxhiebe, Knüffe und Püffe ein.

Bei solcher Personsverfassung versteht es sich von selbst,
daß Paul keine Sorgen wegen der für Juli bevorstehenden Reifeprüfung oder Matura hatte. Sie war damals, um 1895, wesentlich schwieriger als etwa 1910, als unsere jungen Herren vom
Metternich-Club (den werden wir noch kennen lernen!) sich ihr
näherten. Da gab es zum Beispiel in der schriftlichen Prüfung
keine Übersetzung aus dem Deutschen in's Griechische mehr,
sondern nur das Umgekehrte.

Man bemerkt bei dieser Gelegenheit, daß junge Leute aus
fundamental verschiedenen Gründen gute oder auch schlechte

Schüler sein können. Natürlich ist dann immer auch alles andere ganz anders. Paul etwa hatte in der Schule keine Freunde. Es war, als hielten sein gelegentlich glotzender Blick aus leicht hervorquellenden Augen und seine gesteigerte Aufmerksamkeit die Schulkameraden von ihm ab. Beides hat dann auf die Ergoletti höchst anziehend gewirkt; ja, gerade das hat ihr gefallen, mehr als gefallen: es hat sie fasziniert. Vielleicht hat sie die Kälte bei dem jungen Manne gespürt. Er war ein Außenstehender. Er nahm nicht teil. Im Elternhause schon wurden diese Grundlagen seines Wesens herausgearbeitet und praktiziert: als Ältester, mit törichten Schwestern hinter sich, und einer ebensolchen Mutter, in einer immer mehr mit törichten Interessen sich erfüllenden Lebensluft. Er wurde früh einsam.

So ging er dahin, das zarte Schirmchen am Arm. Die Luft war lau und letschig, das Pflaster hatte einen schleimigen Überzug. Doch brach die Sonne durch. In der Weiträumigkeit dieser Umgebung lag der fast frühjahrsmäßige aufgebrochene Geruch nach Erde und faulem Laub von den großen Parkflächen her. Paul sah das alles sehr klar, durch gewaschene Fenster gleichsam. Er hätte eine andere Art des Befindens sich nicht vorstellen können. Jenseits der Oper, an der Ecke des Kärntner-Ringes, herrschte Gewimmel. Er tauchte hinein und geschickt hindurch und vor der großen Drehtür des ,Bristol' wieder heraus.

Noch kaum hatte er am Empfangsbureau ihren Namen genannt, als sie schon aus dem Hintergrunde der Halle mit langen Schritten herankam. Ihr rasches Aufstehen aus einem Fauteuil war von Paul bemerkt worden.

„Da ist mein Schirmchen!" rief sie aus

Sie hat eine große Nase und in der liegt schon das ganze Gesicht.

So war der erste, wenn nicht entscheidende Eindruck. Sehr hoch, sehr schlank. Aber in einer ganz anderen Weise als seine ältesten Schwestern schon groß und schlank wurden. Es gab hier eine in's Auge springende, irgendwie unverhüllte Langbeinigkeit. Diese erschien betont, sei's, daß die Natur das allein machte oder auch die Schneiderin mithalf (die Röcke damals waren lang). Alles saß knapp.

Sie nahm ihn mit, nach rückwärts in die Halle, und ließ irgend-etwas zu trinken kommen (hier war schon die erste Erinnerungs-lücke, vor jener späteren noch, mit den Eislaufschuhen, die er unterm Arm gehalten hatte).

„Ihre Mama ist sehr liebenswürdig", sagte sie beim Nieder-setzen. Das Schirmchen behielt sie in der Hand.

Aber den Paul kriegte sie nicht in die Zange der Beobachtung, oder etwa gar so unter ihre weitgeschlitzten feuchten Augen, wie man einem Marienkäferchen zusieht, das am Zeigefinger emporklettert. Schon gab seine Kälte den ersten spürbaren Hauch. Schon begann er leicht zu glotzen. Es war eigentlich jetzt ein stummes kurzes Ringen, von ihrer Seite mindestens. Seine Intelligenz erwies sich als gesammelter. Einer solchen unterlag sie.

Sogleich auch versuchte die Ergoletti sich zu behaupten, und ließ sich damit also ein. Paul hatte überhaupt noch kein Wort gesprochen. Schon wäre es ihr unmöglich gewesen, ihn jetzt, nach diesem Sherry, oder was es schon gewesen war, einfach gehen zu lassen. Schon mußte etwas bewirkt, auf ihn eine Wir-kung ausgeübt, die Oberhand gewonnen werden. Sie sah, daß bei diesem fürchterlichen Menschen, während er sie aufmerk-sam anblickte, das Kinn sich etwas vorschob (es versetzte auch seine Lehrer oft in Unruhe, sie fühlten sich kontrolliert, und sie wurden es von Paul; später, in München, beim Sezieren, pflegte er auch das Kinn oft in dieser Weise vorzuschieben; seine Studiencollegen machten das gerne nach, in seiner Abwesen-heit). Das Unwahrscheinliche und Ungewöhnliche war heraus, es war geschehen: denn sie saßen hier schon fünf Minuten in ihren Fauteuils, ohne irgendeine Conversation zu machen. In diesem Zustande jedoch schien sich Emilia Ergoletti's Partner zu consolidieren, ja, darin beheimatet zu sein. So ein Kerl! Ist der einfach blöde?

Nun, sie bewirkte etwas.

„Haben Sie was vor, Herr Harbach, jetzt am Nachmittag?"

„Nein", sagte er.

„Müssen Sie nicht lernen oder Aufgaben machen?"

„Nein."

Sie hätte wohl auch ‚studieren‘ sagen können, bei einem jungen Manne, der demnächst eine Universität beziehen sollte. Aber das Provozieren nützte garnichts.

Weil sie also nichts bewirkt hatte, rückte sie weiter vor.

„Ich habe für meinen Aufenthalt hier eine Wohnung genommen, für ein paar Wochen. Im Hotel wird das doch zu unbequem. Heute will ich mir das noch einmal ansehen. Ein Mädel ist schon dort, sie hat alles durchgeheizt. Ich möchte wissen, was Sie als ganz Außenstehender(!) dazu sagen. Wenn Sie Zeit haben, fahren wir hin und inspizieren. Es ist am Modena-Park, im dritten Bezirk."

„Mit Vergnügen", sagte Paul.

Ihm war die unschätzbare Gabe dosierten Sprechens von vornherein verliehen. Hier erübrigte sich späterhin bei Paul jede Selbsterziehung. Auch in anderen Stücken noch. Ihm fehlten mehrere von den Prügeln, welche wir uns gerne zwischen die gehenden Füße werfen, wahrhaft aus einem nie abreißenden Vorrat.

Sie hatte einen vorbeikommenden Boy angehalten und ihren Wagen befohlen.

„Es ist nicht meiner, sondern auch nur eine Improvisation für die paar Wochen."

Sie gingen durch die Drehtür. Der Wagen fuhr eben vor, ein mächtiger grauer Daimler. Unsere späteren Gymnasiasten (damals lernten sie eben laufen), wie wir sie schon kennen, Zdenko, Heribert und Fritz, hätten die Lage besser zu genießen, aber weniger genau zu sehen gewußt als unser Paul Harbach damals. Irgendeine Kenntnis, wer diese Ergoletti eigentlich war, besaß er freilich nicht.

Sie verkehrte in Wien, als Gräfin, auch am Rande der sogenannten ‚ersten Gesellschaft‘, was ihr aber in Rom aus einigen Gründen nicht möglich gewesen wäre. In München konnte sie am freiesten sich bewegen, einfach weil man die geborene

Putzinger dort seit jeher kannte, auch ihr enormes Geld von zweien Seiten, einmal von daheim (als einzige Tochter aber schon ohne Eltern), zum zweiten von dem verstorbenen Conte, der aber ein päpstlicher gewesen war. So machte sie, mit fünfundvierzig, einfach was sie wollte.

Aber das war nicht viel. Und rein durchschnittlich war sie nie gewesen, die Putzinger, und nie im Zustande einer dauernden Verkrötung, in welchem einer gleichsam auf sich selbst draufsitzt. Darum wollte sie was bewirken, aber es war nix. Wenn man jahraus jahrein zwischen München, Rom, Venedig und Wien hin und her fährt, so wird schließlich alles zum Tramway-Rutsch. Es kann in schleichender Weise passieren, bei jemand, der viel reist, daß einzelne, auch kleinere und kleinste Objekte entlang der Strecke und des Bahnkörpers haften bleiben, keineswegs nur die ‚Wahrzeichen‘, der Blick nach Prato und Pistoja hinunter, wenn der Zug die Apenninen überwindet oder die sich öffnende Gebirgslandschaft bei Traunstein in Oberbayern oder der Semmeringtunnel. Sondern etwa, wenn man vom Süden kommt, das letzte Wärterhaus vor jenem Tunnel. Es ist aus festen Hausteinen erbaut. Der Ort nahebei heißt Steinhaus. Beides hat nichts miteinander zu tun, will man sich sagen. Das Dorf ist viel älter als die Eisenbahn. Der festgehaltenen Objekte entlang den Eisenbahnstrecken werden mehr und mehr und es werden immer unansehnlichere, immer beschämendere, möchte man fast sagen, und die Zeiten, wo München mit ‚Wamsler‘ und Wien mit ‚Pittel und Brausewetter‘ allmählich identisch geworden waren, sind längst dahin, und ebenso Roms mächtiger ‚Cinzano‘. Sondern man kennt geradezu compromittierende Objektchen ganz genau. Sie sind Nebensächlichkeiten, sicher. Aber sie lassen sich eben nicht mehr übersehen, und sie treten immer dichter aneinander und bilden ein Continuum durch die Reisen, und man bemerkt es, ob man gleich nicht will, daß die zerfallenden Fensterladen des alten Gartenpavillons zwischen Meidling und Baden bei Wien noch immer nicht repariert sind. So droht denn Zwangs-Verkrötung einzutreten, durchaus wie bei einer Straßenbahnfahrt mit dem ‚Sechser‘ in München, wo ein kaum hingewandtes Krötenauge die Maxburg eben doch schon wahrgenommen hat, wenn man dann beim Schillerdenkmal aussteigen will.

Darum also wollte sie was bewirken, aber es war nix. Es war nur vieles gut eingefahren und sehr bequem geworden, man konnte leicht in Wien von einer abwesenden Freundin deren Wohnung kriegen für ein paar Wochen, und sogar den Wagen samt Chauffeur dazu, und später einmal revanchierte man sich in München ebenso, während eines Aufenthaltes zu Rom.

Aber es war nix. Die Gartenpavillons mit den noch immer nicht reparierten Fensterladen rückten schon allzu dicht aneinander, entlang der ganzen Strecke.

Inzwischen rollten sie auf der Ringstraße dahin, den breiten grauen Rücken eines livrierten Chauffeurs vor sich, und Paul, statt die Lage zu romantisieren – er vermochte sie auch ohne Beiwerk zu genießen – dachte darüber nach, welche Gründe diese Ergoletti haben könnte, ihn hier mitzunehmen (warum er gleich „ja" dazu gesagt hatte, darüber dachte Paul nicht nach). Vielleicht wollte sie etwas von seinem Vater. Dann war sie auf dem falschen Wege. Das mußte ihr gegebenen Falles in ausschließender Weise klar gemacht werden. Man sieht, Paul war sich seiner Charge als Sohn bewußt, lehnte sie aber ab. Manche, in solchen Fällen, üben sie wie ein Metier aus. Was sonst? Nichts, beim besten Willen! Er sollte also eine Wohnung begutachten.

Daß es sich um ihn selbst handeln könnte, trat garnicht in sein Bewußtsein. Er gehörte auch nicht zu jenen Gymnasiasten, die bereits wissen, daß lange schlanke Beine in anliegenden Strümpfen auf den oder jenen Professor eine Wirkung haben können. Paul war zwar eine glotzäugige Intelligenz ($\gamma\lambda\alpha\upsilon\varkappa\tilde{\omega}\pi\iota\varsigma$), aber nicht verdorben und verhurt. Und statt die Wahrheit auf freche Weise in's Auge zu fassen, spürte er jetzt, daß es sich bei ihm bereits durchaus um diese Ergoletti handelte. Genauer: um eine neue Aura. Um ihren Geruch und um das Parfum, welches sie benützte. Beides war spürbar, beides.

Am Modena-Park war es dann ein nicht ohne Pomp erbautes älteres Haus, aber doch ein Mietshaus mit Etagenwohnungen, wenn auch mit sehr großen. Die Treppe hatte viel Marmor und Schwung, die Wohnungstür war hoch und noch erhöht durch irgendwas obendrauf, ein Sopraporte. Man hörte das Mädchen drinnen, der die Ergoletti geläutet hatte, weil sie viel zu bequem war, um jetzt ihre Schlüssel aus dem Réticule hervorzukramen, wie von weitem und lange herankommen. Als sie öffnete und knixte, sah Paul, daß es ein sehr kleines und unansehnliches Mädchen war, aber korrekt, schwarz-weiß, mit Häubchen. „Mach' Tee, Lina, für den jungen Herrn Harbach und mich", sagte ihre derzeitige Herrin, und: „Ist es warm im großen Salon?" „Ja, Frau Gräfin, ganz warm", hieß es, und Paul wurde freundlich angelächelt.

Hier, schon im Vorzimmer, herrschte ein völlig anderer Haus- und Fundamentalgeruch, welcher mit der Ergoletti überhaupt nichts zu tun hatte. Sie kehrte nicht zu sich heim. Paul empfand diesen Sachverhalt lebhaft und scharf, ja, er konnte es geradezu spüren, wie die beiden Auren sich schnitten. Jene hier beheimatete war alt, rein, fast steril und papieren, der Luft in einer großen Bibliothek verwandt (nach ihrem Eintritt in die Zimmer sah Paul hier übrigens auch sehr viele Bücher, aber die Atmosphäre blieb doch unabhängig davon, sie schien nicht durch die Bücher entstanden). Es war weit, blaß, in rosigen, lichten Farben. Lautenspiel oder ein Cembalo hätten in diese Räume gepaßt. Sie wirkten wie unbewohnt. Vielleicht benützte man sie für gewöhnlich kaum. Es gab biedermeierliche geschweifte Kachelöfen in den Ecken, und diese wurden wirklich beheizt und strahlten Wärme aus, wenn man sich ihnen näherte. Vielleicht war es im großen Salon bereits zu warm geworden, durch die milde Außentemperatur.

Dazu noch der Tee. Sein Duft ging glatt in die hier beheimatete Aura ein. Zum Glück saßen die Ergoletti und Paul weit weg vom Ofen.

Im Vergleich zu jenem Geist und Dufte, der hier in aller Stille herrschte (und fast streng), mußte, was von Emilia her gegen Paul herandrang, allzu warm und feucht und transpirierend wirken. Solchermaßen war es auf einem ganz fremden Untergrunde zu spüren. Eine dampfende und duftende Speise, auf untadelig blankem blassen Teller serviert.

Ihre Haut schien feucht: aber doch nicht glänzend. Ihre Nase – die Wurzel, aus der dies ganze Gesicht gebildet war! – schien vorne gerötet: und war es doch nicht. Der große Mund arbeitete beim Formen jedes Wortes sichtbarlich mit und wollte die Wörter fast ein wenig zerquetschen. Einmal bekam Paul ganz leicht ihren Schweiß in die Nase. Er täuschte sich nicht. Er hatte Emilia in den Wind bekommen. Er wußte auch schon, daß dies noch weitaus ärger werden konnte. Alle diese Wahrnehmungen, alle.

Als das Mädchen hinaus gegangen war, schoss die Ergoletti ihn an:

Doch halt! Sie schoss ja auf ein Ziel, das schon getroffen war. Zwei übereinander gelagerte Stockwerke von Gerüchen – ein ausgedehnteres und unbestimmteres unteres, ein mehr da seiendes, ja, nasen-nahes oberes – diese gerade waren es, welche eine Weiträumigkeit eröffneten, von der ihn bisher in so eindringlicher Weise keine Kunde erreicht hatte. Nun aber erreichte sie Paul, der, ganz genau genommen, bis jetzt den Hausgeruch der Reichsrathstraße allein gekannt hatte, dafür diesen um so profunder. Es gab anderes, wohl, man hatt' es zur Kenntnis genommen, und immer hatte man's gewußt. Jedoch, was sind schon alle Organe des Erkennens im Vergleich zu unserer Nase! Sie erst gibt dem Wissen einen Körper.

Die Ergoletti schoss:

„Können Sie, Paul" (hm!), „sich vorstellen, wenn auch nur entfernt, was es für einen jungen Mann in Ihren Jahren bedeuten kann, wenn er ganz unabhängig dasteht? Ich meine nicht, wenn einer seinen Eltern davonläuft, um dann in Amerika Teller zu waschen, schwere Jahre mitzumachen, und so weiter. Sondern, wenn einer als Student schon sein eigener Herr wäre, mit genügenden Mitteln, um frei in der Welt zu leben, und nicht am Monatsersten auf den Wechsel vom Herrn Papa zu warten; und ‚fertig' werden zu müssen. Sondern sich selbst ruhig noch ein Semester zu bewilligen oder zwei. Und nicht beim Studium außerhalb der Welt leben zu müssen, sondern sich's leisten zu

können, den Aufwendungen und Anforderungen der Gesellschaft zu genügen, zu reisen, wenn's einem paßt, und ganz ohne
wen fragen zu müssen, und alles das mit achtzehn Jahren, wo
das Leben noch, ich möchte sagen, an den Richtigen kommt:
ich würde eine solche Lage für dessen höchste mögliche Spitze
halten, ein Gipfel mit lauter möglichen grünen Tälern zur Auswahl."

Sie war fast enthusiastisch geworden.

Er glotzte.

Und schnupperte unmerklich, des Neuen voll.

Aber auf ihre Frage – ‚können Sie, Paul(!), sich vorstellen?'
– antwortete er nicht, sondern sagte:

„So etwas gibt es nur in Romanen und Opern."

Es war das beste von allem (im Sinne seines Vorteils, den er
noch garnicht wahrnahm!), was er überhaupt hätte sagen können. Denn damit provozierte er sie geradezu, etwas zu bewirken
(wir würden, in intimerer Kenntnis des Sachverhaltes, sagen:
etwas zu unternehmen gegen die allzu nah aneinander rückenden
Details der Reise-Strecken, seien das nun Wärterhäuser aus
Hausteinen oder Pavillons aus dem 18. Jahrhunderte am Hetzen-
dorfer Park, mit noch immer nicht reparierten, schief und
schlampig und grau hängenden Fensterladen).

„Sie irren, Paulchen(!)", sagte sie jetzt, im Vollbesitze einer
von ihr allein, diesfalls, abhängenden Gewißheit.

Schweigen, Glotzäugigkeit, sehr deutliches Sehen.

Das untere, ausgedehntere, saubere, papieren duftende Ge-
ruchs-Stockwerk war jetzt spürbarer. Wohl daher sein vernünf-
tiges Verhalten (im doppelten Sinne des Wortes).

„Sie irren", wiederholte sie.

Dann ließ sie den Schuss aus dem Rohr.

Sie sei keineswegs eine Wohltäterin, sagte sie, derartiges liege
ihr durchaus nicht. Es gehe ihr ausschließlich um ein Experi-
ment. Nämlich: ihn, Paulchen(!), ‚zu versetzen'. (Diesen letzteren Ausdruck gebrauchte sie noch mehrmals. Er bedeutet ja
zudem als ‚versetzt werden' in Deutschland – nicht in Österreich
– das Aufsteigen eines Schülers in die nächsthöhere Klasse. Doch

an diesen Sinn des Wortes wird die Ergoletti hier kaum gedacht haben.) Die früher beschriebene Lage eines jungen, unabhängigen Menschen sei für ihn durchaus ergreifbar. „Sie müssen dazu wissen, daß dies für mich nur eine lächerliche Kleinigkeit wäre. Außerdem können Sie mir später einmal gerne alles wieder zurückgeben. Sie haben, wenn Sie einverstanden sind, von Ihrem bestandenen Abitur an, sagen wir einfach: ab 1. Juli, einen festen Monatswechsel von 500 Mark, und ein offenes Konto für Sonderausgaben, vorläufig bis zu 5000 Mark – und das so lange, bis Sie als Arzt etabliert sind. Bei letzterem werde ich Ihnen wirksam helfen können, sowohl durch Geld, wie durch Beziehungen."

„Und womit muß ich einverstanden sein?" fragte er. „Sie sagten doch, gnädige Frau: ‚Wenn Sie einverstanden sind'."

Diese Bemerkung war sicher nicht günstig. Sie war stützig, sie brachte eine Hemmung in die Lage, sie wäre geeignet gewesen, die Ergoletti abzubremsen. Zugleich aber zeigte sich darin Pauls völlige Unbewegtheit. Es war die eines Außenstehenden. Die Ergoletti erschrak beinahe, und doch beglückte es sie zugleich.

„Ich meinte damit nur: wenn Sie annehmen wollen, was ich Ihnen biete."

„Ich weiß es noch nicht", sagte er. „Derartiges erfordert Überlegung."

Sie sprang ab, vor einer möglichen Alternative nämlich.

„Ich war heute vormittags bei Ihren Eltern, Paul", sagte sie, „habe meinen Besuch gemacht. Ganz abgesehen davon, daß ich in bürgerlichen Kreisen überhaupt nicht gerne verkehre" (oho! Putzinger, Putzinger!!!) „– mir ist klar, daß dieses Milieu Sie verbiegen muß. Muß, sage ich. Ihr Vater ist ganz und gar dagegen, daß Sie Medizin studieren, es ist zufällig zur Erwähnung gekommen. Natürlich, er will einen Nachfolger im Geschäft. Und wer garantiert ihm dafür, daß eines von den Mädeln ihm einmal jemand in's Haus bringen wird, der dafür in Betracht kommt. Ihre Mama sieht mir zudem nicht gerade so aus, als ob sie später einmal besonderes Geschick im Verheiraten von Töchtern entwickeln würde. Ist ganz von sich selbst eingenommen, und wird es wohl auch bleiben. Als unwillkommener Medizinstudent in nächster Nachbarschaft eines Stalles voll von Gören! Nein."

Sie schwieg kurz – er auch – und dann sagte sie:

„Seien Sie nicht dumm. Befreien Sie früh Ihr Leben. Auf Sie wartet ein Vermögen, aber was haben Sie jetzt davon. Jetzt! Jetzt! Ich steh' Ihnen zur Verfügung. Ich hab' halt diesen Vogel. Für mich ist das Finanzielle dabei nur ein kleiner Schmarrn. Seien Sie klug, Paul, und unbedenklich zugleich."

Hätte er die Irma Russow damals schon gekannt: so ganz unzweifelhaft wie jetzt wäre der Ausgang dieser Sachen vielleicht doch nicht gewesen. Ihr gegenüber wollte es dann gleichwohl noch zu einer Art romantischer Treue kommen, die, bei bestehendem zeitlichem Vorsprunge der Irma, sich zumindest deutlich hemmend in's innere Gespräch gemischt hätte. So aber ward ein derartiger Effekt schließlich doch beiseite gedrängt. Fast immer bildet ein Opfern von Sentiments einen späteren festen Aufbaustein für's Leben; in längerer Frist wohl. Aber es erweist sich. Auch bei Paul Harbach erwies es sich.

Er muß was von jener vordem erwähnten genaueren Punktezählung in frühen Jahren zur selben Zeit schon gewußt haben; und vielleicht besaß er überdies genug Vorstellungskraft und genug im Elternhause bei ihm gewachsene Abneigung gegen spießerische Entwicklungen oder Abläufe aller solcher Sachen, um zu wissen, was bei Weiterverflechtung der gefühligen Fäden zwischen ihm und Irma einzig herauskommen konnte: nämlich nichts. Ein blasses Dahinsinken, ein Auftakt ohne Folge. Wobei zweifellos etwas verwaschen und verdünnt und verdorben werden mußte, was – und dies nun stand ihm in bemerkenswerter Weise ganz außer Zweifel! – an und für sich einen höchsten Wert darstellte, der bewahrt wurde just dadurch, daß man sich eben von ihm löste.

So sah späterhin die Opferung der Sentiments bei Paul aus. Vorher hatte er natürlich seine Zeit mit der Ergoletti, so lange die noch in Wien blieb, ein paar Wochen nur; während dieser schon erhielt Paul einen informativen Brief ihres Münchener Bankhauses – auf eine postlagernde Adresse, die er der Ergoletti hatte angeben müssen, und freilich wählte Paul ein Postamt weitab der Reichsrathstraße, einmal um diese betont bei Seite zu setzen, ferner, um jede Irrtümlichkeit und Verwechslung ganz auszuschließen. Also wurde es Währing. Und es wurde ihm dieses Postamt lieb, und weiterhin die Gegend überhaupt, von wo er sich ja dann auch nach Emilia's Abreise stets die Briefe holte. Der Bankier schrieb, was ihm eben die Ergoletti aufgetragen hatte, alles zur Disposition ab 1. Juli. Die Einsendung von Pauls Unterschrift wurde erbeten. Als seine Münchener Privatadresse war zunächst diejenige der Ergoletti eingesetzt.

So ging alles an, und wie es ausging, das wissen wir ja schon: nämlich durchaus wie Emilia es gewünscht und sich vorgestellt hatte. Man glaube nicht, daß sie in München dann den Paul Harbach gleichsam pachtete. Sie bebrütete ihn nur in Abständen, und er genoß die Brut-Tage sogar sehr. Solche fanden in ihrem Hause statt, wo Paul übrigens niemals gewohnt hat, auch nicht während der allerersten Zeit in München. Sondern von Anfang an in einer Pension an der Akademie-Straße. Die Ergoletti brütete Paul auch gesellschaftlich aus, er ist in alle großen Münchener Häuser durch sie gekommen, und war gleich im ersten Fasching auch sonst überall dabei: ein tüchtiger Tänzer; das erwartete man von einem jungen Wiener; zum Glück entsprach er dem wirklich.

Paul galt als junger Herr aus reichem Hause; und das war er ja nun auch, mit seinem Monatswechsel von 500 Mark (viel für damals und für einen Studenten!). Nur eben, daß dieses Geld ja nicht vom Vater Harbach kam. Aber hierin waren sie hochdiscret, Emilia und Paul, und in anderer Hinsicht schon gar und erst recht, so daß man auch hier fast von einer Art Liebeskonserve sprechen könnte, welche die beiden, mitten im bewegten und in jeder Hinsicht abwechslungsreichen Leben der Münchener Gesellschaft, gleichsam in einer Cavität oder irgendeinem Vacuum etablierten, wenigstens während der ersten Jahre.

Es ist hier der Ort zu sagen, daß Doctor Harbach, nicht lange nachdem er sich zu München als Facharzt für innere Medizin niedergelassen hatte, Emilia alle ihm vorgestreckten Beträge zurück erstatten konnte, samt den bankmäßig berechneten Zinsen, die sie ebenfalls ohne weiteres annahm. Die Finanzkraft kam dem Doctor aber noch nicht aus der Praxis. Dies geschah erst später. In diesem Falle aber hatte der alte Harbach seinen Sohn gleichsam wieder an sich gezogen und ihn genötigt, die Gesamtkosten seines Studiums und seiner Ausbildung hintnach en bloc von ihm entgegen zu nehmen (und da rechnete er jetzt nobel, der große glatzköpfige Ofen). Das sei Pauls gutes Recht, meinte er, und anders wäre dieser den Mädchen gegenüber als Erbe benachteiligt.

Es geschah dies ungefähr um jene Zeit, als Emilia Ergoletti in ihre zweite Ehe trat, mit einem großen Maschinenfabrikanten namens Mangolf.

Das Diner fand in den ‚Vier Jahreszeiten‘ statt, und freilich war Dr. Harbach eingeladen, wie andere Freunde des Hauses auch. Dennoch, er fühlte sich, befrackt unter Befrackten, in den Vorgang allzu enge eingepackt. Begrüßt, wie die anderen, von Emilia; den Ingenieur Mangolf kannte er schon aus früherer Zeit: er war so lang, daß er Emilia erheblich überragte. Entweder war sein Kopf mit den glatt anliegenden blonden Haaren wirklich etwas klein, oder aber, er sah nur so aus, von unten nämlich, durch die Höhe. Dieser also hätte in die Familie Harbach gepaßt (Paul dacht’ es!), wahrscheinlich auch noch in anderer Hinsicht. Die Ergoletti aber schien ihre Abneigung gegen bürgerliche Kreise nun endgültig aufgegeben zu haben.

Er steckte, der Doctor Paul (sonst wahrhaft nicht ungewandt), hier und heut’ in einer Art Steifheit, die ihn von unten herauf umfaßte und hielt, nicht mehr aber den Kopf, der dies alles lächerlich fand: dem Dahingegangenen allzu lange nachzublicken nämlich (vorgeglotzt und nachgeblickt, was da nicht dazwischen liegt!). Erst nach Tische, in den Salons, als man unaufhörlich mit dem Champagner umherging, geschah eine unvermutete Lösung. Plötzlich stand sie vor ihm, ihre großgeschlitzten Augen schlugen sich feucht auf, während sie zu ihm herabschaute, groß war sie ja schon sehr und der Ausschnitt war tief, und Paul kriegte sie noch einmal ganz in den Wind, während sie sagte: „Mich freut's, Paulchen, daß Sie auch da sind." Und damit tauchte ihr langer, vom Glacéhandschuh umspannter rechter Arm herauf, wie vom Gründeln wiederkehrend, dieser Hals, und sie reichte Paul die Hand; und als er sich tief darüber beugte, geschah von ihren Fingern ein leichter kleiner Nachdruck, während sie ihn lachenden Mundes ansah.

Von da an aber war er ein Hochzeitsgast wie alle anderen auch; in seiner Art ein ziemlich außenstehender; und er begann dieses Fest sogar zu genießen.

Aber damals, wie war's? Er wollt' es wissen und fragte sich jetzt, als er, in seinen Frackmantel gehüllt, den Cylinder in's Genick geschoben, die dunkle Maximilianstraße entlang ging, gegen den Max-Joseph-Platz und die Hauptpost zu, statt gleich eine Droschke zu nehmen und heimzufahren. Er fragte sich. Und sofort einmal ward da ein Loch sichtbar: warum hatte er damals im Vorzimmer die zusammengeschnallten Eislaufschuhe bei sich getragen, unterm Arm?

Diese Augenblicke lagen acht Tage etwa nach Emilia's Abreise.

Der nächste feste Stein, auf den er im Bachbette der Zeit treten konnte, befand sich schon im Wiener Hause der Russows: ein altes Haus, in der Lenaugasse, mit sehr großen, tiefen und hohen Räumen. So auch Irma's Zimmer, in welches er mit seinen zwei ältesten Schwestern hatte eintreten dürfen: aber ganz ohne hinausgeworfen zu werden.

Sie hatte die gleiche Nase wie Emilia, hier gab es garkeine Zweifel, es genügte, ein einziges Mal nur genau hinzusehen. Und in ihrem Zimmer – mit großen behäbigen, rosengeblümten Möbeln – herrschte zwar keineswegs die Aura der Ergoletti, wohl aber fast die gleiche wie in jener Wohnung am Modena-Park, ein kühler, reiner, papierener Hausgeruch, wie nach alten Büchern. Und in Irma's Zimmer stand ein ganz kleines Piano von hellem Holze, äußerlich fast wie ein Spinett.

Dann: er wußte, daß zwischen Irma und ihm nie etwas Nennbares geschehen war, nicht einmal ein verstärkter Druck der Fingerspitzen, wie ihn heute die Ergoletti ihm noch geschenkt hatte, obwohl am Eislaufplatze, wenn man zu dritt und zu viert im Strome der anderen dahinglitt (ein Blasorchester unter einer Kuppel spielte) gerade genug Gelegenheit dazu gewesen wäre: denn man hielt sich ja an den Händen. Hier, auf der weiten Eisfläche aber, bei unaufhörlich schleifenden Geräuschen von allen Seiten, war, mitten in frischer Kälte, jener Hausgeruch aus Irma's Zimmer in der Lenaugasse wie hergeweht zu spüren gewesen, und er hatte Irma, die hier neben ihm dahinglitt und deren Hand er hielt, noch weit anwesender gemacht als ihre leibliche Gegenwart das bewirken konnte.

Später kam das Gespräch mit dem Vater; und da war Irma längst entschwunden.

Man sah vom Zimmer des Vaters auf die Rückfront des Universitätsgebäudes.

War das vor oder nach der Matura gewesen?

Wahrscheinlich nachher. Im Hochsommer schon. Die Familie ansonst draußen in Hacking auf der Villa.

„Du willst also nicht auf der Technischen Hochschule inscribieren?"

„Nein, Papa. Ich werde Medizin studieren. Und zwar nicht in Wien, sondern in München."

„Du wirst . . . ich glaube, ich werde meinerseits hier ein Wort mitzureden haben. Denn schließlich brauchst du mich ja auch dabei."

„Nein, Papa. Es kommt nicht in Betracht, daß du ein Hochschulstudium finanzierst, welches ich gegen deinen eigentlichen Wunsch und nur mit deiner Duldung beginne. Es ist bei mir für alles auf's beste gesorgt. Ich möchte in einigen Tagen reisen."

Der Vater sah ihn an, sagte aber nichts, und schritt aus dem

Zimmer, jedoch ganz ohne die Tür etwas kräftiger zu schließen. Bald danach ging auch Paul.

‚Es war bestimmt schon nach der Matura‘, dachte er jetzt, den Max-Joseph-Platz verlassend, in der Residenz-Straße. ‚Denn ein paar Tage später war ich schon hier in München. Pension Elite.‘

Wenn fünf hübsche Töchter, seien sie auch etwas lang geraten, in einem reichen Hause bleiben – bei den jüngsten kam allerdings jetzt erst die optimale Zeit hoher Notierung heran – so wird man erfahrungsgemäß die Ursache dafür am ehesten bei der Mutter finden. Denn auf jene Art von jungen Herren der (‚dritten‘) Gesellschaft, die wegen einer gefünftelten Mitgift Bedenken trugen, wäre von Seiten der Eltern wie der Töchter wohl noch zu verzichten gewesen. Auch sind solche kalte Schnauzen garnicht so häufig (denn es gehört schon was dazu). Die Mutter Harbach, wie sie jetzt den beiden, langen Engländern‘ (so nannte sie Robert und Donald bei sich) entgegen wallte, war eine schöne Frau, und sie übte das auch aus, und vermochte sich noch lange nicht von diesem durch ein ganzes Leben geliebten und geübten Metier und der damit verbundenen Raumverdrängung durch die eigene Person zu trennen: sehr im Gegenteile; ihre Passion in dieser Richtung war zusehends heftiger geworden. Man muß aber hier sich daran erinnern, daß zu jener Zeit eine Frau über Fünfzig bereits als alte Dame galt; die war nun Frau Harbach wirklich nicht, und sie befand sich auch weit davon entfernt, eine solche Rolle zu übernehmen. Das aber tat dem Pferdestall nicht gut. So wird man kein Stallmeister, der seine Gäule vorführt und placiert. Das wollte sie natürlich auch. Aber es gelang ihr nicht. Man konnte die Pferde nie recht sehen, genau genommen, sie drängte sich dazwischen, sie stand ihnen im Lichte. Und jenes verdächtige aber unleugbare Fluidum, das sich zwischen jeder schönen und über-reifen Frau und jedem sehr jungen Manne immer und sofort spüren läßt, lenkte die Aufmerksamkeit stets von Hilda oder Grete oder Jenny, oder wie sie da schon jeweils heißen mochte, ab und ließ die Lebens-Spannung und den

Stand des Selbstwert-Pegels bei der Mutter steigen, ohne daß je was überfloß, ohne daß je was Unerlaubtes zugelassen, versucht oder gar effektuiert wurde. Aber doch ward so manches Gespinst, das sich um eine Hedi oder Pipsi (besonders die Jüngsten hatten neuestens zu leiden!) schon zusammenziehen wollte, gestört und zerschnitten, wo doch eine offizielle Effektuierung, beziehungsweise die Vorbereitungen zu einer solchen, wahrlich am Platze gewesen wären; und mit hoher, ja, höchster Zeit, was Hilda oder Grete betraf. Nein, so verkauft man keine Pferde. Die jüngste Tochter, Pipsi, war übrigens als einzige kein solches, sondern etwas kleiner, schon normaleren Maßes.

Sie war dunkel, die Frau Harbach. Das Blond der Töchter kam vom Vater her. Heute war es bei ihm längst unsichtbar geworden, und Herr Ingenieur Harbach – übrigens ein außerordentlicher Textil-Technologe – glatzte spiegelnd garnicht weit unter dem Kronleuchter, was allein die Engländer sehen konnten, die seine Ofengröße noch um ein geringes überragten (und auch sämtliche Hildas). Seine Frau gab ihm an Imposanz nicht viel nach, in keiner Dimension, und in einigen übertraf sie ihn naturgemäß bei weitem. Ihr Décolleté jetzt im Abendkleid war ein makellos gleißender Gletscher. (Harbach ist übrigens für eine schöne, reife und üppige Frau ein fürchterlicher Name; gleichsam in Schwebe über Abgründen.)

Man sieht, daß sowohl Robert (als Witwer) wie Donald, als sein Sohn, hier hoch notieren mußten. Es bleibt immer eine mindere Sache, als Sohn hoch zu notieren, aber die meisten Söhne von solcher Sorte fühlen sich davon nicht gestört, ja, sie genießen es geradezu; kaum jemals spüren sie, daß da was nicht stimmt. Auch Donald spürte nichts, genoß aber den Sachverhalt kaum. Wir haben auch sonst wenig Gespür bei ihm bemerkt, bisher; höchstens im Traum; und das war längst vergangen.

Eine Hilda kam heran, und es ging wie gewöhnlich: die Mutter hatte schon fluidische Spannung zwischen sich und Donald etabliert (so vermeinte sie sieghaft, aber Donald war eben Donald und ohne Gespür), die Tochter stand dann weiterhin dumm dabei, und trollte sich wieder.

Gleich danach wurden die beiden Herren von dem Commercialrate Gollwitzer begrüßt. Von diesem Mann hatte Robert Clayton einst die Villa im Prater gekauft, wie man sich vielleicht erinnert. Gollwitzer war nun freilich schon ein alter Schurk' und Widerling geworden (damals war er ein junger von solcher Art, also eigentlich auch schon alt gewesen; derartige Leute werden bald rundum nur mehr mit Vorsicht genossen: und leben dabei angenehmer und, vor allem, unbelästigter als alle anständigen Menschen). Nun hatte aber Gollwitzer für Clayton auch heute noch einige Bedeutung: sie lag nicht so sehr in der Position, die jener sowohl in der Handelskammer wie im Industriellenverband einnahm, als vielmehr darin, daß Gollwitzers Bruder in Bukarest Mitinhaber der Firma Gollwitzer & Putnik war, damals das größte Handelsunternehmen für landwirtschaftliche Maschinen, Werkzeuge und Behelfe aller Art auf dem Balkan, jedoch ohne Fabrikation. Durch Milo's Freund, den jungen und rührigen Ingenieur Wosniak, war die Verbindung zwischen dem Bukarester Hause und den Engländern hergestellt worden, die denn auch späterhin Gollwitzer & Putnik die Generalvertretung für Rumänien überließen. Daß diese Firma übrigens nicht rumänischer Herkunft gewesen ist, geht schon aus ihrem Namen hervor.

Die drei Herren – Robert, Donald und Gollwitzer (später kam noch der alter Doctor Eptinger hinzu) – saßen bei ihrem folgenden Gespräch längst in der Ecke eines rückwärtigen Salons. Über den leichten und zierlichen Fauteuils hier schwebte, wie daheim in der Clayton-Villa, eine Lampe mit breitem Schirme.

Der Gollwitzer fragte Robert Clayton, wie er denn mit der Feuchtigkeit fertig geworden sei in der Pratervilla und der Nässe in den Kellern – ein Umstand, aus dem beim Verkauf des Hauses damals kein Geheimnis hatte gemacht werden können. Robert sagte, man sei sehr bald mit dieser Sache fertig geworden, durch eben zu jener Zeit neu auf den Markt gekommene Trocken-Öfen, von der und der Marke und Firma. Heute freilich habe man einfach die Zentralheizung auch im größten Teil des Kellers installiert. Donald, der den Commercialrat gerade gegenüber hatte, sah, daß dieser sich über das Gehörte garnicht im geringsten freute oder davon befriedigt oder erleichtert war; etwas vorgebeugt in seinem Sessel sitzend, blickte er aufmerksam auf den Vater, und nahm ganz offenbar nur einfach zur Kenntnis, daß jemand einen Schaden, der von ihm selbst als sicher vorausgesehen worden war, nicht gehabt hatte. Ja, sein Gesichtsausdruck war nahezu so, als habe er eben jetzt eine nicht gerade günstige Nachricht empfangen. Ein Schaden für jemand anderen war ausgeblieben. Schade. Hinter Gollwitzers gleichsam auf altwienerische Gemütlichkeit zurechtgelegter Physiognomie – mit Koteletten á la Schubert und einem volkstümlichen Schnurrbart – sah Donald plötzlich etwas Furchtbares, eine furchtbare Schädlichkeit, und, noch schlimmer, er fühlte sie als weit überlegen. Die Empfindung davon war so intensiv, ja, sie war so wenig von seiner eigenen Art, wie er sich kannte, daß sie als ein Fremdkörper in ihm stand. Donald fühlte hier Furcht, Antipathie und Staunen zugleich.

Man sprach noch von jenen Öfen. Seine plötzliche und lebhafte Abneigung gegen das Gesprächsthema als solches schon mußte Donald freilich nur für eine Abneigung gegen den Gollwitzer halten. Die Selbsttäuschung war hier ganz unvermeidlich. In diesen Augenblicken drang der Gollwitzer tief in Donald ein, ja, bis in's Grundgeflecht, möchte man sagen, bis in die ungelichtet und unerforscht zurückgebliebenen Forste der frühen Jugend. Donald fühlte sich so sehr überrannt vom eigenen Empfinden, wie noch nie, seit er denken konnte, oder höchstens im Traum. Er war der Lage nicht gewachsen; und ließ sie gern dahinten, ohne sich ihr zu stellen (wie denn auch?!), als sein Vater, zu ihm geneigt, halblaut auf englisch sagte: „Du müßtest dich ein wenig um die Töchter kümmern." So entwich Donald einem Kreis älterer und alter Herren, der sich jetzt und hier bildete, zunächst durch das Herantreten und Platznehmen des Doctors Eptinger, weiterhin der Herren von Chlamtatsch und des Sektionschefs Franz von Wasmut, der dem Ministerium des Kaiserlichen Hauses und des Äußeren angehörte (die beiden letzteren Herren scheinen uns schon irgendwo begegnet zu sein).

Donald trieb unter den Hilda's und Pipsi's um. Seine Abwesenheit war dabei eine vollkommene. Wäre er jetzt frontal auf Frau Harbach gestoßen und auf ihre bedeutenden orographischen Sachverhalte: selbst sie, bei der doch allezeit der Wunsch der Vater aller Vorstellungen war, hätte die Abwesenheit fluidischer Spannung bei ihm erkennen müssen. Aber Donald stieß nicht auf jene Berglandschaften; sie hatten sich eben, drei Zimmer weiter weg, zwischen die unglückliche Jenny und ihren Gesprächspartner geschoben, eben als der Partner einer zu werden begann.

Blieb doch Hilda. Durch eine Art Schleier empfand Donald sie als akzeptabel, als Hilfe, als augenblickliche Stütze. Wie hinter einer Wand, ja, hinter der violetten Seidentapete des Raumes, standen hier alle Möglichkeiten, jedoch gleichsam gelähmt. Sie sprach englisch zu ihm, und er antwortete ebenso, obwohl sich die Claytons in Wien längst angewöhnt hatten, sogleich deutsch zu antworten. Dadurch erhielt das Gespräch für Donald etwas ausnahmehaftes, und entsprach für ihn seinem eigenen Zustande. Herr Harbach, der im Vorbeikommen hörte, wie seine Tochter eben dem jungen Clayton in englischer Sprache fließend entgegnete, freute sich darüber.

Robert, als die beiden, auf der Suche nach einem Eckchen zum Plaudern, durch das Zimmer schritten, wo er mit den anderen älteren oder alten Herren saß, dachte flüchtig, daß er mit den ‚Töchtern‘, um die sich Donald kümmern möge, wohl eigentlich die jüngeren gemeint habe. Der Doctor Eptinger erzählte eben von seiner Nichte Monica Bachler, die jetzt aus der Schweiz zurückgekehrt sei, um nunmehr hier die neue Niederlassung einer dortigen Firma zu leiten, bei der sie schon über zehn Jahre tätig sei: ein großer Fachverlag für Ingenieurwissenschaften und Technik, der auch mehrere Zeitschriften herausgebe. „Kenne ich“, sagte Clayton. „Ist so gut wie unentbehrlich. Diese Publikationen erscheinen zum Teil auch englisch. Aber sagen Sie mir, verehrter Herr Doctor, da muß ja Ihre Nichte solche Sachen studiert haben?“ „Ja, freilich“, entgegnete der alte Eptinger, „sie ist diplomierter Maschinen-Ingenieur.“ „Na, so etwas!“ rief

Herr von Wasmut, „ich glaube, das gibt es bei uns garnicht. Die Technische Hochschule hat, so viel ich weiß, keine weiblichen Studenten." „Sie hat in Zürich das Polytechnikum absolviert", sagte Eptinger. „Ich finde das geradezu großartig, Herr Doctor", warf der Herr von Chlamtatsch ein, „wenn ich fragen darf, wie alt ist Ihr Fräulein Nichte?" „Sie wird so circa sechsunddreißig oder siebenunddreißig sein", sagte der Rechtsanwalt. „Dazu gehört doch große Begabung, eine Menge Talent, mein' ich!" „Ja, das hat sie", sagte Eptinger. Der ganze für die damalige Zeit wirklich höchst ungewöhnliche Fall – übrigens könnte so etwas auch heute noch als Ausnahme gelten – hatte fast eine Art Aufregung unter den anwesenden Herren hervorgerufen. Wieder sah Robert Clayton den Donald mit der ältesten Tochter des Hauses vorbeikommen. Er schüttelte leicht den Kopf, fast nur innerlich, man hätte es nicht bemerken können.

Der ‚Metternich-Club' hatte sich diesmal in dem großen Zimmer versammelt, das der Gymnasiast Fritz Hofmock bei seinen Eltern bewohnte. Es war dieser Raum mit neueren und nicht unelegantem Möbeln ausgestattet (Firma Portois & Fix), die etwa den Stil des Empire nachahmten. Über solcher Grundierung schien diese Welthöhle da und dort vom persönlichen Anhauch ihres Bewohners beschlagen. Auf einem Bücherbrett standen sämtliche Bände von Metternichs nachgelassenen Papieren; davor in einer kleinen Vase eine weiße Nelke. Eine solche Nelke trugen bei den formellen und eigentlichen Clubsitzungen alle drei ordentlichen Mitglieder – Heribert von Wasmut, Zdenko von Chlamtatsch, Fritz Hofmock – und auch das außerordentliche Mitglied, Augustus Cunish aus Montreal. Zu seiner Aufnahme war eine formelle Sitzung einberufen worden, bei welcher er die bereitgehaltene Blume erstmals in's Knopfloch erhielt (sie war im Winter etwas kostspielig). Jedes ‚Vereinsabzeichen' wurde von den vier jungen Leuten verabscheut. Mehr Personen umfaßte der Club nicht. Er verdankte seine Entstehung wesentlich der aufrichtenden Wirkung, welche ‚die Engländer‘, denen man fast regelmäßig auf dem Schulweg begegnete, ausstrahlten (freilich machten Clayton bros. die paar Schritte von der Villa über die Brücke in's Geschäft stets zu Fuß). Zwischen jener Doppel-Erscheinung – sie war ein Tabu, sie wurde nie erwähnt – und Augustus Cunish bestand für die Gymnasiasten in der ersten Zeit keinerlei Zusammenhang. Von Augustus wußten sie wohl, daß er in der Prinzenallee wohnte, in einer Villa, die Eigentum seines Onkels war (das empfahl). Der Metternich-Club bildete – im Geiste seines Gründers Zdenko von Chlamtatsch, jedenfalls hatte dieser dazu den ersten Anstoß gegeben – praktisch einen Lern-Club. Die Statuten verpflichteten jedes ordentliche oder außerordentliche Mitglied zur korrekten und zeitgerechten Erledigung aller Schularbeiten und Praeparationen. (Für Augustus war das eigentlich immer selbstverständlich gewesen.) Schulsorgen und Prüfungs-Ängste galten als indiskutabel, und, vor allem, als im höchsten Grade unelegant. Statutenmäßig hatte jedes Mitglied die Clubcollegen beim Studium zu unterstützen, wobei freilich die starken und schwachen Seiten eines jeden einander gut ergänzten (das war der größte Vorteil bei der ganzen Sache, denn der eine war besser im Griechischen und der andere in der Mathematik, und so kamen am Ende alle auf ein erhebliches Niveau). Bei den gewöhnlichen und häufigen Zusammenkünften controllierte man vor allem die Kenntnisse und im besonderen die Praeparation für den folgenden Tag. Laut Statut hatte jedes Mitglied morgens sorgfältig Toilette zu machen und sich spätestens zehn Minuten vor Beginn des Unterrichts im Gymnasium einzufinden. Ein kleiner schlendernder Umweg auf dem Wege dahin war geradezu ein point d'honneur. Man ließ sich dabei gerne antreffen. Die Statuten des Clubs waren schriftlich fixiert, von den ordentlichen und dem außerordentlichen Mitgliede unterzeichnet. Ihr Aufbewahrungsort war beim Titelblatte des ersten Bandes von Metternichs nachgelassenen Papieren.

Sie wurden wirklich von allen Vieren penibel eingehalten, diese Statuten.

Man kann sich leicht denken, daß sie den Horaz in der Schule auswendig mit Schwung vortragen, den Gorgias Meno fließend übersetzen konnten, daß sie historische Daten nur so herunterratschten, und bei der mathematischen Schularbeit eine Viertelstunde vor Schluß schon alle vier Beispiele korrekt gelöst hatten.

Es entstand zwischen diesem Quartett und der übrigen Klasse eine gewisse Distanz.

Des Augustus Schulweg hatte mit dem der anderen kein Stück gemeinsam. Ganz ebenso wie der Gang von Clayton bros. in's Bureau, führte dieser hier über die Brücke, jedoch dann links bergan durch die lange und gerade Sophienbrückengasse. An ihrem oberen Teile lag das Gymnasium. Augustus sah immer in die geöffnete Fernsicht, wenn er, statutengemäß ohne jede Eile, morgens über die Brücke schritt. In der Mitte lief, zwischen dem gittrigen Gerüst gewaltiger Eisenträger, die Fahrbahn. Links und rechts davon ging man auf breiten Trottoirs. Augustus ging meistens rechts und kreuzte die Straße erst nach der Brücke. Vom rechten Gehsteig sah man den leicht biegenden Donaukanal stromaufwärts bis zum Viadukt der Eisenbahn, der als ein schmaler kühner Strich jetzt im winterlichen Grau der Ferne schwebte. Manchmal blieb Augustus auf der Brücke stehen. Er war ein mittelgroßer aber dicklicher Bursche; seine Bewegungen schienen gemächlich, ja fast träge. Er ließ sich Zeit. Sein Verhalten beim Gang zur Schule entsprach durchaus den Statuten des M.C. (Metternich-Club). Während der ersten Zeit aber machte Augustus keine Umwege.

Es ist zu fragen, warum die Sitzungen des M.C. gerade bei Hofmock stattfanden und nicht etwa bei Zdenko von Chlamtatsch. Darauf wäre zu antworten, daß jede neue Sache den Händen ihres Initiators entgleitet und in die eines Organisators übergeht: und damit hätten wir Zdenko und Fritz schon in bezug aufeinander richtig geortet. Außerdem besaß Fritz den monumentalen Block der Ausgabe von Metternich's Schriften (ein Geschenk seines Vaters, der sie in der Bibliothek gehabt hatte) und die Topographie des Mobiliars im Zimmer machte, durch die zentrale Lage eines Büchergestelles aus rötlichem Mahagoni, jene Reihe von Bänden wirklich zum Mittelpunkte des Raums. Vor den Büchern war genug Platz für die weiße Nelke in einer Vase: Fritz ließ sich dies was kosten, oft auch im Winter; jedenfalls aber vor jeder formellen Sitzung.

Bei einer solchen war übrigens der Gebrauch des Deutschen ausgeschlossen – dieses blieb auf die Lern-Sitzungen beschränkt – es sei denn, man hätte gemeinsam einen in deutscher Sprache geschriebenen Abschnitt aus dem Metternich gelesen. Die Conversation darüber wurde jedoch französisch geführt. Neuestens aber zog man bei den Lesungen die Correspondenz des Staatskanzlers mit der Gräfin Lieven – der Frau des damaligen russischen Botschafters in London – am meisten vor. Es sind diese Briefe durchwegs französisch verfaßt. Die Umgangs-Sprache der Mitglieder des M.C. außerhalb von Sitzungen jedoch war englisch.

In beiden Punkten gewann Augustus sogleich Funktion und Bedeutung im Club. Denn das Englische war ja seine Muttersprache und Französisch sprach er fließend von Kindheit an. Es ist die Zweisprachigkeit typisch für die Gegend in Canada, aus welcher Augustus stammte. Französisch und Englisch der drei ordentlichen Mitglieder des M.C. aber waren in ihrer Grundlage das zu Wien dazumal in solchen Kreisen übliche Gouvernanten-Produkt, späterhin durch Lektüre gehoben und ergänzt, grammatikalisch canalisiert jedoch erst dadurch, daß alle drei Buben von der ersten Gymnasialklasse an die beiden Sprachen als Freigegenstände gewählt hatten. Summa: es ging grad an. Hier wurde Augustus unschätzbar. Von ihm erst lernten sie eigentlich, sich französisch und englisch auszudrücken.

Beides erscheint einem M.C. angemessen. Der Staatskanzler ist nicht nur ein französischer Stilist von Rang gewesen – den die Franzosen sozusagen als einen der ihren beanspruchen, wie sein von Hanoteau in Paris 1909 herausgegebener Briefwechsel mit der Gräfin Lieven beweist – sondern er hat beispielsweise auch, und das bezeugt uns Franz Grillparzer, nach einem Déjeuner in Neapel, zu welchem er den dort gerade anwesenden Dichter gebeten hatte, einen ganzen Gesang aus einem neuen Werke des Lord Byron in englischer Sprache aus dem Gedächtnis beim schwarzen Kaffee rezitiert (so sahen damals die Politiker aus).

Es gehört nun hierher, daß Robert Clayton, als er wieder einmal nach Canada an die Verwandten schreiben wollte, für angezeigt hielt, sich vorher über des Augustus Fortgang im Gymnasium zu erkundigen. Denn aus Augustus war nicht viel heraus zu kriegen über ein „quite well" und „all right" hinaus; auch erzählte er nie etwas aus der Schule oder von den Kameraden, die er dort hatte. Doch war es nicht eine Unbeteiligtheit und Unberührbarkeit, die ihm eignete, wie etwa Donald; das spürte man. Vielmehr schien ihm alles viel Spaß zu bereiten, er lachte verschmitzt und vielleicht sogar etwas hinterhältig. Das dicke Bürschlein war maulfaul, so schien's zu sein. Robert machte sich eines Vormittags auf den Weg in's Gymnasium.

Clayton wandte sich, als er die Brücke passiert hatte, nach links und folgte der langen geraden und bergan führenden Straße. Das enorm ausgedehnte Schulgebäude hatte eine Art Zwillings-Gestalt und zwei große Eingänge; deren erster führte zu einer Lehrerbildungs-Anstalt, die ebenfalls hier untergebracht war. Robert ging zum zweiten Eingang. Er kannte dieses Haus, denn er hatte ja im Herbste Augustus hier einschreiben lassen. Auf den breiten Gängen mit dem Boden von Steinfliesen war es jetzt, während des Unterrichtes, leer und still. Aus den Klassenzimmern hallte da und dort eine Stimme. Als er auf den Gang vor der Direktions-Kanzlei und dem Konferenz-Zimmer kam, fiel ihm der Name des Klassenvorstandes nicht ein. Der dicke Bursch hatte ihn ein einziges Mal erwähnt. Clayton wußte also nicht einmal, nach wem zu fragen war. In diesem Augenblicke trat, nicht ohne Würde, ein dicker großer Mann in dunkler Uniform mit gelben Knöpfen und schwarzer Kappe aus der Direktions-Tür, offenbar eine Art Pedell. Robert grüßte höflich und fragte, ob es möglich sei, den Vorstand der Klasse VII a zu sprechen. Die Klasse wußte Clayton freilich. Ansböck, so hieß der Direktionsdiener, stutzte ein wenig, denn im allgemeinen wurde nach den Professoren mit Namen gefragt, auch pflegte niemand

‚Vorstand der Klasse' zu sagen, sondern eben Klassenvorstand, auch ‚Ordinarius'.

Es sei zwar jetzt keine Sprechstunde, bemerkte Herr Ansböck höflich und mit der Gravität eines Organes, das für Größeres dasteht, aber doch eben mit diesem Größeren sich identisch weiß; jedoch sei Herr Professor Doctor Petschenka zur Zeit nicht im Unterrichte, sondern hier im Konferenz-Zimmer, und er wolle den Herrn anmelden. „Clayton, Oheim des Schülers Cunish", sagte Robert. Jedoch kam es nicht so weit. Eine Tür öffnete sich und der Gesuchte, ein kleiner Herr in jüngeren Jahren, trat heraus. Ansböck meldete ihm halblaut und respektvoll den Besuch und entschritt.

Doctor Petschenka trat näher und die beiden Herren machten sich bekannt.

Die Art, wie Clayton hier erschien – ungebeten und außerhalb der Sprechstunde – war gerade diejenige, in welcher Eltern und Angehörige solcher Schüler in alarmierter Weise hierher zu kommen pflegten, die vor dem Durchfallen standen. Robert konnte das freilich nicht wissen, auch nicht, welch ein Kreuz durch solche Eltern (und Schüler) den Lehrern auferlegt war. Für ihn blieb nur die etwas reservierte Haltung des Herrn Professors bemerkbar. Es war Herr Doctor Petschenka ein vortrefflicher Philologe und geschickter Lehrer. Nur neigte er sehr zum Ärger, und wurde dabei nicht rot, sondern blaß. Seine Schüler hatten diese bedenkliche Erscheinung längst registriert. Auch ging ein Vers um:

> *„Petschens holdes Angesicht*
> *hat Quadratform, irr' ich nicht."*

Es stimmte so ungefähr. Irgendetwas unheimliches war hier also vorhanden. Der Beruf eines Gymnasialprofessors übertreibt allerdings jeden Charakter, weil er ihn täglich mit dreißig bis vierzig gesammelten anderen Charakteren zusammenstoßen läßt. In wenigen Berufen wird ein Mensch derart fortgesetzt exponiert.

Als Doctor Petschenka hörte, um wen es sich handelte, ging seine Reserve offensichtlich in Erleichterung über. Jetzt aber schien er sich über Clayton's Besuch zu verwundern. „Ja, Mr. Clayton", sagte er, „da ist nicht viel zu bemerken. Ihr Neffe Augustus wird möglicherweise noch heuer Klassenerster oder ‚Primus' werden, wie man zu sagen pflegt, denn ich höre von den Kollegen der anderen Fächer, daß dort die Leistungen ebenso gut sind wie in meinen Gegenständen. Die Hauptbegabung dürfte allerdings bei ihm mehr im Realen liegen, jedenfalls steht er in der Physik und Mathematik eindeutig auf ‚vorzüglich', wie mir College Doctor Travniček gestern gesagt hat. Auffällig ist die stets außerordentlich gründliche Praeparation im Lateinischen und Griechischen, die er zeigt. Im ganzen gibt der Schüler allen Anlaß zur Zufriedenheit."

Sieh da, den fetten Burschen! dachte Clayton.

„Es ist erstaunlich, wie er die deutsche Sprache beherrscht", fügte Petschenka noch hinzu, „auch die Literaturkenntnisse sind gut, wie in der letzten Konferenz der germanistische College erwähnt hat. Außerdem, Mr. Clayton, zeigt Ihr Neffe noch eine andere bemerkenswerte Begabung."

Der Professor lächelte. Es war ein eigentümliches Lächeln, das nur an der äußersten Oberfläche des Gesichtes geschah. Er hatte es sich abgerungen. Das war zu spüren. Im Lächeln waren seine oberen Schneidezähne sichtbar geworden.

„Und das wäre?" fragte Clayton.

„Eine Begabung in der Wahl seines Umganges", sagte Petschenka, und fast schwand sein Lächeln dahin und schien jetzt irgendein fühlbares Ressentiment nicht ganz bedecken zu können. „Sowohl in der Anstalt, während der Pausen, meine ich, wie neuestens auch auf der Straße, auf dem Schulwege, soviel ich beobachten konnte, sieht man Ihren Neffen nur mit den Spitzen der Klasse" (dieser Ausdruck hatte schon ganz offenbaren ironischen Unterton) „ich meine mit den besten und aussichtsreichsten Schülern" (auch dies nicht ohne Ironie). „Das Benehmen dieser jungen Leute entspricht dem künftiger akademischer Bürger."

Diese studentische Charakteristik hätte die ordentlichen Mitglieder des M.C. maßlos geärgert, dem außerordentlichen Mitgliede aber wär's vielleicht nicht ganz verständlich gewesen. Doch ist im Club nichts davon bekannt geworden. Denn Clayton hat Augustus gegenüber von seinem Besuch im Gymnasium keine Erwähnung getan. Nicht etwa absichtsvoll und aus irgendwelchen pädagogischen Gründen unterließ er's: sondern, nachdem Robert Clayton sich einmal aufgerafft hatte, den Erkundungsgang in die Schule zu tun und seine Sorgen dort los geworden war, vergaß er's glatt. Geschäftliches trat noch am gleichen Vormittage dazwischen, und hocherfreulich: Gollwitzer & Putnik in Bukarest bestellten fest nicht weniger als vierzehn genau spezifizierte Maschinensätze. Das war unter der heutigen Morgenpost gelegen. Donald hatte ihm gleich in der Tür des Comptoirs mit dem Brief in der Hand gewinkt, eben im Begriffe, damit in's Werk und in's Lager zu gehen. Der Absatz auf dem Balkan nahm ständig zu. An diesem Tage, beim Lunch in der Villa, beschlossen übrigens Robert und Donald, die Prämien des Ingenieurs Wosniak in Belgrad, der nach wie vor für sie erfolgreich tätig war, zu erhöhen.

Nachdem Clayton sich von Doctor Petschenka zeremoniös verabschiedet hatte, ging er über die Steinfliesen des breiten Corridors zur Treppe und sah, deren Ausmündung genau gegenüber, unter Glas und Rahmen eine große Tafel hängen, die eine Liste sämtlicher Professoren der Anstalt, ihrer Fächer und der Klassen zeigte, in welchen sie unterrichteten. Er blieb davor stehen und hatte bald die Lehrkräfte der VII. Klasse a beisammen. Nun gut. Hier hätte er sich früher orientieren können. Der Direktor des Gymnasiums stand obenan. Er war sogar Regierungsrat. Die ganze Tafel zeigte eine höchste Sorgfalt der Ausführung, mit der Rundfeder geschrieben und mit roten Initialen.

Aus den nahegelegenen Klassenzimmern hallten Stimmen gedämpft in die Stille.

Irgendwo saß da auch der dicke Augustus.

Nun, das Erfahrene genügte für den Brief nach Canada.

Clayton stieg die Treppen hinab. Die verglasten Klapptüren unten schwangen hinter ihm aus. Er sah einen Augenblick zur Decke der Vorhalle hinauf und bemerkte die in lebhaften Far-

ben, blau und rot, ausgemalten Zwickel des Gewölbes. Das gold-
gesprenkelte Ornament gefiel ihm. Es war dies wohl vor Beginn
des Schuljahres frisch gestrichen und gemalt worden. Was aber
hatte die Malerei mit den Leistungen des Augustus im Griechischen und in der Mathematik zu tun . . . Der Wintertag schien
ihm sehr warm, als er vor dem großen Schultor auf dem breiten
und hier asphaltierten Gehsteige stand. Beim Heraufgehen durch
die lange Gasse war ihm das nicht aufgefallen; Clayton folgte
dieser jetzt bergab. Auf der anderen Seite waren keine Häuser,
sondern es zog sich eine mit Pflastersteinen belegte Böschung
hin, die an Höhe zunahm, je mehr die Straße absank. Darüber
gab es eine Mauer und es sahen die Bäume eines Gartens hervor.
Clayton ging bergab und dachte an Hilda Harbach, auch daran,
daß Donald sich damals mehr um die jüngeren Mädchen hätte
bemühen sollen. Der langen Gasse folgend wurde er jetzt erst
dessen inne, daß er den Heimweg zur Villa nahm, statt in's Bureau
zu gehen. Nun wandte er sich bei der nächsten Ecke nach links.

So also betrieben jene Bürscheln ihr Gymnasial-Studium wie
andere irgendein anderes Geschäft betreiben, und den drei ordentlichen Mitgliedern des M.C. war es kaum mehr bewußt, daß
die ‚beiden Engländer' ihnen die Weiche in ein solches Gleis gestellt hatten (sie fuhren auch weiter gut darin), freilich ahnungslos, und anfänglich nur durch die auf Zdenko von Chlamtatsch
wirkende Faszination. Noch immer lernten sie aus dem Grunde
fleißig, weil es unelegant war, Schulsorgen zu haben. Nun,
gleichgültig, welchen Schlüssel man benützt, um eine Situation
zu erschließen: wenn er nur aufsperrt.

Dem Robert Clayton wurde hintennach schon noch klar,
flüchtig und gelegentlich, daß bei dem vortrefflichen Professor
irgendwas nicht ganz stimmte in bezug auf die jungen Leute, mit
denen Augustus umging, wie er gesagt hatte. Hier war ein Ressentiment vorhanden. Kleine Verhältnisse. Ein so hochgebilde-
ter Mann müßte wohl ganz anders honoriert werden. Er sah
schon recht, der Fabrikant.

Das Wetter blieb warm indessen, so wie es an dem Tage gewesen, als Robert sich in's Gymnasium begeben hatte. Doch konnte ja vom Frühling noch keine Rede sein. Im Garten war alles feucht, schwarz und graugrün. Donald stand an der Rückseite des Hauses, hatte die Schultern hochgezogen, die Hände in den Hosentaschen vergraben und hielt die Pfeife zwischen den Zähnen, so daß sie fast waagrecht hervorstand (nicht wie bei seinem Vater – es gab einige solcher Unterschiede, aber eben nur kleine). Der Hausmeister kam um die Ecke zum rückwärtigen Eingang, um in den Keller zu steigen und nach der Zentralheizung zu sehen, die man nun seit einigen Jahren hatte. Sie mußte reguliert werden, die Heizwirkung für jetzt war zu stark.

Donald ging mit Broubek. Er war nie hier unten gewesen. Der Hausmeister öffnete am Ende der schmalen Treppe eine eiserne Tür. Die Wärme war stark, überraschend. Außerdem war es hier fast behaglich. Ein Vorraum, ein Kabinett. Unter dem hoch gelegenen Fenster Tisch und Sessel; am Tisch eine Zeitung; auf ihr des Hausmeisters Brille. „Da ist sie ja!" rief Broubek. Er mußte hier, wenn er die Heizung bediente, oft längere Zeit warten, um dann zu sehen, ob die Sache richtig angegangen sei. Es war eine für unsere heutigen Begriffe altmodische Apparatur. Von dem Kabinett kam man in den Raum mit dem Kessel. Broubek schaltete das elektrische Licht ein. Es lief der Strom hier herunten in dicken Kabeln. „Geht's da weiter?" fragte Donald und wies auf eine zweite Eisentür. „Ja", sagte Broubek, „in die Keller." Er sprang beflissen hin, öffnete die Tür und schaltete nebenan das Licht ein.

Donald sah in den warmen und trüben Raum, darin linker Hand ein Mauerbogen über einem Gange stand, der weiterführte. Rechts in der Ecke dunkelte irgendwelches umfängliche Gerät, mit Sackleinwand bedeckt. „Das sind die alten Trocken-Öfen", sagte Broubek, „die waren sehr gut. Man könnt' sie auch jederzeit wieder aufstellen, sie sind ganz in Ordnung. Solid gemacht. Aber jetzt ist ja in den vorderen Kellern Zentralheizung. Auch im Sommer feuer' ich von Zeit zu Zeit an. Es wird nicht mehr feucht, und naß schon gar nicht. Schaun Sie, Mister Donald, da sieht man's. Das hab' ich damals hier festgemacht, wie die Öfen aufgestellt worden sind, wird bald dreißig Jahr' her sein; bei den Öfen war's dabei. Keine Feuchtigkeit."

Broubek schlug mit der Hand auf eine große Papierfläche, welche die Rückwand zum Teil bedeckte. Das Plakat hätte allerdings längst zerfallen sein müssen, wäre es hier so feucht geblieben wie's vordem gewesen war.

Donald wandte sich herum. Sofort war das Wieder-Erkennen der Darstellung auf dem Plakate da: der wütende, glühende Ofenrachen mit den hochgeschwungenen Armen und Fäusten, die links und rechts aus des Ofens Körper wuchsen; die fliehenden, klagenden Schwaden und Schwämme. Durch einen winzigen Augenblick bot es sich Donald an, eine neulich empfundene unbegreiflich heftige Abneigung als das zu erkennen, was sie zum guten Teile war: die Erinnerung an einen peinvollen Eindruck aus der Kindheit. Aber alsbald verlor sich's wieder. Donald war ein nach außen gewandter Mensch. Er besaß sozusagen keine innere Routine. Auch die inneren Zufälle muß man am Schopfe zu greifen verstehen.

So sagte er denn irgendetwas zu Broubek und ging nach oben. Merkwürdig blieb es doch – wenngleich naheliegend – daß während des Dinners (bei welchem stets auch Augustus, entsprechend geschniegelt und gekleidet, zu erscheinen hatte) des Commercialrates Gollwitzer durch den Vater Erwähnung geschah. Man war dort eingeladen, zu einer Soirée.

Die Abendgesellschaft bei dem Commercialrate konnte jedoch von Robert Clayton nicht besucht werden. Er lag zur Zeit niesend, leicht fiebernd und schwer schimpfend im Bett, nahm teils Pyramidon, teils Whisky ohne Soda ein, mit der Außenwelt und dem Werk nur durch die Raben des Elias verbunden, nämlich Donald und den Direktor Chwostik. Da er vor Schnupfen kaum aus den Augen zu schauen vermochte, konnte er auch nicht mit Büchern sich unterhalten; und hier war es Augustus, der einsprang, und seinem Onkel abends aus dem hervorragenden Werke des Earl of Cromer ‚Modern Egypt‘ vorlas. Den Schnupfen bekam dann nicht nur Augustus, sondern auch der ganze M. C. Jedoch Donald und Chwostik blieben verschont.

Sogleich hatte Donald, da ja sein Vater genötigt war, bei Gollwitzer abzusagen und sich mit seiner schweren Verkühlung zu entschuldigen, daran gedacht, der Soirée gleichfalls fernzubleiben. Doch davon wollte Robert durchaus nichts hören: Donald müsse unbedingt dort erscheinen. Dabei verharrte er.

So stand denn am betreffenden Abende der lange Knight-Minerva wieder unter der Einfahrt: im Schwachen Licht der pompösen Lampe, und der Diener half Donald im engen kahlen Vorzimmer in seinen Pelz.

Der Wagen zog summend dahin. Von der Brücke sah Donald ferne Lichter bei der Biegung des Kanales blitzen. Man fuhr dann an der Fabrik vorbei, die freilich jetzt dunkel lag, nur im Pförtnerhause war ein erhelltes Fenster zu sehen; dort saß später auch der Nachtwächter zwischen seinen Rundgängen.

Es war eine verhältnismäßig lange Fahrt, durch die Wollzeile hinauf – deren damals noch erhebliche Steigung der Knight-Minerva leicht überwand – am Dom vorbei, über den schon stilleren Graben, und jetzt links hinein, und dann durch die Hofburg: bald fuhr man hier durch ein sozusagen offenes Meer von Dunkel und Weiträumigkeit mit selteneren Lichtern. Donald empfand heute den sonst so rundlichen Duft vom Atkinson-Lavendelwasser als beinahe scharf oder spitz, er kam unter dem Pelz aus dem Ausschnitt des Abendanzuges hervor, wo das steife Hemd (wie man es damals zum Dinner-Jakett noch trug) ein wenig sich wölbte. Er hatte wohl etwas zu viel von dem Atkinson auf Wäsche und Taschentuch genommen. Der Wagen zog die lange Mariahilferstraße hinauf: ein Teil Wiens, der Donald ganz fremd geblieben war. Wer stets einen Wagen benützt, der von einem einheimischen und ortskundigen Chauffeur gefahren wird, lernt eine Stadt verhältnismäßig langsam kennen. Am vertrautesten war Donald noch immer, abgesehen vom Prater, mit der Gegend, wo sich die Technische Hochschule mit ihren verschiedenen Instituten befand.

Sogleich als er in der Hietzinger Fichtnergasse vor der in sämtlichen Fenstern hell erleuchteten großen Villa aus dem Wagen stieg, fühlte Donald, daß dies hier eine andere Welt sei als jene der Harbach und aller ihrer Art. Die Ankunft der Gäste schon – es fuhr Kutsche nach Kutsche vor und dazwischen da und dort ein Automobil – war vertraulich und lärmend, denn die meisten begrüßten einander gleich auf der Straße, und im geräumigen Vestibül herrschte nicht jene formelle Stille des Introitus, in der sonst die Leute ihre Pelze oder Mäntel abzulegen pflegten, sondern bereits ein ungeheures Geschnatter. Im ersten Salon dann begrüßte man den Hausherrn mit Geschrei und Gelächter. „Wie geht's denn dem Herrn Papa?!" fragte Gollwitzer und Donald, von der allgemeinen Aufgeräumtheit bereits angesteckt, erwiderte lachend: „Danke, Herr Commercialrat, er liegt im Bett, niest und ärgert sich, daß er nicht hier sein kann." Im selben Augenblick erschien es Donald als eine ausgemachte Charakterlosigkeit, daß er den Gollwitzer anlachte; es war im Strudel des allgemeinen heiteren Eintrittes geschehen. Nicht gegenwärtig war ihm, daß in der Altersklasse Gollwitzers und wohl auch schon der seines Vaters, eine schwere Verkühlung doch mehr zu bedeuten hatte als bei einem jungen Mann. Den Commercialrat jedoch überflog jetzt ein Schatten, als er, etwas eindringlicher, weiterfragte: „Hat der Herr Papa starkes Fieber?" „Nein, das garnicht", sagte Donald, und hatte sich schon wieder zurückgenommen. Jetzt trug ihn die Strömung der Ankommenden durch den nächsten und übernächsten Raum: sie wurde nur zerteilt von hindurchlaufenden Dienern, die große Tablette mit Champagnerkelchen balancierten und gewissermaßen wachsam darauf sahen, daß jedermann trinke. Man konnte unmöglich auch nur durch Augenblicke mit einem geleerten Glase bleiben oder gar ohne ein solches. Es war Ärger, was Donald veranlaßte, der sonst das Genießen alkoholischer Getränke eigentlich nur der Form halber kannte, als gesellschaftliches Convenü, und den Whisky bloß als väterliche Gepflogenheit, es war Ärger, was ihn veranlaßte, einen ganzen Kelch Champagner hinunter zu trinken. Den nächsten, der gleich da war, stellte er beiseite. Es verhielt sich mit diesem Gollwitzer doch so, daß man nur an ihn anzustreifen brauchte, und schon erlitt man irgendeine Peinlichkeit. Es war, als ziehe er aus jedem Menschen gleich eine mögliche Schwäche hervor, wie ein Pfropfenzieher den Korken aus der Flasche.

Damit war Donald an's Ende der Zimmerflucht gelangt. Hier öffnete sich überraschend ein geräumiger Wintergarten.

Der Zwischenfall mit Gollwitzer (ein solcher war es für den jungen Clayton) hatte ihn noch nicht dahin gelangen lassen, sich den Unterschied der Atmosphäre dieses Hauses gegenüber anderen, die er kannte – welcher schon beim Einströmen der Gäste war fühlbar geworden! – auf die einfachste Art zu erklären: es war das Heim eines reichen Junggesellen, der wohl auch manche Leute nur deshalb einlud, weil sie ihm gerade paßten und ihn amüsierten, nicht aber stets dem Zwange irgendwelcher Zwecke folgend. Mindestens schienen sie hier nicht ausnahmslos vorhanden, sondern durch anderes wattiert und cachiert. Vor allem aber: es gab hier keine Hausfrau, und, was noch entscheidender sein mußte, keine Töchter des Hauses und keine mit ihnen verbundene geschickt oder ungeschickt verfolgte Absicht.

Im übrigen erkannte Donald auch bald, daß die Menschen hier zum Teil einer Art angehörten, die man in den Wiener Industriellen-Kreisen nicht antraf. Freilich war man auch dort dann und wann einem k. k. Burgschauspieler, einem Universitätsprofessor oder etwa gar einem Maler begegnet, wenn dieser ein bekannter und gefälliger Porträtist war. Hier aber schien fast die Mehrzahl der Anwesenden Lebenszwecken nachzugehen, die man dort, etwa in der Reichsrathstraße, nicht einmal im weiteren Gesichtsfeld hatte. Für Donald war das bald im Vorbeistreifen aus einzelnen Bruchstücken von sehr lebhaften Gesprächen fühlbar geworden, Gespräche, an welchen er garnicht hätte teilnehmen können, mangels jeder Beziehung zum Gegenstande.

Er ging indessen schon um die starke Palmengruppe inmitten des Wintergartens auf dem feinen Kiese herum und war alsbald allein. Hierher hatte sich niemand verlaufen, niemand hatte damit den Anfang gemacht, obwohl bequeme Korbfauteuils umherstanden, jeder sah nur beim Hineinblick den leeren Raum und hielt sich drinnen in den Zimmern bei den anderen. Zwischen den Bäumen lag ein großes, armtiefes Becken, ein Teich kleinen Formates, klaren Wassers und kiesigen Grunds.

Donald, während er in den Wasserspiegel sah, erwog ernstlich, sich von hier zu drücken. Er hatte den Hausherrn begrüßt (und mit ihm gesprochen), ebenso ein paar bekannte Gesichter; er war hier gewesen; er konnte gehen; vielleicht noch einmal sich in den Zimmern zeigen?

Der ‚Teich‘ hier war in zwei Segmente geteilt, durch ein sehr anmutig in S-Form biegendes Mäuerchen, aus dessen Mitte ein niedriger aber kräftiger Springbrunnen sprudelte, davon frisches Wasser in beide Hälften abfloß. Auf der einen Seite sah Donald jetzt unter kleinen, schwimmenden Seerosen-Blättern zwei dicke Goldfische langsam hervorkommen. Sie leuchteten geradezu auf mit ihrem hellen Rot. Die schmückenden Tiere zogen durch das Becken, in eleganter und zugleich träger Art, mit einem Mindestaufwand von Bewegung ihrer Schwanzflossen.

Natürlich würde der Vater seine vorzeitige Rückkunft bemerken oder durch den Chauffeur davon erfahren.

Diese kleine Erwägung nahm Donald den Wind aus den Segeln, die sich schon zur Abfahrt von hier gespannt hatten. Er sah auf, da ihm plötzlich etwas zu fehlen schien: das Stimmengewoge aus den anliegenden Räumen war verstummt, sie lagen leer (der eröffnete große Speise-Saal mit dem Buffet hatte die Gäste abgesaugt). Donald mußte jetzt hintennach erkennen, daß er ganz versunken und zerstreut gewesen war, in's Wasser und auf die sich bewegenden Fische starrend. Jetzt hätte er leicht durch die leeren Zimmer in das Vestibül gelangen können. Indessen, man trat hier eilig ein. Es war eine kleine jüngere Dame, dunkel gekleidet, mit glänzend schwarzem Haar, und hinter ihr zeppelte der alte Doctor Eptinger, dessen Spitzbart längst schneeweiß geworden war. „Leg's hier rückwärts hin, wir holen's dann wieder“, sagte er schnell. Und jetzt erblickte er

Donald. „Ja, Herr Ingenieur, was machen denn Sie da ganz allein?!"

Es schien Donald das alles passend zu Gollwitzer. Man wurde da überrascht. Fische schwammen herum. Ein Haus voll Tücken und Nücken. Doctor Eptinger stellte ihn seiner Nichte vor. Donald befand sich im Zustande einer unversperrt stehen gelassenen Wohnung, in die jeder von der Straße hereinspazieren kann. Das Fräulein Ingenieur(!) Bachler suchte inzwischen einen Platz, wo sie ihr Réticule deponieren konnte, das ihr am Buffet lästig wäre, so sagte sie, weil man Tellerchen halten müsse, und noch anderes dazu. Es fand sich eine geeignete Depotstelle hinter der Palmengruppe, wo die Umfassungs-Mauer des kleinen Teiches sich zu einer Art Sitz verbreiterte.

Wir müssen sagen, daß sie ihrem nun längst verstorbenen Vater, dem Oberlandesgerichtsrate Doctor Keibl, sehr ähnlich geworden war, die kleine Monica. Auch ihr eignete eine gemessene Zier der Bewegungen; doch schien das hübsche Gesicht von einer wachen Schärfe durchdrungen, die hier zu einem Reiz sich entwickelte, bei der Mutter aber stets leicht säuerlich gewirkt hatte (und noch heute war es nicht anders).

So kam Donald dann mit den beiden in den Speisesaal. Die Bachler steckte schon wie ein Pfeil in ihm, durch eine seiner zerstreut offenstehenden Türen hereingeflogen. Als man Languste und Chablis und petits fours von Gerstner, mit Glück balancierend (zu Gollwitzer hätte es gut gepaßt, wäre einem alles auf die weiße Hemdbrust gefallen!), hinter sich gebracht hatte, und der alte Eptinger in ein Spielzimmer verschwunden war, ragte der fest sitzende Pfeil schon fühlbar aus Donald heraus. Es war ein unbequemes Tragen. Er mußte es feststellen. Er hatte es kommen sehen(?!).

Sie ließ später ihren Onkel allein heimfahren, für den ja der Umweg über Döbling, wo sie vorläufig noch bei ihren Eltern wohnte (vorläufig! sagte sie), ein sehr weiter gewesen wäre, und der Knight-Minerva fuhr dann ganz den gleichen Umweg. Inzwischen hatte Donald schon gehört, woher sie kam und was sie hier in Wien tat.

Es ist anzumerken, daß Monica nicht jünger aussah als sie war, weit über Mitte der Dreißig, wie man sich erinnert. Das hing wohl mit der wachen Schärfe zusammen.

Im Wagen bemerkte sie beiläufig, daß sie nicht daran denke, hier in Wien dauernd bei ihren Eltern zu leben. Sie sei das nicht mehr gewohnt. Diese Gegend hier wäre ihr recht (sie fuhren eben durch die Hietzinger Hauptstraße). Im übrigen wolle sie von nun an mit ihm nur mehr englisch reden, der Übung halber. Diesen letzten Satz sagte sie schon in englischer Sprache und blieb dabei. Die Äußerung wirkte auf Donald frappierend, ja, erregend, wie das Werfen einer Brücke, einer Enterbrücke: weiterer Umgang wurde damit in selbstverständlicher Weise vorausgesetzt. „Mein Onkel ist schon lange Anwalt Ihrer Firma, wie?" „Er war es von Anfang an hier in Wien", sagte Donald, „das Unternehmen hat ihm viel zu danken." Nun spazierte sie schon über die Brücke herüber. Ihr müheloses und nachlässiges Reden in englischer Sprache war erstaunlich. Sie beherrschte das Englische fast so gut wie die Claytons das Deutsche. Ob sie denn drüben gewesen sei? fragte Donald. „Ja, in Birmingham. Ich habe dort zwei Jahre praktiziert, in einer Fabrik für Schreibfedern, Brandauer & Co. Die Firma Brandauer gibt es auch in Wien. Das sind auch nach oben endlose Menschen wie zum Beispiel Sie oder die Harbach-Töchter." „Die kennen Sie auch?" „Ja, ich war gestern dort."

Hietzing machte Donald weiterhin während der Fahrt den Eindruck, als bestehe es zum großen Teil aus dunklen gedehnten Parkflächen. Auch diese Gegend war ihm fast gänzlich fremd. Ein bemerkenswerter und, wie man wohl sagen muß, gesunder Instinkt gebot Donald jetzt zu schweigen. Es war etwas geschehen, das wußte er mit Sicherheit, und zwar wie außerhalb von ihm (so lebhaft bildete er schon die befremdliche innere Lage in ein Tatsächliches um) und er wollte sehen, was das sei. Sofort, das fühlte er, gab ihm sein Schweigen das Übergewicht und verschaffte ihm leicht die Führung (welche bei Monica's Lebhaftigkeit sonst nicht leicht zu gewinnen war), allein dadurch, daß er sich des flüchtigen und minderen Gepräges kleiner Gesprächsmünze jetzt ganz einfach enthielt. Er wollte auch fest dabei bleiben. Sie aber konnte dem nicht gewachsen sein, und mußte jenen Fehler begehen, der für sie und innerhalb ihrer Maß- und Gitterstäbe garkeiner war. Sie äußerte sich also, kleinweis und zersplittert, und wie sich eben alle zu äußern pflegen, und warf ihre Münzen allmählich immer lebhafter, ja mit vollen Händen gegen eine Wand, die doch, trotz Donald's erstmals in solcher Weise wie jetzt bedenklicher Lage, praktisch und nach außen eine fugenlose blieb. Wir aber dürfen hier zum ersten Male feststellen, was uns vordem nur ahnte (als er bei dem Streit zwischen Mrs. Cheef und Kate in Brindley-Hall aus seinem Zimmer auf den Gang getreten war), daß unserem Donald eine kalte Natur eignete, oder mindestens die Möglichkeit dazu.

So ging's nach Döbling. Ihre Eltern, sagte sie, wollten in ein paar Tagen eine kleine zwanglose Gesellschaft geben, um ihre Rückkehr nach Wien zu feiern „nur Freunde und Freundinnen von mir, und Sie kommen doch auch, Mister Clayton?" Als sie ihm die Wohnungsadresse, Tag und Stunde sagte, ließ Donald erstaunlicherweise den Wagen halten, der Chauffeur mußte das Licht einschalten, und er nahm seinen Notizkalender hervor und trug das ein.

Als er allein nach Hause fuhr, von Döbling bis in den Prater die Stadt durchquerend, gähnte neben ihm, wo Monica früher gesessen hatte, ein kaltes leeres Loch.

In den nächsten Tagen war es die Einhaltung des Liefertermines für die von Gollwitzer & Putnik bestellten vierzehn Maschinen-Sätze, was Donald vordringlich beschäftigte. Jene Termine mußten unbedingt gesichert, mit Reserve-Zeiten berechnet und möglichst überhaupt unterschritten werden. Doch half hier das Lager sehr, oder eigentlich: die Bukarester hatten in's Schwarze getroffen und verlangten gerade das, wovon zum Teil schon ausreichende Bestände vorhanden waren. Chwostik und Donald halfen wacker zusammen. Vater Robert lachte und ließ die Pfeife grad herabhängen. Um Angelegenheiten, deren sich Chwostik und Donald einmal bemächtigt hatten, kümmerte er sich seit längerem schon überhaupt nicht mehr. Jene beiden aber sausten. Robert lachte, klopfte Chwostik auf den Rücken und sagte: „Old Pēpi." Er fühlte sich wohl hier. Er hatte wirklich Wurzeln geschlagen: jetzt, wo seine längere Abwesenheit, ja, eine gänzliche Rückkehr nach Chifflington weit eher wären möglich gewesen als früher.

Augustus hatte man während der langen Weihnachts-Schulferien viel im Werk herumsteigen gesehen. Dabei trug er ein dickes Notizbuch. Auch wurden technologische Bücher von ihm in sein Zimmer verschleppt.

Den Riten des M. C. entsprechend hatte auch er begonnen, morgens auf dem Gang in die Schule Umwege zu machen. Gern ließen sich Zdenko, Fritz oder Heribert in gleicher bequemer Haltung dabei antreffen. Dem letzteren erzählte Augustus von seiner kurzen Ferienpraxis über Neujahr: „Du willst also wirklich Maschinen-Ingenieur werden?" fragte Heribert, was Augustus freilich bejahte. Sie näherten sich schon dem Gymnasium, es war ein Viertel vor acht. In den Gassen lag angeschmutzter Schnee im Rinnstein. Es war nicht kalt. Allenthalben gingen Schüler ihres Weges, auch kleine, mit der Schultasche am Rükken, denn der Lehrerbildungs-Anstalt neben dem Gymnasium war eine Volks-Schule angeschlossen als Übungs-Stätte für die werdenden Pädagogen. Heribert und Augustus schritten hier wie auf einem Kamme dahin, der freie Aussicht gewährte: so kann ihre Verfassung bezeichnet werden, wie sie einherschlenderten, zur rechten Zeit und gemächlich, wohlgepflegt und sorgfältig vorbereitet. Sie konnten dem Unterrichte als einem Vergnügen entgegen sehen. Freilich waren sie weit davon entfernt, auch nur zu ahnen, daß solche gipfelhafte Glücks-Lagen im Leben zu den seltensten Sachen überhaupt gehören. Das Genießen ihres gemächlichen Gehens und Sprechens war wohl da, aber noch keineswegs gehöht durch irgendeinen Vergleich; als welcher jedoch für den Heribert von Wasmut eigentlich hätte recht nahe gelegen; denn er war keineswegs immer ein so guter Schüler und konsolidierter Lernender gewesen; sondern vor Jahr und Tag hatte er nichts gelernt und am hastigen Schulweg schon bald mehr Sorgen gehabt, wegen des Nicht-präpariertseins in sämtlichen Gegenständen, mehr Sorgen als Haare auf dem Kopfe. Aber das alles hatte er vollständig vergessen.

Zdenko allein war's, der sich früherer Zustände gelegentlich noch zu erinnern vermochte. Aber meistens nur im Halbschlaf.

Sie trieben es in ihrem M. C. schon bald so weit, daß die Ansprüche, die sie an einander stellten, strengere waren als die der Schule.

Doch alles nur wegen der Eleganz. Wegen ihres merkwürdigen Dandy-Tums, das sich von der Schule durchaus nicht imponieren lassen wollte. Doch war es nicht Blasiertheit. Es war echte Romantik, daß sie hier die jungen Herren spielten. Fraglich ist's, ob das von dem verschmitzten dicken Augustus ganz verstanden wurde. Für ihn war das Lernen wohl mehr eine Art Sport – ansonst war er übrigens faul und bequem, und die Reitstunden, die er auf Geheiß Robert Clayton's in einer nahe gelegenen Manège nehmen mußte, waren sehr wenig nach seinem Geschmack. Übrigens lernten auch die anderen Buben reiten. Nur Zdenko war darin längst perfekt.

Sicher ist, daß der Canadier nicht wußte und garnicht wissen konnte, wohin Heribert jetzt gezielt hatte mit seiner fast erstaunten Frage, ob Augustus denn wirklich ein Maschinen-Ingenieur werden wolle? Der junge Herr von Wasmut indessen schien gewillt, es ihm zu erklären. Freilich war das ein ganz vergeblicher Versuch; denn die Tendenz, welcher Heribert folgte, mußte für den Dicken aus Übersee immer unverständlich bleiben. Es kam fast so heraus, als sei der Ingenieurberuf einem Mitgliede des M. C. nicht angemessen! „Sie genießen bei uns keinen gesellschaftlichen Rang", sagte Wasmut und meinte die Ingenieure. „Es ist bei einigen Berufen so. Zum Beispiel bei den Zahnärzten, den Gymnasialprofessoren oder den aktiven Offizieren der Infanterie. Solche Leute kommen in der Gesellschaft garnicht vor. Bei den Ingenieuren geht es allerdings nicht so weit."

Den Augustus, der ja nicht aus einer beamten-hierarchischen Nation stammte, sondern aus einem noch immer im Grunde colonialen Land, wo ursprünglich allein der Pionier einen Rang hätte haben können (wäre es dabei überhaupt um Ränge gegangen), konnte das, was Heribert da vorbrachte, mit der eigentlichen Spitze der Meinung garnicht berühren.

„Es kann doch auch ein Zahnarzt oder ein Professor ein Gentleman sein", sagte er und machte damit erst sein völliges Unverständnis offenkundig.

„Da hast du selbstverständlich ganz recht", sagte Heribert und gab es damit auf, sich dem Augustus verständlich zu machen; und, bei der Sache bleibend, wechselte er doch zugleich den Gegenstand des Gespräches. „Ich für mein Teil möchte die Carrière eines Verwaltungsbeamten ergreifen und dazu selbstverständlich Jus studieren. Ich will auch nicht umsonst ein humanistisches Gymnasium gemacht und Griechisch und Latein gelernt haben. Tut es dir nicht ein wenig leid, Augustus, ein Hochschulstudium zu wählen, das damit überhaupt nichts mehr zu tun hat? Du wirst dich sozusagen vergebens geplagt haben."

„Glaub' ich nicht, Héribert" (er pflegte diesen Namen immer französisch auszusprechen), sagte Augustus und lachte. „Mindestens wird es mir dann auch als Ingenieur leichter sein, ein Gentleman zu werden."

Dumm ist er aber schon garnicht, das Dickerl! dachte Wasmut bei sich. Sie schwenkten zur Pforte des Gymnasiums. Fast unmittelbar hinter den jungen Leuten betrat auch Herr Professor Doctor Petschenka das Gebäude. Doch stieg er jetzt die Treppen ganz langsam hinauf und blieb zurück.

Während Donald und Chwostik noch sausten, gollwitzerten und putnikten, betrieb der letztere doch schon im ausgehenden Winter Reisevorbereitungen. Allerdings nicht solche wie vor mehr als dreißig Jahren, als er Koffer kaufte und in diesen seine Schätze barg, um schließlich, zum maßlosen Erstaunen des Knollengewächses Wewerka, wie ein auslaufendes Schiff zwischen den Molen (moles heißt auf lateinisch die Masse) Feverl und Finy hervorzusteuern, die sehr nahen und doch sehr fernen Küsten der Weißgerberstraße anzielend. Nein, Koffer und Garderobe und dergleichen waren längst Routine-Sachen geworden. Es ging um anderes. Es ging um die Reiseroute, um ihren Aufbau, könnte man sagen, um die richtige Aufeinanderfolge der aufzusuchenden Orte.

Auch jetzt gedachte Chwostik seine Rundreise – auf welcher Donald Clayton ihn begleiten sollte – im vorderen Orient zu beginnen, also am entferntesten Punkte, nicht am nächsten: heißt das, zunächst einmal ohne alle Zwischenaufenthalte direkt nach Beirut (und Damaskus) zu fahren, zur See und auf einem Schiffe des Österreichischen Lloyd, mit der ,Graf Wurmbrand' etwa oder der ,Cobra' oder ,Wien', was durchaus vergnüglich werden konnte. Die Raison dafür, solchermaßen das Pferd beim Schwanz aufzuzäumen, war ganz einfach. Weil man nämlich – erfahrungsgemäß – zwar in Budapest, Belgrad oder Sofia einen Begriff von Beirut oder Damaskus hatte, und somit eine richtige Einschätzung dafür, wenn einer mit einer Mappe voll Aufträgen von dort heim zur Firma reiste, nicht aber in Damaskus irgendeine Vorstellung von Belgrad oder Bukarest anzutreffen war oder vorausgesetzt werden durfte. Und so sollte denn die schöne Reise auf einem der komfortablen Schiffe, bei glänzender Verpflegung und mancherlei Geselligkeit, vorangehen. Chwostik freute sich jetzt schon auf den Augenblick, wenn die „Graf Wurmbrand" von der Pier in Triest ablegen würde, unter den langsam-getragenen und feierlichen Klängen der österreichischen Volkshymne, von der Schiffskapelle am Oberdeck gespielt. Das war jedesmal sehr schön.

Inzwischen fand bei Doctor Bachler in der Colloredogasse der Empfang für Tochter Ing. Monica statt, zu welchem Donald ja auf eine jeden Widerspruch ausschließende Weise geladen worden war.

Sie kam ihm durch zwei weite weiße Vorzimmer rasch und leicht entgegen; rechts ging's zur Ordination des Alten (immer noch Feschak! den werden wir uns doch endlich auch einmal vorknöpfen müssen!). Und so begrüßte sie Donald ganz allein. Dieser wäre auch gerne mit ihr hier alleine im Vorzimmer geblieben. Aber es hieß eintreten, und die ersten, die Donald entgegen traten, waren zwei einstmalige Mitglieder des Techniker-Ball-Comité's, Radinger und Martinek (klingt wie ein Firmen-Name, jedoch waren es zwei konkrete und verschiedene Personen). Ansonst schien ihm hier bald eine Gollwitzerische Filiale zu herrschen – das heißt, man sprach durchaus von Sachen, die Donald (und vielleicht auch den beiden anderen Ingenieuren) nicht nur unbekannt, sondern total gleichgültig waren. Wie denn anders hätte dieses, von Ing. Monica gut manövrierte Compositum oder eigentlich Antipositum aus Sigmund Freud und Otto Weininger auf die Herren wirken sollen.

Weil man aber lustig trank und von vielerlei kleinen Tellerchen dazu aß, wurden auch die Außenstehenden in's Gespräch gezogen, das heißt, sie mischten sich schließlich hinein, und das hatte zur Folge, daß man sie belehrte, wogegen sie sich natürlich wehrten. Und dies alles brachte, wenn auch nur durch wenige Minuten, eine Situation hervor (bevor das Gespräch wieder in kleine Grüppchen zerfiel), in der alle ausnahmslos vermeinten, wirklich zu wissen, wovon gesprochen werde, obwohl das doch garnicht der Fall war. Es befanden sich hier im mittleren Salon etwa fünfzehn Personen; nebenan gab's auch noch welche.

Donald rührte sich nicht. Wir wissen, daß er nicht dumm ist, das hat uns schon die Art gezeigt, wie er sein Hochschulstudium erledigte. Nur fehlten bei ihm jene – gewiß überflüssigen – Reaktionen, welche aber doch einen Menschen eigentlich erst unter die Leute bringen. Man könnte ruhig sagen, daß Donald seiner Zeit voraus war. So zum Beispiel empfand er vor der Langeweile nicht die geringste Scheu und in bezug auf die Langeweile auch keine Scham: weder wollte er jene aus einer Gesellschaft vertreiben, noch auch vor dieser verbergen. Solchen Leuten (heute ist man sie gewöhnt) fällt daher die Schweigsamkeit sehr leicht, weil sie ja, genau genommen, garnichts anderes können. Nur auf der alleroberersten Stufe des Schweigens sitzt der Tiefsinn; unten aber die Wurstigkeit.

Folgte das Auftreten von Feschak und Frau. Er ging voraus(!) rasch durch die Zimmer und begrüßte die jungen Menschen, als ob er zu ihnen gehören würde. Das Weiß seiner sehr dichten

Haare war übermäßig leuchtend und rein, fast wie ein Kaninchenpelz. Vielleicht kam es noch mehr zur Wirkung dadurch, daß Doctor Bachler zum dunklen Anzug eine lila Weste trug. Er sah aus wie die Morgenstunde selbst, und wirklich tat er ja seinen Patienten das Gold sachgemäß in den Mund, das er ihnen dann verzehnfacht aus den Taschen nahm. Wo war heute die Mitgift Rita's! Ein Geldbeutelchen, unter einem Berg von Geld verschwunden. Der Doctor Bachler war der rechte Held für Kellner und Fiaker. Einer, den man überall kennt! Schon unserer Wenidoppler gegenüber (noch immer war sie Hausmeisterin in der Weißgerberstraße, nur älter geworden und daher erheblich ordinärer) hat er, wie wir wissen, stets eine offene Hand gehabt. Seit neuestem widmete sich Doctor Bachler auch dem Wintersport (wie man ihn damals verstand). Er hatte auf dem Semmering einen Skikurs gemacht.

Hinter ihm kam Rita. Sie war sein unartiges Vorauslaufen bei allen Gelegenheiten gewohnt, und säuerte also hinten nach.

Im übrigen blieben die Alten nicht lange. Sie waren nur erschienen, um Monica's Gäste zu begrüßen; und danach zogen sie sich wieder zurück: Frau Rita in ihre Gemächer; der fesche Doctor aber, jetzt im Pelz und mit steifem dunklen Hut, brachte den Wagen aus der Garage und fuhr in die Stadt. Er fuhr immer in die Stadt und war kaum jemals abends daheim. Es ist hier anzumerken, daß ein Herr am Steuer damals nicht eben häufig war. Im allgemeinen hielten nur solche Leute einen Wagen, die sich bereit fanden, auch einen Chauffeur zu bezahlen.

Es ist nicht zu leugnen, daß Donald hier schon einiges hätte sehen und beobachten können: die Alten etwa, besonders ihn; daß zum Beispiel zwischen Doctor Bachler und seiner Tochter auch nicht die geringste Ähnlichkeit zu finden war. Ferner Monica's Freunde, die aus zwei miteinander unvermischbaren Arten zu bestehen schienen, von denen etwa Radinger & Martinek die eine, ihm bekannte und vertraute darstellten, der wieder jene Gollwitzerische Filial-Fauna gegenüberstand. Es wäre für's erste anzunehmen, daß Donald gut beobachten und vieles wahrnehmen hätte können, weil er ja unbeteiligt und schweigsam blieb und sich nicht rührte. Aber Gleichgültigkeit bedeutet noch nicht Objektivität, und ein bisserl muß man sich schon unter die Leut' bringen, wenn man was sehen will. Die Wahrnehmung wird nicht so vollzogen, daß einfach in jemand was hineingeschüttet wird, wie wenn einer im Wirtshaus ein Seidl Bier trinkt. (Hohlköpfe sind, entgegen dem Wortsinne, nicht geeignet, um was hinein zu tun). Die Wahrnehmung ist eine doppelseitige Arbeit: die eine Hälfte müssen wir selbst leisten, und nur die andere leistet die Welt. Donald blieb ganz passiv. Und so nahm er nichts wahr als Monica. Das wird man nicht als Leistung im erwähnten Sinne bezeichnen können.

Sie setzte sich übrigens mit ihm in eine Ecke und erzählte, daß ihr alter Onkel, der Doctor Eptinger, ihr wahrscheinlich in Hietzing eine Wohnung verschaffen könne. Sie werde morgen am späteren Nachmittag bei ihm sein. Wann Donald aus dem Bureau gehe? Man könnte sich dort in seiner Gegend treffen? Ob er das ‚Café Zartl' kenne? Nun gut, das liege ja an seinem Heimwege, nicht?

So wurde es denn das ‚Café Zartl', wo Chwostik vor Zeiten erfahren hatte, daß Leda die Tochter des Thestios, Königs von Ätolien, gewesen sei, und Gemahlin des Spartanerkönigs Tyndareos; und auch das Skandalöse: „sie genoß die Gunst des Zeus." Es gibt kaum was Dezenteres als ein deutsches Konversations-Lexikon. Höchstens die Frau Rita Bachler.

Er konnte sie, die Monica, nicht sehen, und was konnte er überhaupt schon sehen? Er war ja nie unter die Leute gekommen. Dafür wuchs ihm jetzt ein einzelner Leut sozusagen beim Fenster herein wie ein plötzlich krumm und toll gewordener Baum aus dem Garten, das ganze Zimmer erfüllend. Aber Monica, sie sah ihn, von weitem schon, vom Fenster des Café's aus. Sie war vor ihm da, wie denn anders: rechtzeitig von Onkel und Tante abgeschwommen; Donald freilich mußte ja im Büro erst fertig werden. Sie dachte es und rechnete mit längerer Wartezeit, und der beflissene Ober hier um-mauerte sie von allen Seiten mit Zeitungen. Jetzt erschien Donald rechts drüben, wo die breite Marxergasse in die Razumovskygasse mündet. Monica erkannte ihn sofort, als er sichtbar wurde, obwohl es draußen schon dunkelte. Nun, seine Länge wirkte wirklich wie ein Signal. Im Café war das Licht aufgeflammt in vielen Milchglas-Monden. Der Ober ging an den Fenstern entlang mit einem Stabe in der Hand und schob überall die Vorhänge zusammen. Die Metallringe glitten glatt auf den Messingstangen und es rauschte ein wenig. Monica wollte auch nicht mehr hinausblikken. Die Drehtür geriet in Bewegung, Donald war da.

Seit vielen Jahren schon, seit der alte Schiffskapitän seiner Draga nachgefolgt war, verbrachte Milohnić die Urlaube nur zum Teil mehr in jenem kleinen Haus an der steinigen Küste der Insel Krk, zumeist aber in Wien und in österreichischen Sommerfrischen. Diesmal schrieb ihm Chwostik von der beabsichtigten Reise, deren letzter Teil ihn freilich auch nach Belgrad führen mußte. Deshalb beschloß Andreas, seinen Urlaub schon zeitlicher zu nehmen, im Frühjahr, und wenn Pēpi noch in Wien sein würde.

Er nahm den Urlaub ja gewissermaßen bei sich selbst. Milo war längst Eigentümer des großen Hotels in der Kralja Milana geworden, als dessen Direktor er einst nach Belgrad gekommen war. Zehn Jahre danach hatte ihn sein Chef bereits als Teilhaber in's Geschäft genommen, und schließlich war er obendrein von dem alleinstehenden Manne zum Erben eingesetzt worden. Es gehört unser Milohnić zu jenen, die sich in der Kategorie der Beliebtheit bewegen. Diese ist angeboren. Sie wirkt bis in die kleinsten Verästelungen und Einzelheiten des Lebens. Sie durchsetzt alles mit Wohlgefallen. Nur wer ihr nicht angehört vermag ihre fortwährend wirkende Macht staunend zu erkennen, die der Tüchtigkeit erst die glatten Gleise vorlegt.

Vielleicht bestand in solcher Schicksalsbeschaffenheit und Verwandtschaft der eigentliche Grund von Chwostik's und des

Andreas fester und dauernder Beziehung. Aus den Fenstern eines solchen Lebens gesehen erscheint manch ein anderes als töricht und unvernünftigen Hemmungen unterliegend. Die Glücklichen halten ihre Kunst und die Gunst, unter welcher sie leben, für lehrbar. Sie setzen beides damit herab.

Chwostik nahm nie regelmäßige Urlaube, obwohl er sie ohneweiteres hätte haben können. Er hätte überhaupt bei Robert Clayton sozusagen alles haben können. Doch reiste er selten zu seinem Vergnügen und nur, wenn der Geschäftsgang es bequem gestattete und beide Chefs in Wien waren. Einmal begleitete er Robert nach England, um das Werk in Chifflington zu sehen, und lernte seinen dortigen Kollegen, den commerciellen Director kennen, einen Mr. Cyrus Smith, der übrigens Chwostik nicht so ganz unähnlich war (obwohl ihn doch nicht Milohnić ausgesucht hatte!). Es verhielt sich da merkwürdig, es gab hier eine entfernt verwandte Parallele zu den beiden Hausmeistern, dem mit der Cricket-Mütze in Pompe-House, und Herrn Broubek in Wien. Robert stellte es in aller Stille fest, als er in Brindley-Hall nach einem Dinner, zu welchem Mr. Smith geladen war, mit beiden Herren am Kamine saß. Sie schienen einander auch gleich sympathisch zu sein.

Einmal war Chwostik vierzehn Tage bei Milo in Dalmatien gewesen, in jenem Sommer, der auf das Ableben des alten Kapitäns folgte. Andreas zeigte ihm den steinigen Weg, den sie als Buben über dem Strande gegangen waren und die Plätze in den Klippen, wo der Alte gefischt hatte. Sie fingen auch eine Languste zwischen den Blöcken. Das Boot war noch gut im Stande. Bei heißer blauer Spiegelglätte und leichtem Windhauch saß Milohnić am Klüver und am Steuer, sie zogen einen langen Bogen von der Küste hinaus und wieder zurück. Abends kam der Nachbar, der Sohn jenes Italieners, der für den alten Kapitän einst das Boot kalfatert hatte (jetzt besorgte er dasselbe für Milo). Er brachte die zubereitete Languste und sie tranken roten Lissa-Wein.

Nun also sollte Milo nach Wien kommen. (Er wohnte dann immer in jenem Hotel auf der Josefstadt, wo er einst den Empfang besorgt hatte.) Wenn sich was anbahnt, sickern die Menschen schon vorher zusammen. Das kann immer beobachtet werden. Man kam aus Zürich (Ing. Monica Bachler); aus Montreal (ein fettes Bürschl); man sollte aus Belgrad kommen. Es kann hier garnicht fehlen, daß schließlich auch der M. C. hineingezogen wurde, hinein nämlich in den Garten der Villa Clayton an der Prinzenallee.

Monica hatte die Affären in Wien sofort auf den Trab gebracht. Das von dem Schweizer Fachverlag gemietete Local – ein ganzes Stockwerk – lag günstig und zentral, in einem Hause am Graben. Zehn Tage nachdem die notwendigen Installationen durchgeführt, die Bureaumöbel aufgestellt, die mächtigen einlangenden Kisten ausgepackt waren, befand sich die Auslieferung für das gesamte Gebiet der Österreichisch-Ungarischen Monarchie in vollem Gange. Der Packraum allein beschäftigte fünf Personen. Man begann auch bereits hier in Wien zu drucken, bei Überreuther am Alsergrund.

Jetzt erst konnte Monica ihrer Wohnungs-Angelegenheit eigentlich näher treten.

Man sieht, sie stand während der ersten Zeit in Wien bis zum Hals in den Affären. Es hat ihr kein Unbehagen bereitet. Dabei waren die Dinge, mit welchen sich Ing. Monica befaßt sah, von der verschiedensten Art; so begann der Tag etwa damit, daß die Professionisten zwar alles sehr solid aber dafür total verkehrt und keineswegs der Bestellung gemäß gemacht hatten, derart, daß zwei große Akten-Regale nicht zwischen den Fenstern Platz finden konnten, weil die angegebenen Maße nicht eingehalten worden waren. Ferner montierte man in Monica's Abwesenheit das Telephon und den kleinen Stöpselkasten zur Vermittlung im Vorzimmer bei der Kleiderablage statt im anliegenden ersten Raum. Monica kam aber noch so zurecht, daß sie diesen Unsinn verhindern konnte. Sie war vor neun Uhr morgens auf der Technischen Hochschule gewesen, um den Vertrag mit einem dortigen Professor unter Dach zu kriegen bezüglich eines

Werkes über Textilchemie und die Einrichtung von Färbereien, ein Handbuch, das größten Absatz versprach. Andere Verlagswerke befanden sich hier zu Wien schon in der Drucklegung, und die Überreuther'sche Anstalt spie die sogenannten Korrekturfahnen nur so stoßweise aus, sie mußten sofort erledigt werden, damit der Satz nicht stehe. Monica hatte einen einzigen Helfer aus der Schweiz mitgebracht, seines Zeichens ein Buchhändler und Verlagsfachmann, jedoch kein Techniker. Die anderen Mitarbeiter waren hier in Wien aufgenommen worden, Monica kannte die Leute noch kaum. Sie mußte die Korrekturen größtenteils selber lesen. Das geschah bei Nacht. Einmal morgens verschlafen und nach sechs Uhr erst aufstehen, ein einziges Mal nachmittags müde sein und irgendwohin zu spät kommen: es brachte einen ganzen Tag mit seinem Stundenplan zum Wanken, ja fast zum Einsturz.

Dennoch fand sie freilich Zeit für Donald. Das ist bei einer Verliebten nicht zu verwundern. Staunenswürdig jedoch bleibt es, daß sie stets lebhaft sich nach Donald's Arbeit, nach seinen Beschäftigungen und Sorgen erkundigte, ohne daß jemals in bezug auf eigene Dinge mehr als ein beiläufig erwähnendes Wort über ihre Lippen drang. Er fragte sie auch nicht danach. Er sagte auch nichts von dem, was seinen Tag ausfüllte. Nur zufällig und nebenbei hatte er einmal die große Lieferung nach Bukarest erwähnt. Sie erkundigte sich seitdem stets lebhaft nach diesen Sachen, nach deren Stand und Fortgang. Sie drang in's Einzelne. Seine Bemerkungen waren knapp. Sie kamen fast lustlos heraus. Donald hielt die Pfeife in der Hand, sah Monica an und lächelte. Er sah sie immerfort an. Das war eigentlich alles.

Im Hause des Herrn von Chlamtatsch wurde um ein Uhr und fünfzehn Minuten gegessen, und daß Zdenko's Vater bei so ernstem Anlasse keine Verspätungen duldete, haben wir noch in Erinnerung. Man begleitete also nach Schluß des Unterrichtes um ein Uhr erst den Zdenko nachhause, dessen Umwegigkeiten somit auf den Morgen beschränkt blieben, zu welcher Zeit er sie denn auch mit aller Gravität und alltäglich übte. Vielleicht ist jedoch Gravität nicht ganz der richtige Ausdruck für diese seltsame Art des Dandysmus. Die Franzosen würden das ‚impassibilité‘ nennen, und in der Tat hat es im vorigen Jahrhundert zu Paris eine ganze Dichterschule gegeben, die sich unter diesem Worte zusammenfand, eine Art Stoa der Lyrik.

Mit solcher war übrigens das Leben der Gymnasiasten allenthalben erfüllt und von ihr durchdrungen, sie schwebte darin als feinste Emulsion, die jedoch nirgends zusammen rann und Knödel bildete: das wär's nämlich gewesen, hätte jemand von den jungen Leuten wirklich ein Gedicht gemacht. Im M. C. indiskutabel. Am meisten neigte Zdenko dazu, jedoch ohne sich das einzugestehen und ohne jegliche Manifestation. Beim Dickerl Augustus hingegen können wir vor solchen Sachen uns ganz und gar sicher fühlen. Er blieb verschmitzt.

Wenn Zdenko im Haustore verschwunden war, ging man jetzt zu dritt weiter. Denn um die gleiche Zeit, da Augustus begonnen hatte, auch seinerseits morgendliche Umwegigkeiten im Sinne des M. C. zu pflegen, schloß er sich auch den mittäglichen an.

Zdenko allein aber war es, der darauf wartete – sozusagen in der geheimsten Kammer – mit Augustus gemeinsam einmal den beiden ‚Engländern‘ oder einem von ihnen zu begegnen. Morgens sah man sie seit langem schon seltener. Und mittags bot nur ein kurzes Stück des Weges, das auf ihrem Kurse lag, durch eine Minute dazu Gelegenheit. Dann hieß es zum Essen gehen.

Er würde bestimmt zu Augustus kein Wort sagen über die ‚Engländer‘. Aber vielleicht war es möglich, zu beobachten, ob sie dem Dickerl irgendeinen Eindruck machten. Vielleicht würde er von sich aus etwas über sie sagen. Heribert hatte neulich von dem Gespräch mit Augustus über Ingenieure erzählt. Zdenko ging dies nach. Hier war etwas Interessantes. Er konnte es noch nicht richtig bezeichnen. Hier war eine ganz neue, eine fremde Möglichkeit. Zdenko hatte sich bisher noch nie über das Lernpensum hinaus für physikalische oder chemische Versuche interessiert, deren man ja im Physiksaal des Gymnasiums genug zu sehen bekam. Vor ihm in der Bank saß ein gewisser Frehlinger, Sohn eines Direktors chemischer Werke, ein langer, hübscher, wohlerzogener Bursch. Er war sehr gut in Mathematik und Physik und besaß daheim sogar ein richtiges kleines Laboratorium; das war von ihm erwähnt worden. Wahrscheinlich hatte Augustus recht und man konnte auch als Ingenieur ein Gentleman sein. Vielleicht eine sehr interessante Art von Gentleman. Man mußte sich das nicht unbedingt nur so vorstellen wie Heribert.

Bald danach, in einer Zehn-Uhr-Pause, begann er ein Gespräch mit Frehlinger, der sich gleich und gern darauf einließ. Längst hatten ja die Vier vom M. C. eine Art geachteter Sonderstellung in der Klasse, wenn man ihnen auch keineswegs von allen Seiten Sympathien entgegenbrachte. Doch galten sie, obwohl sehr gute Schüler, nicht als ‚Iusti‘ (Gerechte). So wurden allgemein die ‚Stucker‘ (Büffler) und Streber bezeichnet. Niemand hätte sie zu diesen gerechnet. So fein unterschied der Demos.

Frehlinger meinte, Zdenko möge doch einmal Sonntag-Nachmittags zu ihm kommen: er würde ihm verschiedenes zeigen.

So ward's verabredet. Der Direktor Frehlinger wohnte in der Schwalbengasse. Das ist eine Fabriksgegend mit vielen dementsprechenden Neubauten, im alten Stadt-Teil Erdberg. Auch das Haus, in welchem die Familie Frehlinger wohnte, war ein damals neues, und die Gasse dort gab es noch garnicht lange, sie bestand aus wenigen Gebäuden, etwas erhöht gelegen über dem ‚Donaukanal‘, mit beträchtlicher Aussicht.

Der Direktor Frehlinger hatte diese Wohnung wohl genommen, weil sie in der Nähe des Werks lag, das er leitete.

Trat man in den Hausflur, so paßte der wenig in die sonstige Umgebung hier. Es gab eine verglaste Portierloge, und die Treppen waren mit roten Läufern belegt. Frehlingers bewohnten ein ganzes Stockwerk, obwohl die Familie nur drei Köpfe hatte; aber sie bedurften der Räume für ihre gesellschaftlichen Zwecke.

Zdenko trat mit Heinrich (so hieß sein Schulkamerad) in dessen sehr geräumiges quadratisches Zimmer. Es war eine richtige Gelehrtenstube; eine hochgelegene, mit weiter Aussicht. Rechts vom breiten Fenster stand denn auch ein mächtiges schwarzes Fernrohr auf drei Beinen; aber es ragte steil empor gegen den Himmel. Daneben, auf einem blockartigen gedrungenen Tischlein glänzten mehrere Würfel und Prismen, Kristallformen, schien es, aus Glas, Holz, Metall. Links vom Fenster die ganze Ecke war hell beschlagen, nicht gekachelt, aber mit silbergrauem Wandbelag. Ein blankes Becken trat aus der Wand, mit Hähnen. Ein wuchtiger Werktisch von rohem Holz, eine Schraubenzwinge daran. An den Wänden, hier und drüben beim Fernrohr, hingen weißlackierte verglaste Schränke mit gereihten Tiegeln darin; und links vom Fenster zeigte die Wand ein kleines Schaltbrett mit schwarzen Handgriffen und Hebeln. Eine Schreibtafel war daneben angebracht, Kreide lag auf ihrem Sims.

Der Raum war überaus hell.

Zdenko nahm nicht alle diese Einzelheiten gleich wahr, aber später entdeckte er ihrer noch mehr (einen verglasten Kasten an der rechten Wand mit elektrischen Geräten, die schwarze Walzengestalt eines Rhumkorff'schen Funkeninduktors, und die eben so glänzend schwarzen kreisförmigen Scheiben einer Whimshurst'schen Influenzmaschine mit den silbernen Akzenten der Lamellen rundum).

Es war ein Laboratorium, wirklich.

In der Mitte ein großer, brauner, spiegelnder, leerer Tisch.

Bett sah Zdenko keines. Nur ein Diwan stand an der Rückwand, mit Fauteuils.

Er wird doch nicht hier im Laboratorium schlafen, dachte Zdenko, wo er vielleicht alle möglichen Dämpfe erzeugt.

Später stellte sich heraus, daß Heinrich nebenan in einem hübschen Kabinett wohnte. Zdenko war zunächst so erstaunt, als hätte er mitten in Wien einen neuen Erdteil entdeckt (und es verhielt sich ja wirklich fast so ähnlich). Heinrich ließ ihn ruhig alles besichtigen und stand lang und schlank und immer unverbindlich-liebenswürdig dabei und antwortete auf alle Fragen. Für Zdenko ging der stärkste Eindruck von den kristallographischen Modellen beim Block-Tischlein neben dem Fernrohr aus: die reinen, glatten, glänzenden Formen. Aber hier fragte er nicht. Nur zwischendurch sah er mehrmals dort hinüber.

Freilich, es ging dem jungen Herrn von Chlamtatsch schon durch den Kopf, daß Frehlingers Vater ein sehr reicher Mann sein mußte, wenn er das Studierzimmer seines Sohnes derart auszustatten vermochte. Daß dies hier, dieser kleine Physik-Saal, könnte man sagen, den Liebhabereien und Spielereien des Dr. phil. Heinrich Frehlinger sen. verdankt wurde, erfuhr Zdenko erst ein Weilchen später, indirekt und zwischendurch, aus Bemerkungen Heinrichs. Interessen, Talente und Veranlagungen des Jungen kamen dem Vater glücklich entgegen, und fest stand es bereits, daß Heinrich entweder Mathematik und Physik oder Chemie studieren würde, wie sein Vater, oder auch alle drei Wissenschaften. Wenn aber Heinrich zu Weihnachten einen Rhumkorff'schen Funkeninduktor geschenkt bekam, so hatte sich doch der Doctor Frehlinger damit auch selbst ein neues Spielzeug angeschafft. Chemische Analysen führten sie hier oft gemeinsam durch, ja, dann und wann einmal, wenn es um kleine Dinge ging, auch solche für das Werk, obwohl es ja dort ein richtiges und großes Laboratorium gab. Es läßt sich leicht denken, daß der Gymnasiast schon jetzt bei seinem Vater vieles für's spätere Studium lernte.

Das wär' was für Augustus! dachte Zdenko. Nun, der wollte aber Maschinen-Ingenieur werden.

Es gab links an der Seitenwand neben der Laboratoriums-Ecke noch einen niedrigen Schrank, eine Art Kommode, jedoch mit Türen, nicht mit Schubladen. Die Platte war mit dem gleichen silbergrauen Material bedeckt, das in der Ecke die Wände bekleidete („säurefest", sagte Frehlinger, leicht mit der Hand darauf schlagend). Hier standen, neben einem umfänglichen, mit ledergesäumtem grünem Segeltuch verhüllten Gegenstand (ein Elektromotor, wie sich später zeigte) zwei große glasglänzende Retorten in eisernen Haltern. Sie erschienen Zdenko wie der Gegenpol zu den blinkenden kristallographischen Modellen auf dem Blocktischlein neben dem Fernrohr, und doch mit ihnen verwandt.

Er sprach in bezug auf beides keine Fragen aus. Wir sehen seine Unsachlichkeit in einer sachlichen Welt, innerhalb deren er Beziehungen herstellte, die es da garnicht gab. In einem neuen Erdteil fällt Unwesentliches auf, das die Eingeborenen kaum beachten. Frehlinger hatte eine große Glaswanne, wie ein Aquarium für Goldfische, auf den Werktisch des Laboratoriums gestellt, schüttete ein weißes Salz hinein und füllte das Gefäß zu zwei Dritteln mit Wasser. „Es kommt darauf an, daß man beobachten lernt", sagte er zwischendurch. „Wenn man die Bedingungen und Umstände, die man beim Experimentieren geschaffen hat, vollzählig im Auge behält, springt immer die richtige Erklärung von selbst heraus. Aber man darf auf nichts vergessen. Es können Nebenumstände wirksam sein, die man garnicht haben wollte, und die man doch herbeigeführt hat." Er lachte. „Ich werde dir ein einfaches Beispiel zeigen. Du mußt es selbst lösen." Dieser Frehlinger war eigentlich recht gut angezogen, aber nicht eigentlich elegant. Eher gelehrtenhaft. Die dicke Uhrkette, zum Beispiel, an der Weste. Und hohe Schnürschuhe. Zdenko trug schon Halbschuhe.

Zdenko warf einen Blick auf die Retorten.

„Die haben wir erst vorgestern gekauft", sagte Frehlinger und zog den einen Ständer heran. Er lachte. „Setz dich hinein", fügte er mit einladender Handbewegung hinzu. „Als Homunculus", sagte Zdenko. Sie lachten beide. „Der Weidler hätte vielleicht Platz drinnen", meinte Frehlinger. Weidler war der Kleinste in der Klasse. Zdenko gefiel es, daß oben Glas-Stöpsel in die Retorten eingeschliffen waren.

Sie wandten sich dem von Frehlinger vorbereiteten einfachen Beispiele zu. Heinrich hängte zwei dünne Drähte an den Schmalseiten des Glasbeckens einander gegenüber in das Wasser. Sie waren von Isoliermaterial umhüllt, nur vorne sah etwa ein Centimeter des blanken Metalles hervor. „Im Wasser ist Salmiaksalz", sagte Frehlinger. „Ich lasse jetzt einen sehr schwachen

Strom hindurch." Damit legte er auf der rechten Seite des Schaltbrettes ein Hebelchen um. „Wir müssen ein wenig warten", bemerkte er noch und lachte.

Zdenko stand neben dem Werktische und sah in die Ferne hinaus, die doch eigentlich keine war, nicht hingebreitet und im beruhigteren Blicke gleichsam verhallend, sondern eigentlich überall wieder nah und aufgeregt, mit unregelmäßig durcheinander geräumten Blocks von Häusern und Fabriken. Unter einem gewaltigen Glasdach erstrahlte jetzt ein blendendes blaues Licht, welches durch Sekunden den Nachmittag wie Dämmerung erscheinen ließ. „Was ist das?" fragte Zdenko, aber es war nur eine übernommene Form des Fragens, keine Frage, sondern eine Art des Benehmens. Er wollte das, wonach er nun gefragt hatte, eigentlich garnicht wissen. Es genügte ihm das blaue Leuchten. Es genügten ihm die in's Auge fallenden Erscheinungen des Kontinents, wo er gelandet war. Der Zusammenhang von Einzelheiten war gewissermaßen Sache der hiesigen Bewohner, nicht seine. Man sieht, daß diesem Zdenko jede Sachlichkeit in bezug auf hier wirklich fremd war. Er ist auch nie ein Ingenieur oder Naturwissenschaftler geworden, sehr zum Unterschiede von Frehlinger, der späterhin, und in einem gänzlich gewandelten Zeitalter, zu den Koryphäen der Physik gehörte. Zdenko jedoch wurde in den neuen Erdteil nicht hineingezogen. Aber die Anziehung, die Gravitation war doch mächtig.

„Ich glaube, es ist vom Schweißen, dieses Licht", sagte Frehlinger. „Die arbeiten jetzt immer auch sonntags. Genau weiß ich's nicht, es kann auch was anderes sein."

„Gegenüber vom Gymnasium, hinter den Gärten dort, sieht man manchmal so ein Licht, wo das hohe Haus ist, es hat auch eine Art Glasdach", meinte Zdenko.

Frehlinger nickte. Das sei was anderes, sagte er; eine photographische und lithographische Anstalt. Löwy & Co. Sie erinnerten sich jetzt mit Vergnügen daran, daß in der vierten Klasse, als während der Stunde von elf Uhr bis mittags Goethe's Ballade ‚Der Schatzgräber' gelesen worden war, gerade bei jener Stelle „Und er sah ein Licht von weitem, eben als es zwölfe schlug", das Bogenlicht bei Löwy & Co. drüben erstrahlte, während gleichzeitig der Hilfsdiener Zechmann die Glocke läutete, welche das Ende einer Unterrichts-Stunde anzeigte: worauf die Klasse in ein schallendes Gelächter ausgebrochen war, sehr zum Erstaunen des Professors, der von seinem Platze am Katheder die Lichterscheinung garnicht hatte wahrnehmen können.

„Die gleiche Farbe", sagte Frehlinger, und wies auf das große Glasgefäß am Werktische.

In der Tat war hier inzwischen die farblose Lösung blitzblau geworden.

„Was ist hier vorgegangen?" fragte Frehlinger und lachte.

„Irgend eine Elektrolyse", sagte Zdenko, und war sich des Fragwürdigen und Schwindelhaften seiner Antwort bewußt. Diese war so wenig eine Antwort wie seine Frage früher – bei Erscheinen des blauen Lichtes unter dem Glasdach – eine Frage gewesen war.

„Was unterlag der Elektrolyse?"

„Die Flüssigkeit, offenbar."

„Glaube ich nicht", sagte Frehlinger und lachte. „Wenn aber nicht die Flüssigkeit, was dann?"

Hier wußte der junge Herr von Chlamtatsch keine Antwort mehr.

„Das Salmiak-Salz verändert sich nicht beim Durchgang des elektrischen Stromes. Sonst könnte es nicht für die Elemente verwendet werden, mit denen jede Türklingel betrieben wird. Das Leclanché-Element aber ist ein konstantes Element, es gibt einen konstanten Strom. Hier hab' ich zwanzig solcher Dinger –" er deutete auf den Boden hinter dem Werktisch, wo zwei geschlossene längliche Holzkistchen standen, übereck der Wand entlang – „sie liefern eben jetzt den Schwachstrom, der hier durch die Flüssigkeit geht. Du siehst, das Blau ist inzwischen noch dunkler geworden. Wodurch? Infolge eines Nebenumstandes, den wir selbst herbeigeführt haben. Genau das, was ich früher meinte. Die Drähte, die in's Wasser hängen, sind von Kupfer. Bei der Berührung mit dem Salmiaksalz entsteht, wenn der Strom hindurchgeht, Kupfervitriol. Es färbt das Wasser blau. Siehst du die feinen Bläschen, die hier von der kupfernen Elektrode aufsteigen? Wären die Pole von Platin, so gäbe es überhaupt keine Veränderung. Der Strom würde hindurchgehen, und die Salmiaklösung bliebe farblos, wie sie zu Anfang war. So aber kommt es zu einer Elektrolyse des Kupfers."

Frehlinger trat zu dem Schaltbrett – es wies auf seiner linken Hälfte auch dicke, rechtwinklig über Porzellanknöpfe geführte schwarze Kabel – und zog rechts den kleinen Hebel, womit der Strom unterbrochen war.

„Das ist ja ein ganzes System", sagte Zdenko, die Schalt-Tafel betrachtend, in schon distanzierterer und fast beiläufiger Weise: nach zuerst vollzogener starker Schwankung ließ die Anziehung welche Frehlingers Welthöhle auf ihn gewirkt hatte, nun schon ein wenig nach. Heinrich erklärte ihm die Anlage – es waren eigentlich zwei, nur am gleichen Brette montiert: links der Starkstrom, rechts Frehlingers ‚eigener Stromkreis', wie er lachend sagte, von den Leclanché-Elementen. Er lachte immer harmlos und freundlich, seltsam professoral für einen so jungen Burschen, auch in seinen Scherzen: so etwa, als er, gleich zu Anfang, Zdenko aufgefordert hatte, sich in die Retorte hinein zu setzen. Durch einen halben Augenblick war dem jungen Herrn von Chlamtatsch dieses Gehaben jetzt fast unheimlich – als fehle bei Frehlinger irgendetwas, als sei sein Mitschüler nur eine Art Automat! – aber das verging gleich wieder.

Zdenko betrachtete die Meß-Instrumente auf dem Schaltbrette, deren Zeiger jetzt ruhten. Die erste Dämmerung breitete sich im Zimmer aus, sie floß herein aus dem Geschachtel und Getürm der Gebäude draußen, aus der Ferne, die keine war, und sammelte sich hier. Frehlinger hatte eben die beiden Rheostaten gezeigt, die unterhalb des Schaltbrettes angebracht waren, der größere für den Starkstrom: ein- und ausschaltbare abgestufte Widerstände, man konnte jede beliebige Spannung wählen mit dem über einem Dreiviertelkreis beweglichen Hebel. Die Nadel des Voltmeters schwankte, fiel wieder, ruhte. Frehlinger entfernte dann das ledergesäumte grüne Segeltuch von dem umfänglichen Ding, das neben den beiden Retorten auf dem niedrigen Schrank stand. Es war ein starker Elektromotor. Heinrich zog zwei Kabel herbei und führte den hervorstehenden Kupferdraht in die Klemmen. Dann legte er am Schaltbrette linker Hand den größten Hebel um, der einen Griff von schwarzem Hartgummi zeigte. Mit einer Gewalt, die – so empfand es Zdenko – garnicht in ein Zimmer paßte, sprang die Maschine an und jaulte alsbald hinauf zu ihrer höchsten Umdrehungszahl. Der Schrank zitterte. Frehlinger schaltete den Strom wieder aus. Als er den Hebel zog und damit den Kontakt trennte gab es am Schaltbrette ein scharfes blaues Aufleuchten, das die Dämmerung im Zimmer jetzt sichtbar machte. „Blau ist die Farbe dieses Nachmittages", dachte Zdenko mit einem Blick zu dem Glasgefäße auf dem Werktisch. Frehlinger hatte Licht gemacht. „Dieser Motor soll ja eigentlich eine Drehbank treiben", sagte er. „Ohne Belastung läuft er natürlich wild. Der Papa hat ihn hereingestellt, weil er ihn mit mir zerlegen will." Damit zog er die Kabel wieder aus den Klemmen.

Es war hier nun licht und draußen schien's schon dunkel. Zdenko spazierte um das Zimmer, warf einen Seitenblick auf die kristallographischen Modelle beim Fernrohr, fragte beiläufig, ob Heinrich auch Astronomie betreibe? (was dieser bejahte) und blieb vor dem verglasten Schrank mit den elektrischen Geräten stehen. „Du mußt ja weit mehr in Physik und Chemie wissen, als wir im Gymnasium überhaupt lernen."

„Das schon", sagte Frehlinger, „bissel mehr schon. Auch in Mathematik."

In diesem Augenblicke ward deutlich zweimal an die Tür geklopft und der Fabriksdirektor Dr. Heinrich Frehlinger senior trat ein. „Guten Abend, meine Herren", sagte er und lachte, aber in etwas anderer Art als sein Sohn, man möchte sagen, nicht professoral, sondern gewandt und leichthin. Ein hochgewachsener, sehr schlanker, spitzbärtiger Mann, noch größer als Heinrich jun. (der ja noch im Wachsen war), mit Bewegungen, die etwas gleitendes hatten und zu seiner Schlankheit paßten, eine glitt immer aus der anderen mühelos hervor. Er sah sich nach allen Seiten um, Zdenko wurde vorgestellt, Händeschütteln.

„Ich kenn' Ihren Papa, Herr von Chlamtatsch", sagte der Direktor, „erst vor ein paar Tagen, in Hacking, in der Harbach-Villa, sind wir daraufgekommen, daß unsere Herren Söhne in der gleichen Gymnasialklasse sitzen. Wie geht's zuhaus?" „Danke, Herr Direktor, sehr gut", sagte Zdenko und verbeugte sich leicht.

Man sah es Frehlinger sen. an, daß der junge Mann ihm gefiel. Zudem schien er in bester Laune zu sein. (Wie macht der das, wenn er immer so ist? dachte Zdenko plötzlich.) Wenn der Direktor zu den jungen Leuten „meine Herren" sagte, war dem stets ein leicht parodistischer Unterton beigegeben. „Was habt ihr da für eine blaue Sauce?" fragte er und wies lachend auf den Werktisch. „Unfreiwillige Elektrolyse von Kupfer als Demonstration möglicher Fehlerquellen", sagte Professor Heinrich heiter und korrekt. „Na, bei uns im Werk ist kürzlich eine freiwillige mit Pauken und Trompeten und glorreichem Kurzschluß danebengegangen. Jetzt gehen wir zur Jause, meine Herren, die Mama wartet."

Er schritt ihnen voran. Zdenko war es später, in der Erinnerung, immer, als seien sie nun sehr lange gegangen; und je mehr in die Tiefe der Zeiten ihm dieser Nachmittag und Abend entwichen, desto weiter streckte sich im Raume ein Weg, der zwar durch eine fast endlose Wohnung führte, immerhin aber im ganzen nur durch fünf oder sechs Zimmer. Es bewohnte der Direktor Frehlinger mit den Seinen, wie schon erwähnt worden ist, ein ganzes Stockwerk, das ursprünglich zwei große Wohnungen umfaßt hatte; jetzt waren diese verbunden. Die weiten Gemächer, durch welche man schritt, zeigten die Möblierung und den Charakter reiner Gesellschaftsräume, es waren Salons, im Stile jener Zeit eben, mit da und dort stehenden Tee-Tischchen, brokat-bespannten Sitzmöbeln, Causeusen, Fauteuils, Wandschirmen – sogenannten Paravents – die seidig glänzten und den obligaten hochstieligen Lampen mit breiten Schirmen. Hinter alles das konnte Zdenko in späteren Jahren mit seiner Erinnerung nicht so lebhaft zurück, wie eben gerade bis hierher: bis gerade zu diesem Schlußbild eines Lebensabschnittes, welcher ungefähr mit der Gründung des M.C. begonnen hatte und nun hier mit dem Gehen durch diese Zimmer endete. Zdenko dachte noch – und es war das letzte, was er sozusagen noch im alten Raume, in der alten Zeit dachte – daß es bei seinen Eltern nur einen einzigen solchen Salon gab. Im Vorbeigehen sah er in diesem Augenblick an der Wand unter Glas und Rahmen eine riesenhaft vergrößerte Photographie der mächtigen Eisenbahnbrücke über den Firth of Forth in England (der Vater des Direktors war einer der leitenden Ingenieure bei ihrer Erbauung gewesen). Dies also war das letzte im Schlußbild. Dann überstürzten sich die Ereignisse.

Man betrat ein sehr weiträumiges Speisezimmer mit schweren dunkeln Möbeln. Unter dem obschwebenden elektrischen Lüster saß hier an dem zum Nachmittagskaffee gedeckten Tische machtvoll die Hausfrau: das heißt (und jetzt sehen wir aus Zdenko's Augen), sie explodierte immerwährend nach allen Seiten, vernichtete den Raum rund um sich und machte sowohl Menschen wie Dinge unsichtbar. Ihre Imposanz aber war nicht nur im Sitzen groß. Als sie später von dem weißbeschürzten Stubenmädchen die Meldung erhielt, es sei „die Frau Ingenieur" am Telephon, und nun hinaus schritt (man hatte das Klingeln aus einem entfernteren Raume gehört), erschien ihre große Gestalt von dem Nachmittagskleide nicht umspielt, sondern mit diesem bespannt. Aber zu jenem Zeitpunkte (als das Telephon klingelte) war eigentlich alles und jedes schon passiert und nicht mehr aufzuhalten, zu bremsen, rückgängig zu machen.

Wir, die wir nicht (wie Zdenko) beim Anblicke der Frau Henriette Frehlinger den Verstand verloren haben, würden sagen, daß sie schon eine der Mama Harbach ähnliche Erscheinung war, nur eben um mindestens fünfzehn Jahre jünger.

Alles war sofort passiert. Sie sah ihn an, den Jüngling (Mitglied des M.C.), und fraß ihn auf. Er aber erbleichte. Vater und Sohn sprachen eifrig was Chemisches, und es mußte durchaus so aussehen, als ob der Gast sich in höflichem und gedämpftem Gespräche der Hausfrau widme. Deren Fußspitze spürte Zdenko jetzt mit zunehmendem Drucke, und während Frau Henriette Aug' in Aug' mit ihm verblieb, trat dieser Druck machtvoll durch das Tor der Unzweideutigkeit und veränderte vollends das konkrete Leben. Jetzt kam ihr Knie, aber sein eigenes auch schon. Sie reichte ihm die Zuckerdose und sagte, vorgeneigt und im reinen Conversationston, wie eine leichthin fallen gelassene freundliche Bemerkung: „In deiner Manteltasche ist ein kleiner Zettel. Genau lesen."

Danach ging man noch einmal in's Laboratorium und Frau Henriette zog sich zurück, nachdem sie drei Handküsse entgegengenommen hatte: einen vom Gatten, einen vom Sohn und einen von Zdenko. Sie preßte kurz und stark seine Fingerspitzen mit den ihren.

Er ging zu Fuß und auf Umwegen durch die Erdbergerstraße, die Sophienbrückengasse hinab (am Gymnasium vorbei, das jetzt als toter Block lag und morgen wieder wimmeln würde), dann nach links, und zuletzt in's ‚Café Zartl'. Hier gab es ein Telephon. Zdenko rief bei Hofmock an, bekam Fritz an die Muschel und entschuldigte sich für die heutige Clubsitzung: er habe eine Theaterkarte bekommen. „Servus, auf morgen." Damit lag der Abend frei, schwebte im Unbestimmten.

Alles schwebte. Während er die Erdbergerstraße entlang ging, hielt er in der linken Manteltasche ein kleines Blättchen Karton, ein Kärtchen, oder was es schon sein mochte. Es schnitt leicht in seinen Handteller. Er wollte es auf der Straße nicht hervornehmen, hatte es also noch garnicht gesehen. Er fürchtete, merkwürdigerweise, jemand würde es ihm wegreißen, oder jemand würde ihn beobachten, oder es könnte herabfallen. Zdenko zog die Luft ein. Er vermeinte, einen Hauch von den fernen Praterauen zu spüren, was doch hier kaum sein konnte. Sie lagen dunkel in der Nässe des endenden Winters, da und dort vielleicht ein Licht, eine Straßenlaterne, auf der Hauptallee etwa. Der Straßenverkehr war gering. Das Pflaster glänzte feucht. Es war geschehen. Ja, es war wirklich geschehen. Zdenko befand sich in einem noch nie erlebten Einklange mit sich selbst. Dieser Accord war geradezu dröhnend.

Im Café zuerst zum Telephon ohne den Mantel abzulegen: vor allem mußte dieser Abend freigeräumt werden. Was geschehen war, vertrug sich mit nichts anderem. Dann erst wählte er einen Platz. Deren waren genug frei. Es war still hier. Zdenko hängte seinen Mantel auf einen Kleiderständer. Dann griff er in die linke Tasche und nahm hervor, was darin war, ohne es anzusehen. Wieder schnitt das Kartonblatt leicht in seinen Handteller. Jetzt zog er sich in eine Ecke mit roten Polsterbänken zurück. Eben kam der alte Ober, der Herr Josef, die Brille auf der Nase, und grüßte zeremoniös. Die ‚jungen Herren Studenten‘ wurden von ihm geschätzt. Die meisten waren bescheiden und dabei freigebig in Trinkgeldern. Als Zdenko seinen ‚Einspänner‘ bestellt hatte, legte er das Blättchen vor sich auf den Tisch und sah es an. Aber da war nichts zu sehen, nur die leere weiße kleine Fläche. Er wandte das Kärtchen um. Hier stand mit Bleistift überaus deutlich geschrieben: Nächsten Sonntag. Auhofstraße 123, Hietzing. Erster Stock, Türe links von der Stiege, Punkt 5 Uhr.

Zdenko verwahrte das Blatt. Unter ihm stand durch Augenblicke ein kreisender, dröhnender Trichter; und nun sank er selbst auf dessen Grund hinab.

Wieder heraufgetaucht, sah er, daß aus der bewegten Drehtür jetzt ein sehr großer, ja endlos langer Herr hervorkam. Es war einer der beiden ‚Engländer‘. Das erste, was Zdenko hier empfand war, daß ihn diese Leute nichts mehr angingen. Sie standen in einem Raume, den er verlassen hatte. Ebenso übrigens der M.C. Es benahm sich der ‚Engländer‘ so, wie von ihm zu erwarten war, wie es sich für ihn gehörte. Nachdem er seinen Mantel abgelegt und sich in einer entfernten Ecke niedergelassen hatte, streckte er seine endlosen Beine aus, zog eine lederne Tabaks-Tasche und die kurze Pfeife hervor und begann diese zu stopfen. Dann verschwand er hinter einer Zeitung und blieb verborgen, bei obschwebenden blauen Rauchwolken. Doch währte seine Versunkenheit nicht lange. Die Drehtür entließ eine kleine schlanke und dunkle, höchst unenglisch aussehende Dame, die auf den hinter der Zeitung Verschwundenen zuging und ihm an die Schulter tippte. Sogleich, aber ohne Überraschung und mit gemessener Langsamkeit, erhob sich der ‚Engländer', begrüßte die Dame und half ihr aus dem Mantel.

Diese Vorgänge langweilten Zdenko bereits erheblich und benahmen ihm die Lust, hier weiter zu bleiben. Er verließ bald das Café und wandte sich nach rechts, gegen die Brücke und den Donaukanal zu. Hier, an der dunklen Lände entlang gehend unter den irdischen Sternzeichen der weit ausgespannten Lichter da und dort, schwankte der ganze erlebte Nachmittag jetzt in ihm herauf mit einer – für Zdenko's innere Raumverhältnisse – fast umfassenden Gegensätzlichkeit: mit dem Duett am Schlusse, kleine Trommel und C-Trompete. Er hatte einen Klassenkollegen besucht, um physikalische Versuche zu sehen, war dabei unversehens über einen Berg gegangen und dann auf der anderen Seite hinabgestürzt in ein anderes Tal: aus dem keine Wiederkehr möglich. Tief befremdet erkannte Zdenko dies gerade an der eigenen Gleichgültigkeit beim Erscheinen des einen ‚Engländers'. Er hätte jetzt nicht einmal sagen können, ob es der jüngere oder der ältere von den beiden gewesen sei. Fest stand dagegen, daß es ein Zurück hier nicht gab, fest stand, daß er am nächsten Sonntage dem bündigen Befehl folgen würde, der auf jenem Zettel stand, den er jetzt im Portefeuille verwahrt trug.

An irgendeiner Ecke hatte er die Lände verlassen, dann noch einmal seine Richtung verändert, und ging nun durch die lange Adamsgasse gegen den Eisenbahnviadukt zu. Nach wie vor und wie zu den Zeiten, als Chwostik hier noch gewohnt hatte, erschienen allabendlich die dunklen Flecke wartender Frauen auf den Gehsteigen und unter den Haustoren. Heute war es noch zu früh für sie, ihre Stunde war noch nicht gekommen. Und sie sollte für Zdenko niemals kommen. Nie lernte er jenen Friedhof kennen, auf welchem ja so viele ihr erstes Erlebnis solcher Art bekümmert und ängstlich bestatten. Dies wurde dem autokratischen Verhalten einer imponierenden Dame am Jausentische verdankt.

Aber hier, gerade während dieses Wegstückes durch die Adamsgasse und bis zu dem Viadukt, erhob sich, gesammelt wie noch nie, dieses Nachmittages eigentliche Farbe, und in äußerster Reinheit: ein blitzendes Blau, ein elektrisches Blau, ein fauchender Funke wie jener am Schaltbrette, als Frehlinger den Strom unterbrochen und so den jaulenden Motor abgestellt hatte.

Inzwischen waren die Sachen bei Ing. Monica weit gediehen, ihre Hietzinger Wohnung hatte sie bezogen und ein Wagen und Chauffeur waren von der Schweizer Mutterfirma beigestellt worden. Die Einstandsfeier im neuen Heim zeigte so ungefähr die gleichen Gäste wie das kleine Fest bei ihren Eltern in Döbling aus Anlaß der Rückkehr Monica's nach Wien. Donald war natürlich da gewesen, diesmal aber auch ihre ältere Jugendfreundin Henriette, welche wir inzwischen einigermaßen kennen gelernt haben. Die neue Wohnung war ein rechter Schatz. Vier behagliche Zimmer-Schachteln übereck, alle Fenster in den weiten Garten. Neue Möbel. Einiges doch von den Eltern. Darunter eine schöne Empire-Causeuse, die im letzten Raume, im Schlafzimmer, stand. Monica freute sich jedesmal, wenn ihr Blick auf dieses Stück fiel.

Ihr Leben war ruhiger und gleichmäßiger geworden, sie strengte sich weniger an, die Dinge fielen in ihre Gleise. Sie konnte Donald jetzt hier bei sich daheim empfangen, aber sie traf ihn dann und wann auch noch in jenem Café im dritten Bezirk. Es lag für ihn bequem. Und ein neuer Anlaß führte sie zu ihrem Onkel, dem alten, noch immer activen Advocaten Doctor Eptinger: dieser hatte die Rechtsvertretung jener Schweizer Gesellschaft, deren Wiener Verlagsniederlassung Monica jetzt leitete, übernommen. Er war ihr österreichischer Syndicus geworden.

Wie war's mit Donald? Wie wurde es? Unmöglich, das zu sagen, hier etwas Handfestes zu melden. Er war der eigentliche Inhalt ihres Lebens in Wien geworden. Sie aber füllte seine freie Zeit aus. Dann saß er bei ihr, hielt die Pfeife in der Hand, sah Monica an und lächelte. So in Hietzing, wie im ‚Café Zartl'. Mit

Henriette besprach sie alles (und diese besprach mit ihr alles). Frau Frehlinger meinte, seine Langsamkeit und Zurückhaltung seien vielleicht nationale Eigenschaften. Damit war nicht viel gesagt. Sicherlich ist Monica ursprünglich nicht gesonnen gewesen, Donald gewisse Grenzen überschreiten zu lassen. Vielleicht war sie's jetzt doch schon. Aber er überschritt solche Grenzen nicht. Doch ist hier immerhin anzumerken, daß er die Möglichkeit eines Verlöbnisses mit einer der jüngeren Harbach-Pipsis, welche Möglichkeit damals zweifellos bestand, glatt vorüberließ. Die Wünsche seines Vaters in dieser Richtung, unausgesprochene Wünsche, wurden nicht erfüllt. Außerdem: wenn sie, Monica, sich auch nur einen einzigen Tag lang nicht meldete – keineswegs absichtsvoll, sondern im Drange der Affären, welche nicht erkennen ließen, ob und wann sie Donald treffen könne – dann klingelte unweigerlich im Verlag oder in Hietzing das Telephon, und er war da.

Wir sagen nicht, daß alles im rein Konventionellen blieb zwischen den beiden. In englischer Sprache ist ein Liebesgeflüster zudem besonders reizvoll. Französisch ist's leicht zu picksüß, deutsch wird's gefühlstief und italienisch gar oratorisch. Englisch aber löffelt sich der süße Brei recht artig („to spoon with somebody"). Nicht zu viel, nicht zu wenig. So löffelten sie denn. Es war ja übrigens – nach Donald's Empfinden – kaum damit begonnen worden, kaum noch irgendwas vorgefallen. Man kann nicht so unbedingt sagen, daß unser Donald sich was eingebrockt hätte. Dennoch und wahrhaftig, er mußt' es auslöffeln; sogar bis zum bittern Ende.

Schon damals steckte er in keiner guten Haut. Das Wetter war erst föhnig, wie oft im Frühling; und dann wurde alles bald allenthalben grün und jedermann stand im Grunde ein wenig fassungslos vor dem Umschwung der Jahre, seiner Jahre, der sich hier wieder einmal manifestiert hatte. Aber bei Donald datierte eine Art neuen, und nicht besseren Befindens, schon seit seinem Besuche in Broubek's, des Hausmeisters, Keller-Reich unter der Villa in der Prinzenallee. Er wußte das, wie man solche Dinge eben weiß, nur aus dem Augenwinkel gesehen oder halb um die Ecke gefühlt. Er schlief nicht mehr durch bis zum Morgen. Er saß auf, machte Licht und träumte, im Bett sitzend, weiter: und wußte da, daß er aufstehen, zum Fenster gehen und hinunter schauen mußte auf das Stück Garten unten vor dem Fenster: damit würde er Haus und Garten vor Schaden bewahren. Aber er vermochte es nicht, sich dem Fenster zu nähern und hinaus und hinunter zu schauen, so sehr er's wollte. In seinen Ohren war ein schwaches und hohles Sausen. Gerade das brachte ihn jetzt in Bewegung, mit einem Ruck saß er auf dem Bettrand und verstand nicht mehr, was er eben vorhin noch so dringlich gefühlt und gewollt hatte. Dadurch war er im Augenblicke erleichtert und glücklich und dachte an seinen Vater, der in seinem Zimmer schlief an der Galerie über der Halle, seinem eigenen Zimmer genau gegenüber. Das beruhigte ihn nun vollends.

Gleichsam um die Ecke schauend wußte er doch schon, wie es bei Monica sich verhielt. Wir möchten eigentlich sagen: er seinerseits hätte von sich selbst nur einen Deckel abzunehmen gehabt. Über den Inhalt des Gefäßes konnte kein Zweifel mehr bestehen. Aber Donald blieb selbst unter dem Deckel. Er saß ihr gegenüber, hielt die Pfeife in der Hand und lächelte. So meistens. Geschah mehr, so war's ganz zwischendurch, ein wenig Löffeln. Mehr geschah nicht.

Der Teufel hole Frau Henriette, mit ihrer Meinung von Langsamkeit und Zurückhaltung als nationalen Eigenschaften (einfach das Gegenteil ihrer eigenen Eigenschaften!)! Nein, man möchte diesen langen Burschen zuweilen wirklich in den Hintern treten. Aber es würde ja nichts nützen. Also tritt man ihn nicht. Und so werden denn am Ende nur gutartige und harmlose Wesen vom Autor in den Hintern getreten, wie Finy und Feverl. Freilich mit Filzpatschen, mit Filzpatschen! Mit Stiefeln net.

Um diese Zeit, als Wasmut, Hofmock und Augustus den Zdenko nach Schulschluß heim begleitet hatten und durch die Razumovskygasse in die breite Marxergasse hinab gegangen waren, stießen sie dort auf die beiden ‚Engländer‘. Das ist dem Zdenko nicht vergönnt gewesen (dafür anderes).

Beide also kamen sie diesmal daher, nicht einer allein, wie sonst meistens. Das hatte seine Gründe. Die Sache mit Gollwitzer & Putnik in Belgrad war glücklich erledigt, die letzten Kisten hatte man heute mittags auf's nahe Hauptzollamt zur Abfertigung gefahren, nicht ohne Assistenz Chwostik's, der unbedingt bei diesem Expedit – welches die Speditions-Firma Schenker & Co. besorgte – hatte anwesend sein wollen. Robert und Donald waren bei bester Laune; und sie hatten beschlossen, sich heute einen freien Nachmittag zu machen.

Sogleich riefen sie Augustus in englischer Sprache lustig an, und so stand man denn am Trottoir beisammen, und Augustus machte den beiden Herren seine Schulfreunde bekannt – übrigens nicht ohne Zdenko von Chlamtatsch zu erwähnen, der nun schon nachhause gegangen sei. Die Engländer schüttelten den jungen Leuten die Hand, und gleich redete Robert den Augustus deutsch an: „Jetzt sag' mir einmal, du dicker Bursche, warum bringst du deine Freunde nie zu uns?! Wir haben nämlich, meine Herren" (Clayton wandte sich zu Fritz und Heribert) „einen großen Garten und einen Tennis-Platz. Wie wär's?! Spielen Sie Tennis?! Ja?! Wir könnten da ein großes Meeting veranstalten, was, Donald? Du machst uns den Schiedsrichter?! Wenn es warm und trocken sein wird, lasse ich den Platz gleich herrichten. Also, wir sehen Sie bald bei uns, meine Herren, und Ihren Kameraden, der jetzt nicht da ist, den bringen Sie doch auch mit!"

Hofmock und Wasmut verbeugten sich leicht und nicht unelegant und dankten für die Einladung. Die Claytons verabschiedeten sich, Augustus blieb bei seinen Freunden. Robert rief ihm noch, sich umwendend, zu: „Komm bald, wir lunchen heute etwas früher, in einer halben Stunde!"

„Das ist mein Onkel und sein Sohn, also eigentlich mein Cousin", sagte das Dickerl. „Die Claytons, bei denen ich wohne. Die Fabrik dort vorn gehört ihnen."

Die Sache befriedigte Heribert und Fritz schon in hohem Maße. Man müßte sagen: sie befriedigte die jungen Herren stilistisch. Sie wirkte stärkend auf den von ihnen angestrebten Lebens-Stil. Zu sagen ist auch, daß jenes Geheimnis, das bisher die ‚Engländer‘ für jeden von ihnen allein bedeutet hatten, nun, da sie die beiden kennen gelernt, für jeden von ihnen für immer verschüttet blieb. Das gilt auch für Zdenko; ja, er war darin voraus, denn er hatte ja diesen Punkt, wie wir wissen, schon vordem im ‚Café Zartl‘ erreicht. Wäre Zdenko eben jetzt zur Stelle gewesen, als man durch Augustus mit den beiden ‚Engländern‘ eine so plötzliche wie tief überraschende Verbindung gewann: er hätte vielleicht bemerkt, daß Robert Clayton die Ansprache „meine Herren“ ganz ohne jenen leicht ironischen Unterton gebrauchte, den der junge Herr von Chlamtatsch kürzlich in der Schwalbengasse hatte heraus hören können.

Jedoch, für ihn war alles das schon gleichgültig. Seit er an jenem Sonntag, der auf seinen Besuch bei Frehlinger folgte, nach Mittagessen und schwarzem Kaffee am Tische seiner Eltern – hier noch war er geborgen, von sich selbst getrennt im Geplauder gewesen, ein Fesselballon noch, ein Küstenfahrer, aber das offene Meer wartete – seit er an jenem Nachmittage sich noch einmal sorgfältig soigniert hatte, um dann seine Columbus-Reise nach Hietzing anzutreten, in einer Leere sich bewegend, welche die Umwelt an den Rand drängte und doch schärfer sichtbar werden ließ (durch die Distanz, die jede exzeptionelle Lage ihrem Träger verleiht, aber das wußte er freilich nicht): seit damals war es, daß alles in Lähmung und Dämpfung lag, in völliger Entzauberung und aus seiner einst erlebten Aura gefallen, alles was es da gegeben hatte vor dem Durchschreiten der vier oder fünf großen Zimmer in der Schwalbengasse, mit Dr. Frehlinger und Heinrich, und vorbei an dem Bilde der Eisenbahnbrücke über den Firth of Forth. Er fuhr mit der Stadtbahn nach Hietzing, und diese fuhr damals noch mit Dampflokomotiven, und in dem braunen Waggon war's geheizt, und er saß allein in einem Abteil II. Classe. In den langen Tunnels trat das Gaslicht an der Decke hervor aus der rasch wie ein finsterer Würfel fallenden Dunkelheit. Es war jedesmal als würde der Zug in eine Schachtel voll Rauch gesteckt.

Und in der Auhofgasse. Dinge wie Straßen und Hausnummern führen uns ja wie ein Maschinen-Gestänge. Plötzlich wird alles ganz streng. Es gibt da keine Freiheiten mehr.

Vom Absatz der nicht breiten Treppe links. Eine in mattem, elegantem Olivgrün in den Flur schimmernde Tür. Als er die letzte Stufe verlassen hatte, angelte sie lautlos halb auf und ließ nur Dunkel dahinter sehen.

Zdenko war hinein gegangen, es klappte leicht hinter ihm und er sah jetzt fast überhaupt nichts. Im nächsten Augenblicke ward er an der Hand weitergezogen in ein helles Zimmer. Sie umarmte ihn sogleich und küßte seinen Mund. Was dann kam, wurde viele Jahre später von ihm eigentlich immer noch bezweifelt, aber es war doch unleugbar so gewesen. Wieder an der Hand genommen, durch Zimmer geführt. Ein sehr duftiger Raum zuletzt. Immer wieder sah er dann Henriette dort auf der Causeuse sitzen, eine schwere grundbrechende Explosion: im Hemd und im großen Mieder. Sie erhob sich und begann es zu lösen. Er rutschte auf den bloßen Knien zu ihr hin. Sie fuhr ihm durch das Haar und erteilte ihm nur einen Wink mit der Hand: nach rückwärts, sich niederzulegen. Dann kam sie: ein heißer Gletscher.

So weit seine späteren Erinnerungen an Frau Henriette Frehlinger. Sie waren immer lückenhaft gewesen, wie ein Pfad, der auf einzelnen Steinen über den Bach führt. Aber sie waren nicht von darauf folgenden und verwandten Bildern überlagert. Denn es blieb bei diesem einen Mal.

Als Monica die Frau Henriette vierzehn Tage oder drei Wochen später fragte, wann sie die Wohnung wieder zur Verfügung haben wolle, sagte die ältere Freundin:

„Was fällt dir ein, Moni. Ich kann doch nicht ein Liebesverhältnis mit einem Gymnasiasten haben."

Begreiflich. Eine autokratische Dame. Viel bemerkenswerter ist es, daß Zdenko niemals, und nicht einen Augenblick lang, erwartet hat, Henriette wiederzusehen oder gar in solcher Weise mit ihr zusammen zu treffen, wie's Monica gemeint hatte. Für sie, selbstverständlich, schloß diese ganze Sache an's übrige Leben an und mußte sich also natürlicher Weise darin weiterbewegen. Nicht so für den jungen Herrn von Chlamtatsch. Ja, es gibt plötzliche und abrupte Ereignisse in unserem Dasein, die bis auf den heutigen Tag als einsam glühende Sonnen dort rückwärts im leeren Raume stehen, ohne daß irgend etwas um sie kreisen würde, das auf sie Bezug hätte. Nein, sie haben gleichsam kein System um sich versammelt oder angesetzt, keinen Raum erstellt und gespannt, in den wir hätten eingehen können, keine Welthöhle geschaffen. Sie sind Tatsachen, solche Ereignisse, aber völlig alleinstehende Tatsachen, und dadurch sogar als solche bald fragwürdig (ist das nicht verwandt der vor lauter Diskretion luftdicht abgeschlossenen Liebeskonserve, in welcher einst Rita Bachler und der Landesgerichtsrat Keibl sich befanden?). Jene einsamen Sonnen sind uns unendlich kostbar. Manchmal fragen wir zu ihnen hin. Aber sie antworten nie. Sie sind zu vornehm dazu. Sie haben sich nie unter das Volk der wimmelnden Tatsachen gemischt. So etwas war natürlich für Ing. Monica Bachler unverständlich. Man mußte die Sachen doch fortsetzen, also eigentlich erst Sachen daraus machen (recht hat sie ja, in ihrem Sinne, wir leugnen es nicht!), also etwa die Sache Donald. Dabei saß er ihr gegenüber, neben seinem Leben im Fauteuil (ohne in dieser Angelegenheit den Anschluß daran zu finden), hielt die Pfeife in der Hand, lächelte. Uns reißt's schon wieder im Stiefel, der Leser weiß schon, wie wir's meinen.

Dem Zdenko aber konnten nun weder die beiden ‚Engländer‘, von denen man jetzt wußte, daß sie wirklich Engländer waren (eine beruhigende Ordnung der Dinge!), noch ein Laboratorium in der Schwalbengasse mehr einen besonderen und imponierenden Eindruck machen. Ihm war zeitweis fast so, als hätte er den Hintergrund aller dieser Sachen hervorgezogen, ja, als habe er sie erstmals und durch Augenblicke recht eigentlich von rückwärts gesehen, wie auch die Frau Henriette (in jedem Sinne). Beides blieb unvergeßlich, besser: unausrottbar.

Aber, solche Fracht bergend, und wegen ihrer Verletzlichkeit besorgt, errichtete er sich einen Schutzwall befremdlicher Art; mindestens paßte der wenig zu alledem, was man so die Verwirrungen eines Schülers nennt, wie denn der ganze M.C. überhaupt sich herzlich weit entfernt von allen ‚Schülertragödien‘ befand. Sie waren damals gewissermaßen in Mode und führten sogar zum Erscheinen einer Zeitschrift von revolutionärem Charakter, welche ‚Das Klassenbuch‘ hieß und sich gegen die zu jener Zeit in den Mittelschulen bestehenden Gepflogenheiten wandte.

Nicht etwa, daß in Zdenko nun eine Erinnerung brannte, die er durch gesteigerte Lernarbeit zu bekämpfen suchte: das wäre ihm schwerlich gelungen. Aber es brannte nichts. So weiß das Feuer gewesen: der Rost war jetzt kalt und grau. Und manches, was früher seine Seitenblicke gehabt hatte – Mädchen, Bücher, Bilder – fiel nun leblos aus der Beachtung. Was unausrottbar blieb, das war die Wendung, welche die ihn umgebenden Wände plötzlich und für ein Kurzes vollzogen hatten, dann wieder zurückschwankend in die alte Lage, wie ein Vorhang, der sich beruhigt. Die verletzliche Fracht aber, in der eigenen Brust geborgen, wurde von nichts anderem gebildet als von seiner neuen Erwachsenheit. Niemand durfte ihr nahetreten. Die Schule mußte zur reinen Spielerei herabgedrückt werden. Hatte er vordem aus ‚Dandysmus‘ gelernt (um die ‚impassibilité‘ darzustellen), so geschah es jetzt, genau genommen, nur aus Diskretion, aus dem Willen, abgeschlossen in sich selbst zu sein, niemand Gelegenheit zum Dreinreden zu geben. So stießen die sich schließenden Grenzen der Person schon härter an die Umwelt. Bei jeder Pose besteht die Möglichkeit, daß sie nichts anderes ist als die an den Horizont gestellte noch leere Rüstung einer bestimmten Haltung, in die einer schließlich hineinverschwindet. Er hat sie bisher nur spielend geübt, wie ein Kind die Tätigkeiten der Erwachsenen nachmacht. Man dürfte eigentlich über posierende Menschen nicht geringschätzig urteilen (man tut's fast immer). Denn plötzlich hört so ein Poseur dann auf, und ist geworden, was er bisher spielte, wie ein Bub etwa, der im späteren Leben wirklich ein Lokomotivführer oder Schiffskapitän wird.

Zdenko, und nicht Augustus, wie Professor Petschenka erwartet hatte, wurde im folgenden Semester Klassen-Erster oder ‚Primus‘, wie sie damals sagten. Er verschwieg es daheim. Auf seinem hervorragenden Zeugnis, das er im Juli erhielt, war es ja nicht vermerkt.

Daß Zdenko ‚Primus‘ geworden war, fand dann lebhaften Beifall bei den sogenannten ‚Elementen‘ der Klasse (‚Es gibt in dieser Klasse Elemente, mit denen man noch fertig zu werden wissen wird!‘), also bei jener Sorte von Faulpelzen, Raufbolden und Schwindlern, die hier Ruhe, Ordnung und den Unterricht störten, wo immer sie konnten und einen Faktor der öffentlichen Unsicherheit bildeten. Der Direktor des Gymnasiums nannte solche unter anderem auch ‚Giftpflanzen, die ausgerottet werden müssen‘. Die schlimmsten unter ihnen waren drei und hießen Ventruba, Rottenstein (Freiherr von) und Doderer. Diese Elemente (die zum Teil ganz passabel lernten!) sahen Zdenko lieber als Klassenprimus als einen von den ‚Iusti‘, den Gerechten, den Stuckern, Büfflern und Strebern: diesen gönnten sie es, daß Chlamtatsch ihnen den Rang abgelaufen hatte. Ihn, obwohl er ja ein sehr guter Schüler war, zu den ‚Iusti‘ zu zählen, wäre, wie schon erwähnt worden ist, niemandem eingefallen.

Da seine Leistungen seit langem schon sehr gute gewesen waren, wurde deren Steigerung freilich so rasch nicht sichtbar. Jetzt, im Frühling, befand er sich in vollster Tätigkeit, immer doch schmerzhaft bewohnt von dem, was ihn verwandelt hatte.

Es gehörte zu diesem Stande der Dinge und zu diesem Frühjahr, daß er auch äußerlich Räume betrat, die ihm neu waren, so nahe sie gelegen haben mochten. Er hat späterhin gerade dies als die eigentlichen Drehpunkte, ja, man möchte sagen, als die Geburt seiner Jugend betrachtet, und mit ihnen vielleicht noch das Gehen durch die vielen Zimmer bei Frehlingers und vorüber an dem Bilde der Eisenbahnbrücke über den Firth of Forth. Nie aber eigentlich jene schneeweiße Explosion auf der Causeuse. Diese blieb ein Muttergestirn, eine Sternmutter, ein ‚Algol‘, wie die Astronomie jene ungeheuren, einsamen und trabantenlosen Ansammlungen von Materie im Weltraum auch nennt, Reserven des Universums. Jetzt, wo über das lange Lanzengitter des einstmals Gräflich-Razumovsky’schen Parks – so weit von ihm noch etwas vorhanden war, denn auf diesen Gründen hatte man ja in den späten Siebzigerjahren das Gymnasium und die daran grenzende Lehrerbildungs-Anstalt gebaut – jetzt, wo über dieses Gitter schon die grünen Büsche sich zum Gehsteig neigten, kam er erstmals durch einen Zufall dahin, jenen Garten zu betreten. Er stand sonst nur in Benützung der Lehrerbildungsanstalt. Diese hatte einen Projektions-Apparat aus dem Physiksaal des Gymnasiums entlehnt, der nun wieder zurück verbracht werden sollte. Den Organen der Lehrerbildungs-Anstalt wurden für den Transport noch zwei ältere Schüler des Gymnasiums – zum Tragen einzelner empfindlicher Bestand-Teile der Vorrichtung – sowie der Hilfsdiener Zechmann beigegeben.

Ihn galt es zu finden, bevor man hinüberging, und das lief auf ein Absteigen in Unterwelt und Hausmeisterei hinaus – „Hilfsdiener" war eine vornehme, von oben herab verliehene amtliche Bezeichnung, in Wirklichkeit war Zechmann der Hausmeister – also gleichsam in die niedrigeren Eingeweide der Anstalt, von welchen sowohl Aristoteles wie Euripides und Demosthenes unterwachsen waren. „Ad inferos!" sagte Hofmock und drückte den hohen schweren Türflügel auf, der durch seinen automatischen Schließer einigen Widerstand bot. Und dann stiegen sie die Kellertreppe hinab.

Diese war breit. Ebenso die halbdunklen Gänge. Es war ein Spiegelbild der Oberwelt, was sie jetzt umfing, nur eben anderen und gerümpligen Geistes und erfüllt von jener bewegungslosen mausgrauen Luft, die das Wesen des Hades ausmacht. Schon auch spürte man den hier zuständigen Gott, denn Zechmanns furchtbarer Vier-Kreutzer-Tabak leitete die Schüler so, daß sie des weißen emaillierten Schildchens an der Türe garnicht bedurft hätten. Sie standen in Zechmanns Küche.

Dieser, ein gutmütiger Säufer mit hellem wässrigen Blick, erhob sich beim Eintritte der jungen Herren und lächelte gleichsam entschuldigend, ja, als wollte er diese Küche hier entschuldigen, und die auf dem Herde brodelnden Töpfe (aus denen ein garnicht übler Duft kam), und sein eigenes Vorhandensein und Tabakrauchen, und daß es überhaupt diese Unterwelt gab, und daß sie es wagte, sich unter Platon und Cicero gerümplig und eingeweidig auszudehnen und garnicht weniger geräumig als die obere. Frau Zechmann war nicht sichtbar. Der Hilfsdiener hatte allein am Herde gesessen, auftragsgemäß auf die Töpfe achtend und die Zeitung in der Hand.

Vielleicht kam Zechmanns etwas hilflose Verlegenheit auch daher, daß er jetzt die Töpfe auf dem Herde nicht allein lassen konnte, anderseits aber – wie ihm Zdenko und Fritz gleich sagten – im Auftrage der Direktion mit ihnen zu gehen hatte, um den Projektor zu holen. Denn als jetzt Frau Zechmann mit ihrer Einkaufstasche eintrat, vom Markte zurückkehrend, gewann er alsbald festere Haltung, vielleicht sogar auch als Ehemann diesen Knaben gegenüber. Des Zechmanns Frau war munter. Um zehn Uhr pflegte sie am Schüler-Buffet eilfertig die heißen Würstel aus dem mächtigen Topfe zu fangen, und mit den Schülern hatte sie einen wohlwollenden Ton des Umganges, als kennte sie deren mitunter große Sorgen (solchermaßen spiegelten sich also die langen Sätze des Demosthenes in der Unterwelt ab). Sie war wohl jünger als der tabakrauchende und lampenanzündende Gott der Gänge und Aborte, jedenfalls weit besser erhalten. Auch fehlte bei ihr ganz jener säuerliche Leidenszug, wie ihn Frauen von Trinkern oft an sich haben (was Wunder?!). Offenbar hatte sie sich mit den turnusweisen Bezechtheiten des gutmütigen Gatten längst und ein für alle Male abgefunden.

Sie ließen Frau Zechmann bei ihren Töpfen und verließen die Unterwelt, den Zechmann gleichsam als Beute aus dem Hades an die süße Luft der Oberfläche bringend, wie einst Herakles den Cerberos, doch war's weniger gefährlich.

Dann in fremden Gängen, die doch ganz so aussahen wie jene des Gymnasiums drüben, nur hatte man diese da kaum mehr betreten, seit der Volksschülerzeit hier in der ,Übungsschule', welche der Lehrerbildungs-Anstalt angeschlossen war. ,Übungs-Schule III. Classe' stand über einer Türe, schwarz auf braun. Befremdlich. Man hörte Stimmen von drinnen, hier wurde Unterricht gehalten.

Hofmock war es, der auf den Gedanken verfiel, vor dem Übernehmen der Sachen, die sie holen sollten, doch einmal jenen

Garten zu betreten, in welchen man nie kam. Der Schuldiener, der ihnen begegnete, und an welchen sich unsere Delegation gleich gewandt hatte, führte jetzt die jungen Herren bereitwillig hinaus (es gab dafür ein Trinkgeld, im M. C. wußte man nicht nur, was sich nach oben, sondern auch, was sich nach unten gehörte!). Sie betraten einen augenblicklich nicht benützten Unterrichts-Saal der Lehrerbildungs-Anstalt – der Schuldiener sperrte ihn auf – und jetzt zeigte sich, daß dieser große Raum, der viele in Reihen aufgestellte Tische enthielt, fast zu ebener Erde direkt an den Garten grenzte. Man konnte in diesen durch eine Glastüre, welche sich neben dem Podium und Katheder befand, hinaus gehen.

Nun standen sie da, auf den grauen schweren Steinplatten einer dem Gebäude vorgelagerten, nur zwei Stufen hohen Terrasse, und sahen in eine wohlgeordnete Gepflegtheit (vielleicht diente der Garten auch zu Unterrichtszwecken?) und in freundliche, den Blick durch's Grün leitende schmale Wege. Der Himmel war bedeckt, der Tag hatte keinen Sonnenschein. In seinem zerstreuten Licht stand drüben die schwere hohe Parkfront des Palais' Razumovsky (wie ein nach Wien verschlagener Teil des Petersburger Palastkais an der Newa, dem bescheidenen Wesen der Wiener adeligen Privathäuser völlig fremd).

Sie machten ein paar Schritte in den Garten hinein, bis zu einem steinumrandeten Becken, in welchem einige noch nicht erblühte Wasser-Rosen schwammen.

Der Garten war doch immer noch sehr weit und lang, es eröffnete sich von hier fast eine Art Fernsicht, nicht nur zu dem Palast hinüber, sondern auch rechts davon in die Straßen.

Sonst ging man dort draußen vorbei.

Befremdlich. Nun stand man herinnen unter vielen sichtbaren Einzelheiten. Zdenko dachte plötzlich daran, daß vor ihm in der Bank Heinrich Frehlinger saß. Weiter nichts; obwohl er weiterdenken hätte können. Etwa, daß sie beide den gleichen verborgenen Ort passiert hatten, wenn auch in sehr verschiedenen Lebensaltern und in umgekehrter Richtung. Das wäre unleugbar gewesen, aber Zdenko dachte es nicht. Es gehört zum

Leben, daß wir Naheliegendes und Unleugbares einfach nicht denken.

Auch in Zechmanns Küche war Grün gewesen. Zdenko nahm es gleichsam erst hintennach wahr. Blattpflanzen am Fenster.

Alles stand hier still. Die Luft, die Wolken am Himmel, die fernen Häuser. Auch die Zechmann'sche Unterwelt war still gestanden. Die Blattpflanzen am Fenster.

Sie wandten sich aus dem Garten zurück und zu ihren Obliegenheiten.

Wir haben schon einmal zwei Leute umgestülpt wie die Handschuhe, weil wir erfahren wollten, wie sie's auf der abgekehrten Seite machen, die man sonst nicht zu sehen kriegt: nämlich den Herrn Direktor Chwostik und den Oberlandesgerichtsrat Doctor Keibl. Warum sollen wir das mit Mr. Donald Clayton nicht auch tun, wenn wir schon – weil ein solches Verfahren völlig aussichtslos wäre – von einer ganz anderen Art, seine Kehrseite zu behandeln, Abstand genommen haben?

Der Leser weiß schon.

Monica fragte ihn sogar einmal ganz geradezu danach: dann aber wurde ihr schwindlig. Denn natürlich hatte sie ihn nach ‚Erlebnissen‘ gefragt – was denn anderes konnte sie hier sich vorstellen als das, was sie selbst gehabt hatte, sei's in Birmingham, sei's in Zürich – aber nicht nach Veranstaltungen und Gepflogenheiten. „An solchen Dingen ist doch nie ein Mangel" – so Donald – „in meiner Lage bietet derlei keine Schwierigkeiten. Tabarin, Moulin rouge." Soignierte Wege des Adam. Nicht gerade die Adamsgasse. Einer hatte er sogar eine kleine Wohnung gehalten. Später wurden ihm ihre Ansprüche zu hoch. Wie alle Männer von dieser Lebensweise – und besonders solche aus nördlichen Ländern! – war er im Grunde der Meinung, daß eine anständige Frau für so etwas garnicht da ist (Stiefel! Stiefel!). Die Methode mag übrigens auf höchster Ebene schon was für sich haben. Nicht aber auf der Ebene des Mr. Donald.

Zu Monica nach Hietzing fuhr er nicht im Wagen (wegen des Chauffeurs), sondern mit der Stadtbahn bis Unter-St. Veit. Diese Haltestelle lag der sehr hohen Nummer ihres Hauses in der Auhofstraße am nächsten. An der Wende des April und Mai, bei trübem, aber schon beinahe heißem Wetter, war seine Lage gegenüber Monica für ihn doch schon durchaus spürbar geworden, eine Art stumpfer aber vordrängender Spitze, ein dumpfer Druck im Gewissen. Ein solcher kann für uns mehr wert sein als die klarste Erkenntnis. Man muß die Spitze nur schärfen, man muß sie ausziehen. Es besteht kein Zweifel, daß Donald einer wanzenplatt banalen Hemmung unterlag: der Vorstellung nämlich, daß er, gegebenen Falles, die Monica heiraten müsse. So furchtbar moralisch werden immer jene, die ein doch immerhin recht beachtliches Gebiet des Lebens bis dahin vom Leben ausgeschlossen haben. Unter dieser Trivialität aber lag eine tiefere und vielleicht bessere Schicht: das Zusammenleben mit dem Vater – Clayton bros.! – der längst zum Bruder geworden war, ließ Möglichkeiten außerhalb dieses Fundamentes und ohne dasselbe kaum zu einer anschaulichen Vorstellung werden.

So in seine Druckpunkte gefügt – die nun schon beinahe gewohnt zu werden begannen – und doch wohl wissend, daß die Lage immer noch in seiner Hand lag und durchaus deren Druck gehorchen würde, stieg er die Treppen vom Perron der Stadtbahn und trat in die etwas dumpfe Atmosphäre eines Frühlingstages ohne Sonnenschein hinaus, sich alsbald nach links wendend und in eine Gasse, welche senkrecht auf die Auhofstraße zu lief. Auch dieser Weg war schon gewohnt, variiert heute nur durch sein Eingepacktsein in das besonders windstill-schweigsame und glanzlose Wetter des Tages. Ungewohnt jedoch war der Umstand für Donald, daß, als er den Treppenabsatz erreicht hatte und auf die Tür zutrat, um zu klingeln, deren matt olivgrün in's Stiegenhaus spiegelnder Flügel lautlos von selbst aufging und das Dunkel im Vorraum sehen ließ.

Aber sie machte gleich Licht, als er eingetreten war, und Donald konnte den Hut ablegen und den gerollten Regenschirm wegstellen, den er des unsicheren Wetters wegen trug, und wohl auch noch immer nach den Gepflogenheiten der alten Heimat. Sie betraten die Zimmer und Monica ging voran. Grün aus dem Garten lag im Weiß der durchsichtigen Vorhänge. Das Eckzimmer (vor Monica's Schlafraum) erhielt diesen Schein von zwei Seiten. Sie sagte: „Du wirst mich dann für eine halbeStunde entschuldigen, Donald, ich muß einen Briefentwurf machen, ich glaub', ich hab' die Sache eben jetzt klar im Kopf und will sie auf den Block werfen." Er hatte sich auf einen Fauteuil niedergelassen, lächelte freundlich und kramte seine Pfeife hervor. Wie wir das hier so schreiben, kommt's heraus, in der deutschen Sprache nämlich, als würde unsere Ingenieurin den Donald richtig duzen. Aber so war es nicht. Sie redeten ja stets englisch miteinander. Die Schwelle zwischen dem ‚Sie' und dem ‚Du', deren Überschreiten bei Liebesleuten immerhin was zu bedeuten hat, war hier unsichtbar geblieben; sie hatten jene wohl überschritten, aber dies war nicht Wort geworden, nicht ausdrücklich geschehen. Wir halten das nicht für ganz bedeutungslos. Vor anderen Leuten und in deutscher Sprachr hätten sie einander selbstverständlich mit ‚Sie' angesprochen. Die letzte Gelegenheit dieser Art lag übrigens schon einige Zeit zurück: es war Monica's Einstandsfeier in diesem neuen Heim hier gewesen. Damals aber hielten Monica und Donald wirklich noch beim ‚Sie'.

Es war inzwischen hier im Zimmer etwas dunkler geworden. Sie setzte sich zu ihm auf die Lehne des Fauteuils. Zum ersten Mal, als sie einander jetzt küßten und ihre feste Brust ihn, man könnte sagen, ausführlich berührte, fühlte sie etwas wie eine bäumende Welle, eine Dünung durch seinen langgestreckten Körper gehn. Sein Hinterkopf, den sie hielt, füllte nicht ihre Hand, sondern war flach und grade. Sie blieben Mund an Mund. Zum ersten Mal auch glitten seine Hände von ihren Schultern, und er formte den Umriß ihrer Leiblichkeit langsam nach, auch das war ausführlich. Endlich. Sie sprang von seinen Knien, auf die sie gerutscht war, stand vor ihm und sah ihn aus aufleuchtenden Augen an; dann wich sie, ohne sich zu wenden, Schritt hinter Schritt zur Türe ihres Schlafzimmers, griff nach rück-wärts, öffnete den hohen weißlackierten Flügel, glitt, den Blick immer auf ihm, hinein und nickte noch lächelnd aus dem sich schließenden Spalt, nickte Gewährung.

Nickte Gewährung, ja, so sagen nur wir! Donald blieb sitzen, lauschte auch nicht nach nebenan. Der Himmel hatte sich noch mehr verfinstert. ‚Sie muß Licht machen, wenn sie auf ihren Block einen Briefentwurf schreiben will . . .‘, ja, das dachte er wirklich. Es war das Unnötigste und vollends Überflüssigste, was in seiner Lage gedacht werden konnte. Doch wußte er, daß irgend etwas zu geschehen hatte. O ja, das schon. Aber es be-gann prasselnd zu regnen und damit entstand für Donald eine ganz andere und wie von weither kommende Lage, und aus ihr tat er garnichts, nichts Falsches und nichts Richtiges.

Er blieb einfach aus.

Er war nicht da. Der Regen stürzte wild am Fenster herab, wusch es in Bächen, trommelte unten auf dem Kies. Und Donald starrte hinaus in diese wahre Wasserswand. Wenn er irgend-etwas wollte, dann wäre das gewesen, aufzuspringen und dort hinunter zu schauen, wo die zerstörende Wassermasse auftraf. Indessen hielt ihn eine Lähmung nieder, die wie von außen kam, und als sei eine Barrière quer über ihn gefallen.

Sie hatte drinnen ihre Kleider auf die alte Causeuse geworfen und lag jetzt am Rücken, mit geschlossenen Augen.

Es war also geschehen, ja, es war wirklich geschehen, die sturzartige Wendung war da. Was jetzt kommen würde, war bereits geschehen.

Natürlich hätte sie noch zurück gekonnt. Alles war ihr eige-nes Werk.

(So also fuhr Monica im geretteten Kahn ihrer Souveränität, eine Nuß-Schale, ja, ein auf's Wasser gefallenes schwimmendes Blatt, augenlos über der Tiefe).

Dann kam, daß nichts geschah. Es walzte sie sehr langsam platt, aber wuchtig: von den Füßen her beginnend, vom Fuß-

ende des breiten Bettes her, das gegen die weißlackierte Flügel-
türe zu sich erstreckte. Davor die Causeuse mit ihren Kleidern.
Als nach geraumer Zeit – während schon der Regen prasselte –
die unaufhaltsame Walze ihren Magen zu erreichen begann,
glitt sie in plötzlicher Behendigkeit darunter weg und aus dem
Bett und drehte an der Türe den goldfarbenen elliptischen Handgriff des Riegels, mit einem Gefühl heftigen Dankes, weil ihr dabei von dem gehorsamen Ding Lautlosigkeit geschenkt wurde.
Wie ein Schatten in ihre Kleider. Vor den Spiegel. Auf dem
Toilette-Tisch lagen, zufällig von ihr in's Schlafzimmer getragen (sie war durch ihre Räume auf und ab gegangen) und dann
liegen gelassen, als Donald, der Minutenpünktliche, zu erwarten gewesen war, ein Schreib-Block und ihr silberner Stift. Sie
ergriff beides und fühlte sich noch tiefer erleichtert und dankbar wie eben vorhin, wegen der weichen lautlosen Art, in welcher der Riegel sich geschlossen hatte. Einen Augenblick zuck-
ten ihre Mundwinkel verächtlich, als sie bei dem Trostgedanken
sich ertappte, Donald könnte vielleicht wirklich vermeint haben, sie wolle jetzt arbeiten . . . . Sogleich dann trat sie bei Donald ein, Block und Stift in der Hand.

„You got it?" fragte er. Sein Gesicht war von einer befremd-
lichen Trauer erfüllt, nur in den ersten Augenblicken. Der Regen schwieg, es wurde heller.

„It's all right", sagte sie und sah durch's Fenster in den Himmel. Dieser war jetzt aufgerissen. Die Wolken ließen an zwei
Stellen das Blau sehen.

Sie beschlossen, ein wenig in der frischen Luft spazieren zu
gehen, und dann im Parkhotel zu essen.

Am folgenden Tage verließ Milohnić zu guter Stunde sein
Hotel auf der Josefstadt – in der Halle schüttelte er dem einstigen Chef und jetzigen Collegen herzlich die Hand (ein alter Herr
schon! – nun, wir sehen nur den Mitalternden und uns selber

nicht in's Gesicht), und so machte er sich denn auf den Weg zu Claytons in den Prater, wo heute ein five o'clock stattfinden sollte (geläufige Begriffe! erworben! das Genie Chwostik besaß sie, wie angeboren/!!/, Golf-Wiesenbillard!). Ein Fünf-Uhr-Tee. Milo war gleich auch dazu eingeladen worden – mit großem Halloh von Seiten Robert Claytons! – als er gestern, am ersten Tage seines Wiener Aufenthaltes, telephonisch das Bureau von Clayton & Powers angerufen hatte.

(Monica ihrerseits hat da nicht mehr zurück können – und wie denn auch?! Sie hätte damit doch dem Donald demonstriert, daß am Vortage zwischen ihm und ihr irgendwas passiert sei, und es war doch nicht das Geringste passiert! /Wahrhaftig!/ Die jetzt in Wien lebende Nichte des Doctor's Eptinger war selbstverständlich gebeten worden, und ihre Eltern auch gleich dazu.)

Milo also machte sich auf den Weg, bei knallblauem Wetter und Sonnenschein (aber der Tennisplatz bei Claytons war weder trocken noch gebrauchsfertig nach den Regengüssen der letzten Tage, aus dem Turnier mit Donald als Schiedsrichter konnte also zunächst nichts werden, und der M. C. erschien somit nur zum five o'clock).

Die Stunde war früh, erst kurz nach vier. Milohnić ging ein Stück zu Fuß durch die Stadt. Dem eleganten, kräftigen Andreas hätte wirklich niemand sein Alter angemerkt. Das dichte Haar war schwarz. Wir sehen es jetzt, weil er für ein paar Schritte den Hut mit dem Stock und den Handschuhen in der Hand trägt. Er verläßt die Josefstadt gegen das Parlament zu, kreuzt den Ring und geht am Volksgarten entlang und am Burgtheater vorbei. In der Schottengasse, am Hof und am Graben bleibt er mehrmals vor Schaufenstern stehen.

Milo's Aufenthalte in Wien dienten immer auch modischen Zwecken. Er absolvierte seine Schneiderproben und fuhr jedesmal nahezu neu angezogen nach Belgrad zurück, mit Sachen, die er schon während des Urlaubes getragen hatte und in welche er, des Zolles wegen, sein Monogramm sticken ließ. Ein böhmischer Schustermeister namens Ouhrabka in der Habsburgergasse hatte Milo's Modell-Leisten, und wenn er eintraf, waren seine Schuhe fertig, er konnte sie gleich tragen und ausprobieren, ob wo was drückte. Für Krawatten und Handschuhe hatte Milohnić stets ein wachsames Auge, wenn er durch die Stadt ging, und seine Hemden wurden gleichfalls in Wien genäht.

Es war heute köstlich. Es war einer jener Tage, die immer wieder da oder dort einen weißleuchtenden Stern platzen lassen, vom Widerglast der Sonne in einem bewegten Fensterflügel oder in der Scheibe eines Fahrzeugs.

Natürlich war er gestern schon mit Chwostik beisammengesteckt (der heut' auch kommen sollte), im alten Beisl sogar, wo einst Pēpi's Vater Kellner gewesen. Der Wirt war nun längst ein anderer. Chwostik schien Milo jedesmal wieder in kaum glaublichem Maße unverändert. Vielleicht lag das Geheimnis einfach darin, daß Pēpi niemals jung ausgesehen hatte. Die eigentümliche Contractheit von Chwostik's Erscheinung ließ gleichsam das Alter nirgends recht angreifen, es bot sich keine Gelegenheit dazu. Chwostik war selbst eine Art Runzel – aber eine liebenswürdige – und was sollte sich da also runzeln? Pēpi schien wie aus einem unverweslichen Stoffe gemacht.

Als Milohnić nach seinem Stadtbummel bei der Wollzeile wieder auf den Ring kam, stieg er in die Straßenbahn. Der Wagen bog bald von der breiten Ringstraße weg und fuhr gegen den Prater zu. Diese Gegend der Stadt fiel weiträumig und öde in ihre besonnten Fernen, glitzerte nicht mit hundert Einzelheiten, wie die schmäleren Gassen im Zentrum. Nun glitt man auf die Brücke hinaus und über den Fluß. Jenseits schien bereits der Prater zu herrschen, obwohl da zunächst noch Häuser standen, aber es war, als endeten erst hier die Auen ganz, als liefen sie noch zwischen die Häuser hinein und bis an den Fluß, der zwischen den grünen Bändern seiner Uferböschungen dahinbog. Genau an der Grenze der weiten Wiesen verließ Milo den Zug und ging im Blätterschatten die Prinzenallee entlang gegen die Villa Clayton zu.

‚Sie ist fast so dumm, wie irgendeine Harbach-Pipsi. Wie war das? „Ich kann doch kein Liebesverhältnis mit einem Gymnasiasten haben!" Gans! Und ob sie könnte! Besser wie ihre Dummheiten, die sie jetzt mit dem Radinger anfängt, mit diesem „Schlafwagen-Gent"! Da kann noch ein schöner Skandal herauskommen. So ein netter Kerl, der Kleine da, sogar hübsch und elegant! Der schweigt natürlich wie ein Grab. Läßt sie den armen Buben einfach stehn! Das muß doch schrecklich sein für ihn. Vielleicht sehnt er sich nach ihr.'

So etwa lief ein innerer Monolog des Fräulein Ing. Monica Bachler hin, während sie neben Zdenko von Chlamtatsch über den kurzgeschnittenen Rasen vor der Terrasse ging. Die Sonne hatte ihn längst getrocknet. Im Garten der Claytons, fast war es ja ein kleiner Park, hielt man sich nicht an gekieste Wege, deren es kaum welche gab, sondern man trat auf den Rasen. Da und dort spazierte man darauf herum, nach dem Tee in der Halle. Rückwärts ragten die hohen Pfosten um den noch etwas feuchten Tennisplatz; der Hausmeister Broubek hatte, mit Hilfe des Dieners, alle Fangnetze wieder abgenommen, da diese im nassen Zustand sich zu sehr gespannt hätten. Das Grün des Rasens leuchtete scharf. Nach den Regengüssen der letzten trüben Tage und der seit heute am Morgen prall scheinenden Sonne dunstete der Prater allenthalben mit frisch aufgerichtetem Gewächs unter dem blauen Himmel.

Monica, seit gestern wie mit dem Knüppel erschlagen, war hier bereits in ein neues Leben übergetreten. Innerhalb von diesem hatte es nichts mehr zu bedeuten, daß, ein paar Schritte von Zdenko und ihr entfernt, Donald mit zwei Pipsis plauderte. Er war ihr hier ganz neu begegnet, neuerlich zum ersten Mal, ja, ein Donald ohne den trübenden und trennenden Schleier, der sie stets gequält hatte, ein Donald, der wirklich anwesend war, der lebte, teilnahm, sich bewegte: es war Robert.

Zunächst wich sie in natürlicher Weise zurück vor diesem breitschlagenden Ereignis, das hier im Park der Claytons auf sie gewartet hatte. Und dabei wurde ihr sogleich die freundliche Runzel Chwostik zur Stütze. Mit ihm hatte sie schon beim

Tee eine Unterhaltung begonnen und mit Staunen bemerkt, welche angenehme Art des Fragens ihm eignete, so daß sie ihm sehr lebhaft die Anfangs-Schwierigkeiten bei der Errichtung der Wiener Filiale genau geschildert hatte. Und nun ging sie hier auf dem Rasen mit diesem lieben Zdenko und war dermaßen wieder zum Leben erwacht, daß sie ernstlich wünschte, auf irgend eine indirekte Art heraus zu kriegen, wie es dem armen Buben da in bezug auf die autokratische Gans gehe. Rückwärts, bei der Terrasse, sie konnte ihn jetzt nicht sehen, stand Robert Clayton. Sie hörte ihn lachen.

Monica ging weiter auf dem Rasen, mit dem Zdenko ihrer Freundin Henriette, bis in die Tiefe des Parks. Hier stand ein alter Riese von Praterbaum. Den Zdenko heute besichtigen zu können, war von ihr erwartet worden. Denn vor acht Tagen schon hatte der Gymnasiast Heinrich, neben anderen kleinen Schul-Anekdoten, am elterlichen Mittagstische erwähnt, daß drei seiner Mitschüler – darunter jener, der vor einiger Zeit am Sonntagnachmittag mit ihm experimentiert habe – bei einem englischen Fabrikanten namens Clayton in dessen Pratervilla eingeladen seien (offenbare Redseligkeit des M. C., na, es war ja auch immerhin etwas!). Henriette wußte schon, daß auch Monica zu Claytons kommen würde. Da standen sie nun unter dem alten Baum. Zwei Bänke gab es auch hier. Es blieb nun einmal eine beispiellose Kaltschnäuzigkeit, den Buben da so zu behandeln! Doch schien er keineswegs in Trauer oder Bedrücktheit zu sein. ‚Macht einen ganz gesammelten Eindruck. Süß, diese knabenhafte Strenge in so einem hübschen Gesicht! Er sieht irgendwie entschlossen aus! Vielleicht ist diese blöde Kuh sozusagen an den Unrichtigen gekommen? Wenn ich mir das vorstell' . . . . In meinem Schlafzimmer!'

Aber die Neugier plagte. Vielleicht auch wollte Monica durchaus sich ablenken, nach irgendetwas anderem greifen, um sich daran festzuhalten, urplötzlich in einen neuen Strudel geraten, wie sie jetzt war!

„Haben Sie nicht einen Klassenkameraden namens Frehlinger?" fragte sie plötzlich. So ging die Kugel aus dem Lauf, für den Schützen selbst befremdlich, der auch nichts damit traf.

„Ja", sagte er. „Sitzt vor mir in der Bank."

„Verkehren Sie mit ihm?"

„Einmal war ich am Sonntag bei ihm."

„Seine Mutter ist eine Jugendfreundin von mir. Kennen Sie die Eltern Frehlinger?"

„Ja, ich war zur Jause eingeladen."

„Sie ist eine schöne Frau, was?!" (,Das geht jetzt schon sehr weit', dachte Monica gleich nach ihren eigenen Worten).

„Ich erinnere mich nicht mehr so genau. Wir waren nur kurz am Kaffeetisch. Sie ist sehr groß, glaube ich, wie der Heinrich ja auch."

,Bombensicher ist der!' dachte Monica. ,Und nie wäre jemals der geringste Verdacht entstanden! Eine Schneegans. Mit diesem Radinger muß sie anfangen! Aber ich sag' ihr meine Meinung. Vielleicht könnte man die Sache mit dem Zdenko wieder zustande bringen?! Geradezu ideal! Für beide Teile!'

Intervenieren möcht' halt jede und jeder gern. Aber nun kam man heran. Es war schon eine großartige, wenn auch etwas ausgefallene Idee (sie stammte von Robert!) hier im Grünen, nach dem Tee – französischen Champagner zu trinken. „Originell – fast möcht' ich sagen: genial!" äußerte Gollwitzer, als der Diener, ein Serviermädchen und Broubek mit den mächtigen Silbertabletten, auf welchen die Kelche standen, über den Rasen schritten.

Natürlich hörte man die Pipsis lachen, mit den Gymnasiasten Wasmut und Hofmock. Auch des Augustus etwas fettes Gelächter war zu vernehmen.

Dahinter stand eine zweite Gruppe von Erwachsenen (übrigens wurden bald Streckessel von der Terrasse herabgebracht): die Ehepaare Bachler und Eptinger mit Donald, auch die Eltern Harbach ließen sich imposant dort nieder. Chwostik und Milo aber gingen zu Monica und Zdenko, als sich Robert Clayton mit Gollwitzer dort hin wandte.

Durch einen Augenblick nur öffnete sich ein Spalt in der Zeit, kam eine Stockung in ihren Fluß, wurde Platz für einen Auftritt:

als Robert Monica ansah und ihr sein Glas entgegen hob. Was jetzt kommen mußte, war bereits geschehen. Sogleich deckte Gespräch die klaffende Stelle. Dazu muß es ja immer herhalten (und darum ist's allermeist so wenig wert). Ein paar Fragen an Monica, auf ihre Tätigkeit in Wien bezüglich; und Donald habe erwähnt, daß sie lange in England gewesen sei? Die Fragen waren weniger lebhaft und geschickt, wie jene früheren Chwostik's. Aber das brauchten sie auch garnicht zu sein. Übrigens empfand Monica die Anwesenheit Chwostik's deutlich als angenehm, ja, beruhigend und tröstend.

Ein Bruchstück oder Splitter, in eine Unterhaltung hineingeraten, kann dieser eine gänzlich andere Wendung geben, und ist selbst bei eben währendem Gespräche kaum mehr festzustellen und auszumachen. Noch weniger nachher, nach jener Wendung, wo man nicht einmal mehr weiß, wovon vorher die Rede war und wovon man ausgegangen ist. Als kleine niedrige Serviertischchen und die Gartensessel gebracht worden waren – es schienen die Bänke unter dem alten Baum doch etwas feucht – und man einen großen kupfernen Bowlenkübel voll Eis und Champagnerflaschen in den Schatten gestellt hatte (es war das alles schon sehr gemütlich, muß man sagen!, und allenthalben saßen die Gäste so im Garten und tranken!) wurde jedenfalls bereits vom Semmering gesprochen.

„Old Pēpi!" rief Clayton, „Sie müssen uns wieder einmal auf die Rax führen. Wie lange ist das her . . . ." Er brach ab. „Ja", sagte Chwostik, und das Folgende ungeniert im Wiener Dialect (der übrigens bei Robert Clayton eine Art Mode geworden war, er versuchte mitunter, jene Tonart nachzumachen): „Ich traget schon meine alten Bana ganz gern wieder einmal dort hinauf."

„Bana, Bana . . . was heißt Bana?" fragte Robert.

„So viel wie Gebeine", bemerkte der schädliche Gollwitzer trocken.

Es ist möglich, daß in Clayton und Chwostik das gleiche Bild stand: wie sie mit Harriet unterhalb der Schrofen gerastet hatten.

„Aber die Bahn, die Bahn!" rief Robert. „Man sollte nie mit dem Automobil über den Semmering fahren. Nur mit der Eisen-

bahn. Es war mein erster starker, großer Eindruck in Österreich."

Es fielen einige Bemerkungen über die Semmeringbahn, die
Zeit ihrer Entstehung, daß sie nun bald sechzig Jahre alt sein
werde, die Dauer des Baues; diese Daten brachte alle Milohnić
bei (noch aus der Wiener Hotelpraxis? ein instruierter Emp-
fangs-Chef war er ja gewesen!), was immerhin Erwähnung verdient. Gollwitzer wußte Schädliches: man habe die Kurven der
Gebirgs-Strecke zu scharf und steil trassiert, so daß sie mit den
damaligen Lokomotiven kaum befahrbar gewesen seien. Selbstverständlich fiel auch der Name des Erbauers Karl Ritter von
Ghega. Die Taten der Ingenieurkunst wurden zu jener Zeit noch
nicht als ein anonymes Geschehen hingenommen: Semmering
und Suez bedeuteten persönlichen Ruhm.

Hofmock und Wasmut hatten sich mit den Pipsis hier hinzu-
gesellt. Vielleicht hat Heribert bei dieser Gelegenheit noch
besser eingesehen, daß auch ein Ingenieur ein Gentleman sein
kann. Zdenko, für sein Teil, dachte eben jetzt gerade daran: und
keineswegs immer an Henriette. Das glaubte nur Monica. Sie
überschätzte die Bedeutung ihrer schönen Freundin für den
Gymnasiasten bei weitem. Wenn die Elemente sich auf ein Kind
stürzen, bleibt dieses doch ein Kind.

Aber jetzt sprach Robert Clayton wieder. Er beschrieb die
Trasse der Bergbahn:

„Kaum hat man den Viadukt, dem man sich in einer Kurve
nähert, erblickt und als solchen erkannt, so verschwindet schon
der Boden neben den Geleisen wie verschluckt: man fährt bereits auf den mächtigen gemauerten Bogen in enormer Höhe
dahin und über eine langgestreckte Ortschaft, deren Straße unten
durchläuft."

„Es ist Payerbach-Reichenau", sagte Monica, auf Robert
blickend. Sie saß etwas vorgebeugt und behielt ihr Kelchglas in
der Hand.

„Ja", sagte er. „Die Strecke dreht sich, und bald immer wieder. Es ist, als stiege man über eine gewundene Treppe zum
Dach eines Gebäudes empor. Man glaubt, schon sehr hoch zu

sein, aber es geht noch höher. Man sieht in weitem Bogen die Bahntrasse liegen, über welche man eben vorhin gefahren war. Die Abstürze neben dem Bahnkörper werden steiler und tiefer und schließlich schwindelnd, beim Durchfahren einer Art offener Galerie, deren Pfeiler vorbeizischen."

„Die Weinzettelwand"! rief Monica. „Es ist wirklich nicht nur eine Eisenbahnfahrt. Es ist ein schönes Abenteuer. Die Gebirgs-Landschaft wird durch die Eisenbahnstrecke eigentlich erst sichtbar, sie gliedert sich daran entlang. Man kann das bei jedem Feldweg sehen. Aber hier im Großen."

„Wahrhaftig, ja!"

„Und dabei sieht man immer aus den Fenstern in eine vielfältige Ferne", fuhr sie fort. „Die Sonne lehnt sich an einzelne Felszähne. Die Wälder sind weiter weg wie Moos."

„Und am Ende", sagte Clayton, „verschwindet der ganze Zauber, wenn man, nach der Station ‚Semmering', in den längsten Tunnel einfährt: Ziehen, Sausen, Dunkelheit, Gasbeleuchtung im Coupé. In einer völlig beruhigten grünen Landschaft mit mäßigen Höhen kommt man wieder an's Tageslicht."

Clayton schwieg, nahm sein Glas vom Tischchen, beugte sich vor, und ließ es an ihrem Kelche klingen, den sie ihm sogleich entgegen hob.

Damit endete dieses kurze Duett. Es hatte die Gesellschaft und ihr Gespräch weitaus überstiegen, vielleicht sogar befremdlich gewirkt. Man schwieg auch durch einige Augenblicke, und nicht einmal der schädliche Gollwitzer fand was zu erinnern. Die Lage zerfiel, nach dieser vorübergehenden Kristallisation, andere traten hinzu, einzelne verließen den kleinen Kreis, und so mischte sich bald alles neu durcheinander. Auch Robert und Monica wurden getrennt.

Rückwärts, an der Grenze des Grundstücks, lief einer der wenigen Wege hin, die es in diesem Garten gab, nicht gekiest, sondern grün verwachsen, aber breit, mit dichtstehenden jüngeren Bäumen beiderseits, zwischen denen Gebüsch wucherte.

Man hatte dies alles gelassen, wie es gewesen war. Ein verwilderter Hintergrund der gepflegten und geschorenen Rasenflächen. Rita Bachler, ihr Bruder Doctor Eptinger und Chwostik hatten sich in diesen Hintergrund begeben und erforschten ihn, langsam auf dem rasigen Wege dahingehend, den das hellgrüne Laub überdachte.

Auf Chwostik wirkte die Frau Rita Bachler ganz anders als sie auf uns im allgemeinen immer gewirkt hat (Gurkensalat). Er empfand vom ersten Augenblick und vom allerersten Anblick ihres Antlitzes an, daß sie mit einer Lage zusammenhing, in welcher er sich irgendwann einmal befunden hatte und deren Geschmack ihm jetzt gleichsam auf die Zunge trat. Mit der wirklichen Beschaffenheit und Gegenwart der Bachler hatte dies nun freilich nichts zu tun. Dennoch wirkte diese Gegenwart auf Chwostik eine feine Anziehung. Es war, als träte er an ein offenes Fenster und sähe weit hinaus in die blaue Luft. Der Doctor Eptinger, mit einer Art Alters-Geschwätzigkeit, die ihm in den letzten Jahren immer mehr eignete, setzte Rita und Chwostik jetzt bald in's Bild (daß er ihre Wohnung einst übernommen habe und dergleichen), aber dieser faktische Zusammenhang war weitaus keine Erklärung für das, was Chwostik immer noch fühlte, ja, eigentlich suchte – oder zu fühlen suchte, könnte man fast sagen. Er fand's nicht; er vermochte dieses Blau nicht zu greifen, das ihn erfüllte, und doch vor ihm zurückwich.

Sie gingen auf dem beschatteten Wege dahin bis an sein unvermitteltes Ende an einem Drahtgitter, und wieder zurück, zwischen dem noch frühlingshaft hellgrünen Laub und Gewächs, dessen fast übermäßiger Aushauch sich hier in der stehenden Luft gesammelt hatte. So begann, mit sich vollendendem Frühjahr, die ganze Prater-Au zu dunsten und zu duften, bei allmählich dunkler und gleichsam blutvoller werdendem Laube.

Zdenko wandelte über den kurzgeschorenen Rasen. Ihm gefiel diese Art, einen Garten zu benützen: ganz anders als bei Verwandten seiner Mutter in Lainz, wo niemand sich hätte einfallen lassen, vom gekiesten Wege zwischen die Rabatten und Boskette zu steigen. Solche gab es hier garnicht. Man ging im Garten herum, als wäre er eine Zimmerflucht mit Teppichen.

Natürlich hatte er Monica, die er ja am denkwürdigen Abende seines Besuches bei Frehlinger im ‚Café Zartl‘ gesehen, sogleich wiedererkannt. Nun wußte er, daß es der jüngere von den beiden Engländern, also der Sohn, Donald, gewesen war, der sie dort erwartet hatte. Diese Feststellungen ließen ihn ganz gleichgültig, ebenso wie Monica selbst. Seitdem er Frau Harbach erblickt, wußte er auch, daß Henriette ersetzbar war, und jede Frau Harbach ihrerseits wohl auch wieder, und daß sie, und sicherlich auch Monica, von der aufrecht gehaltenen Täuschung lebten, sie seien unersetzlich, weil sie irgendwem gerade das Blickfeld füllten, den Ausblick versperrten. Er beschloß, darauf nicht mehr hereinzufallen. Wenn ihm jetzt, nach Henriette, die Frau Harbach gefallen konnte, dann war es mit aller Einmaligkeit überhaupt und ein für alle Male zu Ende.

So löste er sich in bemerkenswerter Weise von der Frau Harbach gleich wieder los, die eben inmitten einer leichten Eskadrille von Gymnasiasten majestätisch vorüberzog. Der gewichtige Gatte war im Streckssessel und beim Champagner geblieben.

Indessen, und trotz solcher Ernüchterungen, ging der junge Herr von Chlamtatsch nicht ohne Vorteil durch die mit dem grünen Teppich belegten Räume, und im Genusse eines Vorsprunges vor der eben gesehenen Eskadrille, den er nicht seinem Erlebnisse mit Frau Frehlinger verdankte, sondern nur diesem jetzigen, und garnicht gehabten, mit Frau Harbach.

Auf diese Weise erst kam er auch zum rechten Genusse des blauen Himmels und des grünen Rasens; sowie des Champagners.

Anderwärts, wo der Rasen nicht geschoren war, rückwärts, am Rande der Gebüsche, konnte man sehen, wie hoch das Gras schon stand. Hier wandelten jetzt Monica und Milohnić, der von ihr entzückt war, wie fast alle Mannsbilder hier (und die Gymnasiasten, mit Ausnahme Zdenko’s, wagten sich kaum in ihre

Nähe, sie äugten nur immer wieder zu ihr herüber, während sie mit den Pipsis lachten).

Vorher hatte Milo mit den Harbachs sich unterhalten (die mit dem feschen Doctor Bachler gut bekannt schienen, sie waren seit jeher seine Patienten, wie sich dann aus dem Gespräch ergab). Es verhielt sich nun einmal so, daß er solche reiche Herrschaften suchte, in einer Art unschuldiger Feilheit, die wohl aus seinem Beruf stammte (oder war er gerade durch sie zu diesem Berufe geleitet worden?). Gast ist Gast – das wird jeder Beislwirt sagen, und jeden sein lassen, wie er ist (wenn der nicht geradezu randaliert). Aber im Hotelgewerbe differenziert man doch schon, und ein Großindustrieller aus Wien steht einem Belgrader erstklassigen Hause wohl an. Deshalb wurden der Mama Harbach auch Augen gemacht, und sie hatte darauf freundlich respondiert, wenngleich Milo kein Jüngling mehr war: solche allerdings spannte sie ja am liebsten vor ihren stattlichen Triumphwagen. Vorhin aber, durch den Garten wallend, von den Gymnasiasten unter Hintansetzung der Pipsis umschwirrt, hatte sie schon eher ausgesehen wie ein Flaggschiff, das die Aviso-Boote begleiten.

Jetzt ging er hier mit Monica. Das war doch ernster. Donald trat hinzu, die Pfeife in der Hand. Er winkte dem Broubek, und dieser kam mit einem Tablett, darauf die Kelche standen. Milohnić hatte immerhin Haare auf den Zähnen, durch Veranlagung oder Ausbildung, durch beides vielleicht. Im selben Augenblicke, da die Gläser klangen – vielleicht aus der Art, wie Monica mit ihrem Glase kaum dem Donald's entgegen kam und es gleich wieder zurücknahm – spürte er auch schon, daß hier irgendwelche ihm nicht bekannte Voraussetzungen bestanden, daß hier eine jüngste Vergangenheit sich erstreckte, die den beiden zugewachsen war. Als Robert mit einem Kelchglas in der Hand munter über den Rasen auf die kleine Gruppe am Rande der Gebüsche zukam und mit Monica prostete, ahnte Milo in den Grundlinien eigentlich schon alles.

„Es kommt halt immer was vor", hat einmal ein Wiener Beisl-Kellner in Ottakring gesagt, als eben einer tot gestochen worden war. Im Grunde dachte Milo nichts anderes. Monica's Gesicht – jetzt beobachtete er sie bereits unvermerkt – zeigte Spuren von Auflösung und Widerstreit. Chwostik ging vorbei. „Herr Direktor!" rief Monica. „Kommen Sie doch zu uns!" Diesmal winkte Robert dem Broubek. Und die Art, wie Old-Pēpi mit Clayton bros. anstieß, ließ unzweideutig erkennen, daß hier die Uhr richtig ging.

Hin und her gerissen, wie sie jetzt war, und plötzlich tief mißtrauend – so schlug sich ihre eigene Unsicherheit wie ein trübender Hauch auf die Ausblicksfenster des Gemütes! – erschien ihr Chwostik wie ein Ausweg. Den ganzen Nachmittag stützte sie sich auf ihn weit mehr als sie wußte – ein wenig wußte sie's aber doch – und als man aufbrach, empfand sie's als eigentlich unmöglich, ihn jetzt gleich zu verlieren. Solche Sachen nun, denen sozusagen die Strecke schon von weiter her gebaut ist als die nun einsteigenden Reisenden ahnen, fügen sich immer. So ging's auch hier glatt dahin. Chwostik schritt neben Monica durch die Prinzenallee; andere vor und nach ihnen. Die Gymnasiasten waren schon verschwunden. Die Eptingers ebenso. Die anderen Erwachsenen, und Harbachs mit den Pipsis, stiegen in ihre Wagen. Monica hatte den ihren beim Café Zartl stehen. Dort saß auch ihr Chauffeur. Jetzt gingen sie zu zweit dorthin. Von der Gesellschaft waren sie bereits abgelöst. Angelangt, meinte Monica, sie würde in der schönen frischen Luft gern noch ein paar Schritte tun, gegen den Prater zu. Sie betrat das Café – Chwostik wartete draußen – und sagte ihrem Fahrer, er möge im gegenüber liegenden sehr guten Wirtshaus (Urschütz hieß es, aus Chwostik's Biographie ist's uns bekannt!) zu Abend essen, und sich dann hier im Café wieder antreffen lassen. Damit kam sie heraus zu Chwostik, und sie gingen den Weg, welchen sie gekommen waren, in umgekehrter Richtung zurück, gegen den Prater zu.

Inzwischen wurde es dunkel. Die rasche Ablösung von der Gesellschaft, in welcher sie den Nachmittag über geweilt, dies

Gehen jetzt in der Gegenrichtung von vorher, als er sie zu ihrem Wagen hatte bringen wollen, es gab ihrem Beisammensein etwas gewissermaßen Selbständiges, das nicht mehr abhängig war von jenem eben vergangenen gesellschaftlichen Anlasse. Vielmehr war es so, als hätten sie miteinander sich verabredet gehabt, um abends spazieren zu gehen. Auf der Brücke sah Chwostik stromaufwärts, zwischen den Gitterträgern hindurch – sie schritten auf der rechten Seite dahin – ungefähr in die Richtung, wo der Doctor Eptinger wohnte (der nun wohl längst wieder zuhause war) und blickte in ein großes noch offenstehendes blaues Fenster des Himmels, der doch allmählich im Schwarz sich verschloß. Sie folgten der breiten Straße jenseits der Brücke, überschritten die Prinzenallee (links lag die Villa Clayton, und damit wurde jetzt die Unabhängigkeit ihres Unternehmens hier erst ganz evident) und folgten der Straßenbahn, die sich in's Grüne fortsetzte, auf einem selbständigen Bahnkörper, und also keine Straßenbahn mehr war. Sie lief links vom Wege und hinter einem Gitter.

Es war nicht einsam hier. Den schönen Abend benützten viele, sie strömten in den Prater oder von dort zurück. Monica bedauerte es, daß heute ein Samstag sei, und die da und dort schon geöffneten Praterlokale sicher alle voll wären (Chwostik hatte vorgeschlagen, irgendwo zu essen). Sie sagte, das wäre sehr schön, aber sie fürchte die Gegenwart von vielen Menschen. Wenn man allein sitzen könnte! In Abgeschlossenheit. Die suche sie jetzt. Es sei ihr heute nachmittags schon fast zu viel gewesen· Er brachte auf die harmloseste Art heraus – und nur, weil er ihr in jeder Weise gefällig sein wollte! – wenn sie beliebe, bei ihm einen kleinen Imbiß zu nehmen, nach diesem Spaziergang, es wäre ihm die größte Ehre! Er wohne ja in der Nähe. „Das machen wir, Herr Direktor!" sagte sie sogleich. „Haben Sie was zu Hause?" „O ja", sagte er, „alles Nötige" (die Wenidoppler, älter und ordinärer geworden, so weit letzteres noch möglich war, pflegte für ihn einzukaufen).

Noch war der Prater nicht sommerlich-wimmelnd ganz erwacht wie in der heißen Zeit, wenn in den großen Caféhausgärten an der Hauptallee die Militärkapellen konzertierten, über eine Mauer von Zaungästen hinweg vernehmbar, und am Fahrdamm ein Corso von Fiakern und Equipagen dahinzog. Automobile waren vor fünfzig Jahren dort noch garnicht zugelassen. Spaziergänger gab es jetzt wohl mehr und mehr, und vom Wurstelprater hörte man bereits vereinzelte Orgeltöne der Carrousels; und über den Baumkuppeln stand schon etwas von jenem milchigen Lichtnebel, der bei vollem Gange der Sachen dort hoch hinauf scheint und die Sterne vertreibt.

Sie gingen die Allee entlang und verließen sie wieder bei jenem seltsam künstlich anmutenden Berg, den man ‚Konstantinshügel‘ nennt. Oben war es dunkel, das Restaurant noch geschlossen. Nun führte Chwostik, denn die Einzelheiten dieser Gegend schienen Monica fremd, und sie gelangten zurück zwischen die Häuser und zum Donaukanal, weit oberhalb der Brücke, etwa dort schon, wo Monica's Onkel, der Doctor Eptinger, wohnte.

Hier gab es eine Seilfähre über den Fluß, und sie war noch in Betrieb, trotz der eingebrochenen Dunkelheit. Ein einsames Licht strahlte. Sie schritten die Treppen zum Wasser hinab.

Mit diesem Hinuntergehen schied man aus den Zusammenhängen der Straße und des festen Landes aus, ja, damit allein schon, daß man nun gewillt war, über den ziehenden Fluß zu fahren, daß man die Schritte auf die Uferböschung zu lenkte. Chwostik, der diese Fähre durch viele Jahre und oft benützt hatte, wenn er hinüber in den Prater wollte, empfand das jedesmal noch so, wenn auch in abgekürzter Weise, durch die Wiederholung.

Es standen schon Wartende unten auf der kleinen Landungsbrücke, als welche eine Art verankerter Ponton diente. Hier spaltete der Fluß die Stadtlandschaft auf, und mit ihm drang die Ferne ein, aus welcher er kam, und eröffnete einen Bogen von vereinzelten Lichtern in der Dunkelheit. Als der Kahn herüber geglitten war und seine wenigen Fahrgäste entlassen hatte, schritt man drei Stufen in's Schiff hinab und bezahlte zehn Heller. Schon hatte sich das Fahrzeug abgelöst, der Spalt wurde breit, rückwärts stand der Fährmann und regulierte den Gang der Sache ein wenig mit dem Steuer. Die Seilrolle, die auf einer über den Fluß gespannten Trosse lief, vermochte man jetzt im Dunklen garnicht zu sehen. Das Wasser war nah, und rasch ziehend. Schon legte man drüben an.

Sie stiegen die Ufertreppen, querten die Lände und gingen durch eine Gasse, die senkrecht auf den Fluß heraus führte. Hier war nun alles verbaut. Auch gegenüber dem Eckhaus, wo Chwostik wohnte, lief eine Zeile neuer Gebäude (mit seiner Aussicht auf den Prater hinüber war's dahin). Das Haustor stand noch offen. Wir ignorieren die Wenidoppler. Vielleicht hat sie durch's Guckloch geäugt, nach hausmeist'rischem Brauche. Sei's.

Monica fühlte sich leicht und angenehm gesammelt. Dieser Abend hob sie aus sich selbst. Sie begriff nicht, aus welchem Wasser sie da gezogen worden war (diesmal war's ein stehendes gewesen, es hieß Donald). Immer wieder stand wohl das Bild Robert's vor ihr, ja, sie selbst gleichsam tief in diesem Bilde drinnen, und damit allem entschritten, wovon sie während der letzten Wochen schon ganz bedrückt und niedergehalten worden war. Nun schien es überstiegen, und aufgeklärt als ein belangloser Irrtum, der sie so lange festgehalten hatte. Es war wie das Erwachen aus einem zäh-verschränkten Traum ohne Ausweg. Dennoch, jetzt und hier und so erwacht, blieb Chwostik ihr Halt, von dem sie nicht sich hatte trennen wollen.

Er war eilfertig indessen in der Küche – während Monica in jenem rückwärtigen Zimmer saß, wo der alte kleine Damenschreibtisch mit den immer noch wie neuen Möbeln von Portois & Fix nachbarte – und in zehn Minuten war das improvisierte Abendessen auf dem Tisch, Sardinen, Weißbrot und Butter, was halt ein alter Junggeselle so daheim hat, und eine Flasche Bordeaux war geöffnet.

In Chwostik lag die ganze Lage inmitten ihrer Einzelheiten wie ein ruhender glänzender Gegenstand, wie der kleine elegante silberne Korb mit den Süßigkeiten hier am Tische (ein Geschenk Milo's, und die Wenidoppler hielt das stets blank). Hier war ein neues Licht aufgesteckt worden, ein ihm bisher nicht bekannter starker Beleuchtungskörper strahlte in seiner kleinen Wohnung, ja, es war ein paradoxaler Sonnenaufgang nach Sonnenuntergang. Das alles aber erlebte er ohne jeden bedauerlichen und bedauernden ironischen Seitenblick auf sich selbst, und das bedeutet schon etwas ganz Außergewöhnliches bei so einer österreichischen Runzel.

So also kam das Ganze über ihn, und so ward es von ihm empfangen. Monica ihrerseits befand sich Chwostik, und jetzt auch dieser Umgebung gegenüber, von Anfang an in Zutraulichkeit. Das spricht für die Blüte ihrer Instinkte. Denn sie wurde hier als ein herabgelangter Stern mit Ehrfurcht und mit Erstaunen gesehen, und unser Pēpi kreiste um diesen wie ein nur blaß sichtbarer, fast dunkler Trabant. Und er bediente sie charmant, während sie mit gutem Appetite aß. Einmal, ihm das halbe Profil zuwendend, erinnerte sie Chwostik durch Augenblicke an irgendwen, den er einst gekannt, vor sehr langer Zeit, aber es lag zu weit ab und er vermochte nicht, es herbeizuziehen. Sie schien ihm jetzt etwas Französisches an sich zu haben (oder was er darunter sich vorstellte). Vielleicht aus der Schweiz, wo sie erzogen war. Monica hatte das erzählt. Im ganzen: er genoß diese Gegenwart, er war ihr Zeuge, und sein eigener obendrein. In diesem Alter ist man vor den Perlen, die das Leben uns zurollt, keine von den biblischen Säuen mehr. Nein, man sieht sie ganz deutlich rollen, wie der Billardspieler den glänzenden Ball auf dem grünen Tuche, grün wie eine Wiese, mitten in der mäßigen Luft eines alltäglichen Stammcafés.

Wir kennen Chwostik's sehr bescheidene Gewohnheiten auf der uns abgekehrten Lebens-Seite, wir haben uns diese ja einmal her gedreht. War ihm jetzt sozusagen ein Stern vom Himmel auf die Knie gefallen – und das passiert verhältnismäßig selten, manchen nie – so empfand auch sie mit Zutrauen und Getröstet-Sein das Ausnahmenhafte dieser schwimmenden Insel hier auf dem Strome der Zeit, eine Insel, die zu nichts verpflichtete, wo man mit keinem dicken Kopf voll Fragen in die Zukunft vorausfiel, vielmehr ganz in der Gegenwart verblieb und in ihrer paradiesischen Unschuld, wie auf einem jener glücklichen Eilande der

Südsee. Und war sie nicht wie aus einem Schiffbruche, gerettet zwischen einem alten und einem neu zu beginnenden Leben verweilend, und für die unschuldige Gegenwart entbunden von beiden? Denn die reine Gegenwart mit ihrer holden Oberfläche, ohne Sorge, ohne Rückblick, ist auch ohne Schuld und Drohung, und wo wir zu ihr uns erfähigen, sind wir wahrlich in unser einstmaliges Kinderzimmer heimgekehrt. Als sie in Chwostik's Schlafkabinett den weißen, einbeinigen Schwenktisch sah, lachte sie, und sagte: „Solche hat mein Papa in der Ordination. Wirklich netter wie ein Nachtkastl." Aber Chwostik antwortete nichts darauf (obwohl er's ja immerhin hätte können). Er umfing seinen Stern, der jetzt weißleuchtend geworden war.

Und es verblieb unser Old Pēpi in Ehrfurcht vor der einmal bei ihm eingetretenen schlanken Göttin, deren Wiederkommen von ihm für durchaus unmöglich gehalten wurde und auch nie geschehen ist. Wo immer er ihr später – und garnicht selten – begegnete, blieb sie für ihn eine Bringerin des Guten; und er beugte sich mit altmodischer Courtoisie über ihre Hand.

Monica ist nie zu Bewußtsein gekommen, daß sie hier nicht anders sich verhielt, wie ihre so scharf kritisierte Freundin Henriette dem Zdenko gegenüber. Und hätte ihr jemand dergleichen sagen können, ihm wäre sicherlich entgegnet worden: „Das ist doch etwas ganz anderes."

Indessen, ihr verblieb gar keine Muße, in der sie solche Sachverhalte entdecken und derlei innere Zwiegespräche hätte pflegen können. Denn Robert Clayton vergaß auf's Golf-Spielen – dessen Zeit ja nun bald wieder herankommen wollte – er vergaß sogar zeitweise auf sein Bureau, und mitunter auch auf's Pfeifenrauchen, dessen Stil sich in jenen entscheidenden Tagen bei ihm auf merkwürdige Art veränderte. Nicht mehr hing die grade Pfeife herab, wie das sonst nur eine gebogene macht, sondern Robert hielt sie, wenn er allein war – und er suchte jetzt die Einsamkeit – waagrecht mit der Hand und paffte in schnellen kleinen Zügen. Alsdann ging er munter zum Generalangriff vor.

Wie nun mit Donald? Es war das schwierigste Kapitel für Monica. Nach wie vor trafen, im Verlag und daheim, seine freundlichen telephonischen Anrufe ein, in aller Ruhe. (Hätte man nicht eben doch den Stiefel in Anwendung bringen sollen?! Aber den Donald aus der Komposition hinausbefördern wie die Wewerka, das hätten wir nicht können, einfach wegen des Bedarfs; auch ist uns dieser seiner Zeit vorausgeeilte, also anachronistische Wurstigkeits-Lulatsch immerhin lieb und wert. Welch ein Pech hat der damals doch gehabt, angesichts einer noch glatt über solche sphinxige Wesen obsiegenden Väter-Generation!)

O Lulatsch-Sphinx! Merkst was? Mir scheint gar, du merkst nix. Ruft einfach weiter an bei ihr. No servus! Das kann ja gut werden.

Freilich, sie entzog sich, wie denn anders, was blieb ihr denn übrig. Eine Aussprache war unmöglich, jetzt jedenfalls noch. Oder? Hätte sie ihm sagen sollen, daß sie nebenan schon im Bett gelegen sei, am Tage vor der Garten-Gesellschaft? Donald war für sie unmöglich geworden. In ihr war kein Ort mehr für ihn.

Zwei Monica im höchsten Grade unbekannte Herren brachten ihn zunächst beiseite, nämlich der uns schon einmal flüchtig begegnete Mr. Cyrus Smith in Chifflington (Chwostik II) und der Technische Direktor oder Chefingenieur dort. Sie erbaten Donald's Anwesenheit, wegen irgendeiner Maschinen-Aufstellung neuen Modelles, die Donald in Wien bereits durchgeführt hatte und worin er also Erfahrung besaß. Wir sind damit der unlösbaren Aufgabe gegenübergestellt, unserer Sphinx abzuluchsen, ob sie jetzt was merkte, als der andere Teil von Clayton bros. ihr eröffnete, daß es erforderlich sei, nach England zu fahren. Chwostik jedenfalls hat im Bureau den Brief gesehen, welchen Robert am Montag nach dem Gartenfeste an die beiden Herren drüben hatte schreiben lassen, und worin er ihnen das Kommen des Junior-Chefs anbot, falls sie das für notwendig hielten. Nun, wer wird nicht zugreifen, wenn ihm bei einem Anlasse, wo er sich selbst vielleicht nicht so ganz genau auskennt, die Verantwortung abgenommen werden soll. Die Herren griffen also zu und erbaten Donald's Kommen. Sie hatten gemeinsam geschrieben, um dem Anliegen mehr Gewicht zu geben, obwohl für die Sache doch der technische Direktor eigentlich allein zuständig war.

Robert sagte es ihm abends, nach beendetem Dinner, in der Halle. Augustus war auch dabei. Wir sitzen (ganz klein gedacht) mit Stiel-Augen auf dem Kamin, in welchem nun schon lang kein Feuer mehr brannte. Und sehen nichts, an Donald nämlich. „Bitte, reite auch nach Pompe-House hinüber", sagte Robert, „dort war bald ein Jahr keiner von uns beiden."

Alsbald wurde ein Ausflug auf die Raxalpe mit Monica und Chwostik arrangiert. Die neue Paß-Straße in's Steirische hinüber war damals eben fertig geworden, und der Knight-Minerva zog mühelos über ihre bequemen Kurven bis nahe an eine Höhe von 1000 Metern über dem Meere. Einen neu erbauten Gasthof gab es hier auch schon. Man ließ Wagen und Chauffeur zurück. Dies hier war die gelindere Seite des Bergs, weniger schroff und nicht mit so hohen schultrigen Wänden wie drüben, wo sie einst mit Harriet hinaufgestiegen waren.

Sie traten von der Paß-Straße auf den steinigen Weg und ein Almgatter fiel hinter ihnen quietschend zu.

Erstaunlich bleibt für uns, während die drei jetzt mehr links sich wenden und in den Wald, daß bei dieser Bergpartie der Altersunterschied zwischen Monica und ihren beiden Begleitern völlig verschwunden schien. Wie das in bezug auf die Runzel sich verhielt, hat schon Milo richtig erkannt. Aber Robert war keine Runzel. Solche hatte man übrigens im letzten Dorf unten bei einem kurzen Halte einige gesehen, und Clayton, auf seine Art, stellte dabei gleich den Zusammenhang mit ,Old-Pēpi' her, ähnlich etwa wie zwischen Broubek und dem Hausmeister in Pompe-House, mit der alten Cricket-Mütze. Jene Runzeln bildeten alle zusammen eine Art Wurzelwerk, die sogenannte Bevölkerung. Diese verübte ihre Wild-Diebereien mit unfehlbar sitzender Kugel, kroch, wenn es sein mußte, auf schmalen Felsbändern über Abgründen, fürchtete sich vor rein garnichts, verdiente ihren Lebensunterhalt durch entsetzliches Rackern auf steilen Leiten und entwickelte im noch steileren Hochwald beim Holzschlag Kräfte, die einem unbefangenen Zuschauer die Grausbirnen aufsteigen ließen. Robert hatte im Dorfe nur wenige Runzeln und im Vorbeifahren viele steile Äcker gesehen. Aber ihm genügte das schon. Er entnahm daraus einiges. Er war keine Runzel. Sondern ein sehniger und langhaxiger Sohn jener von uns allen geliebten und hochgeehrten Insel, deren schlacksige Kinder eine großangelegte und kühne Neugier offenen Auges in alle Welt getragen haben (die sie ganz nebenhin dabei eroberten), sei's in Afrika oder auf dem Matterhorn, wo sie auch als die ersten oben gewesen sind.

Robert hatte kein einziges graues Haar (an Donald's Schläfen konnten solche damals schon reichlich gesehen werden). Munter schritt er aus. Bei Chwostik war's ganz offenkundig, daß er durch seine Leichtigkeit gefördert wurde, die Kontraktheit, die Dürre. Monica ihrerseits hatte in der Schweiz Bergwanderungen gemacht. Sie war nicht ungeübt. Das Trio schien gut. Sie paßten zusammen. Der Wald wurde steiler, ja, ganz steil. Zwischen den Stämmen lagen viele graue Steinbrocken, von oben hereingeschossen, nicht nur herabgekollert. Sie hörten die Quelle plätschern bei der Hütte, hart an der Waldgrenze.

So wurde die Stille hörbar, in die man geraten war, zwei Stunden nach Passieren der Industrie-Bezirke um Wiener-Neustadt. Viel Aussicht war nicht von hier. Doch ließ an einer Stelle das Zurücktreten mächtiger Fichten sehen, wie hoch man schon gestiegen war. Fast alle Waldkuppen lagen niedriger, und in den Sonnenschleiern wie moosig. Es ging gegen Mittag. Sie waren nicht allzu früh von Wien losgefahren. Um acht erst hatte Clayton den Knopf neben Monica's olivgrüner Wohnungstüre gedrückt.

In diesem Augenblicke aber, beim Ertönen der Klingel, war die Lage für Chwostik erst ganz offenbar geworden. „Kommen Sie mit, Herr Chwostik, wir gehen beide hinauf!" (So Robert, im Wagen noch, als sie in der Auhofstraße vorfuhren.) Dann stieg er rasch vor ihm die Treppen, und nahm zwei Stufen auf einmal. Damit wußte nun Chwostik, was von Milo im Garten der Villa Clayton nur gespürt oder geahnt worden war, allerdings nicht ohne es Chwostik dann zu erzählen, am Sonntag, der auf das Gartenfest folgte. Am Montag war Robert Clayton's Brief nach England diktiert worden. Chwostik hatte ja das Schreiben in der Kanzlei liegen gesehen. So wichtig war nun, seiner Ansicht nach, die Oberaufsicht Donald's in Chifflington beim gegebenen Anlasse nicht. Es gab dort einen Werkmeister, den Donald beim jüngst erfolgten Aufstellen der gleichen Maschinen hier gehabt und eingewiesen hatte. Jedoch, nicht Kombinationen lassen etwas wirklich sichtbar werden, in's Gesicht springen, sondern nur Tatsachen und Sinnes-Eindrücke: in diesem Falle das rasche Hinaufgehen Robert Clayton's über die Treppen in der Auhofstraße, zwei Stufen auf einmal nehmend.

Damit fiel dem Pēpi vom aufgeschossenen Bäumchen seiner Erkenntnis eine Frucht von Blei auf den Kopf.

Nachdem ihm vor kurzem erst ein Stern auf die Knie gefallen war.

Diesen festzuhalten und also richtig nach ihm zu greifen, war unserem Chwostik gänzlich ferne gewesen, wie wir sahen. Aber nun, da er in aller Stille vorweg genommen hatte, worum es hier eigentlich gehen wollte, beschlich ihn das Gefühl einer begangenen Untreue gegen seine Chefs; gegen beide. Wir aber kommen bei solchen Gefühlen Chwostik's dahinter, daß wir, in der Zeit von 1910 uns herumtreibend, durchaus historisch gewordene Empfindungsweisen schildern. Es ging diesem Pēpi gar nicht um das Weib. Die war vorbei und wurde geehrt, war ein Stern oder eine Göttin; es ging ihm nur um die beiden Männer, beinah möchten wir sagen: um seinen rechtmäßigen und um seinen erblichen Herrn. So hatte er Kummer. Aber Liebeskummer hatte er keinen. O Rünzelchen!

Man kann ihm dazu gratulieren, dem Rünzelchen. An seinem Konflikt waren die Eingeweide nicht beteiligt, mit ihren erniedrigenden Zuständen. Auch schlossen die Tatsachen, welche in diese Lage ihn geschoben hatten, jedweden Selbstvorwurf aus. Das Ganze war über ihn gekommen, und auch gebührend empfangen worden. Die auf sein Haupt gefallene Frucht von Blei bestand rein darin, daß er den Ernst der Lage erkannte, ja, er, Chwostik, vielleicht als erster überhaupt. Denn Milo's Bericht war wie eine leichte Randnotiz gegeben worden, und halb amüsiert, und nur, um den Pēpi beiläufig zu orientieren darüber, was da gespielt werde.

So befand sich Chwostik durchaus im Vollbesitze der eigenen Person und Situation, was eine schäbige und schleimige Traurigkeit ja niemals aufkommen läßt. Als den Wald die Kraft verließ gegenüber dem andringenden Berge und seinem herabgelangten Kalkschotter, als die Bäume erst einzelweise und dann wie in Front vom steilen Pfade zurücktraten, empfing er den gewaltigen Sonnenglast und einen von den hochgestemmten Wänden herabspringenden Wind mit vollem Genusse, als ein richtiges In's-Freie-Treten, hinweg über die klar erkannte Lage, wie man über einen Zaun oder eine Stufe steigt, was beides man dabei ja unter sich läßt.

Eben um diese Zeit hatte – im verwichenen Sommer erst – in dieser Gegend der sogenannten ‚Peilsteine‘ ein gewaltiger Bergsturz stattgefunden, wobei der eine jener Felstürme, in der Mitte und bis zum Fuße gespalten, auf die Schutthalden am Gewände herabgedonnert war. Nun stand der halbe Zahn tiefrot wie Dolomitkalk, ein leuchtender Eckturm vor dem enzianblauen Himmel, gerade dort, wo die Flanke des Bergs sich in's Steirische hinüber wendet. Unsere drei Touristen blieben zwischen den Legföhren stehen und sahen hinauf. Hier war es das strichzarte Piepen von Bergdohlen, die eben noch über den Köpfen schatteten, nun schon entschwanden, was die Stille unterstrich. Der Berg sprach nicht mehr und schwieg jetzt vielleicht ein Jahrhundert lang hinter seinem letzten dröhnenden Worte, das allen rackernden Runzeln auf ihren steilen Äckern links und rechts vom Tale die Köpfe mit einem Ruck ihm zugewandt hatte.

Vom Felsbruche herab zog sich ein Strom roter Trümmer. Sie kamen weit rechts davon an die Wände, welche jetzt, aus der Nähe gesehen, in vielfache Runsen und Schluchten sich aufgelöst zeigten, durch deren eine sie unter Führung Chwostik's nach oben gelangten, ohne viel Handanlegens und schwindlige Stellen. Auch war ein Drahtseil zum Halten im Fels verankert. Beim Ausstieg betraten sie den Mattenboden der bergigen Hochfläche und sahen ein paar hundert Schritte entfernt das große Schutzhaus mitten in Schneefeldern liegen. Der Wind sprang frisch entgegen.

Am gleichen Tage, eine Stunde nach eingenommenem Lunch, die er in seinem Zimmer am Sofa verbracht hatte, ritt Donald vom Parktore rechts weg (links ging es nach Chifflington), durch den schmalen Wald auf der Höhe, und dann den Weg hinab, an dessen Wendungen ihm der Flußlauf im Tal entgegenblitzte. Unten angelangt, und bald über die Brücke reitend, ließ er das Pferd in den Schritt fallen. Das war eine Gepflogenheit der Gegend. Niemand ritt im Trabe über die Brücke, und niemand hätte zu sagen vermocht, warum eigentlich nicht. Vielleicht wegen des Lärms. Die Brücke war von Holz und schwang sich als ein Joch über den Fluß, in der Mitte ein wenig erhoben. Das Wasser zog still und glatt darunter durch, sein Spiegel lag vielfach in fast gleicher Höhe wie die Wiesen links und rechts, das Flußbett war nur wenig eingesenkt. Gras grenzte unmittelbar an Wasser. Auf dem Hügelrücken der anderen Seite ritt Donald einen bequemen kurzen Galopp. Dann die Zone der Stille. Dann Pompe-House. Der Alte konnte noch immer recht eilfertig sich bewegen, mit dem Strohwisch in der Hand, den seine Frau ihm reichte. Diese war unverändert. Man hätte es denken können, daß sie alles und jedes überhaupt um Jahrhunderte überlebte. Donald blickte um sich, fragte das und jenes, ging durch die Zimmer und sah nach dem Rechten, wie man zu sagen pflegt.

Natürlich suchte er etwas ganz anderes, nämlich heraus zu kriegen, was ihm eigentlich seit seiner Ankunft in Brindley-Hall von Wien her nachhing. Daß er kein leidenschaftlicher Denker ist, wissen wir schon. Bei den meisten Menschen reicht zur Selbsterkenntnis ihre Intelligenz einfach nicht aus, und es gehört ja auch was dazu und wird doch nie was rechtes. Donald latschte an das, was ihn da irgendwo im Gemüt beruhte und belastete, ganz leichthin von seitwärts heran, lehnte sich dran, belümmelte es ein wenig. Aber so geben sich die Gegenstände unseres Denkens nicht zu fassen.

Er war traurig, das war's. Die zuständige Folie fand sich. Der Hausmeister brachte den Tee in das kleine braungetäfelte Comptoir-Zimmer des Großonkels, wo die dicken Geschäftsbücher standen und lagen. Donald trank Tee und rauchte seine Pfeife, aber gegen die Traurigkeit tat er eigentlich nichts. Zu ihr gehörte es, daß drüben in Brindley-Hall, nicht weit von dem Diwan, auf welchem er heute nachmittags geschlafen hatte (aber dieses Möbel war erst jetzt hereingestellt worden), noch sein kleines Schulbänklein stand, mit dem Pult, an welchem er einst gelernt. Vielleicht hätte er doch nicht im Kinderzimmer wohnen sollen.

Die neuen Maschinen waren aufgestellt, drei Fräsen und eine Stanze, sie liefen schon. Warum nicht überhaupt in Brindley-Hall bleiben? Der Vater hätte wohl nichts dagegen, schien ihm. Vielleicht war eben das der Grund seiner Traurigkeit jetzt. Unbegreifliche Männer: der Vater; dann Chwostik, und dieser Milohnić. Man hinkte gleichsam hinter ihnen her. Immer waren sie von irgendetwas lebhaft in Fahrt gesetzt, und er mußte das Gegenteil davon ständig verbergen. Chwostik mochte er. Der würde ihm fehlen. Augustus fiel ihm auf die Nerven. Warum sich der gar so wohl fühlte?! Verschmitzter Bursche. Fettes Gelächter. Nun, er selbst hatte auch gut gelernt, was war dabei. Im Grunde ein tückisches kleines Biest. Wo aber sollte er jetzt bleiben? Donald streifte mit Mißbehagen das Objekt seines Denkens: er war nirgends daheim, weder hier noch dort. In den Prater reiten, vielleicht? Seit die Mutter gestorben war, ließ er's fast ganz.

Er stand auf. Durch das Fenster hier konnte man kaum hindurchsehen. Es hatte bleigefaßte Scheiben. Er ging auf die Terrasse und blickte auf den Fluß hinab. Am Vorplatze wuchsen zwischen dem Kies vielfach grüne Büschel. Der Hausmeister hatte ihn jetzt bemerkt, kam heran und fragte, ob er satteln solle?

Donald ritt heim. Als er vom Stall kam und durch die Halle ging, begegnete ihm die alte Kate. Unvermittelt fragte er sie nach ihrer Guitarre. Ob sie für ihn spielen wolle, unten, am Weiher? Sie lächelte jüngferlich und errötete dabei. Sie könne ja nicht mehr gut singen, meinte sie. Das werde schon gehen, sagte Donald. Sie holte das Instrument, stimmte es in der Halle. Dann schritt Donald mit der alten Frau durch den Park, zum Wasser. „Hier?" fragte sie. „Ja, hier ist der Platz." Das Instrument erklang. Dann dasStimmchen. Das Wasser lag, von keinem Windhauche bewegt, glatt und sanft zwischen den hohen Bäumen.

Erst bei Kate's Spiel, das seine Angst gebannt hatte, wußte er, daß es um Monica ging. Es fiel ihm auf den Kopf.

Er aß mit Kate, abends, sie bediente ihn, bemutternd.

‚Man könnte in diesem Schmerz dauernd wohnen, wie in diesem weiten, leeren Hause. Man könnte hier darin bleiben.'

Er blieb. Noch zwei, noch drei Tage. Wie erwartet, verlangte der Vater nicht seine Rückkehr. Je länger er blieb, um so mehr gab es hier zu tun, da mochten die neuen Maschinen längst aufgestellt sein. Nun erst recht war er fast den ganzen Tag im Werk. Mr. Cyrus Smith sowohl wie der Chefingenieur schienen irgendwelche Schubladen aufgezogen zu haben, in welchen sich sämtliche nicht entschlußreif gewordene Sachen befanden. Diese kollerten nun hervor. Zum Beispiel die Notwendigkeit des Anbaues einer Montage-Halle von mittleren Ausmaßen. Zum Teil machte Donald sich wohl auch zu tun. Ein Maschinen-Schaden wurde von ihm in persönlicher Handwerks-Arbeit behoben. Man hätte anders jemand aus London kommen lassen müssen. Die Montage-Halle genehmigte er, nach Briefwechsel mit seinem Vater.

Dieser Briefwechsel – Diktat in der Kanzlei des Werks, Maschinenschrift – war ihm unheimlich. Aus dem munteren Schreiben des Vaters sprang eine stumme Furcht, die mitgegeben war. Ihm schien, als sei von etwas ganz anderem die Rede, während er durch Zeilen lief, in denen stand, welcher Ziegelei der Vorzug zu geben wäre. Hier, aus dem Briefe, drängte sich etwas zwischen den Vater und ihn. Es war unbegreiflich und wurde verscheucht, und es war zugleich nicht deutlich genug, um darüber nachzudenken. Und hierin fehlte es ja überhaupt bei Donald, wie wir schon wissen.

Nach Stunden zu dem gleichen quietschenden Almgatter zurückgelangt, das sie vor ihrem Aufstiege hatten zufallen lassen, schritten sie jetzt die Paß-Straße entlang bis zu einer Abzweigung, welche zum Gasthof führte, wo der Chauffeur mit dem Wagen sie erwartete; und alsbald stiegen sie ein. Clayton wollte die kurvenreiche Gebirgs-Straße noch bei vollem Tageslichte durchfahren und den Kaffee lieber unten im Tal nehmen.

So saß man plötzlich weich und glitt dahin, nicht mehr ständig leicht durchschüttert vom Bergab-Marschieren und dem Tritt auf einem, auch weiter unten noch und im Walde, von Kalksteinbrocken durchsetzten Wege. Erstaunlich blieb die Erfahrung immer wieder – wie auch jetzt – daß jedem sein Gehör mit schwachem Krachen wiederkehrte und jene leichte Ertaubung wich, die es dort oben auf den Höhen umfangen hatte. Inzwischen drehte sich wechselnd die Straße herein, als lange Waldschneise hier, und nach einer Kurve mit eröffnetem weitesten Ausblicke. Auf den Bergen kündigte sich der Abend schon rosig an.

Sie hielten beim Hotel gegenüber dem k.k. Postamte und fanden hier eine stille und leere Stube mit hellen Zirbenholzmöbeln, wo man ihnen den Kaffee servierte, in jener Art, wie sie damals in Österreich üblich war, hohe Glasbecher, die oben einen Turban von Schlagobers trugen. Sodann trat Münsterer ein, der eben sein Amt geschlossen hatte. Der Postmeister und Chwostik erkannten und begrüßten einander gleichzeitig, und Robert, wie er schon war, fragte Old-Pēpi in englischer Sprache, ob er diesen Herrn (,this gentleman‘) nicht an ihren Tisch bitten wolle?

So kam ,this gentleman‘ zu den dreien und mit ihm eine vierte ,Mélange‘ (so nannte man jene Art Kaffee damals). Ein vieldeutiges Zusammentreffen und Beisammensein. Chwostik empfand's, Münsterer noch viel mehr. Beide nahmen einander gleichsam Maß, legten die Spanne zu einander zurück, die Spanne der Zeit, wobei die Fragen nach diesem und jenem, wie man sie halt so tut, nur ein äußerliches Begleit-Geklimper blieben. Münsterer war ein ansehnlicher Mann geworden. Das Landleben hatte ihm offenbar gut getan.

Doch sei er dessen müde, so sagte der Postmeister; nämlich hier in einem kleinen niederösterreichischen Gebirgsdorf zu sitzen, nahe von Wien wohl, wohin zurückzukehren er übrigens keinerlei Verlangen trage. Der Staat sei groß, meinte er, und umfasse auch geradezu exotische Gegenden, wie etwa das vor nicht langer Zeit annektierte Bosnien, oder die Gebiete der ehemaligen Militärgrenze in Kroatien, vom herrlichen Dalmatien zu schweigen. Das alles aber sei im Rahmen seines Berufes erreichbar, und zuletzt nur eine Frage der Sprachkenntnisse, durch die ein Beamter sich für solche Posten eben empfehle. Aus diesem Grunde habe er die letzten zehn Jahre, und insbesondere dann die Winter auf diesem stillen Posten hier, benützt, um zu lernen, und sei im Kroatischen, Ungarischen, Französischen und sogar Türkischen gut weitergekommen. Denn schließlich wäre ja auch zu erwähnen, daß es eine österreichische Postdirektion in Konstantinopel gäbe – als eine der sogenannten Konzessionen der kaiserlich ottomanischen Regierung – und eine Postagentur im heiligen Lande, zu Jerusalem, die sogar eigene Briefmarken ausgebe. Aber es müsse ja nicht gleich Konstantinopel sein. Und nun eröffnete Münsterer zu guterletzt, daß er kaum vierzehn Tage mehr hier verbringen würde. Die einzige bedeutende Schwierigkeit habe darin bestanden, daß Kroatien, ein Land mit den meisten Möglichkeiten für ihn, zur ungarischen Krone gehöre. Er habe also königlich ungarischer Staatsbürger werden müssen. Aber schließlich sei das nach mehr als Jahr und Tag ermöglicht worden.

Worauf ihn Chwostik kroatisch ansprach. Auch Robert Clayton beteiligte sich an einer Unterhaltung in dieser Sprache, welche, wie sich zeigte, von Münsterer schon recht flüssig gebraucht ward. Worauf Old-Pēpi zum Türken wurde, was ebenfalls ihm der Postmeister gut nachtat.

Sie entschuldigten sich bei Monica wegen der unverständlichen Unterhaltung.

Mit Staunen sah Chwostik den Postmeister gleichsam auf der eigenen Spur. Es war dieser da mit ihm verbunden geblieben, als hätte er sich einst nur aus ihm selbst abgezweigt. Er begriff jetzt besser, daß er Münsterern gleich bei dessen Eintritte erkannt, trotz der großen Veränderung, die mit ihm vor sich gegangen war und die Chwostik eigentlich jetzt erst deutlicher bemerkte. Münsterer war also nie ganz abgeschieden gewesen, nie hinter jene undurchdringliche Wand geraten und in einen unbestimmten Raum, der wie unendlich scheint, weil ihm alle Einzelheiten fehlen, und wo diejenigen wesen, die aus unserem Leben sich endgültig hinausgewendet haben, und sei's auch oft nur fünf Gassen weit, oder noch näher, oder ganz nahe: und man erkennt sie dann nicht mehr, weil man sie in Wahrheit nie gekannt hat. Aber Münsterer war von ihm sofort begrüßt worden.

Jetzt erst ward Chwostik dieser Sachen recht inne, des Ungewöhnlichen und doch Begreiflichen, das mit dem Auftauchen des Postmeisters sichtbar wurde. Er nahm das Wechselgeld vom Tische, das die Kellnerin vor ihn hingelegt hatte, und schob es in die Westentasche, und schon auch wurde ihm bewußt, daß er dies ganz gegen sonstige Gewohnheit tat, nicht die drei großen Fünkronenstücke und noch einiges mit Sorgfalt in der Börse bergend. Diese Stunde prägte sich aus bis in die kleinsten Kleinigkeiten.

In der Wirts-Stube hatte man das Licht angezündet, in den Fensternischen stand bläulich die Dämmerung. Sie verabschiedeten sich herzlich von dem Postmeister und schritten zum Wagen, wo eben der Chauffeur nach seinem beendeten Imbisse auch eintraf. Der Wagen schlug die starken Licht-Augen auf. Man glitt talab, davon, mit Vorsicht auf der kurvenreichen Dorfstraße.

Man verließ das Gebirge, die Fahrt ward flach und rasch. Chwostik hatte diesmal vorne neben dem Chauffeur Platz genommen, obwohl man zu dritt im breiten Fond des Wagens bequem gesessen war. Er wollte allein sein.

Als sie an der ‚Spinnerin' – damals stand diese mittelalterliche Lichtsäule noch freier auf der Höhe des Wienerberges als heute – vorbei waren und in die hier sehr lärmende Stadt einfuhren, kam Chwostik endlich von dem Münsterer los, der ihn die zwei Stunden der Fahrt hindurch immer wieder beschäftigt hatte. Zuletzt fiel ihm noch ein, daß er Münsterer's neuen Dienstort nicht wußte. War das nicht erwähnt worden?

Durch den ausgedehnten Bezirk Meidling, den enormen Raum des kaiserlichen Parks umfahrend, und dann an der Front des Schlosses Schönbrunn, dunkel in der Dunkelheit, weitab vorbei, das tief eingesenkte Bett des Wienflusses entlang, und endlich die Auhofstraße. Als sie hielten und ausstiegen, und während Clayton sich von Monica verabschiedete, und sodann er selbst, Chwostik: von allen Seiten stürzte da alles in diese Augenblicke herein, nahes und fernes, das Gartenfest neulich und was danach gefolgt war, die ferne Adamsgasse dahinten und der nahe Münsterer.

Sie fuhren nun gegen die Innere Stadt und durch diese hindurch, in ihre Gegend, Richtung Prater. Chwostik wünschte nicht, daß in seine Straße abgebogen werde. So ließ Clayton an der Ecke halten. Händeschütteln, der Wagenschlag klappte, der Knight-Minerva rollte davon, gegen die Brücke.

So fand er sich denn allein hier stehend, in vertrauter Gegend. Es war dunkel, aber keineswegs spät. Chwostik folgte dem Gehsteig, schritt aber dann an seiner Haustür vorbei.

Und weiter. Und in die Adamsgasse. Es ist wahrscheinlich das erste Mal, seit seinem Weggange von hier, einunddreißig Jahre vorher, gewesen, daß er wieder durch diese Gasse ging. Vor seinem einstigen Wohnhaus – er sah's von weitem schon im Schein jener Gaslaterne, die unweit des Tores, wie eh und je sich befand – verweilten die Gestalten der Nicht-Passantinnen.

Nun machte er ja, wie wir schon wissen, seinerseits auch Gebrauch – wenngleich in soignierterer Weise und nicht in der Vorstadt – von solcher Einrichtung, die, neben einigen anderen (worunter etwa auch die lyrische Dichtung und der betrügerische Stand der Kaufleute) zu den ältesten der Menschheit gehört.

Doch so, wie sich dies vor Zeiten und in seiner nächsten Nähe dargeboten hatte, war es gewissermaßen unter seinem Horizont gelegen; vielleicht weil er zu nahe daran gelebt. Es hatte sich unterhalb seines Blickwinkels befunden, im nicht eingesehenen Raum. Inzwischen aber war weite Distanz genommen worden. Und jener süße Duft einer obstigen Fäulnis, der jeder aufgesuchten Stätte früherer Jahre eignet, tat das seine.

So stieg er ein und saß schon (wie er vermeinte) im falschen Zuge, und schon fuhr der auch an, und er konnte jetzt nicht mehr aussteigen, ohne Skandal zu kriegen (das wußte Chwostik wohl). Es war eine ältere beleibte Frau, aber keineswegs unhübsch, und mit freundlichem, gutartigem Gesichtsausdruck.

Sie sperrte das Haustor auf. Erst hintnach packte ihn der Schreck, wegen der doch immer noch möglichen Wewerka, sie war ihm vorher garnicht eingefallen. Aber hier herrschte jetzt offenbar ein neues Regime – sei's von der gebrechlich gewordenen Wewerka, sei's von ihrer Nachfolgerin eingeführt (wir lehnen es ab, das zu untersuchen) – mit Ablösung des Sperrgeldes und Ausfolgung des Torschlüssels an Nicht-Passantinnen.

So stieg er hinter breiten Hüften die Treppe hinauf. Und plötzlich schien ihm für einen Augenblick, daß er doch im richtigen Zuge saß.

Würden sie seine einstmalige Wohnung betreten?

Schon wandten am ersten Treppenabsatze die breiten Hüften sich dorthin, der Schlüssel schlich in's Schloß. Jetzt, nach einunddreißig Jahren, vermeinte Chwostik noch den Lampendunst im unveränderten Vorzimmer zu spüren, obgleich hier nun eine schwache elektrische Birne brannte.

Nach rechts wandte sie sich, in's Schlafzimmer seiner Eltern, das gegen die Gasse zu lag. Das Licht sprang an. Der Diwan bleckte weiß bedeckt. Er gab ihr, wie üblich, gleich das Geld, doppelt so viel als sie gefordert, um Ruhe zu haben und Raum zu schaffen für diese Lage, die ihn da überkommen hatte, die ihm da von dem heute begegneten Münsterer vermacht worden war. Denn so empfand er's.

Chwostik saß auf einem Stuhl nieder. Sie zog sich gleich aus,

schnell und ganz, offenbar freundlich gestimmt durch das ge-
doppelte Honorar, und eh' er sie noch hindern und ihr abwinken
konnte.

Chwostik sah nicht hin, sondern auf den Fuß des einen Bettes,
das hier stand, zugedeckt und nur der Form halber, weil das
eben zu einem Zimmer gehörte; aber die Hauptsache blieb der
praktikable, mit einem frischen Leintuch bespannte Diwan. Er
schaute auf den Bettfuß, ohne zu wissen freilich und ohne auch
darüber nachzudenken, ob dies nun einst das Bett seines Vaters
oder das seiner Mutter gewesen war. Wie immer: unter diesem
Bette und gleichsam um seinen Fuß sich schlingend kam die
stärkste und tiefste Freude hervor, die er in seinem ganzen Leben
empfunden, die kleine Eisenbahn, das einzige kostbare Spielzeug, das er als Knabe besessen und sorglich gehütet, als Er-
wachsener bis heute bewahrt hatte: noch befand es sich komplett
und unbeschädigt in seinem gewaltigen starken Pappkarton, für
die Lokomotive und den Tender ein Fach, für jeden der Waggons eines, und das größte für die Schienen. Jetzt sah er den Zug
unter dem Bette hervorkommen, jetzt außen um den Bettfuß
herumfahren – die eilfertig mit ihren blitzenden Pleuelstangen
arbeitende Maschine, und dann Waggon nach Waggon – und
nun schon in der Dunkelheit unter dem Bette verschwinden:
um geheimnisvoll wiederzukehren, weil ja ein Teil des Schienen-
kreises, darauf der Zug lief, unsichtbar blieb.

Das alles dauerte freilich nur Sekunden. Die Erregung blieb
ihm dabei durchaus nicht fern, und jetzt hob er den Blick, und
sah auf die Nackte, die geduldig und gefällig hier stand, drall und
weiß. Sie lächelte. Und Chwostik war kein verstiegener Mensch.
Wozu war er denn schon hier? Er entkleidete seine Wurzelhaf-
tigkeit. Dann vergaß er keiner Vorsicht. Als sie auf dem Diwan
sich zurücklegte, empfand er echte Freude, und doch bei allem
immer im Ohr das Surren des Uhrwerks, die hellen schleifenden
Geräusche der kleinen Eisenbahn, die unermüdlich lief, unter
dem Bett hervor, um den Bettfuß herum, und wieder im Dunkel
verschwindend.

Auf der Straße. Ihm war nicht ganz nach einem falschen Zug zumute, obwohl doch dies nun passiert war, und im einstmaligen Schlafzimmer seiner Eltern.

Hunger meldete sich, Alarm in der Magengrube, Schwäche in den Knieen. Viele Stunden war es her, seit sie mit dem Postmeister Kaffee getrunken hatten. Chwostik betrat das Beisl. Hier herrschte Fülle der Gestalten, mancherlei Disput, frische nahrhafte Gerüche waren zu spüren, die ganze Speiskarte entlang, deren Scala noch fast lückenlos stand. Nun gut so. Chwostik staunte über sein eigenes Wohlbefinden. Er hätt' es im Grunde anders erwartet, nach solcher Entgleisung, oder mindestens Zugsverwechslung mit falschem Einsteigen. Dann der Heimweg durch die fast laue Luft dieser Gassen. Diesmal ging er nicht vorbei an seinem Haustor. Vordem aber war er ohne im geringsten zu zögern weitergeschritten, von der Ecke kommend, wo Clayton's Wagen gehalten hatte; der dann davongerollt war. Gegen die Brücke. Gegen das leere Haus zu. Donald in England. Es war alles entschieden.

Chwostik stieg durch das erleuchtete Treppenhaus. Sehr leise sperrte er auf – warum eigentlich? Warum schlich sein Schlüssel geradezu in's Schloß? Er fragte sich das selbst, aber das war wie ein Zwang gewesen! – und als der Türflügel nun sich ebenso lautlos öffnete, sah Chwostik sein hübsches Vorzimmer befremdlicherweise hell erleuchtet.

Er hatte das Licht brennen lassen!

Noch immer leise wie eine Maus drückte er die Türe zu und wandte sich dann erst in den Raum.

Dabei erhielt er einen richtigen Schlag von Schreck.

Linker Hand, gegenüber dem Garderobe-Spiegel, in einem weißlackierten Armsessel, welcher noch von der Frau Rita Bachler stammte, saß jemand.

Nicht sogleich erkannte er die Wenidoppler. Wohl aber wurde ihm hintennach bewußt, daß er sie schon beim Aufsperren der Türe gespürt hatte, durch die Nase nämlich. Jedoch keineswegs in gewohnter Weise an jenem Hausmeistergeruch (foetor conciergicus), den sie sonst immer mitbrachte.

Sondern es roch nach Maiglöckchenparfum im Vorzimmer.

Die Wenidoppler schlief. Sie hatte immer ordinär ausgesehen, schon in ihrer Jugend, es hierin aber in ihren reifen Jahren noch beträchtlich weiter gebracht (wie's denn meistens geht). Sie erschien Chwostik sofort, wie sie da saß, ‚geschnekkerlt und aufgemascherlt‘, (so sagt man zu Wien heute noch), also hergerichtet.

Sie schlief. Sie war noch immer eine hübsche, stattliche Frau, die Wenidoppler, mochte ihr gleich alltags die Gemeinheit allenthalben aus den öden Fensterhöhlen schauen, die ohne jeden Rest vom Spiegelglanze der Jugend waren und das Innere sehen ließen wie bei einer Brandruine. Nein, sie war nicht unhübsch, und heute sauber dazu. Der Kopf – er war nach links gesunken und das Gesicht von Chwostik halb abgewandt – zeigte sich wohl frisiert (geschneckerlt). Sie trug einen weiten, geblümten Schlafrock, der sich zum Teil geöffnet hatte; besonders die Wirkungs-Sphäre ihres gewaltigen Busens gab er zur Hälfte frei, und was hier erahnbar wurde, da sie nicht nach vorne zusammengesunken, sondern weit zurückgelehnt saß, war von einem blütenfrischen weißen Nachthemde bespannt. Die bei auseinander fallenden Knieen weg gestreckten Füße staken in blauen Pantöffelchen.

Eben zog sich Chwostik mit diesen empfangenen Eindrücken wieder auf sein sicheres Terrain zurück – dessen völlige Sicherheit er allerdings nur einer Zugsverwechslung verdankte – als die Wenidoppler erwachte.

Sie drehte langsam den Kopf herüber, dann riß sie die Augen auf und erhob sich rasch, den Schlafrock über der Brust zusammenziehend. Ihre Arme blieben vor dem Busen gekreuzt. Sie lächelte. Dieses Lächeln verglaste für Augenblicke wieder ihre leeren Fensterhöhlen, so daß sie spiegelten wie einst, und man nicht in's Innere sehen konnte.

„Gottseidank, daß Sie da sind, Herr Direktor", sagte die Wenidoppler. „Ich wollt nicht früher schlafen gehen. Mein Mann hat heut Nachtdienst. Ich hab mir solche Sorgen gemacht. Man liest doch immer wieder von so einem Touristen-

Unglück auf der Rax, und ich denk mir, vielleicht hat der Herr Direktor die englischen Herrschaften über einen Klettersteig geführt, und es ist was passiert. Ich war so unruhig, allein in der Wohnung, weil mein Mann heut Nachtdienst hat, der kommt erst in der Früh von der Zeitung. Denk ich mir: gehst hinauf, beim Herrn Direktor die Metallsachen putzen am Rauchtisch, und das Messingbett, und wartest, bis der Herr Direktor kommt. So bin ich dann hier im Vorzimmer eingeschlafen."

Ein Bild treuer Besorgtheit. Er machte sich selbst nichts vor, der Chwostik, unser Old-Pēpi. Sie sah wirklich nett aus, wie sie da vor ihm stand, mit frisch verglasten Fenstern. Ihre Augen waren jetzt geradezu blank. ‚Eigentlich hab' ich's ja doch mit der reiferen Weiblichkeit. Die Monica war mir noch zu jung', so dachte Chwostik, und wurde sich ganz schonungslos klar über die kaum zu vermeidende Gefahr, welche hier auf ihn gewartet hätte, wäre er nicht eben vordem in einen falschen Zug gestiegen, der sich jetzt doch und endgültig als der richtige erwies. Führung und Geleit von seiten Münsterer's. Als gelernter Wiener schauderte Chwostik durch Augenblicke ernstlich vor den unabsehbaren Komplikationen, die ein Verhältnis mit der Hausmeisterin nach sich gezogen hätte – denn gerade das gehörte zu jenen Dingen, von denen einer unbedingt die Finger lassen muß, ganz ebenso wie etwa vom Unterschreiben eines Wechsels als Privatmann oder der Übernahme einer finanziellen Bürgschaft. Ja, Chwostik schauderte, wie beim Blick in einen Abgrund, vor welchem er den letzten Schritt noch im letzten Augenblicke zurückgesetzt hatte.

Doch er lächelte zugleich.

Und nicht einmal säuerlich, sondern herzlich.

Old-Pēpi. Ein Mistviech.

Nein, es sei nichts passiert, sie seien auch garnicht geklettert. „Schön war's, aber halt sehr anstrengend, ich bin todmüd'", sagte er. (Nun, wir finden, daß er sich vielleicht erst hintennach etwas überanstrengt hatte.) Während er lächelnd sprach, hakte Chwostik in gewohnter Weise den Zeigefinger in die linke Westentasche, spürte hier die großen Fünfkronenstücke und praktizierte zwei davon mit Leichtigkeit und diskret in's Innere seiner Hand. „Und Sie haben sich meinetwegen Sorgen gemacht und hier auf mich gewartet", setzte er noch mit wirklicher Wärme hinzu, „ich bin gerührt, muß ich sagen. Jetzt schau' ich aber, daß ich in's Bett komm', sonst schlaf' ich noch im Stehen ein." Chwostik gab ihr die Hand (was er sonst nicht zu tun pflegte), nahm sogar die ihre in beide Hände, tätschelte leicht ihren Handrücken, während seine Linke jetzt von unterwärts die beiden großen Münzen in ihre polstrige Pfote schob. Geldzählens gewohnt, meldete ihr die Pfote sogleich, wieviel es war. Und zehn Kronen stellten damals kaum ein mögliches Trinkgeld mehr für eine Hausmeisterin vor, sondern bereits ein größeres Geschenk. „Aber Herr Direktor!" sagte sie, und er: „Lassen Sie's nur gut sein, Frau Mizzi." Und sie: „Ich dank' tausendmal, Herr Direktor, und wünsch' recht angenehme Ruh." Sie retirierte zur Tür in's Stiegenhaus, und hier knixte sie: „Küss' die Hand, Herr Direktor."

Klapp. Chwostik hörte sie draußen noch abtreppen. Führung und Geleit durch Münsterer. Es war fast so, als hätte ihm dieser die Fünfkronenstücke für die Wenidoppler mitgegeben.

Jetzt erst trat er also in seine Wohnung und schaltete die Lichter an. Klapp. Weg. Davongekommen, durchgerutscht, in Sicherheit. („Vom Feinde losgelöst', hieß es dann, fünf Jahre später, im ersten Weltkrieg, wenn's nach rückwärts ging). Nicht durch eigene Kraft. Dumm war er ja wirklich nicht, der Chwostik, so daß er etwa ein passables Tachinieren für eine eigene Entscheidung und Leistung gehalten hätte. Nun suchte er die Cognacflasche, sie ließ sich antreffen, und halb voll. Dies war unumgänglich notwendig. Jetzt auch fiel ihm ein, wo die Schachtel mit der Eisenbahn sich befand: in seiner Schlafkammer unterm Bett.

Irgendetwas schien einzuschnappen, irgendein Gelenk bewegte sich in Chwostik, das ihm bisher fast unbekannt geblieben war. Jetzt eröffnete sich durch dieses Organ eine größere, eine schon spielerische Freiheit: ganz so, wie im vorderen Raum, wo er Sessel und Tischchen beiseite schob, sich die glänzende, gewenidopplerte Fläche der Parketten öffnete, gleichsam eines Teiches Spiegel. Nun trat er an's Fenster, das keine Aussicht in den Prater mehr bot. Wo früher der leere Luftraum gewesen, glimmte da und dort die unverständliche Ansprache einzelner, noch erhellter Fenster-Vierecke. Er, Chwostik, hatte Raum und Zeit, zu tun, was ihm beliebte, sich zu amüsieren, wie es ihm gefiel: kraft Münsterer's Führung und Geleit und der mitgegebenen Fünfkronenstücke. Er zog an den Schnüren, die Vorhänge rieselten zusammen.

Dann ging er in seine Schlafkammer und holte, gleich mit dem ersten Griff, die Eisenbahn unter dem Bett hervor.

Es waren weit mehr Schienen vorhanden als er in Erinnerung behalten hatte, und demnach, so dachte er, wird es nicht nur so ein kleiner Kreis um den freistehenden Bettfuß vom einen Ehebett gewesen sein, die eine Hälfte draußen und die andere unterm Bett: sondern es hat die Strecke weiter nach rückwärts in die Dunkelheit unter dem Bett hineingeführt. Der Zug ist also länger dorthinten gefahren, und dann erst wieder auf dem Geleise hervorgekommen.

Chwostik fügte die silbrig glänzenden Schienen auf dem Parkettboden zusammen, kundig die Häkchen zwischen je zwei Stücken in ihre Schlitze schiebend. Bei dieser Beschäftigung mußte er freilich knien. Es ergab sich ein beträchtliches Oval, sicher von der Länge eines Bettes, und mit zwei geraden Strekken. Nun stellte er Waggons auf die Geleise. Es waren vier: ein Postwagen und drei langgestreckte für Personen. Schubste man sie leicht, dann rollten sie weich auf den Schienen dahin, mit einem rieselnden Ton. Die Lokomotive und der Tender waren schwer. Chwostik hob beides vorsichtig aus dem Fache. Hier lag auch der große Schlüssel zum Aufziehen des Uhrwerks.

Er tat das mit Vorsicht, als der ganze Zug zusammengekuppelt war.

Aus dem gedrungenen Rauchfang der Schnellzugs-Maschine ragte ein Wattebausch, weiß und unverstaubt, wirklich wie ein ausgestoßener Dampfballen. Chwostik sah das, während er den Uhrwerks-Schlüssel drehte. Und damit erst fiel wie ein geschlossener Block jenes Schlafzimmer in der Adamsgasse herüber und herein in diesen Raum, und der Knabe, der dort neben der kleinen Eisenbahn gekniet war, ganz mit ihm zusammen. Was hier hervorstand, war die letzte Watte, die beim letzten Spielen mit der Eisenbahn (es mußte ein solches letztes gegeben haben!) hinein getan worden war.

Chwostik zog auf der einen Seite des Führerhauses den kleinen Nickelknopf, der das Uhrwerk der Lokomotive freigab.

Dann rückte er einen Fauteuil an die Geleise.

Schon fuhr der Zug. Erst langsam, in die Kurve biegend, dann auf der Geraden schneller, und auf den gebogenen Schienen ein wenig verzögert. Und lang, und oft herum, vielleicht sechs- oder siebenmal. Es war alles sehr schmuck. Es war wie neu.

So saß er, bis tief in die Nacht.

Die kleine Eisenbahn fuhr, immer wieder aufgezogen. Sie fuhr nicht nur auf der Ebene dieses Parkettbodens, sondern wie in Spiralen allmählich tiefer, und tief unter das spiegelnd Gewenidopplerte hinab, in die Bräune des Vergangenen, und sie stieg in Spiralen und kreiste jetzt wieder auf den Parketten, und in dieser Zeit und Müdigkeit. So ließ Chwostik sie auslaufen und endlich stehen. Und die Eisenbahn stand im Dunklen. Morgen früh wollt' er sie wiedersehen, und dann sorglich einräumen und einpacken in ihre Schachtel. Und das vielleicht für immer.

Das Gartenfest wurde im M. C. verschieden beurteilt: Augustus fand, es sei eine langweilige Herumsteherei mit den Pipsis gewesen (aber gelacht hatte er genug dabei). Die ordentlichen Mitglieder waren anderer Meinung. Man müsse sich an gesellschaftliche Anlässe früh gewöhnen, sagte Hofmock, und dies sei ein richtiger gesellschaftlicher Anlaß gewesen, eine gute Übung. Zdenko war bei dieser Äußerung Fritzens nicht so ganz wohl zumute.

Natürlich wurde von Monica gesprochen. Nicht von Frau Harbach. Dies gehörte, ganz im geheimen, durchaus auf das anziehende Gebiet des Unanständigen. Jeder empfand die Frau Harbach als eine Sackgasse, die nirgendwohin führte. Eine rechte Blüte der Instinkte bei den jungen Herren!

Kein Zweifel, daß die letzten Ereignisse die Position des Augustus gestärkt hatten. Zudem: daß ein Ingenieur eigentlich kein Gentleman sein könne, war angesichts von Vater und Sohn Clayton unhaltbar geworden. Insbesondere dem Heribert von Wasmut gab das zu denken.

Zdenko vereinsamte. Das Wort ist ein trauriges, erinnert an Alter und Lebensabend. Bei ihm war's ein glücklicher Zustand. Seine Lernerei diente dazu, jenen zu sichern. Sie diente auch nicht mehr dem ‚Dandysmus‘, der ‚Impassibilité‘, wie bei den anderen Mitgliedern des M. C. Immerhin, auch diese hatten sich in keine üble Form gefaßt. Augustus sollte man diesbezüglich anzweifeln. Seine Lustigkeit war undurchsichtig. Ihm fehlte vielleicht das Gefühl für jene Form. Aber es war ihm – vermöge seiner Oheime und ihres Gartenfestes – gelungen, alle zu überraschen und in Erstaunen zu versetzen. Dies eignete ihm überhaupt. Es war seine Art, sich im Leben fortzubewegen: verschmitzt, mit Überraschungs-Effekten. Als sie im Prater spazieren gingen, abseits der Hauptallee, kam auf einem jener breiten Wege im Laubwald, welche auf die Allee herausführen, ein reiterloses, gesatteltes Pferd galoppiert, mit plempernden Bügeln. Man sah es von weitem schon. Die Burschen traten beiseite. Augustus aber lief dem Pferd rufend entgegen, breitete die Arme aus und versperrte ihm den Weg, so daß der Gaul stützig nach links und rechts bockte, während Augustus die hängenden Zügel fing. Schon saß er oben. Das Tier beruhigte sich alsbald. Dickerl setzte sich nun behäbig zurecht und sagte, er werde das Pferd zur Reitschule bringen, wo es hingehöre. Treffpunkt dann im ‚Café Zartl‘. Damit trabte er ab. Seiner (ungern genommenen) Reitstunden hatte Augustus vordem nie Erwähnung getan.

Zdenko vereinsamte. Fast in jedem Augenblicke blieb er gewärtig, daß die umschließenden Wände neuerlich wie um einen Zapfen sich drehen könnten, schwankend und schwingend, nicht stabil, wie er sie vordem gekannt. Wenn sein Lebensalter sonst wohl gekennzeichnet ist durch ein summendes und brummendes Übermaß an Vorhaben und Bewegung, so trat hier, bei unserem jungen Herrn von Chlamtatsch, das Gegenteil ein. Daß sie jetzt, bei endendem Schuljahr, im Prater spazieren gingen, während nicht wenige ihrer Klassenkameraden (und sogar die früher genannten ‚Elemente‘) sich in einer bedrückenden und nicht eben gesunden Angespanntheit befanden, rettend, was eben noch zu retten war, im Knappen und Argen liegend, zu lernende Seiten auf noch verfügbare Tage bis zur Versetzungsprüfung verteilend in heilloser Statistik: so war hier, im M. C., das Schuljahr längst ausgelaufen und beendet. Man bereitete die nächste Klasse vor, die letzte, an deren Schluß die Reifeprüfung stehen sollte. Ja, sie hatten es, an Hand der Lehrbücher, die vom Herbste an in Gebrauch kommen sollten, so weit getrieben, daß eine Präparation für die nächste Stufe und die Prüfung an ihrem Ende jetzt schon im großen und ganzen und gründlich vorlag. Der „Dandysmus" war gepanzert mit Wissenschaften. Nun ließ ihre Tätigkeit nach. Man erledigte das Laufende. Man ging spazieren. Sie hatten einen Zustand geschaffen, der an Köstlichkeit kaum zu überbieten sein dürfte. Keine Sorgen, viel Zeit und ein ganzes Leben vor sich.

So auch spielten sie Tennis bei Robert Clayton und umsaßen die Monica, welche hier jedesmal anzutreffen war. Robert hatte die Buben gern um sich. Ja, mehr als das, und erstaunlich genug: sie bildeten jetzt seinen häufigsten Umgang. Seine Freunde, nicht mehr nur die des Augustus.

Dieser ließ sein fettes Gelächter häufiger hören, seit Donald weg war. Man möchte sagen, sein ständiges Wohlbefinden zeigte sich in schamloserer Art. Früher war es nicht selten durch einen Blick Donald's gedämpft worden, bei Tische oder im Garten. Besonders nachdrücklich waren solche Blicke, wenn Donald dabei die Pfeife aus dem Munde nahm, als ob er jetzt etwas sagen wollte. Aber gesagte hatte er nie was.

Es ist bezeichnend, daß diese stummen Intermezzi zwischen Donald und Augustus dem Robert Clayton nicht entgingen. Ja, es war schon so weit gekommen, daß er mitunter versucht hatte, das Dickerl zu Frechheiten aufzureizen, nur um Donald zu provozieren. Jedoch blieb das ohne jeden Erfolg.

Zdenko vereinsamte. Es war eine stille Zeit und so viel Zeit wie jetzt hatte er seit langem nicht gehabt. Alles lief aus, endete, wie die Wege eines Parks in einem beruhigten Rondelle enden. Hier fand sich das Verschiedenste zusammen. Daß sie mit den Reden des Demosthenes, die nächstes Jahr drankommen sollten, schon bei einer vollständigen Erhellung der langen Perioden hielten – welche für so manchen Gymnasiasten nie was anderes wurden als Gänge eines Labyrinths, und bei jeder Wendung konnte der Minotaurus auftauchen, diesfalls um ein ‚nichtgenügend‘ zu notieren – daß ihnen bereits Flügel wuchsen bei diesem grammatischen Seiltanz, die sicher trugen, und man jetzt schon den Glanz attischer Prosa bei jeder Wendung und Windung aufleuchten sah, als schwebte man ein Flußbett entlang – dies etwa, oder daß er, Zdenko, die Ersetzbarkeit der Frau Harbach und der Frau Frehlinger sich ganz zu eigen gemacht hatte, so daß die beiden ebenfalls dahinten blieben, wenn er aus den verschlungenen Wegen auf das beruhigte Rondell hinaustrat (diesfalls lagen hier in Strecksesseln neben dem Tennisplatz Robert Clayton und die ersetzbare Monica); ferner, daß er, unvermutet und offenbar, Klassenerster oder Primus werden sollte, woran ihm nichts lag: das alles gehörte der gleichen Bewegung an, welche sein Leben jetzt erstaunlich vollzog: es trat hinter ihn. Es ordnete sich dahinten. Es schob ihn voran, mit lauter verrichteten Sachen, er trat auf das Rondell hinaus, und das Rondell war leer.

Es währte der Zustand nur Wochen. Es waren jene Wochen, während deren die Stadt sich ständiger erwärmte, Bruthitze sammelnd für ihren Sommer, die doch jetzt noch geteilt war von wehenden Bändern leichten Windes, der einen Streifen Teerdunst herüberführte von einer Arbeits-Stelle, wo der Asphalt ausgebessert wurde.

Hatte man Raum, so hatte man auch Bangnis: etwa, was da eintreten würde? Daß Hofmock sich mit einer fast gleichaltrigen Pipsi traf, der jüngsten also, wurde im M. C. für lächerlich befunden. Man ging schweigend darüber hinweg, obwohl er selbst es im Club aufgetischt hatte. Die Rendezvous fanden in zimperlichen Conditoreien statt. Niemand wollte Fritz dahin begleiten, sich beteiligen. (Die Kleine hatte Hofmock nach seinen Freunden gefragt.) Allgemein sah man auch dies als Sackgasse an, und nicht einmal erwärmt von unterirdischer Brandigkeit und unmöglichen Möglichkeiten. Für Zdenko waren solche allerdings erloschen.

Vielleicht eben drum und aus seiner weit höheren Sicherheit machte er dann doch eine Ausnahme und wich vom Verhalten der Clubkameraden ab. So kam's zu einem Spaziergange in Hütteldorf. Vorher wurden 2 Pipsis aus der Harbach-Villa in Hakking abgeholt, denn um diese Jahreszeit wohnte die Familie schon dort draußen und nicht mehr in der Reichsrathstraße. Fritz und Zdenko gingen durch den Park über einen breiten, gekiesten Weg steil hinauf, das Haus lag hoch. Der junge Herr von Chlamtatsch fragte sich dabei ganz erstaunt, was er hier eigentlich zu suchen habe. ‚Gesellschaftliche Anlässe' gewiß nicht, um welche es aber dem Fritz Hofmock geradewegs und frühe ging; das hatte er eben vorhin, noch während der Fahrt mit der rauchigen Stadtbahn, durchblicken lassen. So sehr also bewegte sich jener im Blickstrahle der Väter und Sektionschefs, in der Verlängerung dieses Blickstrahles, auf eine Industriellen-Familie zu.

Der Zug hatte auch in der Station Unter St. Veit gehalten, der oberen Auhofstraße nahe.

Das Staunen verlieh jetzt dem Zdenko Distanz, als blicke er durch ein umgekehrtes Opernglas. Hier in der Nähe war es ja gewesen, zweifellos und wirklich gewesen. Er hatte auf den Klingelknopf gedrückt, und der Berg Sesam war sofort und lautlos geöffnet worden, mit zurückweichendem olivgrünem Türflügel.

Die Mädchen kamen in die Halle herab, deren Weiträumigkeit dem Hause einen herrschaftlichen Akzent gab, das ansonst einen der gewöhnlichen Angst-Träume jener Zeit darstellte, muschlig, nischig und erkerig, grell weiß gestrichen, ein Gebilde wie aus Schlagobers.

An dem nun folgenden Ausfluge in's Haltertal hinüber scheint uns ein einziger Umstand bemerkenswert: daß nämlich Zdenko die beiden Mädchen ständig verwechselte, was so weit ging, daß es dem Fritz Hofmock unangenehm zu werden anfing. Aber Zdenko vermochte sich offenbar gegen diese Fehlleistungen nicht zu helfen. Die Linke erzählte ihm was, und kurz danach redete er zu der Rechten so, als wäre sie es gewesen, die eben vom Ponyreiten gesprochen hatte. Daß Zdenko die Namen nicht auseinander hielt, war das wenigste. Diese Harbach-Schwesterchen aber sahen einander garnicht so sehr ähnlich, etwa über das Maß einer normalen Familien-Ähnlichkeit hinaus; ganz abgesehen davon, daß Pipsi kleiner war als die ältere. Auf den jungen Herrn von Chlamtatsch aber schienen sie ja wie Zwillinge zu wirken!

Bei alledem war man heiter und begab sich dann von der breiten Straße weg auf Wege im Laubwalde und in der Fülle des Grüns. Der Kuckuck rief, und wenn die Mädchen sprachen und lachten, dann hätten sie es für Zdenko ebensowohl von den Ästen herab tun können, als Vögel dort oben sitzend. Er nahm den Wohllaut tief in sich auf von den Stimmchen, die unter den hohen Laubwölbungen hallten.

Dieser Pipsi-Ausflug, dessen sich Zdenko später immer in ähnlicher Weise entsann wie der warmen Milch, die man dabei auf der ‚Knödelhütte' getrunken hatte, zog weiterhin die beiden Geschöpfe wieder in den Garten der Villa Clayton. Die Gelegenheit dazu hatte Hofmock geschickt ergriffen, nämliche eine Äußerung Roberts, daß sie doch auch junge Damen zum Tennis mitbringen sollten.

Seltsame Folie des neuen Paares! Monica fand jetzt sogar einen Reiz in der Dummheit der Harbach-Pipsis, wenn diese sich, umschlossen von der Intelligenz, die unter den Jungen herrschte, milchig-unschuldig darbot. Sie genoß es, daß Clayton gerade solche Gesellschaft haben wollte. Sie lag auf der Terrasse im Streckssessel und trank dunklen Tee. Das Spiel begann auf dem Platze. Robert, weiß gekleidet wie die anderen – auch er sollte diesmal spielen – kletterte von dem Gestell aus geteerten Balken, darauf die Schiedsrichterbank stand, herab und kam zu ihr. Sie ging in diesen Frühsommer hinein, als träte sie durch eine duftende Wand.

Auch Old-Pēpi wurde herbeigezogen, und saß neben Monica auf der Terrasse in der Sonne des späten Nachmittages. Ihm eignete Zauberei jenseits des vernünftig Faßbaren. Monica vermeinte das zu wissen. Welche Situation immer aus ihren Geschäften sie ihm darlegte: es genügte, daß sie unter seine Augen kam, in sein offenes Gehör trat, und sie ordnete sich bereits übersichtlich an, wurde überblickbar und unschwer zu entscheiden. Im Grunde genügte es, wenn sie zu Chwostik sprach.

Im Hintergrunde der Lage war ihr Schwebendes zu spüren, und damit ihre geringe Dauer. Doch lag das Rondell beruhigt in seinem Ring, nicht nur von Zdenko so empfunden, sondern von allen drei ordentlichen Mitgliedern des M. C. genossen.

Mit Robert Clayton's Abreise verschwand es.

Freilich mußte nun Donald nach Wien. Hier gab es ja keinen Betriebs-Ingenieur außer ihm.

Die letzten Tage in Brindley-Hall hatten ihm eine merkliche Veränderung gebracht. Selbsterkenntnis eignete ihm keine, wie wir schon wissen, und wohin anders hätte die schließlich führen können als zu einem Auftrennen der Nähte, möchte man sagen, und immer weiter zurück (und schließlich weit weg von Monica). Nein, er blieb bei der Sache, dicht an der Sache. Hier gab es einen Fehler. Soviel wußte er bereits. Jetzt gelangte er schon bis zum Nachmittage vor dem Gartenfest. Da war eine Art Übelkeit. Ein Übelbefinden seinerseits. Dies erleichterte ihn. Denn da gab es eben nichts zu denken. Hier tauchte er in eine Wolke ein. Es war dunkler geworden im Zimmer. Der prasselnde Regen. Das hatte mit Monica nichts zu tun.

Aber sonst war sein Verhalten gegen sie falsch gewesen. Natürlich. Sein Zögern. Hatte er ihr damit nicht auch Achtung erwiesen?! (Diese nördlichen Mannsbilder können einen krank machen mit ihren Objekts-Erhöhungen und der dann folgenden Tristan-Schmachterei! Dabei stimmt's ja nie und ist immer verdächtig anders! Kerle! Stiefel!) Aber wenn er den Fehler fand, konnte er alles gutmachen. Gewiß gab es einiges nachzuholen. Ja, sicher! Der Vater mochte Monica einfach gut leiden. Um so besser. Ohne den Vater zu leben wäre ja glatter Unsinn, unmöglich. Und während solche Gedanken sich in Donald bewegten, fiel ihm gleichzeitig auf den Kopf, daß er Monica in der Zeit zwischen dem Gartenfest und seiner Abreise nicht mehr telephonisch hatte erreichen können.

Als der Dampfer sich Ostende näherte, die Möwen ihn umflogen, ein Zeichen der Fahr-Rinne einsam aus dem heute fast blauen Wasser stand, belebte ihn Entschlossenheit. Ja, er würde alles nachholen, jeden Fehler gutmachen. Er war benommen gewesen. Es galt, endlich zu handeln. Mit solchen Gedanken stand er bei seinem flachen Koffer in der Zollhalle. Im Zuge dann allein in einem Coupé erster Classe, noch war man nicht abgefahren, sank er auf dem gepolsterten Sitz zusammen. Zum ersten Mal hob es ihn wie ein übermächtiger Arm, ein Kran, schwenkte ihn hinüber in ein Jenseits im Diesseits. Es gab nur Monica.

Sogleich in Wien, als er den Verlag am Graben anrief, da sich in der Auhofstraße niemand meldete, erfuhr er, daß sie verreist sei, für ein paar Tage, so hieß es in unbestimmter Weise.

Nun auch hier einsam in einem weiten Hause, wenn auch leider nicht ganz einsam, es gab ja diesen Augustus.

Chwostik konnte ihm nicht sagen, wo sein Vater sich augenblicklich befinde. Wahrscheinlich noch bei einer Abnahme von Lokomobilen in Ungarn. Er habe persönlich dahin fahren müssen, weil Donald so lange drüben geblieben sei. Nun freilich, die kramten dort bei der guten Gelegenheit ihre sämtlichen An-

liegen aus, von vornherein sei ja klar gewesen, daß es beim Aufstellen der Maschinen allein nicht bleiben würde.

Der Frühling begann rasch anzusteigen, flegelte sich überall
dazwischen mit seinem verwirrenden Lichtprunk. Regengüsse
und Veränderlichkeiten des April waren längst dahin, die Tage
wurden stehend blau. Noch kein Flieder. Aber schon Zeit zur
Reise in den Südosten. Mit dieser durfte man nicht in den Hochsommer hineingeraten. Chwostik hatte längst einen dicken
Reise-Akt angelegt, samt Itinerar mit allen ausgeklügelten
Bahn- und Schiffsanschlüssen.

Hierüber sprachen sie ausführlich, im Garten, auf dem geschorenen Rasen hin und her gehend. Nun, Donald sollte, funk-
tionell gesehen, ja nur als technischer Experte mitfahren, als
Ingenieur, freilich auch in seiner Eigenschaft als Junior-Chef.
Hätte er jetzt sich auf Chwostik beim Gehen gestützt, etwa auf
dessen Schulter, es wäre eine angemessene Ausdrucksbewegung
gewesen, es hätte gewissermaßen der Wahrheit die Ehre gegeben. Und es geschah, wenn auch auf andere Weise: Donald
bat ihn, zum Dinner zu bleiben (obschon sie alles zu Ende be-
sprochen hatten) und ließ keine Einwände zu. Es sei nur des
Spaßes halber erwähnt, daß unsere Runzel gerade für diesen
Abend einen runzligen Ausflug vorgehabt hatte – nun, sagen
wir, auf die uns abgekehrte Seite seines Lebens, man weiß schon.
Jetzt aber verschwand das aus seinem Gesichtskreis. Denn er
hatte schon im Garten und während sachlicher Erörterungen
gespürt, was von Seiten Donalds eigentlich herandrang. Wenn
einer nicht spricht, spürt man's doch, daß er nicht spricht; wir
fühlen's nun einmal, wenn beim andern Menschen das Schweigen in seinen Riegeln ächzt, wenn des Schweigens Stauwehr
hoch gefüllt ist. Und Chwostik war ja nicht unwissend. Doch
auch persönlich bedrängt. Wir sagten schon, daß er den Ernst
der Lage erkannte. Mehr als das: der Ausblick war schrecklich,
diesen jungen Mann jetzt möglicherweise auf einem Terrain
schwer ringen zu sehen, das er selbst, Chwostik, vor kurzer Zeit
erst, dankbar, heiter und leichten Fußes verlassen hatte.

Für Donald war der Sommer hereingebrochen, mochte man

auch noch früh im Mai stehen, bei geschlossenen Fliederblüten und gelegentlich wehenden Bändern von Kühle, wenn nicht Kälte, im Garten und auf der Straße. Aber in ihm war jene Finsternis, welche, aus lauter Strahlung und Hitze, die Sommersonne in uns erzeugen kann, verbunden mit einem Gefühle des Eingepacktseins samt Kopf und Kragen. Das Laub war hellgrün. Für ihn war es schon dunkel.

Sie aßen mit Augustus, der sich, verschmitzt lächelnd, gleich nach eingenommenem Dinner empfahl. Chwostik und Donald gingen in die Halle und lagen in Fauteuils. Der Kaffee wurde gebracht. Danach hätte Donald beinahe gesprochen, was ein wahrlich noch nicht dagewesenes Faktum gewesen wäre. Aber er machte nur eine einzige Bemerkung: daß man nämlich, in zwei Ländern lebend, sich schließlich nicht in beiden sondern nirgendwo mehr zuhause fühlen würde.

In der Tat war eben dieses für ihn stark spürbar geworden, und es bildete einen wankenden und bedrohlichen Hintergrund, vor welchem er selbst wankte, seit es ihn wie mit einem Kran vom bisherigen Postamente gehoben hatte (man möchte lieber Fundament sagen!) und dieses war ja nichts anderes gewesen als das zweisame Leben mit dem Vater. Nun hieß es ein alleiniges auf sich nehmen, das den Sommer, der da kommen würde, im voraus verfinsterte, durch den jetzt nicht zu vermeidenden Abschied von Wien. Er rief im Verlage an. Sie war noch immer nicht da.

Inzwischen war wohl einiges zu erledigen vor der Abreise, aber hier ging alles mühelos und glitt eines aus dem anderen glatt hervor. Die Umstände fügten sich, als hielten sie den Atem an. Das kann nicht nur im Glücke, sondern auch im Unglück beobachtet werden. Auch Augustus, welchen Donald nur bei den Mahlzeiten sah, schien sein fettes Gelächter etwas zurückhalten zu wollen. Von ihm ward kurz erwähnt, daß man hier Tennis gespielt habe, mit seinen Freunden und den Harbach-Pipis. Donald ermangelte dafür gänzlich des Interesses.

Am folgenden Tage, als er nach ein Uhr zum Lunch heimging, begegneten ihm zwei von den Gymnasiasten, nämlich Wasmut und Chlamtatsch. Er blieb bei den korrekt grüßenden jungen Leuten stehen. Ob er in England gewesen sei? Ja. Und wann Mr. Robert Clayton wieder von seiner Reise zurückkehren werde? Er erwarte ihn jeden Tag, sagte Donald. Denn er selbst müsse in einigen Tagen auf vier Wochen in den Vorderen Orient fahren. „Beneidenswert!" rief Wasmut. „Wird etwas heiß werden", entgegnete Donald. „Da wird es also doch nicht dazu kommen", sagte Zdenko, „daß Sie uns beim Tennis den Schiedsrichter machen, wie's ursprünglich geplant war, Mr. Clayton. Heribert und Augustus haben mir das damals erzählt. Wir haben jetzt auf Ihrem Tennisplatz eigentlich auch keinen Schiedsrichter gehabt. Das Fräulein Ingenieur Bachler ist meistens auf der Terrasse gelegen, und Ihr Herr Papa konnte deshalb nicht immer bei uns bleiben. Ich glaube, sie spielt nicht Tennis."

Ein fahler Blitz schoss in Donald zu Augustus hinüber, dem verschmitzten Verschweiger und dessen immer gleich bleibender und prompt funktionierender Lebensart. Jetzt, wo er selbst sank – und in diesen Augenblicken wußte er sich sinken, fühlte es zum ersten Male – erschien ihm der immer gleiche Griff, mit welchem jenes Biest (‚brute' – nun dachte er englisch!) alles und jedes spielend nahm, als grenzenlos hassenswert: weil ihm und seiner Ohnmacht weit überlegen.

Die Burschen verabschiedeten sich korrekt von dem Engländer. Dieser wandte sich (Chlamtatsch sah ihm noch nach), verlor das Gleichgewicht, offenbar auf eine nach südlicher Unsitte fortgeworfene Fruchtschale tretend, gewann es wieder mit einer ausfahrenden und langstieligen Bewegung, winkte dann noch einmal zurück und schritt davon. Im Weitergehen warf Zdenko einen Seitenblick auf Heribert, der wirklich nichts gemerkt zu haben schien. Für ihn aber, jetzt wieder, schwangen die umgebenden und abschließenden Wände wie um Angeln oder Zapfen. Jedoch, sie schlossen sich nicht mehr so ganz, wie es, einige Zeit nach Frau Henriette Frehlingers Auftreten, doch wieder gewesen war. Jetzt blieb ein Spalt. Durch ihn blickte Zdenko erstaunt einer Wirkung nach, die hier und eben jetzt in ein gänzlich fremdes Leben von ihm getan, und entlassen worden war in ihren weiteren Lauf. (‚Von uns‘, hätte er wohl denken sollen, denn gerade so wie von ihm hätte ja von Heribert jenes Fräulein Bachler erwähnt werden können.)

So traf sich Zdenko zum ersten Mal in Zusammenhängen enthalten an, die er nie gemeint und von denen er nichts gewußt hatte, und damit gewissermaßen als ein ihm bis dahin unbekanntes Objekt. Dies nun fiel ihm zwar nicht als Erkenntnisfrucht von Blei auf den Kopf, dazu war es zu zart, wohl aber erschien wie mit einem Schlage alles viel reizvoller und des Erforschens wert: ein Leben, in welchem er, Zdenko, vorkam, aber nicht als der Zdenko, von welchem er wußte. So machte er in wenigen Sekunden hier auf der Straße eine Art Reifeprüfung, zu welch letzterer doch in der Schule nach Jahr und Tag erst anzutreten war. Allerdings hatte man im M. C. die Praeparation dazu schon erheblich weit vorangetrieben.

Weiter durch den Spalt blickend, handhaft und anschaulich denkend (jeder allgemeinere Akt der Intelligenz blitzt ja nach in vielen Einzeltugenden), erkannte er unschwer Wesensart und Biesterei des Dickerls, und wußte schon im ganzen beinahe so viel wie Chwostik, und sogar vom Ernst der Lage. Jetzt sah er Robert Clayton den dunkel geteerten Schiedsrichterstuhl herab klettern und zu Monica auf die Terrasse gehen, wo er blieb.

Es stand ein Sommer bevor bei der kroatischen Tante, ein langer, leerer, geräumiger Sommer. Natürlich würden ihn die Eltern als Vierten beim Tarock brauchen. Aber man konnte vielleicht auch weit wandern in dieser Gegend. Und viel denken.

Monica erwachte beim ersten Tageslicht, setzte sich aufrecht, rückte zu Robert hinüber und beugte sich über den tief Schlafenden. Sein Gesichtsausdruck war der eines sehr ernsthaften kleinen Buben. So, aus der Nähe und ungestört, konnte sie diesen Kopf, diese Physiognomie genießen. Gute Pferde haben ‚trockene Köpfe‘, wie die Reitersleute das nennen; sauber; nichts Überflüssiges; keine Fett-Ansammlungen, Täschchen, Schwellungen, Schoppungen, Wülstchen oder Wülste. So Robert. Sie hatte die hohle Hand neben seinem Haupte liegen, offen und kraftlos vor Entzücken. Jetzt drehte sich der schlafende Mann ein wenig, und noch einmal, und damit lag sein stark gewölbter Hinterkopf in ihrer hohlen Hand. Sie umfaßte ihn und drückte die Finger leicht zusammen. Jetzt, ganz deutlich an Donald's flachen Hinterschädel denkend, begriff sie wie noch nie die Attrappen-Natur dieses Sohnes, der vor seinen Vater gestellt gewesen war wie ein Wandschirm, oder eigentlich nur eine angelehnte Tür. Sie war hindurchgegangen. Jetzt fühlte sie ihre rechte Hand wie ausgefüllt von einer Schale, nicht weniger enthaltend als das Geheimnis ihres eigenen Lebens.

Zu bewegt, um regungslos liegen zu bleiben, küßte sie Robert leicht auf die Stirne, zog achtsam ihre Hand unter seinem Haupte hervor, glitt aus dem Bett und in ihren Überwurf. Die Glastür zum kleinen Balkon quietschte leicht. Monica sah erschrocken auf den Schlafenden. Da lag er und schlief. Eindeutig, sich selbst bedeutend, nichts weiter als das, ein einfacher Mann.

Nun trat sie hinaus und ließ die Tür angelehnt. Hier empfing Frische, fast Kälte, und ein Schweigen, das kein Geräusch aus dem noch schlafenden Hause unterbrach. Die spitzen Wipfel der Fichten am steil abfallenden Hang unter ihr schlossen sich in den weiteren Entfernungen zu einem moosigen Ganzen zusammen, das in steilen Stürzen zu Tal wogte, die unten sich voreinanderwarfen und dunkel verschränkten. Dort kam der Tag, und sein von waagrecht schwebenden zarten Wolkengebilden verhüllter Schoß, rot und gelb erglühend, war die einzige Stelle am Himmel, die im leeren, lackreinen Blau dem Auge einen Anhalt bot.

Sie gehörte hierher, Monica, auf diesen Balkon vor einem der Zimmer des Berggasthofes unterhalb der Paß-Straße über dem fast schwindelnden Luftabgrund, so wie sie dorthin gehört hatte, wo sie die Nacht über gelegen war. Überraschend erschien der

Rand des Sonnenballs wie ein Stück hellglühender Kohle. Noch
drang kein Strahl hierher. Monica schlüpfte in das Zimmer zurück. Die Tür quietschte kurz. Sie kroch ins Bett und rollte sich
unter der Decke zusammen. Bob schlief noch.

In der Tat war er der Lokomobile wegen kurz in Ungarn gewesen, dann aber von Ödenburg über Sauerbrunn nach Wiener-
Neustadt gefahren und hierher in's Gebirge, um Monica zu erwarten. Auch sie kam nicht mit ihrem Wagen, sondern mit der
Bahn, und von der letzten Station vor dem Semmering-Viadukt
in drei- und einhalbstündiger Fahrt mit einem gemieteten Fiaker
herauf.

Hier war man abseits. Schon gar werktags und vor der Ferien-
zeit.

Chwostik hielt die Verbindung. Das sagt eigentlich schon
alles über die Position, welche er einnahm, das Vertrauen, dessen er genoß. Old-Pēpi meldete auch Donald's Eintreffen. Die
Telephongespräche wurden von Chwostik aus seiner Privat-
wohnung und in englischer Sprache geführt.

Das Eintreffen Donald's wäre kein Grund gewesen, die Tage
hier im Gebirge zu kürzen. Aber es stand ein Abend-Empfang
beim alten Gollwitzer bevor (eine ‚Soirée' sagte man damals)
und hier mußte Clayton diesmal wohl erscheinen, nachdem er
beim letzten Male gefehlt hatte, erst recht jetzt, vor Donald's
Orientreise, die ja auf dem Rückwege auch noch nach Bukarest
und zu Gollwitzer & Putnik führen sollte.

Monica war übrigens auch geladen. Ihr hätte es freilich nichts
ausgemacht, den Abend zu versäumen. Doch setzte das Geschäft ihrer Abwesenheit Schranken.

So wurden es nur wenige Tage, und diese waren die Frucht
eines plötzlichen Entschlusses beider als Robert nach Ungarn
mußte. Es war eine Flucht zugleich. Sie mußten sich loslösen.
Nicht einmal in Monica's kleiner Wohnung in der Auhofstraße
fühlten sie sich abgetrennt genug von allem bisherigen. Hier
aber waren sie versetzt, verhoben und herübergeschwenkt in

eine Art Jenseits im Diesseits, das sie so dicht, wie es jetzt sie umschloß, doch nicht sich hatten vorstellen können. Die Tiefe der Wälder schlug über ihnen zusammen, ihr grenzenloses Auf-Sich-Beruhen, ihre Stille, in welche bei geöffneten Schneisen oder Lichtungen ein ragender Ausblick fiel. Man hatte einst, vor langer Zeit, waagrecht an steilen Hängen entlang laufende Pfade angelegt, im vorigen Jahrhunderte, als der Kaiser in seinen jüngeren Jahren hier noch auf den Hahn gegangen war. Nun boten die Reste dieser Wege mit elastischem Nadelboden da und dort dem ziellos wandelnden Paar lange Einblicke in den Wald, bestreut mit Sonnenkringeln, besäumt von mächtigen Moospolstern. Man ging an den Wald verloren. Er endete nicht, er begann nicht, er hatte die ganze Gegend, samt Robert und Monica, in seinen dunklen Mantel eingeschlagen und einge-wickelt.

So fuhren sie denn auch, als es so weit war, unvermittelt und mitten aus dem Walde nach Wien, zwei Stunden und mehr berg-ab im Trabe und bei dann und wann leicht schleifender Bremse, erst über die Windungen der Paß-Straße mit eröffneter Aus-sicht, und unten durch die Ortschaften bis zur Bahnstation. Eine Rückkehr, ein Wieder-Eintauchen, ein tiefes Befremden schon auf dem Perron in Payerbach-Reichenau, wo es einen Zeitungs-Stand gab und einen Hoteldiener, der Gepäck heranfuhr.

Donald, nachdem er mittags auf dem Heimwege die Gym-nasiasten getroffen hatte, blieb nachmittags der Fabrik fern; er sprach nur einmal telephonisch mit Chwostik. Beim Essen dürfte er auf den dicken Augustus wortlos einschüchternd ge-wirkt haben, denn dieser verschwand, sobald es nur angehen mochte.

Auch hier und diesmal legte sich Donald nach Tische flach auf den Diwan, bei geringer Hoffnung einschlafen zu können. Es gelang jedoch, wenn auch nur für einige Minuten. Während dieser vermeinte er, sein kleines Schulbänklein aus Brindley-Hall stehe hier neben dem Sofa. Er sprang empor und trat auf die Galerie hinaus. Genau gegenüber lag das Zimmer seines Vaters. Es wehte ihn plötzlich an, wie schön diese beiden Häuser waren, in ihren Parks gelegen, so Brindley-Hall wie die Villa hier in der Prinzenallee. Der strenge und saubere Duft vom Leder der zahlreichen Fauteuils in der Halle war bis herauf zu spüren, lag in der Lautlosigkeit und der stehenden Luft. Doch trennten ihn davon Angst und Ärger. Sie machten die Einsamkeit ungenießbar. Er war heute zum Spielball der Gymnasiasten geworden, auf der Straße, so empfand er es; und Augustus erschien ihm wie das Haupt eines gegen ihn gerichteten Komplotts von Lausbuben. Irgendetwas ging zu weit bei alledem. Es galt zurückzutreten davon, zurück in eines dieser beiden reservierten und gepflegten Häuser, nicht auf der Straße mit den Gymnasiasten herumzustehen. Sie erbitterten ihn, Augustus samt seinen Freunden.

Er trat in sein Zimmer zurück und machte etwas Toilette. In der Halle unten sprach er telephonisch mit Chwostik. Dann mit dem Verlage am Graben, vergebens. In der Auhofstraße meldete sich niemand. Nun ging er, durchaus in der Absicht des Entrinnens. Er wollte jetzt irgendeinen Teil der Stadt aufsuchen, wo er vordem nie gewesen. Allein, ohne Wagen, ohne Chauffeur.

Das Wirtshaus der Maria Gründling hinter der Matzleinsdorfer Kirche war ein seltsames und stand in krassem Gegensatze zu jeder wienerischen Art, sowohl der damaligen wie der heutigen; im übrigen ändert sich ein National-Charakter in fünfzig Jahren nicht bemerklich. Vielleicht auch überhaupt nie. Hier aber konnte von wienerischer Art der Bedienung eines Gastes keine Rede sein. Mitunter wurde man hinausgeworfen, bevor man noch Platz genommen hatte, und auf die Bestellung eines Krügels Bier erwiderte die umfängliche Wirtin in grobem Tone, man möge gefälligst schaun, daß man weiterkomme, sie wolle jetzt schlafen.

Dennoch waren die zwei geringen Stuben stets voll von Gästen, obwohl mitunter auch alle zugleich plötzlich an die Luft gesetzt wurden, oder einem einzelnen das Verlangte in barscher Weise verweigert ward, mochte der auch im höflichsten Tone es erbeten haben, und es sich nur darum gehandelt hätte, die Kleinigkeit, etwa Schinken oder Wurst, vom Buffet herbeizutragen: auch das blieb verwehrt, obgleich die Gäste sich hier ohnehin selbst und sogar gegenseitig bedienen mußten, aber unter dem Kommando der Wirtin. So hieß es etwa: „Was brauchen Sie jetzt a Schinkensemmel?! An Schmarrn. Aber dem Herrn Pühringer dürfen S' a Viertel Wein bringen." Die Wirtin erhob ihre 128 Kilogramm fast niemals vom Stuhle, und einen Kellner hielt sie nicht.

Dennoch, es gab Leute, die durchaus in kein anderes Wirtshaus gehen mochten, denn etwelchen Theaters konnte man hier immer gewiß sein: etwa unvermittelte Hinauswürfe von Gästen, die der Wirtin gerade heute und zur Stunde nicht zu Gesicht standen („Ihna mag i heut' net sehn, schaun S' daß weiterkommen!"), aber auch ebenso offene Sympathie-Erklärungen, wie: „Des G'sichterl seh' i gern. Bist a Schatzi. Kriegst heut a Wurscht." Die letztere Ansprache richtete sich an einen pensionierten Magistratsrat von sechsundsiebzig Jahren, einen gütigen alten Herrn, der seiner Einsamkeit hierher entrann, um zu lachen. Tat er's aber zu viel, dann wurde ihm ein Dämpfer aufgesetzt: „So ein alter Mann wie du, hat's garnet not, so blöd z'lachen. Dö Gruben wart' scho." Beliebte Gäste wurden gedutzt.

Ein solcher war auch der akademische Maler Graber, älterer beleibter Gentleman, ein hervorragender Künstler und der beste Märchen-Illustrator seiner Zeit. Dieses gemütliche Individuum, das ein großes und auf den ersten Blick als bedeutend zu erkennendes Antlitz hatte, in dessen Mitte eine Nase à la Posthörndl saß, nahm einen Ehrenplatz neben der Wirtin ein und insofern auch eine Ausnahmsstellung, als ihn von ihrer Seite weder Hinauswürfe noch Verweigerungen dessen, was er jeweils bestellte, noch auch zarte sinnige Hinweise auf das ihn erwartende Grab oder ähnliche Dämpfer bedrohten. Innerhalb der hier herrschenden Bedienung der Gäste durch die Gäste oblag ihm oft die Funktion, das Buffet zu öffnen und wieder zu versperren, wenn jemandem kalte Küche war bewilligt worden (eine andere gab es hier garnicht), wozu er jedesmal von der Wirtin den Schlüssel vom Schürzenband erhielt.

Graber, ein höchst arbeitsamer Mann, der die Welt kannte und mehrere Sprachen beherrschte, kam hierher, weil er das abendliche Bier und den Frieden liebte. Dieser war garantiert, was ansonst in solchen Beisln ja keineswegs immer der Fall ist. Aber die Gäste der Maria Gründling wären wie ein Mann aufgestanden, wenn irgendwer randaliert oder die Autorität der Wirtin nicht respektiert hätte. Ein solcher hätte sogleich sämtliche anwesenden Mannsbilder gegen sich und mindestens sechs Paar Fäuste am Kragen gehabt, unter ihnen auch die recht beachtlichen des Herrn akademischen Malers Graber, der übrigens den Titel eines Professors trug, was hier allerdings niemand wußte.

So saß denn jener im friedlichen Teich, sank langsam in's Bier und in die Schläfrigkeit ein und nahm am Gespräche teil, das beiläufig vor sich hin quargelte, witzelte und wörtelte, freilich nicht auf der Ebene eines Herrn wie Graber, aber das war ihm ganz recht.

Noch andere solche gab es vereinzelt unter den Gästen der Maria Gründling. Jedes Wirtshaus hat die Gäste, die es verdient, genau so, wie man einen Schriftsteller aus seinen Lesern zu erkennen vermag, ohne selbst von ihm noch eine Zeile gelesen zu haben. Auch Chwostik hatte übrigens gelegentlich einmal hierher gefunden, kurz nachdem der Wirt jenes Beisls, wo sein Vater einst Kellner gewesen, sich vom Geschäfte zurückgezogen und das Lokal einem anderen übergeben hatte. Chwostik kam selten, doch kannte er den gemütlichen Graber, und besaß sogar eines der zahllosen von ihm illustrierten Märchenbücher, ein Geschenk des Künstlers, mit persönlicher Signatur. Es fanden sich darin die seltsamsten Wald- und Wurzelmännlein, knorrige Burschen, die einen ansahen wie Baumstrünke, denen Augen aufgegangen waren.

Eine andere Art von Gästen kam hierher – über Wiener-Neustadt und den nahe gelegenen Südbahnhof – aus dem damals noch königlich ungarischen Burgenlande, also im ganzen dem Landstrich zwischen den auslaufenden Bergen der Steiermark und dem tief im Flachlande gelegenen Neusiedler See. Diese Gäste waren landwirtschaftliche Gestalten, meist gestiefelt, die aus irgendeinem Grunde, wohl auch markthalber, nach Wien herein kamen, Männer und Weiber, in hohen Stiefeln beide. Sie waren friedlich und kauderwelschten erstaunlich, wenn sie nicht überhaupt ungarisch oder kroatisch sprachen.

Als Donald nach stundenlangem Umhertreiben hier eintrat, saß Chwostik links von der Wirtin, Graber wie gewöhnlich rechts, und neben ihm zwei derbe und frische gestiefelte alte Weiber.

Der Magistratsdirektor war auch da.

„Na, mei' Kind", redete die Wirtin den neuen Gast an, „du nimmst nach oben zu scheint's ka End'. Setz' di nieder und ziag deine Stelzen ein. Mit 'n Stephansturm kann man net dischkurieren und i hab' heut mei Fernrohr z'hausglassen. – Ah, die Herren kennen einand?" sagte sie jetzt, als Donald und Chwostik einander begrüßten. „Ausschaug'n tuast wie an Engländer. Setz' di her, Tschentlemann, neben die Fini und die Feverl."

Da sie in Wien sich auskannten und geschickt waren, wurden sie dann und wann vom Globus von Ungarn – auch diesen gab es noch in voller Kraft! – ausgesandt, um das und jenes zu besorgen oder auch einzukaufen und zu bringen: für die Küche, für's Haus; und bei solcher Gelegenheit auch für das Toilettebrett des kleinen Schaffers Gergelffi, der – noch immer so schlank wie einst – ein Freund duftender Sachen war und gewöhnt an eine Rasiercrème, die sich ,Wach auf!' nannte, und welche man allerdings in Moson nicht bekam. Wir erinnern uns dieses tüchtigen Mannes als eines Spenders von einem Paar zierlicher Husarenstiefel für Feverl.

Wenn Figuren aus dem Stande einer relativen und metaphorischen Heiligkeit wieder – sei's auch nur vorübergehend – zu uns gewöhnlichen Menschen herabsinken und unter uns wandeln, so geraten sie dabei sehr leicht neuerlich in des Schriftstellers aufgestellte Netze: in diesen zappeln jetzt plötzlich zwei dick und fett gewordene alte trojanische Pferdchen. Sachte! Wir wollen sie bald wieder befreien; vorher aber doch ein bissel anschauen; wir wollen sehen, wie sie's treiben.

Sie waren jetzt hoch in den Sechzig; aber unglaublich gut erhalten. Und eigentlich befanden sie sich schon im Ruhestande. Aber in Moson blieben sie unentbehrlich; also unentbehrliche Ruheständlerinnen. Sie waren, genau genommen, hübscher, als sie in den Pferdchen-Jahren gewesen. Oder, sie sahen weniger ordinär aus wie damals. Ein seltener Fall! Wo doch alle Menschen immer ordinärer aussehen! Wir kennen sonst eigentlich nur den Postamtsvorstand Münsterer als Ausnahme.

Immer noch bildeten sie ein Doppel. Das heißt, es war nicht so sehr jede mit sich selbst, als jede immer mit der anderen identisch geblieben, was bei solchen Doppel-Visagen keineswegs die Regel ist, wie der bedauerliche Fall von Clayton bros. uns neuestens nachdrücklicher beweisen will. Die Kritik wird mit Recht sagen, dem Autor sei es nicht gelungen, diese beiden Figuren „schärfer zu profilieren und von einander abzuheben". Nicht nur nicht gelungen; er hat es gar nicht einmal versucht! Hat sich was mit ‚profilieren' bei diesen Menschern! Von allem Anfang an hab' ich sie miteinander verwechselt, und nie gewußt, wie eine einzeln ausschaut, sondern immer nur, wie beide zusammen.

Auf Chwostik mußte Donald's Erscheinen hier alarmierend wirken, bedeutungsvoll, und nicht als bloßer Zufall. Wohl hatte er ihm einmal, unter anderen Wiener Curiositäten, das Wirtshaus der Maria Gründling geschildert, aber dies lag Jahr und Tag zurück, und sie waren nie zusammen hier gewesen, obwohl sie dies seiner Zeit vorgehabt hatten. Nun kam er hierher, um neun Uhr abends, nach langem Umhergehen vielleicht, verschwitzt, ohne Wagen, mit staubigen Schuhen, und trank Bier in durstigen Zügen: alles ganz und gar gegen seine sonstigen Gewohnheiten.

Aber Chwostik hatte bereits vermocht, in dieser Sache, die von ihm nicht mit erniedrigenden Leiden der Eingeweide erlebt ward, sondern in einer Art höherer Trauer, den Kopf oben zu behalten: und jetzt erhob sich durch einen Augenblick das Bild der Waldgrenze, das Heraustreten in den Sonnenglast und den vom Berge herab anspringenden Wind. Wieder trat er in's Freie, wie über einen Zaun oder eine Stufe steigend, und ließ dabei die klar erkannte Lage unter sich, als eine überblickbare. Was in seinen Lebenskreis eingedrungen war (diesen mit langer und ernster Mühe befestigten!), das Gewordene jetzt auf's Tiefste verstörend, wie ihm wohl ahnte, das war nicht fehlerhafter, läßlicher und versäumlicher Herkunft, und kein unglückseliger Zufall; sondern es bestand aus dem gleichen festen und dauernden Stoffe, aus welchem dieser Lebenskreis selbst sich gefügt hatte. Es galt, den Kopf oben zu behalten. Und Chwostik behielt ihn oben. Wenn es ihm vergönnt sein wird, diesen jungen Mann, den er doch herzlich gern hatte, mit sich zu nehmen – und warum sollte dies Geplante dahinfallen?! – dann wird eigentlich alles gewonnen und wiedergewonnen sein, grad im Augenblicke, wenn das Schiff – auf der ‚Cobra‘ hatten sie gebucht – vom Molo ablegen würde. Jetzt sah er den ersten schmalen Spalt zwischen Bord und Hafenmauer, dann diese hinab bis zum Wasser, feucht und beplantscht, auf dem Kai die Menschen, alle mit den Gesichtern zum Schiffe gewandt und mit winkenden Tüchlein zappelnd, während vom Oberdeck der getragene Choral des Kaiserliedes seine Schwingen ausbreitete – dies alles hielt Chwostik nun gegen den alarmierenden Anblick Donald's, der ihm gegenüber neben den zwei fremden Marktweibern saß, mit an den Schläfen feuchtem und anklebendem Haar, eben zwei Liter Wein für den Tisch bestellend – ein ganz junger Gast von nebenan mußte sie einschenken – gleich auch eine Schachtel Cigaretten erbat und anbot, und selbst eine rauchte, alles ganz ungewöhnlich, und deutlich als Exzeß spürbar, für Chwostik mindest, der ja seine Engländer kannte. Aber morgen oder über-morgen wird Robert Clayton zurückkommen, vom ‚Alpengast-hof zum Preiner G'scheid‘; dann der Empfang bei Gollwitzer, durchaus obligat; und nicht lange danach sollten sie ja reisen.

Es wird gut sein, dachte Chwostik, es wird ein Glück für ihn sein. Nach Wien gehört er jetzt keinesfalls.

Die bescheidentlicheren Figuren am Tische schwiegen, durch des fremden Herrn Ankunft verschüchtert. „Trinkst kan’ Wein, Tschentlemann?“ sagte die Wirtin zu Donald, der vor einem leeren Bierkrügel saß und sein Weinglas unberührt ließ. Jetzt stürzte er es auf einen Zug hinab. Der Professor Graber wußte längst so ungefähr, mit wem man es da zu tun hatte. Das Herein-geraten völlig deplacierter Erscheinungen gehörte ja sozusagen zur Regel des Lokales. Man munkelte sogar, daß hier berühmte Gäste dann und wann aus und ein gingen; vielleicht auch dich-tete man dergleichen dem und jenem nur an. Aber der Professor Graber war schließlich gleich selbst so einer. Er nahm die Ci-garre aus dem Mund, trank Donald gemütlich zu und sagte in englischer Sprache: „Auf Ihre Gesundheit, mein Herr!“ Donald dankte ihm, wohl ohne sich zu verwundern. In dieser Stadt schwirrten ja alle Sprachen nur so durcheinander. Er war es längst gewohnt. Jetzt aber, etwa von dem Augenblicke an, da er seinem Gegenüber Bescheid getan, schien sich sein Wesen wieder lockern zu wollen. Er schenkte den alten Frauen, der Wirtin und den drei Herren am Tische neuerlich ein – mit ruhi-ger Hand, wie Chwostik genau beobachtete – kramte seine Pfeife hervor und streckte vorsichtig seine langen Beine aus. „Na, jetzt bist complett, Tschentlemann“, sagte die Wirtin, als die blauen Wolken des Capstan über dem Tische schwebten. Der Magi-stratsrat schnupperte angenehm berührt. „Das riecht nach weit weg“, sagte er, „nach Übersee.“ Es waren die einzigen Worte, welche der alte Herr während der ganzen Zeit sprach.

Bald danach machten sich Donald und Old-Pēpi auf den Heimweg, und zwar, über des ersteren ausdrückliche Bitte, zu Fuß. Es war ein weiter Weg bis in den Prater hinunter. Eine erleuchtete Uhr zeigte kurz nach Zehn. Der schöne Abend belebte die Straßen. Wenn zwei einsame Männer und Junggesellen – beide waren ja wirklich beides, und jetzt vielleicht noch in verschärfter Weise – nachts gemächlich durch die Mitte einer Großstadt kreuzen, so ist das keinesfalls eine verfahrene und langweilige, sondern mindestens eine aussichtsreiche Situation, mit Möglichkeiten des Abfluges nach vielen Seiten, nach innen und nach außen.

Hier war es vielleicht auch der Altersunterschied, der das Besondere der Lage bestimmte, und eine fast zärtliche und besorgte Aufgeschlossenheit Chwostik's dem Jüngeren gegenüber, von der wir jedoch nicht sagen wollen, daß sie aus einer Art Schuldgefühl kam. Mindestens wäre dieses von sehr sublimer Art gewesen.

Einsam fand er sich. Milo war abgereist. Mit ihm konnte Chwostik sich nicht, wie bisher, über die Vorgänge unterhalten, was stets wohltuend gewirkt hatte. Aber nun wäre ja auch dem ein Riegel vorgeschoben gewesen. Die Vertrauenslast, von Robert Clayton ihm aufgebürdet, seit dieser sich mit Monica am ‚Preiner G'scheid' befand, hätte solche Aussprache bereits unmöglich gemacht.

Sie kamen zur Paulaner Kirche und gingen weiter gegen die Innere Stadt zu. Der Geruch des Asphaltes, einen warmen Tag nun wieder aushauchend, ließ in Chwostik eine Vorwegnahme des Hochsommers in der Stadt aufsteigen. Der lag jenseits der Reise, hinter dieser. Diese Reise brachte er jetzt Donald näher, sich damit gleichsam vortastend: und schon spürte er, daß hier ein Schmerz war, in bezug auf diese Reise, und daß er hier gleichsam einen schlechtsitzenden Verband berührt und verschoben hatte, der doch durchaus einer sein und die Wunde vernünftig decken wollte.

Und darum sprach auch Donald von der Reise, zu der alle Vorbereitungen getroffen waren.

Dem Old-Pēpi ahnte, warum Donald hatte zu Fuß gehen wollen: es war die Scheu vor dem Alleinsein in der leeren Villa dort, am Rande des Praters. Auch ihm, wenn auch niemals im Leben so aus sich selbst hinausgehoben wie jener es jetzt war, ahnte die Angst, die da unweigerlich jeden erwarten mußte, dem der zerweichende und zerbrechende Alltag seine Stütze nicht mehr bot, weil schon die Fähigkeit fehlte, sie zu ergreifen. Und während er hier neben Donald gegen die Kärntnerstraße zu ging, schien ihm seine Allerwelts-Weisheit von der Ortsveränderung als dem besten Heilmittel für das Unglück in der Liebe plötzlich sehr fragwürdig. Denn wen es eben erwischt hatte, den hatte es erwischt.

Erstaunlich bleibt's, wie dieser Chwostik über den eigenen Erfahrungs-Fundus hinauszulangen wußte mit einem eingeborenen Wissen von den Gewalten des Lebens, mochten auch gerade diese da seine arme Jugend am meisten verschont haben, vielleicht allein deshalb, weil die Armseligkeit und Mühsal ihnen einen Raum zur Wirkung garnicht mehr gelassen hatten.

Zu jener Zeit, da wir hier mit den beiden Herren an der großen Oper vorbeigehen, waren die Städte des Nachts nicht von so buntem und die Ferne aufschließendem Lichterspiel belebt wie heute; unbekannt allerdings blieb auch das Erlebnis, dies alles von einem Tage zum anderen verdunkelt zu sehen und finsterblockig unter die Angst geduckt. Chwostik und Donald wandten sich nach rechts in die Fußgänger-Allee der Ringstraße. Donald ging langsamer. Hier wäre es möglich gewesen, zu sprechen ohne Störung durch Straßenlärm. Nur dann und wann fuhren Automobile und Fiaker auf der Breite des Fahrdamms, über welcher noch keine scharfe Lichterkette schwebte. Doch schlugen die hohen Bogenlampen allenthalben milchigen Schein herab, den immerwährenden Vollmond der großen Städte. Erst beim Stadtpark war Donald so weit. „Mir ist, Herr Chwostik", sagte er, in englischer Sprache, „die Reise, welche wir vorhaben, in einem ganz persönlichen Sinne sehr willkommen. Ich habe ein Mißgeschick erlebt in der letzten Zeit. Vielleicht sollte ich diesen Boden ganz verlassen. Etwa nach Chifflington gehen, in's drübere Werk."

„Das täte mir außerordentlich leid", sagte Chwostik. Im gleichen Augenblicke wußte er, daß dies die letzten ganz geraden und offenen Worte sein würden, die er hatte zu Donald sprechen dürfen, für den Fall, daß auch dieser ihn in's Vertrauen zöge. Er fühlte das kommen. Wenn Donald deutlicher würde in seinen Äußerungen, mußte seine, Chwostik's, Lage sich von da an in's Schiefe neigen. Das Näherkommen dieser Gefahr wurde für Chwostik stark fühlbar.

Donald sprach von Monica und nannte sie beim Namen. Das war sein Sündenfall, könnte man sagen, ein solcher durch anwandelnde Schwäche, infolge der physischen Ermüdung vielleicht, möglicherweise auch vom ungewohnten Alkoholgenusse. Den Chwostik aber riß er damit in eine echte Verstrickung, die ihre Ursachen keineswegs in solch einer augenblicklichen Anfälligkeit und Hinfälligkeit hatte.

Donald sagte nun einiges, nicht gerade besonders Kluges, und auch mit der Wahrheit haperte es dabei. Aber, wie denn anders? Was hätte er zu berichten, was zu beleuchten vermocht? Er hätte das ihm selbst ganz Unverständliche sagen müssen, vielleicht von einer Übelkeit am Nachmittage vor jenem Gartenfeste berichten müssen, von der Verdunklung des Zimmers durch den Regen – aber gerade davon hatte er sich von allem Anfange an absolviert. Das hatte mit Monica nichts zu tun. Nun also. Er sagte: „Es ist mir zu meinem Schmerze nicht gelungen, mit ihr einen wirklichen Kontakt zu bekommen."

„Verzeihen Sie, Mr. Clayton", sagte Chwostik, „vielleicht ist das bei einer Persönlichkeit wie dieser überhaupt niemandem möglich." Erster schiefer Quer-Verband. Gut gemeint. Sollte lindern, heilen. Feiner Dank vom Hause Chwostik. Verrat am Kinderzimmer. Zudem: auf Seehöhe 1000 war Monica zweifellos derzeit kontaktfähig.

„Es handelt sich doch hier um eine etwas autokratische Persönlichkeit", fügte Chwostik noch hinzu.

Ja, verdammt, so wird's immer besser! Oh, mögen uns viele solche ‚autokratische Persönlichkeiten" begegnen! Insbesondere unserer Jugend wäre damit sehr genützt gewesen! Wo und wie aber war sie dem Donald gegenüber jemals autokratisch gewesen? Alles Unsinn. Unsinn, was der arme Chwostik jetzt redet. Wie denn anders?!

„Haben Sie, Mr. Clayton, seit Ihrer Rückkehr aus England Fräulein Bachler schon gesprochen?"

Infamie. Geht also in Deckung. Was denn sonst hätte er tun sollen?! Ich bitte: wer hat eigentlich versagt, der Monica gegenüber? Pēpi gewiß nicht. In keinem Sinne. Der hatte seinen weißleuchtenden Stern umfangen, und war dabei rotglühend geworden wie ein Kanonen-Ofen.

Das nichtswürdige Gespräch setzte sich noch ein wenig fort, als sie schon zum Ende des Stadtparks gekommen waren und nach rechts abbogen. Die Schmalseite des Parks gingen sie schweigend entlang und dann auf die Brücke zu, unter welcher die vielen Gleis-Strähne des Güterbahnhofs durchliefen, von Reihen dunkler Waggons bestanden. Ein Klingen von aneinander stoßenden Puffern war zu hören. Hier begann schon ihr Stadt-Teil: wo sie lebten und werkten. Chwostik empfand das jetzt lebhaft. Dort links, am Hauptzollamt, hatte er persönlich die großen Sendungen an Gollwitzer & Putnik nach Bukarest abgefertigt. Nun durch die Seidlgasse. Der Geruch des geteerten Holz-Stöckl-Pflasters. Chwostik dachte plötzlich an den Fiaker, den er vor Zeiten hier genommen hatte, um zu seinem einstmaligen Hausherrn, dem Landesgerichtsrat Keibl zu fahren, Abschieds-Visite vor dem Auszug aus der Adamsgasse. Bald an der Fabrik vorbei. Neben dem Tor das erhellte Fenster des Nachtwächters. ‚Etwas ganz neues ist eingedrungen', dachte Chwostik. Ja, er war gerne bereit einzusehen, daß es so, wie bisher, ja nicht immer hatte bleiben und weitergehen können. Die Fenster des ‚Café Zartl' noch erhellt. Wird Donald etwa gar hier eintreten wollen? Aber er ging vorbei, sogar etwas rascher als bisher. An der Brücke wünschten sie einander eine gute Nacht.

Chwostik wandte sich noch einmal kurz um.

Donald entschritt lang und schlank.

‚Den hab’ ich gekannt, wie er noch ein kleiner Bub war‘, dachte Chwostik, ‚dann und wann einmal hab’ ich ihn damals gesehen, im Garten der Villa. Und jetzt hat es ihn erwischt.‘

Nein, er überhob sich nicht in Geringschätzung von Leiden, die ihm fremd waren, dieser Chwostik. Durchaus erkannte er den Ernst der Lage, der doch so selten rechtzeitig erkannt wird. Aber was nur mit dieser Erkenntnis anfangen? Lief es nicht darauf hinaus, daß man sich mit sehenden Augen und gelähmten Händen fand?

Der Hauch des Wassers drang auf die Lände herauf, und vom Prater herüber war der Gründuft zu spüren. Chwostik ging nahe an der Böschung. Dann wandte er sich nach links, querte die breite Fahrstraße und schritt jene Gasse entlang, die zu seinem Wohnhaus führte.

Am folgenden Tage kam Robert zurück und erschien nachmittags im Bureau, Donald und Chwostik lustig und laut begrüßend. Pēpi, im stillen, fand ihn verändert. Er schien im Gesicht magerer, etwas gebräunt, und machte im ganzen einen leichteren und beweglicheren Eindruck. Die Übernahme der Lokomobile sei glatt gegangen, sagte Robert, obwohl er (dies zu Donald) sich da nicht mehr so ganz sicher gefühlt habe; in den Einzelheiten dieser Sachen sei er doch etwas aus der Übung. Man habe ihn dann zu einem Ausflug in’s Gebirge eingeladen. Gut, daß er nicht im Wagen nach Ungarn gefahren sei: elende Straßen. Der Wagen sei damals, fast zum Glücke, in Reparatur gewesen.

Augustus ward abends mit Hollah und Rippenstößen begrüßt. Nach dem Dinner in der Halle besprachen Robert und Donald einige laufende Sachen. Man ging früh schlafen. Auch Donald war sehr müde.

Am folgenden Abend fand die ‚Soirée‘ bei Gollwitzer statt, zu der auch Chwostik diesmal eingeladen war. Die alten Eptingers hatten sich entschuldigt.

Chwostik fuhr mit Claytons. In der Fichtnergasse wieder große Auffahrt und der Schwall vielfältiger gegenseitiger Begrüßung bereits vor der Villa auf dem Gehsteig und dann ein ebenso lebhafter und formloser Introitus mit Stimmengewirr schon in der Kleiderablage. Von hier drang man in den ersten Raum (die Engländer und Chwostik schlossen sich stillschweigend an) und umringte mit Geschrei und Gelächter den kleinen Hausherrn. Dieser, als er jetzt Robert Clayton erblickte, teilte den umgebenden lauten Kreis und kam Robert mit raschen Schritten entgegen: „Nun, das freut mich aber ganz außerordentlich, Mr. Clayton, Sie heute hier zu haben." Das lebhafte Händeschütteln setzte sich dann Donald und Chwostik gegenüber fort.

Es gibt eine sturz- und schwallartig auftretende Herzlichkeit, die alles unsichtbar macht, einen ganzen Charakter überspült, und dabei sogar echt sein kann, von temporärer Echtheit wenigstens. Wieder sah man Erscheinungen, denen man sonst, in den Kreisen der Industrie, nicht begegnete, Professoren-Köpfe, und die rasierten Gesichter bekannter Burg-Schauspieler. Viel Gespräch, Debatten mit nicht ohne weiteres geläufigen Themen. Die Engländer und Chwostik gelangten bis in den Wintergarten, der heute gegen den Park offenstand. Über die Schwelle trat, von draußen kommend, Monica Bachler.

Robert begrüßte Monica herzlich, gemütlich und ungezwungen, Chwostik bekomplimentierte sie mit einer gewissen Gravität, die immerhin durchklingen ließ, daß ihm die Importanz ihrer Person wohl bewußt sei, und Donald verlor die Fassung (wo er doch wahrlich von seiner Natur bisher gut eingefaßt allezeit gewesen war!), sagte kein Wort, reichte ihr die Hand und verbeugte sich.

Sie blieben hier im Wintergarten, wo sonst eben jetzt niemand hindurchging, an dem großen Doppelbecken mit dem Springbrunnen stehen, und sahen in's Wasser und auf die langsam dahinschwimmenden Goldkarpfen, weil im Augenblicke wirklich nichts anderes getan werden konnte und niemand was gescheiteres einfiel. Dabei war es Chwostik, der als erster die

Entdeckung machte, daß des Commercialrates Gollwitzer Zier-
gewässer auch eine utilitäre, nämlich gastronomische Seite hatten, wenigstens zu gewissen Jahreszeiten.

Im einen der beiden kleinen Teiche gab es keine Goldfische.
Dort, wo das Wasser des Springbrunnens herabplätscherte,
waren aus übereinander gelegten Tuff-Steinen mehrere Höhlen
und Schlupfe gebildet: hier entdeckte Chwostik die Krebse, von
welchen zwei oder drei auch im freien Wasser in der Nähe jener
Löcher umherspazierten. Chwostik zeigte sie Robert; auf diesen
hatte das eine durch ihre Lebhaftigkeit überraschende Wirkung.
Sogleich wandte er sich zu Monica und sagte ihr, daß es hier was
zu sehen gebe. Sie beugte sich interessiert über den Rand des
Beckens. Auch Donald sah jetzt hinein.

Aber das alles verwunderte Chwostik nicht, sondern ein anderer kleiner Umstand befremdete ihn während dieser Augenblicke: Robert hatte Monica eben jetzt, wie bisher noch nie, in
englischer Sprache angesprochen. Er machte auch sonst hier in
Wien vom Englischen kaum mehr Gebrauch, und nur die ver-
traulichen Telephonate von der Bergeshöhe herab mit Old-Pēpi
waren englisch geführt worden. Eben jetzt aber hatte er einen
Ausruf in der Muttersprache getan, und tat das weiter, als er
rasch am Rande des Beckens niederkniete und zu Monica sagte:
„Wir fangen sie!"

Schon kniete auch sie. Es sah ganz so aus, als wollten sie hier
um die Wette Krebse herausfischen. Aber Monica gewann das
Rennen. Geschickt die Hand von rückwärts nähernd, faßte sie
mit zwei Fingern eines der Tiere am Kopfbruststück, hob es heraus und hielt es empor. Einen Augenblick später war Robert
Clayton ein gleiches gelungen. „Meiner ist größer!" rief Monica. „Wirklich", sagte Robert (und jetzt wieder deutsch). Aber
es waren beide Exemplare stattliche ‚Solokrebse', wie man das
in den Restaurants nennt. Jeder hielt vergleichend seinen ge-
fangenen Krebs empor und die beiden Tiere, wütend mit geöffneten Scheren in der Luft umhertastend, schlugen jetzt mit den
kräftigen Schwänzen, so daß Monica und Clayton beide be-
sprüht wurden. Chwostik hatte sein Erstaunen vergessen und

betrachtete mit wirklichem Interesse die Tiere, vielleicht sah er zum ersten Mal einen lebenden Flußkrebs aus nächster Nähe. Donald stand abseits. Nun wurden die Geschöpfe in's Wasser zurückgesetzt. „Bis euch der alte Gollwitzer aufißt!" sagte Monica.

Dieser kleine Auftritt, während dessen sie ganz allein hier im Wintergarten geblieben waren (auch diesmal hatten sich inzwischen schon alle Gäste zum Buffet begeben) ist später Gegenstand eines Gespräches geworden, das Donald und Chwostik zwei Tage nach der Abfahrt von Triest am oberen Promenade-Deck vor dem Abendessen führten, als die Dunkelheit schon eingebrochen war, die See sich tief schwarzblau ansah, und das Rauschen des vom Bugspriet geteilten und an den Bordwänden entlang schießenden Wassers deutlicher hörbar zu werden schien. Jetzt erst bemerkte man auch die Hochgespanntheit des Himmels durch das Erscheinen der ersten Sterne. Mochten Donald und Chwostik die Sache von wie immer verschiedenen Standpunkten ansehen, in diesem einen Punkte fühlten sie gleich: daß nämlich hier, bei dieser ganzen Geringfügigkeit, irgendetwas ihnen beiden Unverständliches im Spiele war, eine gewisse Übertriebenheit, wie sie vermeinten, jedenfalls auf Seite Roberts, und vielleicht eine Art von Beflissenheit auf der Monica's.

Das Schiff, mit welchem sie reisten, war ein Luxusdampfer auf Rundfahrt, mit Kurs zunächst in die Levante und nach Istanbul. Die Aufenthalte in den Häfen lagen für Chwostik und Donald günstig, sie konnten am Schiffe wohnen bleiben und in Beirut ihre Unterhandlungen führen. Von Konstantinopel war dann der Orientexpreß zunächst bis Bukarest zu nehmen (Gollwitzer & Putnik), weiter nach Belgrad (Ingenieur Wosniak, Milo), sodann Budapest, und von hier nach Kroatien, wo auch wieder einiges von Wichtigkeit wartete. Auch Slunj sollte besucht werden. Auf das Sehenswerte dieses Ortes hatte Robert Clayton seinen Old-Pēpi vor der Abreise noch mehrmals hingewiesen. „Es wird", so sagte er zu Donald, „ein wirklicher schöner Abschluß sein. So hab' ich mir's ausgedacht. Mit deiner Mutter war ich dort auf der Hochzeitsreise."

Donald litt, seit dem zweiten Empfange bei Gollwitzer, und auch seit sie Wien verlassen hatten, zeitweise in einer schon furchtbaren Weise, was wir ihm gerne gönnen möchten, aber zu gönnen nicht vermögen, einfach deshalb, weil doch hier ein Mensch einen sehr schweren Gang antrat. Man könnte sagen: Donald litt sich erst allmählich an die wahre Lage heran, deren Ernst, wie wir wissen, dem Herrn Chwostik schon des längeren bekannt war.

Dieser blieb beteiligt. Ein Außenstehender konnte er nicht sein, aus Gründen, die wir wissen. Aber was hier verstörend in seinen Lebenskreis drang – den er wahrlich nicht ohne Mühe errichtet und nicht ohne Ausdauer befestigt hatte! – das belebte ihn eben so sehr, wie es ihn bedrückte, beides in einem. Und hierin lag das Besondere seiner derzeitigen Lage. Er wußte auch davon. Zuinnerst stand eine längst vergangene Zeit lebhaft in ihm auf, eine Zeit voll Mühe, Sorge, dringender und zwingender Veränderungen. Er gedachte jetzt mehrmals seines Abschiedsbesuches bei dem Landesgerichtsrat Doctor Keibl, den er dann nie mehr wiedergesehen hatte, obwohl doch von einem Wiedersehen anläßlich irgendwelcher Herrenabende damals die Rede gewesen war. Das fiel ihm jetzt öfter ein, hier auf dem Schiff. Es war mehr als dreißig Jahre her. Jene Zeit erschien ihm nun als eine außerordentlich bewegte. Und etwas von solcher Bewegung wollte wiederkehren.

Gut! Soll es sein! So etwa war Chwostik's innere Haltung. Aber was da eigentlich sein sollte, das wußte er allerdings nicht.

Auch ein Außenstehender, wie etwa der Münchener Internist Doctor Paul Harbach, mußte bemerken, daß Donald derzeit sich selbst nicht zum Gewinn wurde, daß er sich nicht besaß. Für diesmal ganz abgesehen davon, daß Doctor Harbach Arzt war, sogar ein hervorragender. Als solcher machte er übrigens Chwostik gegenüber einmal eine kurze Bemerkung, dahingehend, daß Mr. Clayton sich in allem ein wenig Schonung auferlegen sollte, was das Herz zu sehr beanspruchen könnte. Er sagte dabei auch irgendetwas über Donald's Lippen und gebrauchte den Ausdruck ‚cyanotisch' oder ‚leicht cyanotisch', den Chwostik nicht verstand. Doch habe das weiter nichts auf sich, meinte Doctor Harbach.

Dieser war zudem in allen Fällen und immer ein Außenstehender, und nicht nur, wenn er, einmal im Jahr, sein Elternhaus in Wien besuchte (Ofen plus Fregatte plus Hildas und Pipsis), jedesmal nur für wenige Tage. Dies lag nun eben hinter ihm und war, der Jahreszeit entsprechend, in der Hackinger Villa absolviert worden, nicht in der Reichsrathstraße. Danach folgte ein Aufenthalt bei Freunden im Gebirge, und nun hatte er seine Urlaubsreise angetreten, die erste wieder nach sieben Jahren. Mit unbestimmtem Ziel, sagte Doctor Harbach. Vorläufig wollte er einmal hier bis Istanbul mitfahren.

Es gehört für uns ganz zu den Besonderheiten seiner außenstehenden Person, daß er, in seinem Zimmer an der Hauptfront der Hackinger Villa etwas zurückgetreten am Fenster stehend, das Heraufkommen der Gymnasiasten Hofmock und Chlamtatsch über den Weg zur Villa mit leicht hervorquellenden Augen beobachtet und ad notam genommen hatte, ebenso deren kurz danach erfolgenden Abzug mit den jüngsten aller Pipsis. Bezeichnend erscheint uns auch, daß er, als die jungen Leute verschwunden waren, noch lange am Fenster verweilte, ohne sich irgend zu bewegen, ferner daß er den gesehenen, und für jedermann sichtbaren, belanglosen Vorgang späterhin niemals (als Außenstehender) erwähnt hat.

Man pflegte damals auf einem Vergnügungsdampfer die Mahlzeiten an einer gemeinsamen Gäste-Tafel – Table d'hôte hieß es – einzunehmen, an deren oberem Ende der Kapitän Platz nahm sowie ein oder der andere Offizier und der Schiffsarzt. Auch die Passagiere saßen immer an den gleichen Plätzen. Auf diese Weise hatten Donald und Chwostik bei Tische den Doctor Harbach kennen gelernt, und freilich im Speisesaale gleich noch andere dazu. Erst recht in den Salons und auf den Decks mischte sich alles durcheinander.

Man durchfuhr die Straße von Otranto mit etwas Gegenwind und Dünung, danach aber wurde die See glatt. Die Hitze begann auf dem oberen Promenadedeck zu dunkeln (so schien es Donald), und die Herren kamen immer mehr in weißen Anzügen zum Vorschein und mit den damals in Seebädern und auf Schiffen so beliebten weißen Schirm-Mützen. Die Damen trugen Sommerkleider, auch vielfach weiß, und Stroh-Hüte. Über den Liegestühlen wurden da und dort Sonnenschirme sichtbar, die der Wind nicht störte, denn es gab kaum welchen. Die Rauchfahne des Schornsteins blieb weithin über der See hängen. Nachdem rechter Hand, zum ersten Mal seit dem Passieren der dalmatinischen Inseln, etwa auf der Höhe von Kap Santa Maria di Leuca, für eine Stunde in der Ferne Land sichtbar geworden war, schloß sich die hitzedunkle, von winzigen kleinen Wellchen genarbte See zum runden Horizont.

Donald verließ das Deck. Sein Gefühl von Ausgesetztheit und Verfinsterung begann unerträglich zu werden. Er schritt durch den großen leeren Salon und ging in's Café, das mit seinen braunen gepreßten Tapeten, den Marmortischchen und den in Leserahmen eingespannten Zeitungen und Zeitschriften, die an der Wand hingen, wie ein davongeschwommenes Stück von Wien wirkte. Es unterstand gleichfalls dem Saalchef des Restaurants, einem erfahrenen Wiener Oberkellner – nur solche gab es auf den Dampfern des Österreichischen Lloyd – namens Kostazky. Diese Art von Leuten besaß übrigens eine an's Unglaubliche grenzende Personenkenntnis, was die sogenannten Oberen Zehntausend anlangte.

Hier war es kühl, es liefen gleich zwei elektrische Ventilatoren.

Donald fühlte sich in diesem geschlossenen Raume oft leichter wie draußen, wo aller Abgeschlossenheit und aller Gedämpftheit eine so ungeheure Lichtwunde geschlagen war, als sollte beides nie mehr wiederkehren können. Unterm lachenden Himmel trägt sich am schwersten der Schmerz. Dann kamen jene hitzedunklen Schleier, die ihn ängstigten.

Hier kam doch Besinnung. So weit solche möglich war bei einem Menschen, ungewohnt des Denkens, und das heißt wohl auch des Umganges mit sich selbst. Doch ertastete er allmählich und augenblicksweise den dunkelsten Teil seines Verwundet-Seins, geführt nicht von einer Überlegung, sondern von einem dumpfen Drucke im Gewissen, der allemal uns ein besserer Führer ist als die klarste Erkenntnis.

Wen es erwischt hat, den hat es eben erwischt. Auf solche Art die Lage Donald's zu sehen, lag Robert Clayton gänzlich fern. Dieser hielt bei der Anschauungsweise, daß ein Mädchen von siebenunddreißig Jahren für einen Zweiunddreißigjährigen zu alt sei. Das genügte ihm. Er hat diese Banalität nie corrigiert, hierin sehr unähnlich dem Pēpi, welchem seine Allerweltsweisheit von der Ortsveränderung als dem besten Heilmittel für das Unglück in der Liebe bald fragwürdig geworden war.

Denn freilich hatte Monica vorbauen müssen, wohl erwägend, daß eine Aussprache zwischen Clayton bros. für früher oder später im Bereiche der Möglichkeit lag. Jene Unschärfe und Dehnbarkeit, die in solchen Fällen erforderlich ist, um alle Eventualitäten in sich aufnehmen zu können, war von ihr mit einigem Fingerspitzengefühl eingehalten und bewahrt worden. Sie sagte, daß sie für Donald sich eine Zeit lang wirklich interessiert habe: aber es sei ihr nicht möglich gewesen, mit ihm Kontakt zu bekommen. Eigentlich richtig, beinahe wahr. Wenn zwei das gleiche lügen, ist es nicht das selbe. Jedenfalls aber hat Donald (dem Chwostik gegenüber) hierin mehr gelogen als Monica.

Robert kümmerte sich nicht darum. Seine These vom Altersunterschied, die er freilich Monica gegenüber nicht aussprach, stand fest, und der Weg lag für ihn frei.

Er ging ihn munter. Die Tennispartien der Gymnasiasten im Park der Villa nahmen allmählich eine andere Struktur an. Man saß beim Tee um Robert und Monica herum wie um den Hausherrn und die Hausfrau.

Chwostik fehlte ihr. Robert sagte das gleiche, und er meinte dies keineswegs nur in bezug auf's Geschäft (dort fehlte Chwostik freilich auch). Seine Anwesenheit wäre für beide eine sozusagen vollendete Folie des Glückes gewesen, dessen ruhige Grundierung, könnte man sagen. Man sieht, ihr Egoismus artete bereits aus, wie sich das für Liebesleute gehört.

Sie waren's wahrhaftig geworden, und über den ja hier immerhin auch bestehenden Altersunterschied hat sich der unverbrauchte Robert nie den Kopf zerbrochen. Die Clayton's besaßen, wie wir einmal erwähnten, schon seit längerer Zeit eine Villa in Weißenbach am Attersee, von der sie allerdings bisher herzlich wenig Gebrauch gemacht hatten. Es war ein Gelegenheitskauf gewesen. An dieses Haus dachte Robert im gegenwärtigen Zusammenhange dann und wann. Doch bildete gerade jener Zipfel von Oberösterreich zusammen mit den nahen Salzkammergut-Seen eines der Durchzugsgebiete Wiener Gesellschaftslebens, und man konnte dort wohl kaum von der Gartentür über die Straße zum Badehaus und Bootsplatz gehen, ohne vom benachbarten Villenbesitzer begrüßt oder von einem einherrollenden Automobil voll Bekannten zwar nicht gerade überfahren, wohl aber überfallen zu werden. Auch forderte das Geschäft Monica's Anwesenheit in Wien.

So blieb die Auhofstraße. Was Monica's Geschäft betraf, so war dies für Robert im Stillen eine Sache auf Abbruch. Seine Absichten waren ganz klare. Wäre diese Verlagshandlung am Graben nicht gewesen, er hätte mit Monica schließlich auch reisen und irgendwohin verschwinden können.

So blieb die Auhofstraße. Donald's Geist, soweit davon die Rede sein kann, ging hier nicht um. Er war nie anwesend gewesen, in Wahrheit, auch nicht – zu Donald's Lebzeiten, hätten wir jetzt beinahe geschrieben. Es sah bei Monica nicht viel anders aus.

Inzwischen beobachtete der alte Hausmeister Broubek das Platzen der lila und weißen Fliederdolden im Park, und vielleicht war er unter den derzeit hier beteiligten Personen der einzige Mensch, welcher diesen Vorgängen mit Aufmerksamkeit folgte. Nicht mehr ward hinabgestiegen in die Unterwelt, nicht mehr lagen Zeitung und Brillen auf dem Tisch im Vorraum der Heizung. Die Unterwelt war erloschen, in jedem Sinne, und die verhältnismäßig neue Zentralheizung war ebenso eisern grau und kalt und tot wie die im Keller sorgsam aufgestapelten Heizöfen, welche dort einstmals in Benützung gestanden.

Aber auf dem gepflasterten Hofe des Pförtnerhauses stand jetzt in allerlei Töpfen und Kübeln die wechselnde Fülle von Gewächsen, und oft in kleinen Wasserlachen, wenn sie wieder gegossen worden waren. Hier wurde umgesetzt, gepflegt und geschnitten, und am Rande der Terrasse, wo die Liegestühle profan und bunt dem hochgewölbten blauen Himmel respondierten, standen stets einige repräsentative Exemplare.

Bei wiederhergestellten Tennispartien an der Prinzenallee quälte den Zdenko merkwürdigerweise die Abwesenheit Donald's.

Hierüber im M. C. zu sprechen, erwies sich als unmöglich. Ein Unwägbares, das sich auf der Straße begeben hatte, als er mit Heribert von Wasmut dem jüngeren von den beiden Engländern begegnet war – und Heribert hatte von der fahlen Verfinsterung im Antlitze Donald's offenbar nicht das geringste bemerkt! – ein zunächst Unwägbares hatte wohl bei näherer Erwägung gewisse Tatsachen in ihren Konturen, ja recht eigentlich den Ernst der Lage erkennen lassen. Auch das Straucheln Donald's gehörte hierher und seine langstielige und ausfahrende Bewegung, um das Gleichgewicht wieder zu gewinnen. Aber nicht dies alles war es, was am meisten quälend auf Zdenko wirkte. Sondern daß Donald jetzt irgendwo im ,Vorderen Orient' umherreiste mit einer Verletzung, die er, Zdenko, ihm ganz unachtsam durch eine zufällige Erwähnung hatte beigebracht! Wohl, ebenso wäre dies von Seiten Wasmuts möglich gewesen. Dennoch, er selbst hatte es eben verübt. (Stimmt nicht: sondern die Mechanik des äußeren Lebens. Zdenko hielt Unpersönliches für persönlich. Aber hier war ein kluger Gymnasiast wirklich überfordert.)

So blieb man ohne Donald im der Prinzenallee – allerdings, durch Zdenko blieb jener stets anwesend – und wir dürfen gerne annehmen, daß der jüngere von Clayton bros. garniemandem besonders fehlte. Am allerwenigsten freilich dem Augustus.

Ihm war unter den jetzigen Umständen recht wohl. Häufig hörte man sein fettes Gelächter. Ja, dieses wurde von Robert geradezu proviziert. Der Bursche gefiel ihm: in der Schule kam er gut vorwärts, und in der Wahl seines Umganges zeigte er Begabung, wie schon der Herr Doctor Petschenka festgestellt hatte; nur körperlich war eben das Dickerl ein wenig faul, drückte sich vom Tennis wie vom Reiten.

Es ist Robert Clayton bei solchen beiläufigen Erwägungen einmal rückblickend aufgefallen, daß von Donald kaum jemals Freunde in's Haus gebracht worden waren. Offenbar hatte er keine. Jetzt wandte sich die Frage gegen ihn selbst, Robert, her: und auch er hatte da fast nichts aufzuweisen. Doch, Chwostik. Auf ihn war Robert geradezu stolz. Aber sie hatten miteinander gelebt, er und Donald, das war's. Es ersetzte ihnen gleichsam den fehlenden Club. Von den jungen Leuten im Comité des Technikerballes etwa hatte sich keiner an Donald angeschlossen. Es kam von diesem Leben zu zweit, das ahnte ihm jetzt deutlich.

Und zugleich, daß es damit nun vorbei sei.

Donald müßte heiraten.

Plötzlich erschien ihm dies jetzt als Lösung aller solcher Fragen überhaupt.

So waren denn Clayton bros. nicht nur räumlich weit weg von einander geraten. Ja, jetzt schon, auf dem Punkte, wo man hielt, war dieser Zustand kaum mehr rückgängig zu machen. Man glaube nicht, daß dies dem Robert kein Unbehagen bereitete. Denn so weit reichte sein Ahnungsvermögen doch. Es war ihm auch bewußt, daß nur durch Donald's Abwesenheit die Lage noch in der Schwebe blieb; und in einem solchen Zustande war dessen geringe Dauer mit enthalten: das blieb für Robert immerfort spürbar. Aber seine Begabung, die jetzt und hier sich darbietende holde Oberfläche in ihrer immer einmaligen Schönheit zu erfassen und zu genießen (wie gut hat Chwostik das an einem gewissen Abende gekonnt!) war vielleicht nie gar groß gewesen; und das in weitreichenden Vorsorgen sich bewegende

Leben eines Geschäftsmannes seines Stils ist sicher wenig geeignet, derartigen Fähigkeiten das Auge aufzuschlagen. Obwohl man ja sagen muß: wer sie nie kräftig bewegt hat, diese Fähigkeiten, welche man gerne leichtsinnige nennt, der hat nie gelebt, und auch nichts von der Welt gesehen, da mag er nach Beirut, nach Spanien oder zu den dreizehn Wasserfällen von Slunj in Kroatien gekommen sein. Denn diese Welt ist in ihrer holden Oberfläche ganz enthalten und mit allen ,Tiefen' (mit denen schon ganz und gar), und wer's nicht glauben will, der frage, wenn's gefällig, einen Maler.

Hierin war Robert Clayton mangelhaft. Er hätte sonst den Flieder ebenso wohl bemerken müssen, wie sein Hausmeister Broubek. Aber er wollte garnichts bemerken, sondern sich der Sachen versichern, und womöglich noch vor Donald's Rückkehr.

Hier geraten wir denn an Monica. Die Heirat mit Robert lag für sie auf der Hand. Aber vielleicht allzusehr. Es war eine allzugute Heirat. Es überschritt sozusagen die Grenzen des Decorums. Die Weiber werden bis in ihre Leidenschaften hinein von reputativen Bestrebungen verfolgt, und wenn sie schon nichts sind, so wollen sie sich erst recht nichts vergeben. Sie bockte ein wenig. Es war da für Robert nicht recht voran zu kommen, und er, ein Mann von nördlichem Typus eben, den Weibern gegenüber nicht von Natur aus abgefeimt wie der Südländer, und daher leicht lächerlich werdend, nahm alle diese Sacherln viel zu gewichtig.

Denn seit neuestem legte sie noch weit größeren Wert auf's Geschäft als bisher, und Robert mußte da oft zurückstehen. Es ist übrigens bei alledem eine Beratung von Seite der Frau Henriette Frehlinger anzunehmen. Solche Ratschläge sind oft böse, überklug, stören den Instinkt, etwa den einer erotisch-reputativen Schlafwandlerin auf dem steilen Dachfirst ihres Hochhinauswollens (man steigt dann schon rechtzeitig in's Kammerfenster). Die Ratgeberin ist in solchen Fällen meist besoffen vom gesunden Menschenverstande und fühlt sich obendrein als Anwältin und Verteidigerin ihres ganzen Geschlechts, beheizt etwa noch von eigenen versäumten reputativen Möglichkeiten.

Bei alledem war die Monica doch glücklich und sie ist, von allen derzeit hier beteiligten und beschäftigten Personen, im Anschaun des Flieders dem Hausmeister Broubek sicher am nächsten gekommen. Zeitweise reichte ihre wachsende Stille und Sammlung schon an jene der Gewächse heran, die in Töpfen und Kübeln auf dem gepflasterten Hofe des Pförtnerhauses in einer Wasserlache standen, welche, so klein sie war, es vermochte, den Himmel zu spiegeln. Ähnliches könnte man von Monica in ihrem bunten Streckessel auf der Terrasse sagen. Die Tennisbälle erzeugten auf den gespannten Saiten der Rackets einen runden, vollen, kräftigen Ton. Jetzt hörte sie Robert als Schiedsrichter den Stand des Spiels ansagen: „Thirty all."

Aber so stand nicht das eigentliche Spiel, welches unsere Teilnahme hat, nicht gleich und gleich; es stand überhaupt nicht, es fiel. Die Entscheidung war ja gefallen. Doch nach ihr, die wir so nennen, weiter zu existieren ist das eigentlich Entscheidende, und hier erst sitzt totaler Gewinn und Verlust auf einer Karte, die schon am Tische liegt. Es ist nur die Naivität dramatischer Autoren, die da glaubt, hinter ihrem gefallenen Vorhang gehe nichts mehr vor. Einem einigermaßen gerissenen Verfasser besserer Romane kann man solchen Schmarrn nicht weismachen.

Denn inzwischen pflügte nicht nur der Dampfer ‚Cobra‘ seine Furche in die glatte See, sondern die ebenso unablässig vordringende Zeit hatte nebenhin zahllose Einzelheiten ausgeworfen, und so war man etwa mit einer ganzen Menge von Menschen bekannt geworden, nicht nur mit dem Doctor Harbach aus München, oder aber man fühlte eines Tages unter leichtem Erstaunen, daß die gefälligen Innenräume des Schiffes nun doch ganz anders sich darboten, als kurz nachdem man eingestiegen war und das Gepäck in die elegante Kabine hatte bringen lassen. Jetzt aber spazierte jeder schon in bekannten Räumen umher, ja, wie in der eigenen Wohnung. Es gab darin sogar, gleich hinter dem Café, eine ‚American Bar‘, was Donald lächerlich fand, die hohen Hocker besonders.

So breitete sich an Bord ein offen zur Schau getragenes Behagen aus, in welches Donald gleichsam von außen hinein sah, ohne daß es ihm gelang, sich darin mit einschließen zu lassen.

Dem Doctor Harbach hatte Donald übrigens zu erkennen gegeben, daß sein Vater und er in der Reichsrathstraße verkehrten. Doch hatte Doctor Paul die Namen der beiden Engländer im Elternhause nicht gehört. Vielleicht erwähnte man dort einem Außenstehenden gegenüber derartige gesellschaftliche Verbindungen garnicht. Während der wenigen darauf bezüglichen Worte, die gewechselt wurden, dachte Donald an die violette Seidentapete in einem der Harbach'schen Salons; und hinter dieser Tapete, nicht vor ihr, stand Hilda: also hinter der Wand, die aber durchsichtig war wie Wasser. Einen Augenblick lang suchte er sich gleichsam zu stützen auf das große blonde Mädchen, das ihn englisch anredete. Doch kam hier Gollwitzer dazwischen. Sodann stieg Donald mit Broubek die Treppe zur Zentralheizung hinab. Im vorderen Raum, auf dem Tische unterm Fenster, lagen die Brillen des Hausmeisters auf der Zeitung.

In solcher Weise war Donald durch Augenblicke oft ganz abwesend, und man sah es ihm an.

So auch die Frau Änn Hildegard Kruhlow, geborene Wusterstiebel, eine umfängliche und gutmütige alte Dame, deren mütterliche Besorgnis durch Donald entschieden in Bewegung gebracht wurde. Sie reiste mit ihrem Gatten, einem lutherischen Pastor, dem man daheim den Spitznamen eines ‚Posaunengenerals' angehängt hatte, denn Pastor (oder wie man in seiner Heimat sagte ‚Paster') Kruhlow war das Haupt einer über ganz Deutschland verzweigten Vereinigung der Posaunenbläser. Deren ein sehr kleiner Teil bildete hier eine Vergnügungs-Reisegesellschaft von neun aktiven Posaunen, also neun Herren, zum Teil mit ihren Damen, aber diese bliesen nicht. Instrumente wurden mitgeführt. Erstmals bliesen sie, zum allgemeinen größten Genusse, muß man sagen, auf dem Vordersteven des Schiffes ein für neun Posaunen ad hoc umgesetztes Divertimento von Mozart. Sie bliesen vorzüglich, ja, mehr als das: sie waren alle

Virtuosen auf ihrem Instrumente, das sie ja rein zum Vergnügen spielten, ansonst in ganz anderen Berufen stehend. So etwa befanden sich in dieser seltsamen Gruppe zwei Berliner Rechtsanwälte und ein Großindustrieller aus Göppingen in Württemberg.

Es muteten diese harmlosen und biederen Deutschen mit ihrem gemütvollen Posaunen-Ulk fast amerikanisch an. Und es war immerhin bemerkenswert zu sehen, daß auch aus einer geringen Zahl von versammelten Menschen – gar viele Passagiere hatte ja dies kleine Schiff nicht – oft schon ein ganz beträchtlicher Zacken von Narrentum herausragt. Dem Kapitän der ‚Cobra‘ waren solche Unterhaltlichkeiten, die seinen Fahrgästen hier gratis geboten wurden, recht willkommen. Er veranlaßte deshalb das tüchtige Nonett einmal, zusammen mit der Schiffskapelle, die stets während des Dinners zu spielen pflegte, abends ein Konzert auf dem Promenadedeck zu geben, wobei unter anderem ein großes Potpourri aus ‚Aida‘ zu hören war, samt Triumphmarsch.

Diese Sache zeigte doch auch eine andere, nicht eben geringe Seite. Die Wiener Musiker der Schiffskapelle hatten sich mit den trefflichen Deutschen vorher gut verständigt und zusammengeprobt. So gab's denn eine blanke Leistung. Sie spielten noch bei Tageslicht, wohl weil es schwierig gewesen wäre, auf dem Deck alle Notenpulte gehörig zu beleuchten. Aber während der letzten Nummer verfärbte sich schon stark das Meer, und die tragenden Töne der Bläser hallten über eine Wasserfläche, die aus dem Glanz und Blau des Tages ergrauend wie zu ihrer eigenen Tiefe zurück kehren wollte, während noch die sinkende Sonne im vollen Abendbrande sichtbar blieb.

Niemand entzog sich so ganz diesen Eindrücken und am allerwenigsten Donald, der vermeinte, zum ersten Mal in seinem Leben Musik zu hören. Und so verhielt es sich ja wohl auch. Seine Besuche der Hofoper in Wien waren nie was anderes gewesen als ein obligatorisches Funktionieren im Abendanzug.

Nun hier, während er an der Reeling stand und auf das allmählich ergrauende Meer hinaus sah, begann die Frau Pastor

Kruhlow, welche neben ihm das gleiche tat, aber unterbrochen durch einen kleinen Seitenblick auf Donald, erstmals besorgt zu werden. Ihr war durch Augenblicke, als sähe sie in eine furchtbare Eingesperrtheit, in ein buchstäbliches Lebendig-Begrabensein.

Noch dauerte ja das Schuljahr an und bis zu seinem Ende erstreckte sich fast ein und ein halber Monat, wenn auch der M. C. mit seinen praeparativen Anstalten vieles vorweg genommen hatte. Für Zdenko aber war dieser Teil der Oberstufe schon überschritten worden, und zwar in zwei Schüben, könnte man sagen: der erste war sein Zusammenstoß (nur dies Wort trifft die Sache!) mit Frau Henriette Frehlinger gewesen, der zweite Donald Clayton's fahle Verfinsterung auf der Straße.

Nach beidem blieb Trauer. Wenn er jetzt in der schon heißeren Sonne ging, erdunkelte ihm die bestrahlte Straße, und sein Zimmerchen wurde ihm sehr erwünscht, das, nicht gegen die Razumovskygasse, sondern nach rückwärts gelegen, mit dem Fenster in den Gräflich Seilern'schen Park sah. Selbst der Prater konnte ihm Schmerz bereiten, und in der vielen freien Zeit, die er hatte, stand er jetzt oft ratlos und ohne Zug und Beziehung in irgendeine Richtung, etwa auf einem weiten Rondell an der Hauptallee, das leere Bänke an seinem Rande unter den rosa oder weiß illuminierten Kastanienbäumen bot, dort, wo die breite Avenue zur ‚Rotunde' führte, einem Gebäude, das von der Weltausstellung im Jahre 1880 stehen geblieben war und viel später glücklicherweise abgebrannt ist.

In solchen Augenblicken, die keinen Anfang und schon garnicht irgend einen Schluß und Entschluß hatten, in der hohlen und leeren Hand der Zeit stehend, möchte man sagen, sah er vor sich auf dem gekiesten Boden jedes vom Baum gefallene Zweiglein.

Der M. C. legte sich zum übrigen. Was blieb, war die Lerngemeinschaft, der praktische Zweck. Aber damit war die Sache vorbei, und jene erste zarte hoffnungsvolle Weiche in ein freieres Geleise – einst von den ahnungslosen Engländern gestellt – lag weit dahinten auf der Strecke, sie war auf der Strecke geblieben, wahrlich im Doppelsinne des Wortes. Ein einstiges dumpferes Dasein vor ihr, dort hinten und unten, schien im Dunklen versunken. Das Leben begann mit dem großen Bilde der Eisenbahnbrücke über den Firth of Forth, beim Hindurchgehen, Zimmer auf Zimmer, in den Frehlingerischen Salons. Lange hatte man keine weiße Nelke mehr in einer kleinen Vase vor des alten Staatskanzlers Memoiren in Hofmock's Zimmer gestellt. Nichts zerfällt rascher als der Duft einer Zeit, welcher ja erst all ihre Einzelheiten zusammenhält: und so vieler bedarf es zugleich, damit solch eine Aura sich bilde! Jetzt glänzte alles schön geordnet, aber der Hauch blieb verschwunden.

Inzwischen war die Tante Vuković nach Wien gekommen, wohnte im ‚Imperial‘ und kam viel mit den Eltern zusammen. Bei dieser sechzigjährigen Dame hatte man stets das Gefühl, daß sie Schaftstiefel trage, und vielleicht trug sie solche auf ihrem Gute in Kroatien wirklich. Für Zdenko wurde das Wesen seiner Mutter, der Frau von Chlamtatsch, vor solchem körnigen Hintergrunde erst eigentlich recht sichtbar. Es gehörte die Frau Sektionschef nicht zu den Menschen mit hohem Sichtbarkeitsgrad und starker Raumverdrängung; auch uns ist sie bisher nicht in die Quere gekommen. Und niemandem. So etwas konnte bei Eugenie Chlamtatsch garnicht passieren.

Man findet solche Frauen oft, ja fast immer, mit sehr gegenteilig gearteten Männern behaftet, fühlbaren Raumverdrängern und natürlich dabei auch Apperceptions-Verweigerern, was beides meist zusammengeht, nie aber mit einer Intelligenz verbunden ist, die sich selbst eingeholt und in den bewußten Besitz ihrer selbst sich gesetzt hat. Das gibt es freilich nicht bei diesen ‚starken Persönlichkeiten‘, die übrigens oft durch einen ordentlichen Patzen Grobheit, wenn er zur rechten Zeit fallen gelassen wird, sozusagen über Nacht kuriert werden können.

Zu dieser Sorte gehörte der Sektionschef nicht, sondern merkwürdigerweise zur gleichen Zunft wie Zdenko's Mutter, so daß die beiden Teile des Ehepaares vielfach in undeutlicher Weise mit einander verschwammen und verschmolzen: Menschen, die so regulär gelebt hatten, daß sie an die Grenzen der Convenus ihrer Schicht niemals auch nur im leisesten angestreift waren, vom Überschreiten ganz zu schweigen. Aber sie betonten zugleich, wenn auch nur leicht, daß sie nichts davon hielten. Dies war gewissermaßen die letzte Zuflucht ihres selbständigen Existierens. Notwendig mußte dies auf eine skeptische Versäuerung von allem und jedem hinauslaufen, und auch dessen, was sie tatsächlich gelebt hatten und lebten. Chlamtatsch war ein großer eleganter schlanker Mann, vielseitig gebildet und ein exzellenter Verwaltungsjurist. Er hätte es im letzteren bald mit dem berühmten und bei Staatsprüfungen hochgefährlichen Professor Bernatzik aufnehmen können, wenn auch nicht hinsichtlich der schlagfertigen Bissigkeit. Aber auch ohne diese bot seine Erudition genügende Mittel zur Ausübung der Skepsis. Bei der Gattin hallte diese dann nach. So blaßte denn das Ehepaar vor sich hin, und es ist dabei, wenn man von Zdenko absieht, ebenso wenig herausgekommen wie bei den starken Persönlichkeiten mit ihren lästigen und langweiligen Charakterköpfen, nämlich überhaupt nichts.

Die Tante Ada Vuković verdrängte den Raum, verweigerte jede Apperception, frondierte allezeit, stiefelte einher, sprach laut und viel, hatte eine Überdosis von praktischem Verstand, war aber ganz im Grunde dem Conventionellen gegenüber genau so eine nie an dessen reale Grenzen streifende Leisetreterin wie die Chlamtatschs, ein rusticaler, rotbackiger Apfel, der genau senkrecht und parallel zum Stamme gefallen und garnicht weit von diesem liegen geblieben war.

Na, man sieht schon. Bereits ward das Tarockspiel zu viert, also das ‚Königrufen‘, für den Sommer geprobt – übrigens der einzige und alleinige Grund, warum auch Zdenko nach Vanice eingeladen ward, was der Frau von Vuković bisher nie eingefallen wäre; die Herangewachsenheit des Neffen apperzipierte sie lediglich im Hinblick auf seine Brauchbarkeit als Tarockpartner. Da er nun ein solcher geworden, mochte er mit den Eltern kommen. Für einen herumtollenden Buben hätte sie wenig Toleranz und kein Interesse gehabt.

Ja, Tante Ada rückte jetzt sogar mit dem Bridge heraus, einem etwas schwierigeren Spielchen, das sich damals auf dem Continent zu verbreiten begann. Im Hause des Sektionschefs hatte man es früher schon versucht gehabt.

So gab es einen Vorgeschmack für Vanice (dies der Name des Gutes). Zdenko tastete bei solchen Gelegenheiten das Terrain ab, erkundigte sich in harmloser Weise nach den Möglichkeiten, das Land kennen zu lernen, etwa auf längeren Ausflügen (bei dieser Gelegenheit hörte er übrigens, daß die Tante Reitpferde hielt), und baute so bereits vor, um sich dort unten dann und wann einmal drücken zu können.

Welch eine Zeit, diese Ada Vuković-Zeit! Hatten bisher die Eltern nur sehr diskret am Rande von Zdenko's Existenz gesiedelt, so ließ ihn das Haus nunmehr ganz los, wenn man vom Kartenspielen absieht. Alles begreiflich. Die Eltern beflissen sich. Der Leser ist schon selbst ordinär genug, um zu wissen, daß Ada die Erbtante ist. Duft und Aura, ja eigentlich doch der ganze vollzählige M. C. hatten sich um den Tennisplatz und die Terrasse der Villa Clayton zusammengezogen; und daß für Zdenko dort Donald's Schatten umging, verstärkte nur die Trauer, welche ja bei uns allen der Entstehung zarter und duftiger Vergangenheits-Gespinste immer förderlicher gewesen ist als laute Lustigkeit. Die Anwesenheit eines, von da aus gesehen, völlig fremden Geschöpfes wie Augustus wirkte nur konzentrierend auf die ganze Lage, eben dadurch, daß diese hier grenzte, anstieß und noch mehr fühlbar wurde. Fast ein gleiches wirkte Hofmock's Pipsi-Wesen: nach wie vor brachte er dieses mit. Beim vorliegenden Exemplar erschienen ja übrigens Langbeinigkeit und pferdemäßiger Tritt der älteren Schwestern etwas gemindert und gemildert, es herrschten hier mehr menschliche Maße.

Chwostik vereinsamte. Man kann Donald, wie er zur Zeit war, nicht als einen Partner, nicht als Gefährten bezeichnen. Zudem hielt er sich merkwürdigerweise sehr an die Frau Pastor Kruhlow (hielt sich an ihr an, könnte man sagen), mit welcher Old-Pēpi beim besten Willen nichts anzufangen wußte.

Jedoch zu seinem größten Staunen begann die würdige Dame, etwa auf der Höhe von Malta (woher damals immer die guten Frühkartoffel, die ,Heurigen' nach Wien zu kommen pflegten!) ein Gespräch mit ihm über Donald, aus welchem klar hervor ging, daß dieser sich ihr in irgendeiner Weise anvertraut hatte. Gleichzeitig war auf solchem indirekten Wege feststellbar, daß der jüngere von Clayton bros. den ganzen Ernst der Lage und deren Definitives (das Fallen des Vorhangs) noch garnicht erfaßt zu haben schien, denn (so sagte die Frau Pastor), er leide offensichtlich unter der quälenden Vorstellung „sehr zur Unzeit abgereist zu sein, als sich alles noch zu seinem Glücke hätte wenden können."

Eine erstaunliche Frau, die da den Donald aufgeknöpft hatte, zugleich die großen Mängel von dessen Situationsbewußtsein an Tag bringend! Das letztere erschien wohl als noch erstaunlicher. Nun, Chwostik wäre im Besitze eines genügenden Wissens-Fundus gewesen, um hier eine sogenannte Roßkur vorzunehmen. Aber die Vertrauenslast, von Robert Clayton auf ihn gewälzt, verbot ihm das; und wohl auch die Klugheit.

Erst mit diesen letzten Vorkommnissen befand man sich auch innerlich in einer neuen Lage, und also gleichsam ganz in diese Reise eingeschlossen, deren Beginn, mit dem Abschiede von Wien und auch von Triest, nun nach rückwärts davonrückte, und verschwang wie ein Vorhang, durch den man getreten war, und dessen beruhigte Falten nun wieder senkrecht und reglos hingen.

Auf der anderen Seite solchen Vorhanges, der nun Clayton bros. schon dicht von einander schied, setzte sich bei Robert die Vorstellung fest, daß vor Donald's Rückkehr ein Stand der

Sachen erreicht werden müsse, der diesen eine Form verlieh und sie außer Zweifel setzte. Hiezu schien ihm des Sohnes Reise eine ausgemachte, ja, sich aufdrängende Gelegenheit zu bieten. Anders: wenn man schon nicht innerhalb der nächsten vierzehn Tage heiraten konnte, so mußte man sich doch ganz offensichtlich, ja, öffentlich anschicken, es zu tun (‚vor allem Volk‘, wie das ein berühmter Mann einmal genannt hat – denn sogar solchen Leuten passiert es mitunter, daß sie ihr Privatleben pathetisieren).

Nun, Pathos wollt' er keines, Clayton sen., aber er jagte dem Gespenst der Ordnung und Sicherung aller Angelegenheiten nach, das ständig vor uns herfliegt, eine davoneilende Zielsäule, meta fugiens. Solide Kaufleute importieren besonders gern diese für sie notwendige Form des Verhaltens in ein Hoheitsgebiet, wo sie unzuständig wird.

Moniça wußte das wahrscheinlich besser, ohne doch dabei das Reputative aus den Augen zu lassen, so daß in diesem Betracht beider Zielsäule (meta) die gleiche blieb. Aber es mag für die Ingenieurin, das muß man ihr zubilligen, immerhin kein ganz leichter Entschluß gewesen sein, alles Erreichte liegen und stehen zu lassen. Denn sie hatte es weit gebracht, das war nicht zu leugnen. Anderseits ließ Clayton keinen Zweifel darüber, daß sie, einschlagenden Falles, das Geschäft am Graben dahingehen lassen müsse, und es wäre auch im Falle einer Heirat wirklich nicht gut anders möglich gewesen, schon aus reputativen Gründen, das sah sie selbst ein. Am Rande versteht sich, daß ihre Eltern überhaupt nicht gefragt wurden. Frau Rita und der fesche Doctor Bachler wären auch sicher mit jeder Alternative einverstanden gewesen. Die Vorstellung, Robert könnte in Döbling um ihre Hand anhalten – es schien, daß er so etwas im Sinne gehabt hatte – erzeugte bei ihr ein schallendes Gelächter, und das in ihrem Bureau am Graben.

So zogen und schoben manche Kräfte an dem eigentlich wesentlichen Vorgange, dessen sich Clayton sen. weniger bewußt war, oder doch nur ganz beiläufig: die Aufsprengung einer zweisamen Lebensform mit Donald, welche seit Harriet's Tode den Boden fest durchwachsen hatte, ja, überhaupt den

Grund bildete auf welchem sie beide standen. Ihn zu verlassen, schien Robert Clayton jetzt ohne weitere Überlegung bereit.

Es war nicht der Libanon (wie einige Passagiere glaubten), was man vom Vorderschiff jetzt bereits sehen konnte, sondern eine der verhältnismäßig hohen Erhebungen über dem Sund und dem zu Anfang der Neunzigerjahre von den Franzosen ausgebauten Hafen von Beirut. Chwostik fühlte sich durch die Annäherung an dieses Reiseziel zu einer recht populären Äußerung veranlaßt: er klopfte auf seinen Rock, dort, wo sich das Portefeuille befand, und sagte: „Hier müßt' man mit einer dicken Brieftaschen ankommen und Seiden einkaufen. Das wär' so ein Geschäft! Unsere Branche ist hier zweite Klass'."

Natürlich wollten sie auch nach Damaskus, das weiter drinnen im Lande liegt. Beim ersten Mal war Chwostik noch mit einem pferdebespannten Eilwagen dahingelangt. Jetzt hatte die Anlage des Hafens längst eine Eisenbahn nach sich gezogen. Den Libanon und die großartige Aussicht von dort genossen Chwostik und Donald diesmal nicht, wohl aber taten es viele von den Passagieren der ‚Cobra‘, auch der Doctor Harbach, die in angemessener Weise, nämlich auf Eseln, dort hinauf ritten.

Donald, als er über den Laufsteg geschritten war und den Quai betrat, erlebte ein tiefinneres Entsetzen; kein plötzliches, keinen Schrecken, sondern es war ein zähes und weiches Gefühl, wie ein Einsinken in den Boden.

War er des Aberglaubens gewesen, das Betreten des festen Landes, eines anderen Landes, würde mit einem Schlage ihn befreien von einem Herzdruck, der auf dem Schiffe oft schon unerträglich gewesen war?

Es kam ganz anders. Es war jetzt, also stünde sie neben ihm.

Chwostik, dessen wohlbestalltes Notizbuch planvoll die Zeit einteilte, saß schon neben Donald im Wagen und sprach mit dem Kutscher arabisch, mir nichts, dir nichts.

Unter der Hitze litten sie wenig, diese war zur Zeit nicht groß, ja, der Himmel, den sie bei der Ankunft flaschenblau gesehen hatten, umzog sich. Es kam sogar zu einem kurzen Gewitter-Regen. Danach erst, in dieser Frischgewaschenheit und bei gebundenem Staube, blendete das Lichtkonzert ganz auf über dem Sund und der Stadt mit den zahllosen und verwinkelten Gärten rückwärts auf den Höhen, wo die engen und krummen Straßen auslaufen. Es schien jetzt, in der glänzenden Frische, als kehre sich ein funkelndes grün-goldnes Innere wie aus Grotten nach außen.

Chwostik und Donald waren erwartet worden, was sich ja nach der sorgsamen Planung dieser Reise von selbst versteht. Verhandelt ward in französischer Sprache; sie kamen jedem Versuch englischen Radebrechens damit höflich zuvor. Die Räume der Firmen, welche sie betraten, im (für damals) modernen europäischen Teil der Stadt gelegen, waren groß, weißgekalkt und kühl, von sozusagen kolonialer Eleganz, bei surrenden Ventilatoren, geschmückt mit großen Wasserkühlgefäßen aus Thon, wie man sie hier am Orte in vielfachen Formaten erzeugte.

Im ganzen ging es um zwei französische Handels-Gesellschaften, oder eigentlich levantinische, sollte man sagen, weil damit in jene Richtung gedeutet wird, wo Robert Clayton vor vielen Jahren hier eine Panne erlitten hatte. Doch war dies von Chwostik später durch ein ganz unzweideutiges Verhalten wettgemacht worden. Auch heute waren die Vertreter jener Bank, über welche die Dinge laufen sollten, und die mit beiden Firmen arbeitete, zugegen. Man hatte sich an dieses Postulat gewöhnt, und nahm es nunmehr hin.

Donald war nur ein Anrainer der Unterhandlungen, kein Anwesender. Gelegentliche technische Auskünfte gab er her, wie ein Automat die Schokolade. Im übrigen wirkten sein Aussehen und Verhalten sehr vorteilhaft, nämlich einschüchternd, ja scheuchend – das war bei diesen Reisen immer schon so gewesen – und im Orient jedenfalls durchdringender als Robert's lebhaftere und anteilnehmende Art. Donald aber lag auf solch einem Handel einfach wie ein Briefbeschwerer, bekräftigend, fixierend. Chwostik hatte diese seine Funktion längst heraus und erhöhte die ruhende Capacität des Juniorchefs in Gegenwart von Verhandlungspartnern durch ein betont respektvolles Benehmen, und indem er etwa mitten im Satze abbrach, wenn jener sich einmal anschickte, das Wort zu nehmen, was ja selten genug geschah.

Diesmal indessen war Donald wirklich alles Geschäftliche vollkommen und echt gleichgültig. Die Wirkung davon war äußerst günstig. Daß sich beide Gegenpartner darum zu reißen schienen, mit Clayton & Powers in's Geschäft zu kommen, führte Chwostik, im stillen staunend, zum Teil auf Donald's Zustand und Verhalten zurück, ein Verhalten im doppelten Sinn des Wortes, das obendrein zu seinem Äußeren hervorragend paßte.

So war es zum Teil auch eine Art Eindruck-Schinden, was sie hier trieben, von Donald wahrlich nicht so gemeint, von Chwostik bewußt ausgenützt, ja geradezu genossen. Dabei lag ihm auf der Hand, daß Donald oft nicht einmal wußte, was vorging. Er reagierte nur korrekt und sicher auf technische Stichwörter.

Als nach zwei Tagen die ‚Cobra‘ vom Quai ablegte, war alles in bester Ordnung, und die trefflichen Ergebnisse ruhten zwischen Chwostik's Aktendeckeln. An der Reeling lehnten neben Old-Pēpi und Donald der Doctor Harbach und Frau Kruhlow, beide Libanon-Cavalleristen (der Ritt der Frau ‚Paster‘ wurde später von Harbach geschildert), während neun Posaunen ‚Muß i denn, muß i denn zum Städtele hinaus‘ spielten, was da und dort auf dem Schiffe befremden mochte, aber den ungeteilten Beifall der auf den Quais zurückbleibenden Bevölkerung fand.

Donald dachte jetzt nicht an Monica, sondern an ‚La reine‘, die ‚Königin‘.

Sie war bei einem Essen, mit welchem, wie üblich, alles geendet hatte, zugegen gewesen, man hatte sie allgemein mit jenem ehrenden Titel begrüßt, und sie sah auch so aus. Gattin eines der Firmen-Gesellschafter, eines kleinen dunklen Herren, geborene Pariserin, dort auch aufgewachsen: eine mächtige, pastose Erscheinung, eine um etwa dreißig Jahre jüngere Frau Harbach, aber blond, und vielleicht nicht ganz so dumm. Donald war bei Tische neben ihr gesessen. Sie kannte Wien. Sie erzählte Donald, daß sie als junges Mädchen dorthin geschickt worden sei, um Musik zu studieren und Deutsch zu lernen. Das letztere sei ihr aber nicht gelungen; denn jedermann in Wien habe mit ihr gleich französisch gesprochen.

Donald kannte diese polyglotte Bereitwilligkeit der Stadt.

‚La reine‘ verschwamm mit Hilda Harbach. Jedoch stand sie dabei nicht hinter der lila Tapete, sondern vor derselben. Bei der ‚polyglotten Bereitwilligkeit‘ hatte Donald an Monica's Englisch denken müssen.

‚La reine‘ bereitete ihm Schmerz, jetzt noch. Gerade weil sie vor der Tapete stand. Wäre der lila Schleier über sie gebreitet gewesen, vielleicht hätte sie ihm gegen Monica etwas helfen können. So aber war ihre Fleischigkeit zu sehr im allseitigen Licht.

Sie hatte ihm dann bei Tische noch erzählt, daß ihre jüngere Schwester nach Budapest geheiratet habe, in die gleiche Branche (‚dans la même branche‘, so wörtlich), er werde ihre Schwester wahrscheinlich kennen lernen, eine Frau Putnik (den Namen sprach sie französisch aus, etwa ‚Pütnique‘).

Es war bei diesen Rückblicken hier an der Reeling – während der Hafen allmählich verschwand, die Stadt aber und die Höhen darüber für ein kurzes die gleiche Form annahmen wie bei der Ankunft, bis das Schiff auf den neuen Kurs drehte – es war hier, wo die Passagiere in langen Reihen an den weißen Geländern standen und zurückblickten (die Posaunen schwiegen bereits), daß Donald seiner Eingeschlossenheit ganz inne ward, sie sah, wie man eben eine Tatsache sieht, fast wie eine äußere, und nicht nur dumpf den Haken spürte, an welchem er hing. Jetzt erst faßte er auf, wohin er schon gelangt war, und daß in ihm ein Unbegreifliches bohrte, welches er zugleich als völlig fremd empfand. Wieder, wie einst, als jener fahle Blitz in ihm zu Augustus hinüber geschossen war (dessen Widerschein den jungen Herrn von Chlamtatsch so sehr erschreckt hatte!), fühlte er sich sinken, wußte es. Seine linke Hand griff in die Hosentasche nach den Streichhölzern, und während er auf die ausgegangene Pfeife biß, entzündete er diese neu. Dann warf er die Shagpfeife im Bogen von der Reeling und steckte das abgebrannte Streichholz in den Mund.

Man hatte sie fliegen sehen. Der Zusammenhang ward erfaßt, und etwas weiter weg gab es sogar ein Gelächter. Den Herren Chwostik und Harbach war der kleine Vorfall entgangen. Aber die Kruhlow riß in alarmierter Weise die Augen auf. Sie zeigten durch eine Sekunde den Ausdruck von jenen eines scheuenden Pferdes.

László Putnik, der Neffe des zweiten Chefs jenes Bukarester Hauses, mit welchem die Claytons in Verbindung standen, war noch keine zwei Jahre verheiratet und wohnte mit seiner jungen Frau am Budapester Ligeti fásor (heute heißt diese Straße anders, sie hat seither zweimal den Namen gewechselt): einst eine zurückgezogene, stille Gegend, Häuser von eleganterer Art, mit Vorgärten gegen die Straße, oft auch ausgedehnten Gärten nach rückwärts.

Es war die jüngere Schwester von ‚La reine‘, intelligenter als jene Königin im Osten, daher mit der Mama Harbach in dieser Hinsicht noch weniger vergleichbar; ansonst schon. In allem jedoch, was man, mit einem aus der Männerwelt übertragenen Ausdrucke, bei Frauen ‚die Persönlichkeit‘ nennt, reichte sie an unsere Ingenieurin Monica heran.

Nun gut, aber ihre Ehe ging sofort schief. László war, nach allgemeiner Meinung, ein schwaches Früchtel. Nicht in finanzieller und commerzieller Hinsicht: hier erwies er sich stets als äußerst brauchbar. Auch Robert Clayton war von ihm rasch ein wenig eingeseift worden, bei seiner Lokomobil-Tour in Ungarn; ganz zuletzt hatte er sich noch was abhandeln lassen, und kein Chwostik war dagewesen, es zu verhindern, und kein Donald, um mit einem einzigen Griffe darzutun, daß ein angeblich vorhandener, wenn auch geringfügiger, technischer Fehler garnicht bestand. Vater Robert, im Geiste schon vorauseilend zum Alpengasthof am Preiner G'scheid, war eben in solchen Einzelheiten doch schon ein wenig aus der Übung, und hatte sich da nicht ganz sicher gefühlt.

Roßtäuscherkniffe bei Lokomobilen, könnte man sagen. Aber sonst war er leicht dranzukriegen, der László. Jeder Zigeunerprimas in Budapest kannte ihn, und die diversen Primgeigerinnen auf einem anderen Kunstgebiete waren ihm nicht fremd.

Und dabei dieses prachtvolle Weibs-Stück von Frau! Mancher schüttelte das Haupt angesichts von László Putnik's Wandel, und auch in Ansehung der Art von Primgeigerinnen, von denen er sich aufspielen ließ. Sie waren keineswegs immer ansehnlich. Aber sie konnten eben geigen. Es verbreitete sich die Legende, daß Frau Putnik (Pütnique) eine absolut unmusikalische Person sei.

Danach hätte man die Exzesse des Herrn László eigentlich anders beurteilen müssen, tat es aber nicht, sondern hielt ihn einfach für ein Lümpchen. Von dem Choc, den der junge Mann erlitten hatte, wußte freilich niemand. Es war die jüngere Schwester der Königin von Beirut verunstaltet durch ein Brandmal von der Größe eines Handtuches, das wie ein solches um ihre Hüften herumlief. Kein Zweifel, daß sowohl die Eltern Margot Putnik's in Paris als auch jene ‚Königin' davon wissen mußten. Gleichwohl, die Heirat war eingeleitet worden, und solchem Roßtäuscherkniff bot sich bei einem hochehrbaren Verlöbnis keinerlei Schwierigkeit. Fernerhin schwieg man einfach. Auch im engsten Familienkreise. Zwischen ‚La Reine', wenn sie nach Paris in die Rue du Général Beuret kam, und ihren Eltern ist niemals über diesen Umstand ein Wort gefallen, weder vor Margot's Heirat, noch nach dieser. Hier mag man den Geist jener Zeit erkennen. Aussprachen fanden kaum jemals statt. Auch nicht zwischen Vätern und Söhnen.

Mit der Zeit ließ dann László die Primgeigerinnen sein, und soff nur mehr still vor sich hin.

Sie überwand besser als er. Bewußt ihrer Schuld, daß sie ihren Eltern sich nicht widersetzt hatte, blieb Margot der einzige

Mensch, der den jungen Putnik tolerant beurteilte. In der Familie seiner Frau war man davon weit entfernt. Woher aber wußte man von seinem Wandel? Etwa durch Margot? Keineswegs. Aber ,La reine' war etwas unvermutet nach Budapest gekommen, sie hatte die Route über Konstantinopel gewählt, wo sich der bequeme Orientexpreß nach Paris bot, und die Gelegenheit, auf der Reise zu den Eltern gleich auch die Schwester zu sehen. Und hier in Budapest einigermaßen zur Unzeit einlangend, war sie sozusagen mit einem Fuß gleich in László Putnik's Wandel getreten.

Zudem finden sich ja immer redende Münder. Margot aber, die vordem das dichteste Schweigen bewahrt hatte, verteidigte nun ihren Mann, der es ja garnicht war.

Als solcher, der es ja garnicht war, saß er mit dem noch um einige Jahre jüngeren Tibor Gergelffi, ,de la même branche', Sohn eines Gutsverwalters in Westungarn (uns ist der Herr zufällig bekannt) vor einer csárda, wie man ungarisch eine Schenke nennt, jenseits des Schwabenberges landeinwärts. Hätten die jungen Herren noch ein kleines Stück gehen oder fahren mögen, dann wären sie zu einer der bemerkenswertesten Sammlungen römischer Altertümer in Osteuropa gelangt: solche bewohnten dort still ein abseits gelegenes kleines Museum. Nun, derartiges war ihnen gleichgültig.

Sie saßen unter alten Bäumen, in Stille, ohne Musik, und tranken roten Ofener. Die Menschen der essensfreudigen Länder Südosteuropas verstehen sich auf dergleichen. Sie wissen immer den Ort, wohin man da geht. Aber sie wissen dort auch zu verweilen, ohne Zeit, ohne ein Ziel, an das man denkt.

Dies der Grundbaß, die Grundierung. Es waren die praesenten Oberstimmen bei László weniger erfreulich.

Tibor war sein einziger Vertrauter: verschwiegen bis zur Verstocktheit. Die letztere ist bei Magyaren nicht selten, sie wirkt oft schon wie die Undurchsichtigkeit und Undurchdringlichkeit des fernen Ostens; bald wieder sieht's einfach starrsinnig her.

Putnik war kein Ungar, jedenfalls kein richtiger, eher schon ein Serbe. Bei den Nationen dieses ganzen Südostens ist das Ehrgefühl oft hart, unbiegsam bis zur Gefährlichkeit. Immerhin war unser László längst kein echter mehr; sondern ein Budapester Großstadt-Pflanzl.

„Mein Onkel ist jederzeit bereit, mich nach Bucuresti in's Geschäft zu nehmen", sagte er.

Die Abendsonne legte sich von rückwärts durch den Garten und an die verwitterte Wand des Hauses, daran ihr Schein jetzt senkrecht aufgestellt stand, das Fließende in eine rötliche Fläche verwandelt.

„Und da bist du noch hier?!" rief Tibor, in rhetorischer Frage und rhetorischem Erstaunen.

„Und werde auch bleiben."

„Du bist, scheint es, verrückt geworden", sagte Tibor. „Erst hat man dich in einer Falle gefangen. Deine Lage ist eine von jenen, möchte ich sagen, die es eigentlich garnicht geben darf. Du kannst nur davonrennen. Jetzt zeigt sich das Loch in die Freiheit, ja, eine offenstehende Tür. Und du willst sitzen bleiben. Pack ein, fahr nach Bucuresti und laß dich scheiden. Sogar das Gesetz wäre für dich. Bleibst du hier, hast du ausgespielt."

„Ich will mir Margot erobern", sagte László und sah auf die rötlich besonnte Mauer, als zöge er von dort seine Worte ab. Und weil Gergelffi überhaupt nichts mehr entgegnete, setzte er mit Entschiedenheit hinzu: „Sie ist der einzige Mensch, der Verständnis und Liebe für mich bewiesen hat."

„Joi, joi, joi, joi", begann Tibor zu winseln und wand sich dabei. „Dich hat man die Katz' im Sack kaufen lassen, und jetzt möchtest noch einen Hasen draus machen. Und weißt', László, was das Verständnis betrifft, gar so schwer zu verstehen bist ja nicht, das Ganze ist doch einfach wie ein paar Watschen."

Tibor schwieg. (Seine Gekränktheit war ihm nun doch anzumerken.)

Immerhin: László hatte den Bukarester Oheim erwähnt.

Er war also schon mit Fluchtgedanken umgegangen.

Sie erschienen Gergelffi als das einzig Vernünftige. Jeder andere Versuch einer Lösung der Lage mußte Theorie bleiben oder überhaupt Phantasterei, wie dieser Bocksprung eben jetzt, mit der ‚Eroberung' Margot's. Tibor verehrte sie übrigens, ihrer Haltung wegen. Aber jedesmal, wenn er sie irgendwo zu sehen bekam, vereiste ihn geradezu ihre vollständig geschlossene Unzugänglichkeit, in welche sie sich zurückgezogen hatte. Es war dies grauenvoll und unvorstellbar, wie ein erloschenes Gestirn etwa, das da im leeren Raum schwebte. László schwatzte doch Unsinn. Wo sollte es hier Liebe, wo Verständnis geben? Neben der Verzweiflung kann man nicht leben. So dachte er. Und eben jetzt.

Die Zeiten waren vorbei, da László sich betäubt hatte. Keine Primgeiger mehr. Keine Primgeigerinnen. Auch die Flaschen blieben schon stehen. Zum Beispiel gleich die hier auf dem Tische, mit dem roten Ofener. Nur Gergelffi trank ihn eigentlich, und bedachtsam. Alles das war unheimlich: als bereite sich etwas vor. Er hätte László lieber saufen und excedieren gesehen. Was er im Grunde am meisten fürchtete, war irgendeine Art zweiter Choc für Putnik. Tibor hatte den ersten miterlebt: Entsetzen, Wut, Entwürdigung im Ringkampf mit Hochachtung und Zärtlichkeit. Es durfte nicht wieder sein. Hier blieb nur die Flucht.

Doch zäh und langsam begann Margot zu siegen. Ihr steinernes Wesen, das Gergelffi jedesmal vereist und erdrückt, ja, aus dem Leben hinaus gesetzt hatte, war – und das konnte Tibor nun freilich nicht wissen – daheim keineswegs mehr wirksam, sondern inzwischen gänzlich verschwunden und ausgewechselt gegen eine nun sichtbar werdende Begabung, es dem anderen Menschen bequem zu machen. Wir sagen nicht: ihn mit Liebe zu umgeben. Das ist immer zugleich schon eine Forderung. Nein: László hatte das schönste Leben zuhause, alles in allem. Sie, Margot, war wie ein Hauch. Beachtliche Leistung bei 72 Kilogramm. Kaum vorhanden, außer wenn er sie herbeizog. Ließ er sie los, dann verschwand sie. Etwa bei einem Geplauder: er sprach nicht mehr. Weg war sie. Aus dem Zimmer.

Gergelffi, der bei Margot als Saufkumpan László's galt, war bisher nie zu dem jungen Paare hinaufgekommen. Jetzt erst, da László mehr und mehr abends daheim blieb, wurde er einmal eingeladen: und zögerte sehr, diese Einladung anzunehmen. Einen Tag hindurch erschien's ihm dann fast als Gesinnungslumperei, als er's schließlich doch tat. Er ging also zur Gegenpartei. Es war einige Zeit nach jenem Gespräch hinter dem Schwabenberge, beim Rotwein.

Sie aßen zu dritt. Margot muß angenommen haben, daß Gergelffi alles wußte. Es ging ihr offenbar darum, den Vertrauten László's an Bord zu nehmen, so, als sollten ihre Zusammenkünfte nun hier stattfinden und der Schwerpunkt herein verlegt werden. Sie führte Tibor auch durch die weitläufige Wohnung und zeigte ihm alles. Der Garten war nicht viel breiter als das Haus, aber er lief tief nach rückwärts. Dort gab es irgendwelche marmorne Confitüren, sie schlossen diese Tiefe des Gartens ab vor einer massigen Mauer: bogenförmige Sitzbänke, von mächtigen steinernen Vasen überhöht. Man sah das von einem Gartenzimmer aus, dem eine kleine Terrasse und eine Freitreppe in's Grüne hinab vorgelagert waren. Es gab einen Speisesaal, so könnte man fast sagen, zwei Salons, einen ausgedehnten und einen kleineren. Tibor, der jetzt den nicht ganz einfachen Grundriß der Wohnung doch schon überblickte, schloß richtig, wo das Schlafzimmer sich befinden mußte. Daß László im Gartenzimmer schlief, wußte Gergelffi längst, hatte eben jetzt auch László's verschiedentliche Herren-Effekten dort herumliegen gesehen. Jagdgewehre hingen an der Wand. Hier war die Flügeltür auf den Altan weit offen, denn diesen schloß unten eine vergitterte Umfassung gegen den Garten ab.

„Ich war nie bei meiner Schwester in Beirut", antwortete sie bei Tische auf Tibor's Frage, mit einiger Betonung und spürbarer Ablehnung, und heftete den Blick auf den weißen Damast der Tafel, auf Porzellan und Kristall. Sie hatte sich ein wenig vorgebeugt, und sprach auf den Tisch hinunter, ohne jemand anzusehen. Ihre mächtige blonde Haarkrone leuchtete unter dem obschwebenden Lüster. Um 1900 hat ein modischer Zeichner,

César Helleu, einen starken formenden Einfluß auf die Pariserinnen gehabt, die er vorwiegend blond zu sehen liebte, mit mehr herzförmigen als länglichen Gesichtern, und die Augen weit auseinanderstehend. Da nun die Natur bekanntlich die Kunst nachahmt, wie Oscar Wilde uns belehrt, begannen damals immer mehr Pariserinnen so auszusehen wie Helleu sie gewollt hat; sogar bis auf den Augenabstand erstreckte sich das, und es hatte selbst Macht über Margot's 72 Kilogramm, die von César Helleu bestimmt nicht vorgesehen waren . . . Sie war schön, Margot, geradezu schön. Gergelffi sah es klar, dachte es klar, und mit Staunen.

Nein, so leicht war es da nicht, nach Bucuresti zu gelangen. Jetzt erst erreichte ihn, jetzt zeigte sich ihm das Gewicht der Sachen, der ganze Ernst von László's Lage.

Hätte er, La reine' gekannt: der eigentliche und fundamentale Unterschied zwischen diesen beiden Frauen und Schwestern wäre ihm so recht in's Gesicht gesprungen. Dort ein fleischlicher Prunk, allseitig in's Licht strahlend vorgestoßen. Hier Verschleierung, Verhüllung, ein schräger Blick, ein unbestimmtes Geschau, ein Wesen wie hinter fließendem Wasser.

Noch mehr empfand er das später, als sie im kleineren Salon beim türkischen Kaffee saßen. Auch hier gab es, auf blanker Messingstange, einen jener breiten Lampenschirme, tief herab reichend, in violetter Farbe; nach unten war im Innern das Licht auch noch gedämpft, ebenfalls violett, nicht etwa mit weißem Tüll oder dergleichen, wie man's auch heute noch hat. Eine vorteilhafte Beleuchtung konnte man das nun wirklich nicht nennen, im Hinblick auf eine schöne Frau. Aber sie saß hinter dieser gleichsam an sie gelehnten lila Lichtwand wie hinter einem zarten Gewebe, und so gleichsam in einer nur mittelbaren Gegenwart.

Tibor, der ihrer Schönheit gegenüber keiner Entzückung unterlag – seine Gustos bewegten sich allzusehr auf ganz anderen Bahnen! (noch dazu jetzt erst recht, wie wir bald erfahren werden!) – rang geradezu darum, sie deutlich zu sehen und zu umfassen, von ihr zu wissen und sie zu erforschen, immer dabei begleitet vom Gefühle der Vergeblichkeit jeder solchen Bemühung.

Im übrigen war der Kontakt gut, und der Abend verlief harmonisch, wie man zu sagen pflegt. Es war nicht schwer mit Margot. Sie gehörte keineswegs zu jenen Klötzen von Menschen, die daliegen und erwarten, daß man sie bewege, ohne dazu auch nur den geringsten Handgriff zu bieten ... Sie selbst bewegte, und zwar diese beiden schlanken und zartgebauten jungen Männer um sich herum, wie Satelliten um eine Zentralsonne. Erstaunlich, was ihr da gelang! Nicht zu Unrecht haben wir sie mit unserer Ingenieurin verglichen, im Range sozusagen. Von Bildung und Wissen strotzten weder Putnik noch Gergelffi, und der letztere war froh, halbwegs im Französischen mitzukommen. Denn Margot sagte, ihr Ungarisch lange bis jetzt nur für den praktischen Hausgebrauch. Sie war eifrig dabei, es zu vervollkommnen; aber in Gesellschaft wollte sie Ungarisch noch nicht sprechen. Sie tat gut daran. Das Magyarische ist eine durchaus dichterische Sprache und daher besonders empfindlich gegen falsche Intonationen oder einen hölzern-schulgrammatischen Gebrauch. Um Ungarisch zu können, muß man entweder ein geborener Magyare sein oder ein Sprachgenie.

Doch einmal sprach sie ungarisch – und eben von da ab geschah's, daß sie die beiden Burschen zu Trabanten machte.

Ihnen war es nie der Mühe wert gewesen, etwa das Stück von der csárda hinterm Schwabenberge noch zurückzulegen bis zu jenem einsamen Museum der römischen Altertümer. Margot kannte es längst. Sie war lange genug allein gewesen und unglücklich, um Schätze zu finden, an welchen die Glücklichen unbeseelt vorbeitaumeln: glücklich auch im Unglück, weil ein zweiter, ein vertrauter Mensch da ist, die Ansprache, der Wein. Margot's Freundin Irma, aus dem reichen Hause der Russow, wohin sie durch Putnik gleich in der ersten Zeit ihrer Ehe gekommen war, hätte ihr ein solcher zweiter und vertrauter Mensch werden können. Aber es lag außerhalb des für Margot Möglichen, das unscheinbare und distinguierte ältere Mädchen mit dem groben und hnadhaften Geheimnisse der eigenen Person vertraut zu machen, welches zugleich doch den einzigen Schlüssel zum Verständnis ihrer Lage bildete und im Grunde alles und jedes bedingte. Bei Irma genoß sie einen aus Freundschaft erteilten, regelmäßigen und gründlichen Unterricht im Ungarischen. Diese Stunden, im Elternhause Irma's, bildeten für Margot jedesmal ein feriales und von allem losgelöstes Glück, eine Insel, als solche unverbunden mit dem Kontinente ihres Lebens, auf welchen zurückzukehren sie doch gezwungen war.

Also auch hier, wie überall, eine Mauer. Manchmal packte Margot in solcher Ummauerung die Angst.

Für Irma Russow war sie die schöne bewunderte Frau, mit allen Gaben der Wirkung gesegnet, welche ihr selbst fehlten, und die kein Reichtum ersetzen kann. Mindest hätte es eine andere Natur erfordert als die Irma's, um ihn als Ersatzmittel zu gebrauchen. Bald hing sie mit schwärmerischer Liebe an Margot: und ahnungslos.

So ward hier die Einsamkeit durch Zweisamkeit oft noch verschärft. László, dessen Wandel während der ersten Zeit seiner Ehe ja in Budapest kein Geheimnis blieb, wurde von Irma Russow für einen böswilligen Narren gehalten und für den ständigen Beleidiger eines Götterbildes. Diesem selbst gegenüber wagte sie bald kein Wort mehr gegen ihn. Aber die Verteidigung László's durch Margot hob ihr Idol fast in jene Höhe, wo der Geruch von Heiligkeit beginnt.

Hier, im Hause der Russow also, nicht weit vom Vörösmarty Ter, erlernte Margot das Ungarische, und, das Elementare hinter sich, ward sie von Irma alsbald an die Dichtung der Nation herangeführt, welche allezeit der beste Lehrer jeder Sprache bleibt. Am einzelnen Dichtwerk erlernte sie die Intonation, erkannte sie die eben nur dem Ungarischen eigenen Valeurs, also das, was keine Übersetzung zu vermitteln vermag. Noch hatte damals Andreas Ady nicht zu wirken begonnen, aber der Turm Alexander Petöfi stand nun seit langem weithin sichtbar. Margot lernte einzelne Werke von ihm ungarisch sprechen, und immer wieder, bis der Klang frei wurde, und sich spielend bewegte.

An diesem heutigen Abende nun, hier mit Gergelffi und
László sitzend, löste sich das an irgendeiner anstreifenden Wendung oder Ecke des Gespräches aus ihr los, und sie kam mit dem
Beginn eines langen Gedichtes von Petöfi frei heraus. Es heißt
‚September-Ende‘, und ist von dem trefflichen Doctor Franz
Bubenik in Wien, der Petöfi's Werk schon um die Jahrhundert-
wende übersetzt hat, zuerst verdeutscht worden. Doch ziehen
wir hier eine jüngste Übertragung vor, als dem heutigen Zustand unserer Sprache mehr entsprechend. Sie stammt von Fritz
Diettrich und findet sich unter den Festgaben zum 80. Geburts-
tage Rudolf Alexander Schröders:

> Noch überstürzt sich Gartenblust im Tale,
> Noch rauscht die Pappel grün in's offne Fenster.
> Du aber siehst schon die Gespenster,
> Das Winterliche, Leichenfahle.
> Und Schnee trägt schon das hohe Felsenjoch!
> Doch Sommer, Sommer ist es noch,
> Nachstrahlend tief in meinem Herzen.
> Noch schäumt der Lenz, der längst vergangene,
> Und leuchtet mit Kastanienkerzen.

Als sie diese Verse hinter der an sie gelehnten lila Lichtwand
gesprochen hatte, neigte sich das Schwergewicht, das Übergewicht dieses Abends zu ihr. Der Ungar, auch wenn unliterarisch,
kennt und liebt doch seine Dichter, sie sind ihm eine nationale
Sache ersten Ranges; mindest war es damals noch so. Die stür-
mische Schwermut im Rhythmus jener Verse, deutsch kaum
wiederzugeben, faßte in unsagbarer Weise das so widersprüch-
liche Beisammensein der drei jungen Menschen in eins. Man
kann sagen, daß Gergelffi, bei all' seinen Vorbehalten, Margot
erlag.

Das hat ihn nicht gehindert, dort am Ligeti-fasor dem Stubenmädchen, einer reizenden blonden Marika, immer wieder
seine Aufmerksamkeit zu schenken, nachdem es ihm schon beim
Essen, als sie servierte, gelungen war, den ersten feinen Kontakt
mit ihr zu kriegen.

Gleich einmal dachte er, daß dieses Mädchen in kurzen Rökken und Stiefelchen entzückend aussehen müsse. Stiefelchen waren für Tibor überhaupt eine besondere Sache, sie gingen sozusagen in seinen zarteren Hinterzimmern vielfach um. Ein rechter Caligula. Wir werden das noch kennen lernen. Ungeschickt war er ja nie, und auch heute nicht. Zudem gab es die schweren silbernen Fünfkronen-Stücke, für Großtrinkgelder überaus geeignet; wir lernten sie in dieser Funktion schon kennen. Mit ihnen hat vordem Chwostik die Wenidoppler gebannt, von Münsterer inspiriert (wie letzteres eigentlich vor sich gegangen war, ist uns selbst nicht ganz klar, aber es war eben doch so gewesen, da kann man nix machen). Nun, die offene Hand zeigte Gergelffi erst beim Weggehen und im Vorzimmer, nachdem er sich drinnen von Margot und László verabschiedet hatte; der letztere war intim genug mit ihm, um ein zeremoniöses Hinausgeleiten zu unterlassen, obendrein zu faul, und drittens angetrunken. So konnte Tibor draußen alles rasch zurecht kriegen, den Obolus und ein Kärtchen mit einer Telephon-Nummer in eine ebenfalls offene, aber kleinere Hand praktizieren. Einen Kuß gab es auch gleich. Sehr rasch ging's voran, und auch das weitere, muß man sagen! Denn von da an führte Marika ein neues Leben, welches unter anderem auch darin bestand, daß sie zum ersten Mal die Budapester Champagnerlocale kennen lernte (die zweitklassigen).

Dies also hatte von jenem Abende am Ligeti-fasor seinen Ausgang genommen, und man sieht, daß dazu – zwischen Petőfi und Margot – noch genug Platz verblieben war. Raum ist für den Unfug nicht nur in der kleinsten Hütte, sondern auch zwischen zwei Wimpernschlägen, oder Lipp' und Kelchesrand. Aber Frechheit war es schon allerhand.

Und doch ging sie nur ganz zwischendurch, diese Frechheit. Sie hat die Tiefe der Eindrücke, die Tibor den ganzen Abend hindurch von Margot empfing, nicht gemindert. Es hat Augenblicke gegeben, während dieser verfliegenden Stunden eines ungewöhnlich ausgedehnten Beisammenseins, in welchen ihn der abseitige Wunsch anflog (und wie eine letzte, höchste, äußerste unter allen seinen Möglichkeiten!) sich in Margot verlieben zu können – bei allen Schrecken, die das bedeuten mußte – und nicht in irgendeine Marika (noch ohne Stiefelchen, aber hier sollte ja was werden!).

So ging er spät weg, zunächst freilich noch an das Mädchen denkend, ein wenig schwer vom Wein, und nahm nicht die Untergrundbahn zum Stadtzentrum, was hier nahegelegen hätte, sondern schritt zu Fuße dahin.

Am Octogon, in der weiten Dunkelheit, die gleichmäßig von den Bogenlampen akzentuiert war, erhob sich in ihm jetzt doch ein Gefühl von Fragwürdigkeit, welches hintnach noch diesen ganzen eben durchlebten Abend umfassen und überschwemmen wollte. Es war Tibor Gergelffi gewiß nicht das, was man einen Intellektuellen nennt. Doch hatte er die Gegensatz-Sprünge, in denen sich nun einmal all' unser Denken vollzieht, stets lebhaft und weit vorangetrieben. Und wenn ihm schon keine Bildung eignete, so doch beinahe etwas wie Dialektik. Stets griff er da lebhaft zu, mit einer gewissen Energie. Sie brachte ihn jetzt in wenigen Augenblicken so weit, sich einzugestehen, daß Theorie und Phantasterei eher auf seiner Seite gewesen waren, als er László als das einzig Mögliche empfohlen hatte, kurzer Hand davonzugehen, nach Bucuresti nämlich. Jetzt, unter dem anschaulich gewordenen Gewichte der Sachen, erschien ihm seine eigene Empfehlung – so vernünftig immer sie gewesen sein mochte – als nichts anderes denn naiv.

Aber, wie denn – bleiben?! Diese ganze Lage, von einer Last beschwert, die anonym verbleiben mußte und geheim, und dabei ständig bei László auf des Lebens Nerv drückte, konnte sie denn anderswo hinauslaufen als auf ein Ende mit Schrecken, und je später, desto schlimmer, weil inzwischen Illusionen sich einschleichen mußten, die ja unentbehrlich waren, um solche Gegenwart erträglich zu machen?! Etwas anderes war eben doch nicht zu halten von László's Gerede, Margot zu ,erobern'. Seine innerste Gesinnung stand ja auf die Flucht. Ganz von selbst hatte er dort drüben, hinterm Schwabenberge, jene unvermutete Eröffnung getan: daß sein Onkel in Rumänien jederzeit bereit sei, ihn nach Bucuresti in's Geschäft zu nehmen.

Gergelffi blieb stehen. Er war längst auf die Andrassy-ut gelangt. Es galt augenblicklich, sich klar zu werden, auch die Richtung für das eigene Verhalten neu zu gewinnen, ob er gleich eine Grenze überschritten hatte, und in eine Art Nebel geraten war, durch die Annahme dieser Einladung für heute abend (nun was denn hätte er tun sollen – aber, halt! László hat ihn ja vorher sozusagen unter der Hand gefragt, und es wäre möglich gewesen, gleich energisch abzuwinken!). Der Nebel. Worin bestand er? In jener seltsamen Überhöhung, die Margot heute abend gewonnen hatte, über László, über ihn selbst, über sie beide. Dies galt es wegzuräumen, abzuräumen!

Eine solche Absicht hing gleichsam schwer über ihm, doch ohne irgend ein denkbares Mittel, sie zu verwirklichen. Jetzt wünschte er sich eine Tasse Kaffee, den Wein zu vertreiben. So lebhaft, ja, geradezu genau war in diesem Tibor Gergelffi die Beschäftigung mit dem Schicksals-Inventar eines anderen Menschen, daß sie ihn jeder Schläfrigkeit und Trägheit entriß! Wir erblicken hierin seine entscheidende Qualität.

Dunkel überhangen von dem, was er dachte, was er gegen Margot dachte, sah Gergelffi auf. Er war bei einem Monument stehen geblieben, das etwas zurückgesetzt von dem breiten Boulevard sich befand und einen Mann zeigte, der sein Gesicht hinter dem vorgehaltenen Mantel verborgen hielt: der anonyme Chronist König Bela's IV., ein ungarischer Geschichtsschreiber des dreizehnten Jahrhunderts.

Die Tante Ada Vuković hörte in Wien plötzlich zu stiefeln auf und saß fest: nämlich im ‚Imperial‘, in ihrem Zimmer. Größte Besorgtheit der Chlamtatschs. Aber ihr Hausarzt, der Doctor Felix Gewinner, sogleich dorthin gebeten, sagte – nachdem er auch noch einen Neurologen beigezogen – es sei eigentlich rein garnichts. Eine Lumbago, ein ‚Hexenschuß‘, wie man's nennt. Die gute Tante renne zuviel herum, sei das rasche und viele

Gehen auf dem harten Pflaster nicht gewohnt, obendrein schwitze sie dabei, und habe sich wahrscheinlich verkühlt. Wenn sie nur wieder halbwegs sich bewegen könne – was die verschriebenen Einreibungen bald zuwege bringen würden – dann möge sie heim auf's Land fahren, und alles käme dort von selbst in Ordnung.

So geschah's denn auch später. Aber für's Reisen war sie noch etwas unbehilflich. Sie mußte begleitet werden. So weit ging nun die Erbschleicherei der Chlamtatschs doch wieder nicht. Zudem wäre die schmächtige Eugenie kaum im Stande gewesen, das gewichtige Frauenzimmer zu manövrieren, heißt das, ihr etwa die nötigen Hilfen beim Erklettern einer Waggontreppe zu geben. Und der Sektionschef saß sogleich im Amte ganz unabkömmlich fest. Es kam die Sache an Zdenko, bei dem die Pfingstferien heran nahten. Er war's gleich zufrieden. So konnte das Terrain für den Sommer recognosciert werden.

Als er dann zu Pfingsten mit der Tante über den Semmering fuhr (in Wien hatten beim Einwaggonieren selbstverständlich die Eltern samt Stubenmädchen mitgeholfen) wünschte die Frau von Vuković sich in den Speisewagen zu begeben, was übrigens ohne besondere Mühe bewerkstelligt ward. Dort, nach einem ausgiebigen Essen, zu welchem sie eine Flasche Rotwein fast allein ausgetrunken hatte, bestellte sie beim schwarzen Kaffee mehrere große Cognacs, von denen auch Zdenko einen bezwingen mußte.

Kurz, er sah, daß sie soff; und verstand damit ihre Beschwerden etwas besser. Man wird Cognac kaum als ein Anti-Rheumaticum bezeichnen können. Sie hatte es in Gegenwart der Eltern so gewissenhaft vielleicht nicht gebraucht, und die Ärzte hatten sich wohl diskret verhalten. Nun aber schien es der Tante Ada sozusagen zu dumm geworden zu sein, und sie setzte wieder einmal ordentlich einen drauf.

Zdenko berührte dies merkwürdigerweise sympathisch. Nicht etwa, daß ihm selbst zu solchen Anti-Rheumaticis ein sonderliches Verhältnis geeignet hätte. Aber er fühlte, daß auf dieser Basis mit der Alten leichter würde auszukommen sein, ja ohne besondere Beschwernis und Inanspruchnahme durch sie. Zudem: Trinker sind immer humaner als Nicht-Trinker. Sie lassen eher mit sich reden, und wenn sie nicht mehr reden können, ist es ja noch besser.

So schwand schon jetzt – während die besonnten Fernen und Felsen der Semmeringstrecke wechselnd in die wendenden und leicht schwankenden großen Fenster des Speisewagens fielen – eine gewisse Besorgnis dahin wegen dieser Tante, wie sie Zdenko vordem noch gehegt hatte. Und in der Tat, er sah jetzt recht: denn in Vanice blieb sie dann während der paar Tage seines Aufenthaltes fast vollends unsichtbar, und meist servierte der Diener dem jungen Herrn die Mahlzeiten allein.

Jetzt, nachdem er sein Objekt aus dem Speisewagen wieder in's Abteil gesteuert hatte (eine flache kleinere Reiseflasche war noch mitgenommen worden), schlief Zdenko gleichzeitig mit der Tante Ada auf seinem bequemen Polstersitze ein. Er war an einen, auch geringfügigen, Gebrauch von Anti-Rheumaticis nicht gewöhnt.

Zu Konstantinopel – dessen berühmte Einfahrt aber von den am Vorderschiff der ‚Cobra‘ versammelten Passagieren bei sehr dunstigem Wetter erlebt worden war – hatte sich der Doctor Harbach unseren beiden Reisenden mit deren Einverständnis angeschlossen, vornehmlich deshalb, weil sie nach Budapest wollten: hier gab es ja die Russows, und für ihn also einen Anziehungspunkt. Während die beiden Herren ihren Geschäften nachgingen, bummelte er umher. Die Hauptsache war dann Bukarest. Dort gollwitzerten sie mehrere Tage; Doctor Harbach speiste in üppigen Restaurants, wo dem Gaste zur Genehmigung Fisch oder Fleisch erst in rohem Zustande vorgewiesen wurden, die er dann rückwärts auf dem Roste braten sah.

Es ist kennzeichnend für die Lage, daß Chwostik – sozusagen mit einem gesenkten Seitenblicke auf Donald – nicht ungern den Arzt in ihrer Gesellschaft wußte, auch abgesehen davon, daß ihm manches Gespräch mit Doctor Harbach viel Neues brachte;

und lernen wollt' er ja immer, der Pēpi, das war der Grundbaß bei ihm: ein alter Appercipierer. Im übrigen wußte wohl auch der Arzt schon einiges über den jungen Engländer, wenn er auch, nach der Abfahrt von Beirut, nicht bemerkt hatte, wie jener das abgebrannte Streichholz statt der Shagpfeife zwischen die Lippen schob, bei scheuendem Blicke der alten Kruhlow.

Belgrad, wo sie ihre Sachen mit dem Generalvertreter Ingenieur Wosniak abmachten, brachte einige Erleichterungen für Chwostik. Hier endlich konnte er sich aussprechen über alles, was Clayton bros. und damit auch ihn selbst betraf. Im kühlen Hinterzimmer von Milo's Comptoir im Hotel an der Kralja Milana – wo selbstverständlich alle drei Herren wohnten – tranken sie einige Baracks, und es erscheint bemerkenswert, daß bei Chwostik hier doch die Diskretion durch die fremde Luft sich lockerte. So erfuhr denn Milo, wie die Sachen jetzt, und nach gefallenem Vorhange, wirklich standen.

Sein Blickpunkt war gegeben: Vermeidung von Komplikationen für Pēpi, und dessen Vorteil überhaupt. So empfahl er zunächst strikte Nicht-Intervention – die sich ja eigentlich von selbst verstand – sagte aber darüber hinaus noch, daß ein Zustand wie der Donald's unberechenbare Möglichkeiten und Gefahren berge; und Chwostik möge sich durch die oft glatte Oberfläche nie täuschen lassen. Durch diese sah er also offenbar hindurch, der Milo.

Nach solchen mitgegebenen Lehren traf man etwa zehn Tage vor Pfingsten in Budapest ein, und wohnte im ‚Britannia‘. Doctor Harbach besuchte gleich die Russows während Donald und Chwostik sich ‚dans la même branche‘ betätigten, und dabei die Herren Putnik und Gergelffi kennen lernten, die ihnen bei der letzten Reise hier noch nicht untergekommen waren.

Was nun diesen Gergelffi betrifft – wer war er selbst eigentlich, darf man hier schon fragen, und abgesehen von seiner lebhaften und genauen Anteilnahme an László's Geschick? Nachdem er sich endlich gelöst hatte aus seinem langen Stillstand auf der Andrassy-ut vor dem Denkmal des unbekannten königlichen Notars und Chronisten, querte er die mächtig breite Fahrbahn, und trat dann auf der anderen Seite in ein großes Café, das fast so leer war wie die Straße, und offensichtlich bald schließen wollte. Aber er bekam noch seinen Schwarzen. Der Wein verflog. So hatte er's wollen. Nun machte sich Tibor wieder auf den Weg in die Dörbentei-utca, wo er eine kleine aber elegante Wohnung besaß.

Er war seinem Vater schon recht sehr ähnlich, muß man sagen, in der schmalen Figur, im Gang, im mageren, etwas engen und verstockten Gesicht. Sogar die Vorliebe für starke Parfums teilte er mit dem ‚Schaffer‘ des alten Globusz, welche Vorliebe eigentlich für solch ein ökonomisches Organ als etwas ungewöhnlich erscheint. Aber Ungarn ist eben nicht Oberösterreich oder Niederbayern. Auch ein guter Reiter war Tibor, wie der Vater.

Nach langen Jahren wieder einmal in Moson bei diesem zu Besuch, ward er diesmal von zwei biederen alten Weibern bedient und verwöhnt, die ihm vordem und als Jüngere kaum aufgefallen waren. Jetzt gefielen sie ihm sehr, ihrer Gutartigkeit und Arglosigkeit wegen; und er fragte den Alten, woher die eigentlich kämen.

„Von der Straße“, sagte Vater Gergelffi, „waren Huren in Wien.“

Viel später erst zeigte sich, daß diese bündige Auskunft in Tibor Gergelffi's geistigem Haushalt eine Rolle zu spielen begonnen hatte: nämlich als ein Vehikel seiner Skepsis, die sich leicht in einem einzigen Satze zusammenfassen ließe: ‚Stimmt es irgendwo nicht, dann stimmt es eben nirgends.‘ So etwa sah das aus.

Wahrhaftig, wäre es ihm möglich gewesen, Margot auf gewissen ihrer Gänge ungesehen zu begleiten, es hätte sich bestätigt gefunden.

Zum Beispiel im Museum römischer Altertümer jenseits des Schwabenberges.

Die Hochzivilisierten haben zu allen Zeiten nicht nur Comfort gehabt (wie etwa das elegante römische Badezimmer im Museum zu Deutsch-Altenburg beweist), sondern auch sehr viel Überflüssiges und mehr oder weniger gefälligen Kram, den wir teilnehmender betrachten als die großen Werke der Vergangenheit, weil er uns ähnlicher ist. Damals wie heute gab es eine Armee von Menschen, die derlei sich ausdachten, erzeugten und unter die Leute brachten. Das Altertum war nun auf gewissen zentralen Lebensgebieten erstaunlich unbeschwert (wenn auch nicht in verdrückter und grauslicher Weise unanständig), und es gab denn auch zahlreiche Nippes-Figuren, die heute schwerlich jemand in seinen Zimmern zur Aufstellung bringen könnte, so vorzüglich sie gearbeitet waren. Die Grenzen des Möglichen sind bei uns hier wesentlich enger gezogen. Beliebt scheint bei römischen Herren (auch Damen?) der Affe gewesen zu sein, in winzigen Formaten, und auf äffische Weise sich amüsierend: es gab sogar bewegliche Plastiken dieser Art.

Alles derartige war im Museum hinter dem Schwabenberge in einem gesonderten kleinen Zimmer untergebracht, in welches nur die Herren geführt wurden, wenn etwa eine Gesellschaft beiderlei Geschlechts die Sammlungen besichtigte. Wie es der Aufseher, ein stattlicher Mann und ehemaliger Honved-Feldwebel, hielt, wenn nur Damen kamen, ist nicht erprobt worden. Margot jedenfalls kam allein. So hatte sie bald und mehrmals Gelegenheit, alles und jedes zu besichtigen.

Deswegen hat Gergelffi noch lange nicht recht mit seinem absurden Lehrsatze: ‚Stimmt es irgendwo nicht, dann stimmt es eben nirgends.‘

Sogleich gaben die Russows ein großes Abendessen, gewissermaßen für Doctor Harbach und die Herren, welche mit ihm reisten; doch war es zugleich ‚de la même branche‘; jedenfalls wurden Putniks und auch Tibor eingeladen.

Die Hitze war inzwischen bedeutend geworden, und im Speisesaal bei Russows liefen vier Ventilatoren und ein Zerstäuber für Coniferen-Sprit.

Es war eine Wohltat. Chwostik und Donald kamen freilich nicht verschwitzt und aus Geschäften hierher, sondern vom ‚Britannia‘, wo sie sich umgezogen und dabei ausgiebig geduscht hatten. Als sie hinab kamen, saß der Doctor Harbach schon in der Halle, gleichermaßen erfrischt und im Abend-Anzug.

Noch immer vermeinte Donald, einen Schleier vom Hitze-dunkel dieser Tage vor den Augen zu haben, es ließ sich nicht wegbringen und lag fast wie Spinnweben vor dem Gesicht. Selbst unter der Brause hatte er das gespürt, zwischen sich und der weißgekachelten Wand. Es erzeugte ein Gefühl von Unge-schicklichkeit, von Verschleierung des Vorfeldes, möchte man sagen; vielleicht auch einen ganz leichten Schwindel.

Nach kurzer Wagenfahrt blieb man dann bei Russows glück-licherweise so gekühlt, wie man war.

Aus einer solchen erträglichen, aber noch immer leicht ver-schleierten Verfassung erblickte Donald die Frau Margot Put-nik, Schwester von ‚La Reine‘, zum ersten Male.

Gergelffi, ein Smoking unter Smokings, stand dabei, als er ihr vorgestellt wurde, in einem Salon, gekühlt wie der Speise-saal, dessen Türen jetzt noch geschlossen waren.

Heftig erhob sich in Tibor jener für ihn so spezifische Wunsch, scharf zu sehen, sein Hunger nach Auffassung, möchte man fast sagen. Donald war durch einen obschwebenden Lüster klar be-leuchtet. Sie aber stand, gleichsam zurückgetreten hinter eine gedämpfte Lichtwand, im topasfarbenen Scheine einer Steh-lampe. Dennoch erkannte Gergelffi in ihrem Gesicht, welches er sonst – bis auf den Augenblick, da Petöfi's Verse von ihr rezi-ziert worden ware. – nur zu sehen bekommen hatte wie ein Fen-ster, das man gewohnt ist, stets mit Laden dicht verschlossen zu erblicken, ein Aufblitzen, gleichsam durch Ritzen nur erkenn-bar, aber doch als das Zeichen eines Erwachens bei ihr: im Au-genblicke, als sie Donald sah.

Und damit fiel für Tibor der Akzent auf den einzigen mög-lichen Weg, den es für László Putnik in die Freiheit, heißt das: nach Bucuresti, noch geben konnte.

Sofort ward dies verwischt und verstellt durch Äußeres, das sich dazwischen schob, den Herrn Doctor Harbach, mit dem man sich eben bekannt machte, durch Irma Russow, die ein Tablett mit Gläsern darbot, durch die feinen kleinen alten Russows, die ihn anredeten. Und bald auch eröffnete man die Flügeltüren des Speisesaales.

Wie vordem neben ‚La Reine‘ saß Donald jetzt neben deren Schwester: aber nicht angeknallt von einer Pracht im allseitigen Licht. Die Verschleierung durch das Hitzedunkel, mehrmals heute während dieses ersten Tages in Budapest von ihm empfunden, hatte sich in verwandelter und gekühlter Weise hierher übertragen; und wäre für ihn nicht eine seltsame Ungeschicklichkeit (sogar in den Händen) fühlbar gewesen, er wäre in ein schwebendes Wohlbefinden eingegangen, ohne Rest. Was neben ihm sich regte mit den Händen über dem Teller, mit dem leisen Klirren des Besteckes, das war wie eine plötzlich herangeflogene Hoffnung, eine schon nicht mehr erhoffte offene Tür.

Sofort auch erkannte Donald, daß Beirut kein Gesprächsthema für seine Tischnachbarin zu sein schien, und verließ es, und erzählte ihr lieber von den Posaunenbläsern auf der ‚Cobra‘, und wie die Bevölkerung am Quai das Abschiedskonzert acclamiert habe. Sie lachte herzlich. Gergelffi sah es, schräg über die Tafel.

Er ordnete sich, rasch und energisch denkend, unser Tibor. Hierher war er ja mit einer fertigen und festen Absicht gekommen, die allerdings jemand ganz andern betraf als László, nämlich den Engländer selbst und seinen Prokuristen. Nun aber, als von ihm einmal aufgefaßt worden war, wie es da hinter Margot's dicht geschlossenen Laden geblitzt hatte beim Anblicke Donald's, und jetzt, während er die beiden unvermerkt beobachtete, zeigte sich ihm nochmals und deutlicher der Ansatzpunkt einer ganz anderen Möglichkeit: nämlich einer solchen zur Befreiung Putnik's.

Es galt beides überein zu bringen.

Dies wurde ihm auf der Stelle klar, hier bei Tische.

Das Wie mußte sich finden.

Der alte Globusz in Mosonszentjanos hatte es weit gebracht, er war ein reicher Mann geworden. Aber sein Maschinenpark war inzwischen total veraltet. Hier stand die Notwendigkeit einer Neu-Ausstattung unmittelbar vor der Tür. Wenn es ihm gelingen würde, den Engländer nach Moson zu bringen, immer im Auftrage der Budapester Handelsgesellschaft, in deren Diensten Tibor stand, um dort, bei den durchgehenden Neuanschaffungen, von den Lokomobilen bis zu den Heu-Wendern, besonders günstige Bedingungen von Seiten des Werkes Clayton & Powers zu erhalten: der Position seines Vaters würde damit gedient sein, seiner eigenen bei der Budapester Firma noch dazu, und dem alten Globusz ja erst recht. War es nicht möglich, den Engländer als Experten nach Moson zu lotsen, um sachverständig feststellen zu lassen, was alles notwendig sei, und von ihm und dem Prokuristen gleich ein bevorzugtes Offert zu erhalten?! Alle Lieferungen müßten freilich über das Budapester Haus abgewickelt werden; aber bei günstigsten Conditionen konnte man wohl auch Moson gegenüber dann unterm Preise bleiben, schon in Anbetracht dessen, daß hier ja komplette Serien in Frage kamen, und, obendrein noch: Globusz war flott liquid. Das konnte mit gutem Gewissen in Aussicht gestellt werden. Jeder Skonto, welchen jener dann erhalten mußte, war ja, bei der Promptheit der ganzen umfänglichen Aktion, vom Wiener Werke leicht wieder hereinzubringen.

Dabei: daß die Herren nach Kroatien weiter zu reisen gedachten, war Gergelffi bereits bekannt.

Moson lag fast am Wege.

Die Firma wird einen Wagen stellen.

Und an Ort und Stelle würde eine opulente ungarische Gastfreundschaft auch noch das ihre tun.

Zudem gab es in Moson jetzt schon so etwas wie ein Herrenhaus. Der alte Globusz hatte gebaut – er selbst allerdings blieb nach wie vor in seiner Bauernkate wohnen. Aber eine Zeit hindurch waren von ihm Heiratsgedanken genährt, wenn auch zuletzt nicht realisiert worden. Nun stand die Villa da: und mit allem Comfort. Man konnte sich sehen lassen.

Das alles dachte Gergelffi bei Tische. Nach Tische galt es, mit dem Engländer Kontakt zu kriegen. Vor dem Prokuristen mußte man sich wohl ein bißchen in acht nehmen; der war so ein Wiener Schlauberger; ein gerissener Bursch wahrscheinlich; sprach sogar passabel ungarisch mit der alten Russow. Das fließende Französisch, in welchem Donald sich mit Margot unterhielt, war von Tibor natürlich schon bemerkt worden. Aber auf dieses Eis würde er sich nicht locken lassen. Er hatte Donald im Lauf des Tages einmal eben so gut deutsch sprechen gehört. Dabei sollte es bleiben. Ob er wohl auch ungarisch verstand? Bei einem Engländer doch unwahrscheinlich. In diesem Punkte aber hieß es jedenfalls vorsichtig sein, schon des Wiener Prokuristen wegen. Bei Tische sitzend beschloß Tibor, noch heute nacht einen Eilbrief an seinen Vater nach Moson zu schreiben. Auf den Alten konnte er sich verlassen. Der besaß Charme, Chic, ja sogar Eleganz, und würde sicher alles auf's beste vorbereiten und arrangieren. Kutschierwagen, Reitpferde, hübsche Mädeln zur Bedienung, und dort, wo's verläßlich sein mußte, beim Stiefel- und Kleiderputzen und dergleichen, die beiden Alten. ‚Waren Huren in Wien'. Tibor lächelte, nahm Urlaub von seinen Denk-Akten, und wandte sich dem Geplauder eines Herrn Ingenieur Radinger aus Wien (dort wurde er ‚der Schlafwagen-Gent' genannt!) mit einer Nichte der Frau Russow zu, einer jungen Dame von beachtlicher Hübschheit, aber nicht nach Gergelffi's Geschmack (den würden wir schon gerne einmal kennen lernen – vielleicht ‚hübsche Mädeln' in Moson?). Das Gespräch zwischen Radinger und seiner Tischdame wurde in deutscher Sprache geführt.

Eine polyglotte Abendtafel, möchte man sagen. Der Doctor Harbach sprach bei Tische anhaltend mit Irma Russow, doch war der Gegenstand ihrer Unterhaltung für andere nicht feststellbar, sie blieb tief unter dem herrschenden Stimmengewirre, schien sich aber dort weitläufig zu verzweigen. Dieses Gespräch hatte also einen Gegenstand, was ja sonst in Gesellschaft kaum

346

der Fall zu sein pflegt. Nicolette Gaudinger, die Nichte der Hausfrau, vom ‚Schlafwagen-Gent' auf's äußerste gelangweilt, der das seinerseits in keiner Weise zu bemerken schien, versuchte wiederholt, zu Harbach und seiner Tischdame hinüber zu lauschen, vielleicht sogar in der Hoffnung, sich als Dritte an deren Gespräch gleichsam anhängen zu können, aber vergebens. Die beiden murmelten rasch und beachteten niemand.

Die Mama Russow war damals sehr zufrieden. Oft fühlte sie mit Schmerz, wie wenig das Elternhaus, bei allem Reichtum, diesem lieben und begabten Kinde zu bieten hatte, dem leider jene bunten Aushänge-Wimpel fehlten, die gemeiniglich ein Frauenzimmer unter die Leute bringen. Dabei war Irma Russow, recht besehen, keineswegs als unhübsch zu bezeichnen. Ihr eignete eine gute Gestalt, größer als Vater und Mutter, und ihr Antlitz unter dem aschblonden Haar war erleuchtet und verschönt durch ein tiefes und sensibles Wohlwollen. In Deutschland hätte das Mädchen vielleicht sein Glück gemacht. Für hier aber, und wohl auch für Wien oder Paris, fehlte ihr allzusehr jede Brillanz.

Eben das dachte jetzt Frau Russow und war glücklich, daß ein so intelligenter und gut aussehender Mann, wie der Doctor Paul, dessen großes Elternhaus zu Wien sie ja kannte, seine Aufmerksamkeit ausschließlich und eifrig ihrer Tochter widmete.

Es blieb den ganzen Abend so. Auch als man nach Tische den Speisesaal verließ und in einen anderen, weit geräumigeren Salon trat als jener, in welchem empfangen worden war. Sie verstanden es, nebeneinander zu kommen, nebeneinander Platz zu nehmen.

Dem Gergelffi gelang bald sein Plan, den er ganz beiläufig und harmlos einkleidete, wie einen unerfüllbaren Wunsch bedauernd vorbrachte, von Moson erzählend, vom ungarischen Landleben. Ganz zuletzt und im Hintergrunde marschierten erst die Maschinensätze in langen Reihen auf. Wenn das möglich wäre, wenn sie seinem alten Onkel (Globusz war es garnicht) entgegenkommen könnten! Nun, ein glattes Kassa-Geschäft. So kriegte er Chwostik. Das werde sich schon finden, meinte dieser. Donald, wieder neben Margot sitzend, war während dieses ganz beiläufigen, die Sache nur streifenden Gesprächs, voll in seiner Funktion als Briefbeschwerer.

Der Brief an den Alten hat jetzt schon Hand und Fuß gekriegt, dachte Tibor.

Hier war ein Glücklicher, der Doctor Harbach, und einer, der es fast schon werden wollte, weil er Erleichterung empfand, Donald.

Im ersteren Falle ging alles glatt. Im zweiten war Donald entschlossen – und zwar sofort, ohne jede Überlegung – die Margot Putnik einzunehmen wie ein Kopfwehpulver, überzeugt von der Wirksamkeit dieses Medikamentes. Es half daher jetzt schon. Fest entschlossen auch war er diesmal, nichts zu versäumen, bereit zu jeder Aktivität.

Heute nennt man das ‚Flucht nach vorne‘. Solche fesche Ausdrücke waren damals noch unbekannt.

Dem Leser und dem Autor wird angst und bang. Der Lulatsch ist also wirklich im Begriffe, unter die Leute gebracht zu werden, genug Wucht und Druck war dazu erforderlich, das kann man sagen.

Auch hier ging eigentlich alles glatt, genauer: glatt bergab, holterdiepolter! Schon war man bei Putniks eingeladen. In diesem Budapest folgte also ein Fest dem anderen. Gergelffi's Weizen blühte, nicht nur der Mosoner (der Besuch Donald's, Chwostik's, ja sogar des Doctor Harbach, den Tibor für eine Art Leibarzt des Engländers hielt, war schon zwei Tage später fest abgemacht!) sondern, sagen wir einmal: der Bucarester Weizen. Bereits wußte es Tibor: daß Donald den Kopf verloren hatte; einigermaßen rasch; freilich hielt er das nur für eine Wirkung von Margot's Reizen, ohne Kenntnis der ferner liegenden Hintergründe, wie er eben war.

Vor einem Skandal hatte Gergelffi nicht die geringste Scheu. Nur durfte es eben nie einer zwischen ihm und dem Engländer werden. Und im optimalen Falle hatte alles mit zwei Fluchten zu enden: mit der Clayton's nach Moson, und mit jener László's nach Bucuresti. Garnicht dumm das Ganze.

Der Doctor Harbach setzt uns in Erstaunen. Nicht, weil er sich nach drei Tagen mit Irma Russow verlobte. Dies finden wir durchaus begreiflich. Sogar Fräulein Gaudinger fand es begreiflich, obwohl sie ja hier Partei war, und sie zeigt uns damit, daß sie was wert ist. Sondern: daß er dann, nachdem alles im großen und ganzen gemäß jenem Gergelffi-Plan verlaufen war, mit Donald Clayton und der liebenswürdigen Runzel Chwostik weiter reiste, statt bis zum Ende seines Urlaubes in Budapest und bei seiner Braut zu bleiben.

Ein Außenstehender, auch bei seiner eigenen Verlobung. Er bracht' es fertig.

Außenstehend auch, weil er's vermochte, seine eigenen Zweifel bei dieser Angelegenheit klar als ein conventionelles Beiwerk zu durchschauen, das hier einfach dazugehörte (‚drum prüfe, wer sich ewig bindet' – feine Prüfung, eigentlich sehr ordinär!). Er wußte genau, daß er das einzig Richtige tat. Außenstehende tun immer das Richtige. Es hat sich in seinem Falle später durchaus erwiesen.

In Wien, heißt das in der Reichsrathstraße, beziehungsweise in Hacking, befand man dann diese Verlobung ebenfalls als sehr richtig, nicht so sehr in Ansehung der Person Irma's (die man ja nur als Backfisch gekannt hatte), sondern im Hinblick auf die Vermögensverhältnisse der Braut, welche diese Heirat eigentlich als eine Rückkehr des Sohnes in die angestammte gute Gesellschaft (wofür man sich durchaus hielt) erscheinen ließen.

Das mit der Abreise Doctor Pauls aus Budapest war übrigens so schlimm nicht. Es wurde ja noch im gleichen Sommer Hochzeit gemacht.

Sie war ein älteres Mädchen, über dreißig, und Harbach auch nicht mehr ganz jung, vielleicht in einem drei bis vier Jahre höheren Alter als Irma Russow. Als sie ihn beim Empfang in ihrem Elternhause nach nun sechzehn Jahren wieder erblickt hatte, geschah ihr eine Versehrung wie von einer Stichflamme. Von diesem Augenblicke an lebte sie zu ihm hingewandt, als ein Pflanzenwesen, das die Sonne sucht.

Natürlich hatte man die Alten bald in aller Form eingeweiht, und Irma fand es garnicht lächerlich, als Paul beim Vater um ihre Hand anhielt (man erinnert sich hier gern an Monica Bachler's schallendes Gelächter im Bureau über ähnliche Absichten Robert Clayton's).

Gleichzeitig mit diesen erfreulichen und rührenden Ereignissen wurde Margot durch Donald's programmatische Aktivität – die er sich gewissermaßen selbst zudiktiert hatte – erst erschreckt, schließlich in Wut, und ganz am Ende zur Verzweiflung gebracht.

Dabei gefiel ihr der Engländer: und das sogar sehr! Aber in ihrer durchaus gefesselten Lage wurde alles damit nur noch schlimmer. Ein radikaler Rückzug war unmöglich, László's wegen: er beanspruchte sie. Jetzt brauchte er Margot, ihren diskret-glanzvollen Auftritt, bei den Geselligkeiten und Unterhaltlichkeiten, die hier aufeinander folgten. Sie aber sehnte sich nach Ruhe und nach jenem friedlichen Grabe aller ihrer Wünsche dort jenseits des Schwabenberges, im stillen Museum, in des Aufsehers kleinem Zimmer. Hier allein konnte sie die Führung behalten, einem Einfältigen und Anbetenden gegenüber, der es nie gewagt hätte, auch nur eine Linie breit hinaus zu gehen über das von ihr Gewährte und über die Art, wie sie es zu gewähren wünschte.

Natürlich gingen Gergelffi's Überlegungen immer davon aus, daß Margot letzten Endes völlig unzugänglich sein mußte (von ihren Besuchen im Museum der Altertümer wußte er ja nichts). Aber was ihm bekannt war, durch László, das war dem Engländer ja unbekannt. Donald abzubremsen mußte für Margot fast unmöglich sein, und das Entstehen einer kompromittierenden Situation, in welche sie geraten konnte, blieb nicht ausgeschlossen.

Es erscheint bemerkenswert, daß, gerade als der Unglückselige ihr zunehmend und heftig den Hof zu machen begann,

sich in Margot ein furchtbarer Haß gegen alle Mannsbilder überhaupt erhob, mit der einzigen Ausnahme jenes recht ansehn-
lichen, aber unterwürfigen Wesens im Museum.

Dennoch erlag sie, und es ist nicht zu leugnen, daß László sie
dabei indirekt leitete. Bei dem Souper im Hause Russow hatte
er die Ehre gehabt, neben der alten Dame zu sitzen und sie nach
Kräften unterhalten, während sie dann und wann einen wohl-
gelaunten Seitenblick zu ihrer Tochter und Doctor Harbach
hinüber entließ. Und nach Tische, im großen Salon, war Margot – und damit Donald Clayton, der sich fast den ganzen Abend
an ihrer Seite hielt – von ihm vermieden worden, wohl auch
deshalb, weil er sich der hübschen Gaudinger widmen wollte,
die oftmals seine Tennispartnerin zu sein pflegte. Am Platze
fiel Nicolette insofern auf, als sie ihre weißen Röcke (für die Begriffe von damals) sehr kurz trug. Warf sie das Bein, dann konnte
man es oft bis weit über's Knie hinauf sehen. László wartete
schon immer darauf, ja, er versuchte sogar, das durch entspre-
chendes Placieren der Bälle zu erreichen. Im Salon bei Russows
war ihm übrigens der dumme Radinger aus Wien im Wege gewesen.

Es scheint, im ganzen, daß er die Spannung zwischen dem,
was seine Ehe – die man jetzt für eine gerettete, wenn nicht
schon consolidierte zu halten begann – vor der Welt darstellte,
und der Nicht-Existenz dieser Ehe in der Realität, immer schwerer ertrug; und so dürften sich seine Gedanken wieder häufiger
nach Bukarest und zum Onkel Putnik gewendet haben, dem er
um diese Zeit sogar einen Brief geschrieben hat. Allerdings ohne
Vertraulichkeiten. Einen Brief, nur um dieses Eisen im Feuer
zu halten. Eben beim Schreiben des Briefes aber dachte er daran, sich später einmal in Bucuresti dem Oheim gänzlich zu eröffnen, um der Rechtfertigung willen. Und mit solchen Gedanken waren doch die Sachen schon erheblich weit gediehen. Wie
immer in derartigen Lagen, kam Äußeres noch hinzu. László's
Chef, der alte Meszaros, lag ihm fast täglich in den Ohren, er

möge doch das und jenes hier und jetzt vorläufig einmal erledigen, um für ein paar Tage nach Bucuresti zu seinem Onkel fahren zu können. Aber freilich hatte Meszaros dabei nicht László's Privatangelegenheiten im Auge (von denen er kaum was wußte), sondern die Ausnützung einer verwandtschaftlichen Beziehung für's Geschäft. Es sollte mit Gollwitzer & Putnik ein Arrangement zustande gebracht werden, durch eine Art von Spezialisierung beider Häuser, damit man mit dem Vertrieb gewisser kleinerer Maschinensätze sich gegenseitig nicht im Wege wäre. Wenn das Leben so will, erhält alles eine Art Ziehung irgendwohin, in diesem Falle nach Bukarest.

Margot aber erlag insoweit, als sie bereit war, Donald zum Tee zu erwarten. Dies mit Wissen László's und Bestärkung durch Gergelffi, der solche anmutige gesellschaftliche Wattierung geschäftlicher Beziehungen als überaus vorteilhaft erklärte. Morgens entschuldigte sich Putnik dann bei Donald – den er zu diesem Zwecke im ‚Britannia' telephonisch anrief – weil er am Nachmittage durch Eintreffen einer Großkundschaft vom Lande draußen leider unumgänglich abgehalten sei. Dies traf sogar zu, wenn auch nicht unumgänglich. Aber vielleicht begriff er Tibor bereits, ohne Worte, versteht sich.

Kurz nach fünf Uhr hatte Putnik seine Sachen abgemacht und traf sich mit Gergelffi in jenem Café an der Andrassy-ut, wo Tibor vor nicht langer Zeit, vom Denkmal des unbekannten Chronisten kommend, mit einem ‚Schwarzen' die Geister des Weines vertrieben hatte.

Sie gehörten verschiedenen Handelsgesellschaften an, der Tibor und der László, das muß hier nachgetragen werden, wenngleich ‚de la même branche' (beide von Clayton & Powers beliefert). Doch hielten sie ja ständig Kontakt, nicht zu ihrem Nachteile, versteht sich, und nicht einmal zum Nachteile ihrer beiden Firmen. Man blieb auf dem Laufenden, ja, man verteilte die Geschäfte. So etwa war der Firma Gergelffi's Moson überlassen worden, nicht ohne Gegenleistung in einer anderen Sache freilich. Zu dieser nun bedurfte es jetzt des eben fertiggestellten Hauptkataloges von Meszaros & Gaudinger (so hieß das Haus, in welchem László tätig war), und dieses Buch hatte Putnik in seiner Wohnung am Ligeti-fasor liegen lassen.

Gergelffi, dem die Sache dringend war, schon um sich wegen Moson zu revanchieren, und der heute noch Gelegenheit haben sollte, jenen Katalog weiter zu reichen, sagte: „Ruf an zuhause. Lass den Janos das Buch herbringen." Jetzt erfuhr Tibor, daß Diener und Köchin heute beurlaubt seien, das Mädchen aber den Tee servieren müsse. Er bewahrte volle Ruhe, er berührte mit ruhiger Hand eine einmalige Möglichkeit, indem er leicht-hin sagte: „Nimmst ein Taxi, fahrst heim, setzt dich anstands-halber eine Viertelstunde zum Teetisch und machst Conver-sation mit dem Engländer, dann schnappst das Büchel und kommst hierher. Ich wart'. Gleich wieder weg gehen kannst auf garkeinen Fall. Sag' halt, daß du dich für eine halbe Stund' frei gemacht hast, um ihn wenigstens begrüßen zu können."

Mehr nicht, und dies wenige im beiläufigsten Ton. Man kann sagen, daß Gergelffi die Situation nicht nur genau erfaßte, son-dern sie völlig umfassend überblickte (ein gelernter Apperci-pierer!). Schon spürte er Putnik's Zögern, spürte es wie einen langsam sich spannenden Zug, fühlte, wie bei jenem jetzt alles auf der Spitze stand, um sich im nächsten Augenblicke zu neigen, und, nach welcher Seite immer: in eine Entscheidung.

Mehr nicht, kein Wort mehr. Tibor nahm eine Zeitung vom Tische und verschwand dahinter. Jetzt endlich rief Putnik den vorbeikommenden Ober an, um zu zahlen, der aber eilte davon. „Halt' dich nicht auf damit, ich mach's schon", sagte Gergelffi hinter seinem Zeitungsblatt.

László erhob sich, nahm seinen Hut und ging ohne ein weite-res Wort. Jetzt ließ Gergelffi den ‚Pesti Hirlap' sinken und sah ihm nach, wie er sich gegen den Ausgang bewegte. Und in die-sen Augenblicken erschien ihm Putnik wie ein Wägelchen, von ihm selbst auf vorher gelegte Schienen gesetzt.

Chwostik, das muß gesagt werden, und man kann's ihm in keiner Weise mindernd anrechnen, setzte auf Margot. Was wußte er schon? Nichts. Ihn mußte der Augenschein trügen.

So auch den Doctor Harbach, der, wenngleich verlobt, als Außenstehender einiges sah. Sie unterhielten sich in Chwostik's Zimmer im ‚Britannia' miteinander und tranken eisgekühlten Sherry-Cobler, ein Getränk, das damals in Mode gekommen war, heute aber auf dem Continent durch stärkere Sachen längst verdrängt ist.

„Ich habe leider Erfahrung in solchen Lagen, wie die Mr. Donald's", sagte Harbach. (Was einem Außenstehenden nicht alles passieren kann!) „Man läuft da mit Zwang in den Schienen. Eine Entgleisung kann herbeigeführt und sie muß riskiert werden. Nur so ist es möglich, einen derartigen Zustand zu coupieren, möchte ich sagen."

Man sieht da, sie müssen schon vorher über Donald sich unterhalten haben. Auch hier hatten sich durch die fremde Luft einige Bande der Diskretion gelockert. Wahrscheinlich wußte Harbach nicht nur von Monica, sondern auch von Clayton sen. Anders hätte Chwostik ihm die Sache kaum ganz verständlich machen können.

„Und Sie, Herr Doctor, ein Glücklicher, denken über einen Unglücklichen nach", sagte Chwostik, „das imponiert mir."

Hier hingegen, aus dem Anfang dieser Äußerung, kann ersehen werden, daß unsere Runzel im Laufe der Jahrzehnte sich einigermaßen entrunzelt, um nicht zu sagen entsäuert hatte. Aus der Adamsgasse kam jener Ton nicht.

„Ja, ich bin glücklich", sagte Harbach simpel.

„Sie haben auch allen Grund dazu. Eine Dame, wie das Fräulein Irma Russow, Ihre Braut, ist sozusagen vom Fleck weg zu heiraten, wenn es die übrigen Umstände erlauben. Und das ist ja bei Ihnen der Fall. Sie werden mit ihr, scheint mir, ein noch viel größeres Glück erleben. Sie wird erst als Ihre Frau eine ganz prachtvolle Entwicklung nehmen. Glauben Sie mir das. Ich fühle es so. Sie haben die Richtige."

„Ja", sagte Harbach, „auch ich erwarte es so, auch ich glaube das."

Sie hoben die Gläser und stießen auf Irma an. Vor drei Wochen hatten sie einander noch nicht gekannt, nie von einander gehört. Dem Chwostik ahnte dunkel, daß diese Reise mehr enthielt, mehr eröffnen wollte als er vorausgedacht und geplant hatte. Sie war, die Reise, eine umfangende und befangende Welt, sie hatte sich rundum geschlossen. Einen Blick lang sah er jetzt Donald und sich selbst nachts an der Paulanerkirche vorbeigehen, vom Wirtshause der Frau Maria Gründling kommend. Damals war es um das Gleiche gegangen bei Donald wie heute. Und doch schien alles jetzt gründlich verändert.

Gergelffi wartete fast eine Stunde im Café. Dann sah er noch einmal auf die Uhr, nickte befriedigt und rief: „Zahlen!" Den Katalog würde er heute nun nicht mehr kriegen. Aber in der Hauptsache ging vielleicht alles wirklich nach Wunsch.

Es hieß jetzt die Kleine treffen. Diesmal wollte er sie nicht in seiner Wohnung erwarten. Die Zeit war begrenzt; das vertrug Tibor nicht bei solchen Anlässen. Marika hatte schon gestern am Telephon gesagt, es werde für sie schwer sein, weg zu kommen, weil die Gnädige jemand zum Tee habe. Danach vielleicht. Nach dem Servieren. Den Abend werde sie aber bestimmt nicht frei kriegen. „Heut redest noch garnix. Erst morgen. Wenn 'st serviert hast, sagst, ob du auf zwei Stunden weg darfst, dein Bruder ist auf der Durchreise und steigt hier in Budapest um. Verstehst? Abends wirst wieder rechtzeitig da sein, ich garantier' dir dafür. Also, wenn du fertig bist, im kleinen Café beim Erszebet-ter. Du wartest auf mich oder ich auf dich; wer halt früher dort ist, wart' auf den andern. Ich werd' auch kaum pünktlich sein können. Um sechs Uhr herum halt. Ich muß dich morgen unbedingt sehen."

Sicher saß sie schon dort. Er nahm ein Taxi, und zehn Minuten später die aus dem Café geholte Marika an Bord (sie war seit mehr als einer halben Stunde da) und dann ging's dahin, zur csárda hinterm Schwabenberge. Dort war man vor allem und jedem sicher. Dorthin kam niemand.

Tibor erfuhr nichts Besonderes. Ein englischer Herr sei es. War schon früher da, auch beim Souper. Gute Trinkgelder. Nach Auftragen des Tees habe sie leise ihre Bitte vorgebracht. Die Gnädige sei böse gewesen, schon sehr, sie kenne ihre Gnädige! ,Das ist doch stark!' meint sie, weil heute die Köchin und der Janos, der Diener, auch Urlaub haben. Vor dem Gast aber hat sie nicht viel mehr sagen können. Nur: ,Schau, daß du fortkommst. Um acht Uhr mußt du hier sein.'

Nun gut. Hier war alles getan.

Tibor konnte sich dem zuwenden, was ihn gestern eigentlich veranlaßt hatte, so dringend ein Rendezvous mit der Marika herbeizuführen.

Man möchte von Gergelffi fast sagen, daß ihn die Passionen sehr vernünftig leiteten. Hier ist der Ort, wo sich seine merkwürdigen Gustos entschleiern, nach denen schon früher einmal gefragt worden ist. Seit gestern brannte er darauf, mit Marika darüber wenigstens zu reden (alles sonst war bereit). Bis zum Sonntag und zu ihrem Ausgange zu warten, schien unerträglich. Danach mußte er nach Moson. Wenn er sie jetzt schon präparierte, würde es am Sonntage in seiner Wohnung mühelos gehen und das Vergnügen um so größer sein.

Also fragte er Marika, ob sie schon einmal ein ungarisches Bauern-Kostüm getragen habe, so eines wie in den Dörfern an der Theiss.

„Wer trägt das in der Stadt?" sagte sie. „Dazu gehören, glaub' ich, gar Stiefel."

„Freilich!" rief er. „Nur Stiefel!"

Wir legen hier gleichsam die Ohren zurück. Diese Stiefel erscheinen doch stark akzentuiert. Es sind uns Stiefel im Laufe dieser Erzählung nicht nur einmal begegnet. Zum Beispiel Feverl's Husarenstiefel in Moson. Ferner kürzlich die Stiefel der Frau von Vuković. Auch Stiefel des Autors (letztere in bezug auf einen Lulatsch). Aber diese Stiefel hier, mit denen hat es schon eine besondere Bewandtnis. Sagte etwa Finy einst und wiederholt zu Feverl ,in Stiefeln net' (so daß wir es ihr zuletzt nachgeredet haben), so hieß es dagegen bei Gergelffi auf's entschiedenste: ,in Stiefeln nur'. Und so mußt' er es auch bei seiner Marika dahin bringen.

Also im ganzen: ein rusticaler Geschmack. Vielleicht leitete ihn der auch nach Moson. Dort gab es freilich viele Mädeln in Stiefeln (von der alten Feverl sehen wir jetzt ab). Merkwürdig doch, wie bei diesem Gergelffi die Sorge für einen Freund, das Geschäftsinteresse und die persönlichen Neigungen in eine und dieselbe Kerbe hieben. Ein begabter Mensch.

Als solcher fing er's richtig an, ganz hinten in einer Ecke des Wirtsgartens am grün gestrichenen Tische mit der Kleinen tuschelnd. Wie entzückend sie anzusehen sein müsse in solch einem Kostüm! In ihrer weizenblonden Schönheit! Er habe schon eines bestellt. Am Samstag könne sie es probieren; die Schneiderin werde es, fast fertig, in seine Wohnung bringen, es sei für ihre Größe gemacht. Und von einem Schuhgeschäft kämen sie auch mit diversen Stieferln für ihre winzige Schuhnummer (sie war garnicht so klein), er habe es beim Chef des Geschäftes erreicht, daß Samstags am Nachmittag jemand komme, die älteste Verkäuferin (,gute Trinkgelder'). Eines von den Paaren würde sicher passen. Sie hatten eigens bestellt werden müssen. Wegen ihrer kleinen Füße. Diese Nummern seien nicht immer lagernd…

So ging's dahin, flüsternd, streichelnd und ihr schmeichelnd. Und warum eigentlich sollte sie ihm den Gefallen nicht tun? Er war ein reizender Liebhaber, der Tibor. Und ein Liebhaber mit offener Hand.

Samstag, am späteren Nachmittag, würde sie schon kommen können, auf eine Stunde, zum Probieren. Samstag und Sonntag sei der Janos da, weil der heute Ausgang habe. Immer mit der Köchin zugleich. „Er geht ja mit ihr."

„Und am Sonntag, bei mir in der Dörbentei-utca, wirst du prachtvoll sein in deinem Kostüm!" rief Gergelffi und hob das Glas mit dem roten Ofener. „Es lebe deine Schönheit!"

„Und was werden wir machen, wenn ich das Kostüm trage? Csárdás tanzen? Hast du für dich auch Stiefel daheim?"

„Csárdás tanzen – du kannst es so nennen. Aber ich brauche dazu keine Stiefel."

Sie lachten und tranken. Der Wirtsgarten lag fast leer. Nur ein einzelner Mann war gekommen und hatte sich weit ab von ihnen niedergelassen, mit dem Rücken gegen unser Paar. Die Abendsonne legte sich durch den Garten und an die verwitterte Wand des Hauses.

An diesem Nachmittage wartete Illek, der Aufseher im Museum, vergeblich. Wenn sie kam, dann geschah es eine Stunde etwa vor Schließung der Sammlungen; um diese Zeit hatte sich der Custos und Museumsdirektor, ein älterer Herr, der auch an der Universität über Archäologie las, immer schon wegbegeben. Ob sie kommen würde, blieb stets ungewiß. Ein Stelldichein gab es nicht, weder hier noch sonstwo. Er wußte nicht ihren Namen, nicht ihre Adresse. Sie ließ sich von ihm Mimi nennen. Mit alledem war gesetzt, daß sie jederzeit ganz ausbleiben, daß jedes Hiersein ihr letztes sein konnte.

So also lebte Illek. Im Grunde hatte er immer so gelebt, nämlich nie was besessen. Aufgewachsen im Waisenhause. Das Seilerhandwerk erlernt. Beim Militär dann geblieben, als längerdienender Unteroffizier. Auf diesem Wege ‚Certificatist‘ geworden, wie man es drüben in Österreich, und beim Heer überhaupt, nannte: Anspruch auf zivile Versorgung. Prüfung für die mittlere Laufbahn bestanden. Zunächst Museumsdiener geworden. Und immer noch ein junger Mann, lang keine fünfunddreißig.

Einmal hatte er etwas Großes erlebt, obwohl er nicht eigentlich hätte sagen können, was daran groß gewesen sei und worin hier die Größe bestand. An einer Truppenübung in der Gegend von Kaposvár hatten mehrere Bataillone Honved-Infanterie teilgenommen und auch einige Schwadronen von den roten Husaren der Honved, sonst alles vom Heer, ein Dragoner-Regiment, und selbstverständlich die ganze Artillerie, denn eine solche gab es weder bei der ungarischen noch bei der österreichischen Landwehr. Jenes Dragoner-Regiment hatte zu einer Attacke angesetzt, die ihm befohlen war, und ging bei dieser Attacke fast restlos zugrunde: so erklärten nämlich die Schiedsrichter angesichts einer ganz eindeutigen Lage. Der Befehl zur Attacke, welchen das Regiment erhalten hatte, war also ein verkehrter gewesen, und der ihn gegeben, mußte nicht lange danach in Pension gehen.

So erfuhr man damals hintennach. Als das Regiment, das da zugrunde gehen sollte (es war das siebente), in der Ferne erschien, im Aufmarsche bald ganz breit werdend, weil ja Schwadron nach Schwadron in die Front kam, lag der Feldwebel Illek am Bauch in einer der flankierenden Schützenketten der Bataillone, welche hier die Reiter erwarteten, ohne noch einen Schuss abzugeben, bis sie die Cavallerie gehörig im Kreuzfeuer haben würden. Dann erst schrillten die Trillerpfeifen, auch die Illek's, setzten die Maschinengewehre und das Schnellfeuer ein.

Was Illek groß erschien, geschah schon vorher. Der Tag war trüb, warm, mit finsterem tiefhängendem Gewölke. Der sehr trockene und staubige Boden ließ bei den Bewegungen der rund zweitausend Reiter ein ebensolches Gewölk in dichten Schwaden hoch emporsteigen, und sogleich, als nach vollzogenem Aufmarsche das Trabsignal erklang und bald danach Galopp geblasen ward, schien der Boden, wie das Fell einer Pauke, von dumpfem Donner gerührt. Aus dem finsteren Block des einher reitenden Regiments stachen die geblasenen Signale wie Blitze aus Gewitterwolken. Wenige Augenblicke später setzte das Geknatter der Infanterie ein – und auch schon wieder aus. Es war abgeblasen worden. Die Cavallerie kam zum Stehen und wurde ausgeschieden.

Was war hier schon groß? Aber Illek erlebte den fiktiven Untergang dieses so finster und ausgedehnt am Horizont erschienenen Reiter-Regimentes durchaus als den eines einzelnen Wesens, zu welchem ihm das Regiment geworden war, eines übermächtigen Geschöpfes, das doch hier sein Ende und seinen Zusammenbruch fand, wozu ja er, Illek, mit der Trillerpfeife das empfangene Signal weitergebend, für sein Teil auch beigetragen hatte.

Darüber empfand er sofort einen tiefgehenden Schmerz, und er empfand ihn heute noch, wenn er daran dachte, und konnte dann nur den Kopf schütteln.

Es war ja ein Manöver gewesen.

Gleichwohl.

Sie kam nicht. Illek ging achtsam durch die Räume, sah überall hin. Dann verschloß er alles mit Sorgfalt. Unweit, in einem kleinen alten Häuslein, wohnte der Nachtwächter, der außer dem Museum noch andere Objekte hier in der Nähe bewachte. Illek bat ihn, einmal herüberzusehen. Sie vertraten einander oft in solcher Weise. Dann ging er wieder zurück, am Museum vorbei, zur csárda, im Grünen, unter den alten Bäumen hin.

Es war eine angenehme Gegend hier, eine ‚gute Gegend‘, wie man zu sagen pflegt, die allmählich zum ausgebreiteten und verstreuten Villenviertel wurde. Illek ging fast nie in die Stadt, es sei denn mit einem Dienstauftrag des Custos’. Das Essen brachte ihm die Frau des Nachtwächters (die auch bei ihm aufräumte) oder er nahm es gleich drüben in ihrer Küche ein. Weder schwere Arbeit drückte auf sein Dasein, noch Sorgen oder Angelegenheiten verschiedener Art. War Kanzlei-Arbeit im Museum zu tun, dann besorgte er sie mit seiner korrekten Unteroffiziers-Schrift genau wie es ihm der Doctor angab, der vorkommende Fremdwörter oder lateinische Ausdrücke dabei immer deutlich für ihn auf ein Blatt Papier schrieb. Eine Schreibmaschine besaß das Museum nicht. Briefe in’s Ausland, etwa in englischer, deutscher oder französischer Sprache, die notwendig wurden, um eine erbetene wissenschaftliche Auskunft zu erteilen, schrieb der Doctor mit eigener Hand.

Ein im Waisenhause aufgewachsener Mensch ist allermeist nahezu familienfrei, was eine Reduktion von gut achtzig Prozent der sonst im Leben üblichen Zwischenfälle bedeutet, auch ein Wegfallen der unfruchtbarsten Correspondenzen, die es gibt, der familiären nämlich. Illek schrieb fast nie einen Brief, erhielt auch keinen. Er wäre übrigens sehr wohl imstande gewesen, saubere Briefe aufzusetzen und auszufertigen. Aber es bestand, außerhalb seiner Kanzleitätigkeit, dazu kein Anlaß.

So höhlt sich vor unseren Blicken allmählich die stille Bucht, in die unser einstmaliger Honvedfeldwebel geraten war und darin er schon lange gelebt hatte, bis eines Tages, wie ein prachtvolles Schiff mit vielen Lichtern und Wimpeln, Margot Putnik vor dieser Bucht erschien, beidrehte und Anker warf.

Nur ein Leben, das wirklicher Leere lange und mit Geduld fähig war, kann von solcher Fülle überrauscht werden.

Vor der csárda sah Illek ein Autotaxi stehen und dann im Garten drinnen das Paar in einer Ecke, doch blickte er sogleich weg, wie jeder anständige Mann, wenn er Liebesleute sieht, und wählte einen entfernten Platz.

Sie war nicht gekommen. Meistens kam sie ja – nicht, und zwischen zweien ihrer Erscheinungen vergingen oft acht, ja manchesmal vierzehn Tage. Mitunter, aber selten, kam sie mehrere Tage hintereinander. Jedesmal, wenn sie erschien, war es für Illek ein Fall, der unter besonders glücklichen Bedingungen gerade dieses eine Mal noch hatte zustande kommen können. Es hing sogar von ihm selbst ab. Wenn er ihr Ausbleiben hin nahm, nicht auf sie unten in der kleinen Vorhalle des Museums schon wartete, sondern langsam durch die Schauräume wandelte und keineswegs ärgerlich war über Besucher, die sich da noch aufhielten: dann trat sie plötzlich hell um eine Ecke. Er durfte sie nicht anreden. Er verbeugte sich und trat beiseite und sie ging an ihm vorbei. Wenn er dann durch die Säle schritt und rief: „Schluß, bitte, meine Herrschaften!" kam sie ganz zuletzt, und wenn alle das Gebäude bereits verlassen hatten, trat sie in sein Zimmerchen; und hier durfte er sie umfangen. Es war jedesmal ein Augenblick ungeheuerlichster Erregung, wenn sie als letzte die Treppen herab kam – im hellen Stiegenhause, das zu den oberen Schauräumen führte (dort auch die römischen Nippes) waren antike Steintafeln mit Inschriften in die Wände eingelassen – ein wenig zögernd, und sich in der Vorhalle, wenn niemand mehr da war, dann nach links wandte, zu seiner Tür.

Als er nun in der csárda saß und der Wein gebracht worden

war, besuchten ihn solche Bilder nicht mehr. Wohl hatte er heute heftig auf sie gewartet, eine Weile sogar am Tor des Gebäudes, aus sich hinaus und ihr entgegen gebeugt. Und so war sie denn auch ausgeblieben. Jetzt aber hatte Illek schon wieder zu Fügsamkeit und Gehorsam zurückgefunden, in diesen gedämpften Hintergrund, vor welchem sich ja sein ganzes Leben abspielte, und der eben jetzt neuerlich beruhigt verschwang, wie ein abschließender Vorhang, der ihm Mimi reglos und unerbittlich entzog.

Aber es war vor dem Vorhange etwas liegen geblieben und nicht mit hinein genommen in sein Verschwingen und verdeckt worden. Ein kleiner grauer Gegenstand, auf den ersten Blick fast für ein verlorenes Hufeisen zu halten. Aber es war keines, sondern ein abgetretener Stiefelabsatz. Er hatte seinen Ort garnicht weit von jenem einen und einzigen Bilde der Größe, das Illek in seinem Leben zu erschauen vergönnt gewesen war, dem Untergange des Reiter-Regimentes bei Kaposvár nämlich. Der Stiefelabsatz lag auf einer Landstraße, über welcher der Staub wie ein langhin gestreckter fester Körper stand – deshalb auch hätte der Stiefelabsatz auf den ersten Blick für ein Hufeisen gehalten werden können – weil hier Truppen, Geschütze und Trains nach geendigter Übung in endlosen Marschkolonnen abrückten. Der Stiefelabsatz lag links im Straßenstaub, und schon war man vorbei.

Dieser Stiefelabsatz war Illek selbst. Er lag links im Straßenstaube, und schon war man vorbei. Er aber blieb liegen. Mit einer schlagartigen Eindringlichkeit und einer alles andere ausschließenden Überzeugungskraft (deren ein Gebildeter in solchem Falle vielleicht garnicht mehr fähig wäre) prägte Illek das Bild seines ganzen Lebens, und bemerkte danach erst, daß es die herabrinnenden Tränen waren, welche den Wein vor seinem Munde salzten und bitterten. Oh, kein Groll gegen die Dame! Nur die Klage war's wegen des so harten, über ihn ergangenen Urteilsspruches.

Jetzt hörte er das Automobil draußen anfahren. Er war allein im kleinen Garten der csárda.

Donald hatte, was Margot ärgerlich, leise und schnell zu ihrem Stubenmädchen auf ungarisch sagte, wohl verstanden, auch das auf den Diener Janos und die Köchin bezügliche. Etwa fünfzehn Minuten später, nachdem er schon die Wohnungstür im benachbarten Vorzimmer hatte klappen gehört, kam der große Augenblick seiner Aktivität.

Margot sah auf ihn nieder, während er vor ihr auf dem dicken Perserteppich kniete (die ganze Wohnung lag voll von solchen) und ihren bloßen Unterarm mit Küssen zu bedecken begann, vom Handgelenke aufwärts.

Sie überließ ihm den Arm, und sich selbst ihrer fast absoluten, nach allen Seiten und von allem und jedem abgelösten Kälte, in deren Ring ihr Haß und ihre Verachtung ruhten. Denn dies war zuviel, daß dieser unwissende dahergelaufene englische Lulatsch, dem sie längst abgespürt hatte, daß er vor irgendwas davonlief, sie nur gleich hernahm, bei guter Gelegenheit, um sich Ablenkung und Erleichterung zu verschaffen, sie nur gleich hernehmen wollte, die man heute buchstäblich von allen Seiten verlassen hatte (bis auf die Dienstboten erstreckte sich das!). Ihre Ausgesetztheit und Einsamkeit hier, die Unmöglichkeit, sich mit dem Engländer über die Lage im entferntesten verständigen zu können, eben das verlieh ihr klare Umsicht, Festigkeit des Standpunktes. Während er begann, ihr Bein abzuküssen, vom Fußgelenke aufwärts, beschloß sie, ihn zu vernichten, und fing es sehr gut an.

Sie spielte mit den Fingern in seinem Haar, beugte sich sogar herab und küßte seinen Kopf. Es fiel ihr nicht schwer, denn Donald gefiel ihr ja. Einen Blick lang nur blitzte es sie an, daß sie hier etwa die Führung in gleicher Weise übernehmen könnte wie bei Illek, aber rasch baute sich die Mauer der Unmöglichkeit vor eine solche Aussicht. Sie roch sein blondes Haar, das sehr locker und gepflegt war und nach irgendetwas Bitterem duftete. Aber dieses Wohlgefallen blieb gleichsam unter ihr, ganz wie Donald hier zu ihren Füßen lag. Es reichte nicht hinauf in die vereisende Region ihrer kalten Wut gegen jeden, gegen alle, gegen László, Gergelffi, den Diener Janos, die Köchin, das

Stubenmädchen Marika. Gegen diese zusammengenommen führte sie ihren Schlag. Man hatte sie gehetzt, gedrängt, diesen Engländer ihr aufgezwungen und zuletzt sie im Stiche gelassen von allen Seiten. Nun sollte ihre Antwort erfolgen.

Sie erhob sich, nahm Donald bei der Hand und sagte auf französisch: „Komm. Komm mit mir."

Margot führte ihn aus dem großen, an das Vorzimmer grenzenden Salon hinaus und tiefer in die Wohnung hinein, durch ein Speisezimmer, überall die hohen Türen hinter sich schließend, in einen kleineren Salon, und hier blieb sie vor weißlackierten Flügeln stehn, lächelte Donald sanftmütig an und sagte:

„Ich werde dich rufen."

Sie küßte ihn rasch auf die Wange und verschwand.

So deutlich mußte man ihm kommen.

Jetzt endlich begriff er alles. Auch, daß er einst durch eine ganz ähnliche Türe hätte gehen müssen, statt dem Regen zu lauschen. Nun vermied er diesen Punkt nicht mehr. Doch dies blieb übrig. Er war am Ziele. Er fand sich dicht vor das Ziel versetzt, am Türpfosten lehnend, Unsagbares vor sich. Er hatte es, bei all' seiner Zudringlichkeit, noch nicht einmal zu denken gewagt. Nun war es da.

Sein langsames Herz meldete sich eilig. Die Erregung fraß ihn an mit einem befremdenden polstrigen Gefühl. Ihre Stimme erklang halblaut von drinnen, ohne daß er verstehen konnte, was sie rief. Donald griff nach der goldfarbenen ovalen Türschnalle und öffnete langsam, einen verdunkelten Raum erwartend, ein kleines gedämpftes Licht vielleicht . . . . Das Zimmer war grell erhellt. Ein Luster strahlte, ein Wandarm über einem Spiegel, eine starke Lampe neben dem gänzlich geschlossenen Doppelbett. Sie stand, nackt bis auf die langen Strümpfe, im allerhellsten Licht, mit dem Rücken zu ihm gekehrt, die ganze Mitte des Leibes ein einziges feuerrotes Mal, ein finsterer Glanz und darüber der schneeweiße Rücken. Donald, der eingetreten war, sank gegen die Türfüllung und blieb da angelehnt. Die Schritte hörte er erst im letzten Augenblicke, als László schon unter der offen gebliebenen Türe erschien. Es hätte, im Sinne

Margot's, garnicht besser gehen können. Das Erscheinen Lász-ló's war für sie die unvorhergesehene Krönung der Lage. Sie blieb stehen wie sie war und blickte über die linke ihrer weißen Schultern zurück. Donald wich und kam an Putnik vorbei, da dieser bereits tiefer in's Zimmer getreten war, und ging vor sich hin, aber anders als er gekommen, bei einer anderen Türe hinaus, und gelangte in das Gartenzimmer, wo László zu schla-fen pflegte. Hier blieb er stehen und sah durch die offene Dop-peltür in den Garten. Putnik kam rasch. „Mr. Clayton!" rief er scharf. Im nächsten Augenblick nahm er blitzschnell ein Gewehr von der Wand und richtete es aus nächster Nähe auf den Eng-länder. Donald schlug den Lauf beiseite, so daß die Waffe jetzt in den Garten gerichtet war. Darauf schien Putnik (sicher ist sicher) geradezu gewartet zu haben, denn jetzt erst drückte er mit einer gewissen Ostentation ab. Ein donnernder und hallen-der Schrotschuss löste sich, man konnte sehen, wie die Körner durch einen vorhängenden Baumwipfel rissen und dann rück-wärts in die alte massige Mauer schlugen, die Staubwölkchen und Geriesel entließ. Putnik, der nicht geahnt hatte, daß dieses Gewehr durch seine eigene Nachlässigkeit von der letzten Enten-jagd her noch geladen geblieben war, fiel durch den Schreck ganz und gar aus seiner Theatralik, die das Versagen der rächen-den Waffe, nicht aber einen Schuss hätte vorführen sollen. „Ver-flucht!" sagte er. „Jetzt wird der Hausmeister gerennt kommen. Sie sind mein Zeuge, Mr. Clayton, daß wir die Waffe nicht an-ders entladen konnten, weil der Patronenzieher versagt hat, ja?" „All right", sagte Donald, und daß er es englisch sagte, verwun-derte ihn selbst. Schon schrillte die Klingel, allerdings hörte man sie nur gedämpft vom Eingang her durch die große Wohnung. László ging und führte bald Andre-bácsi herein, einen kleinen alten Mann mit zahllosen Fältchen im rasierten Gesicht, es sah aus wie ein vielfach gesprungenes Gefäß. Donald lächelte, das Gewehr jetzt in der Hand. „Es ging nicht anders," sagte er auf ungarisch, „mit einem Werkzeug darf man an einer Patrone nicht herumhantieren. Dem Garten hat's ja nicht geschadet". Damit griff er in die Westentasche und gab dem Hausmeister ein Zweikronenstück (immer noch nannte man das damals einen ‚Gulden‘). „Für den Schreck.“ Andre-bácsi ging und lachte. „Wenn die Polizei was fragen sollte, darf ich's sagen, was los war, Euer Gnaden?“ „Na freilich“, sagte Putnik, und als der Alte verschwunden war, zu Donald: „Bleiben Sie noch fünf Minuten, Mr. Clayton, es wird besser sein.“ Sie standen vor der Tür zur Terrasse, ohne zu sprechen. Donald rauchte, gegen seine Gewohnheit, die angebotene Zigarette. Schließlich warf er sie auf den Kies hinab. Putnik hielt ihm die Hand hin, Donald nahm sie, und nachdem sie einander durch Sekunden angeblickt hatten, sagte László: „Es gibt furchtbare Dinge.“ Donald schüttelte kurz die dargebotene Hand und ging wortlos weg, den Ligeti-fasor entlang, gegen die Stadt zu, und immer weiter, dicht eingepolstert, abgetäubt, kaum hörend und sehend. Im ‚Britannia‘, als er auf sein Zimmer kam, ließ er Whisky kommen, warf sich dann auf den Diwan und schlief stundenlang, wie nach einer schweren Anstrengung.

László, nachdem Donald sich entfernt hatte, ging nicht etwa zu Margot hinüber, sondern zunächst zum Telephon und rief seinen Chef an, den Herrn Meszaros.

„Im Bureau ist jetzt“, so sagte er unter anderem, „alles Laufende erledigt, das Fräulein Körmendi kann Ihnen sämtliche Sachen zur Unterschrift vorlegen. Es wäre der geeignete Moment, nach Bukarest zu fahren, weil ich derzeit keinerlei Rückstände habe.“

„Bravo!“ muschelte Meszaros am anderen Ende, „also los, los! Am besten noch heute!“

„Gut, dann fahr' ich heut' in der Nacht.“

Alle waren sie hier eigentlich recht vernünftige Leute, und bis in ihre Csárdás-Stiefel hinein.

Dann den Tibor: er käme zu ihm. Schon mit dem Koffer.

Endlich zu Margot hinüber. Sie trug jetzt einen Schlafrock.

„Sagst du nichts?!“ – „Fragst du nichts?!“ – „Nicht einmal, wenn geschossen wird?!“

„Nein", entgegnete sie ruhig. „Weil es mir gleichgültig ist. Meinetwegen bringt euch alle gegenseitig um."

Uno cum nuda coitus praesumitur, sagt das römische Recht. Juristisch lag hier glatter Ehebruch vor. Aber László war anständig genug, sein besseres Wissen nicht zu verleugnen, überdies heilfroh in Bukarest und allem entronnen zu sein. Er hat für seine gewesene Frau nobel gesorgt. Zudem war sie von Haus aus wohlhabend.

Sie blieb in Budapest. Sie hat noch durch viele Jahre ein Verhältnis mit dem Feldwebel Illek im Museum gehabt, der späterhin dort Offizial wurde, also ein Kanzleibeamter, und seinerseits wieder einen Diener unterstellt bekam. Doch blieb Illek im Museum wohnen, und die Gepflogenheiten unseres Paares wurden nicht gestört. Es ist dies schon die dritte Liebes-Konserve – nach jener ersten, welche Rita Bachler und der Landesgerichtsrat Keibl etabliert hatten, und der Ergoletti'schen – die uns im Laufe dieser Erzählung begegnet. Gerade die wichtigsten Sachen im Leben trennt der Mensch gerne von diesem ab. Auch Donald ist ständig in seinem Fauteuil an Monica vorbei-gesessen.

Nachdem Flucht No. 1 (nach Bucuresti) gemäß Gergelffi-Plan vollzogen war, erfolgte bald auch Flucht No. 2 (nach Moson). Jedoch hatte vorher noch Tibor seinen Sonntag in Stiefeln, eigentlich zwischen Stiefeln, sollte man sagen, denn er selbst trug ja dabei garkeine.

Flucht No. 2 vollzog sich in comfortabelsten, honettesten und jovialsten Formen. Vor das Hotel ‚Britannia' rollte ein enormes Automobil, ein rechter Kasten, würden wir heute sagen, aber er war breit und bequem, so daß drei Personen gut im Fond Platz hatten, während Gergelffi vorne neben dem Chauffeur saß. Das Gepäck zum großen Teil am Dache. Über die Margaretenbrücke hinaus und dann im ganzen nach Nordwesten durch das hier hügelige, fast bergige ungarische Land, dessen hervorragende Straßen mitunter soviel Karrengeleise und andere Hervorragungen hatten, daß unsere leichte Runzel – sie saß in der Mitte zwischen Donald und dem Doctor Harbach – emporschnellte wie ein Fisch aus dem Bach. Auf der Reichsstraße an der Donau freilich ging's glatt dahin.

Chwostik – dem übrigens was Vages von einem gefallenen Schusse zu Ohren gekommen war! – hat natürlich angenommen, daß Donald bei der Frau Putnik entweder abgeblitzt oder aber mit ihr erwischt worden sei. Für beides konnte die offenbar teilnahmslose Verfassung des Juniorchefs sprechen, der wieder ganz zum Briefbeschwerer geworden schien, wogegen Chwostik, im Hinblick auf die Technik der zu führenden Verhandlungen, nichts einzuwenden hatte. Aber nun baute sich rasch zwischen ihnen neuerlich die Mauer der Unwissenheit, die nur sehr vorübergehend eingerissen worden war, einst, auf dem Wege vom Wirtshause der Maria Gründling in den Prater hinab, zunächst aber an der Paulanerkirche vorbei. Solche Mauern sind ein natürliches Wachstum, durch die Mitteilsamkeit kaum niederzuhalten und bauen sich rascher auf als man spricht.

Sie genossen die Fahrt, besonders jenen Teil, der, etwa in der Gegend von Komorn, durch längere Zeit Aussicht auf die spiegelglatt und graugrün einherziehende Riesenbreite des Stromes gewährte. Mittagessen in Györ, wo schon damals die ungarische Industrie sich breit zu machen begann, keine sehr freundliche Stadt, aber sie speisten ausgezeichnet. Von da blieben rund fünfzig Kilometer noch zu bewältigen, und man stieg gleich nach genommenem schwarzen Kaffee wieder ein.

In Mosonszentjanos (übrigens lag ja der Gutshof erheblich weit weg von diesem Orte) hing dem Gergelffi alsbald der Himmel voller Stiefel. Sie traten schon beim festlichen Empfange in Erscheinung, denn links und rechts vom großen Hoftor – es war mit Laub und mit Bändern in den ungarischen Farben geschmückt – stand eine Gruppe junger Mädge in nationaler Tracht: ‚Das fängt ja gut an‘, dachte Tibor. Er hatte dann auch späterhin alle Hände voll zu tun.

Globusz kam entgegen, der wahre Globus von Ungarn. Seit vielen Jahren schon ritt und schwamm er eifrig, um nicht noch dicker zu werden, und solche Bestrebungen waren besonders zur Zeit seiner verwichenen Heiratspläne in den Vordergrund getreten. Seitdem war's bei diesen förderlichen Disziplinen geblieben, förderlich auch seinem Appetitte. So ward er denn immer globaler. Man könnte sagen: nicht mehr hippopotamisch (hier gedenken wir seiner ersten Schwimmstunde!) sondern eher schon mastodontisch.

Der Vater Gergelffi wirkt neben ihm nur wie ein gespitzter Bleistift. Hinter dem Gesinde, das sich drängt, werden Finy und Feverl sichtbar.

An dieser Stelle muß zugegeben und konstatiert werden, daß uns die trojanischen Pferdchen immer wieder dahergetrabt kommen, ohngeachtet der Filzpatschen-Aktion von pagina 100. So geht's, wenn man sich einmal eingelassen hat. Seien wir's zufrieden, wenn uns wenigstens die Hausmeisterin Wewerka gänzlich ausbleibt, zu deren Entfernung aus der Composition allerdings auf pagina 111 bedeutende Energien aufgewandt worden sind.

Jene beiden alten Weiblein sah er denn schon wieder und überhaupt immer beisammen, Donald, und er fragte sie einmal scherzhaft, ob sie denn Zwillinge wären und wie lange sie schon miteinander lebten. „Zwillinge net“, sagte Feverl (oder war es Finy), „aber seidera fünfadreiss'g Jahr', und mehr, san ma' schon beisamm.“

Die Antwort drang tiefer als er selbst für's erste verspürte, sie fiel ihm während der nächsten Tage noch mehrmals ein. Was hier erfüllt schien, hatte er verloren, was hier eine handfeste Gegenwart bildete, war für ihn Vergangenheit: eine brüderliche Heimat gleichsam, aus welcher er gefallen, die hinter ihm sich verschlossen hatte. Jetzt sah er das Haus an der Prinzenallee zu

Wien wie von außen, von der Straße her. Er stand vor dem Tore des Parks. Und es war versperrt.

Schon seit den letzten Tagen in Budapest dunkelte ihm wieder die Sonnenhitze, tief und wie Stahl, und oft mit einiger Störung des Gleichgewichtes im Gehen. Er blieb, wenn möglich, gern auf seinem Zimmer, das kühl und groß war und ihn so leer anhauchte, als hätte vor ihm da niemals jemand gewohnt.

Es traf zu, wie er später hörte. Gerade dieses unter den Fremdenzimmern im neuen Hause wurde zum ersten Male benützt.

Aus den Fenstern sah man auf den See. Betrachtete man diesen, der sich weithin im Schilf und im Hitzedunkel des Horizontes verlor, so bot er viel wechselnden Anblick, wie eben alles, wenn stillere Naturen es beschauen; und mitunter genügt dazu eines Hausmeisters Hof mit begossenen Gewächsen. Donald war im Grunde jetzt eine von jenen stilleren Naturen geworden, ja, eigentlich schon vor längerer Zeit: seit, an Bord ‚Cobra‘, die Deutschen bei sinkendem Abend und ergrauendem Meere klarklingend geblasen hatten. Auch dieser See ergraute ähnlich. Die Vogelflüge hörten auf (einmal war die befremdliche Kragen-Gestalt eines Haubentauchers keine zwanzig Meter vom Fenster vorbeigestrichen). Das Schilf lag nicht mehr dunkelgrün unter dem Himmel, in seinen unübersichtlichen Zügen und Inseln, es wurde später bläulich, und viel später erst entdeckte Donald, daß der Mond es beschien, dessen geruhiges Gesicht links über dem See sich erhoben hatte. Um diese Zeit stand der Ton der Frösche auf der höchsten Höhe und schwebenden Gleichmäßigkeit seines Singens.

Der Hieb, den Donald zuletzt in Budapest empfangen, blieb liegen in seiner tiefgeschlagenen Kerbe, die sich nicht mehr schloß, als wäre dem getroffenen Stoffe die Elastizität verloren gegangen. Es hätte gestern, es hätte heut’ nachmittag gewesen sein können. Er tat auch nichts daran mit irgendwelchem Denken, das, wie wir ja wissen, seine Sache nie war, und jetzt sogar weniger denn je. Er begriff plötzlich, wie es ihn zog, wie die Strömung blank unter ihm wegsank und ihn mitnahm, und noch mehr, seit er Monica hatte zu entkommen getrachtet. Jetzt suchte er seinen alten Schmerz geradezu wieder auf, aus einem Irrtum zurückkehrend, und damit sie selbst, und damit den Weg zu ihr. Die Vorstellung traf ihn einmal morgens wie ein Schlag – der See lag draußen in milchheller dampfiger Hitze – daß man sich ja hier garnicht weit von Wien befand. Doch es sollte Agram sein. Es war gut so, gut. Keine verfrühte Rückkehr, mit der von Budapest her noch klaffenden Verletzung. Ruhe, Distanz, Umweg. Nur so konnte sich alles für ihn noch wenden. Es mußte sich wenden und es würde sich wenden. Zu spät nach Wien zu kommen, diese Gefahr bestand garnicht. Nur zu frühe, zu bald durft' es nicht sein.

Seine Brust befreite sich. Jetzt und hintnach empfand er's, unter welch hartem, zusammenpressenden Griffe sie beschwert geatmet hatte, als er, im ‚Britannia', nach stundenlangem Schlaf auf dem Diwan erwachend, sofort die brandrote Breite von Margot's nackten Hüften wieder vor den inneren Blick bekam, das grelle Licht und die reglose Statue eines wie aus ihm selbst hervorgesprungenen Schreckens.

Im übrigen funktionierte Donald als Briefbeschwerer. Man besichtigte, taxierte, rechnete, und bekam so allmählich heraus, was dieser Wirtschaft hier an neuen Maschinen fehlte, um sie wahrhaft wirtschaftlich zu machen. Donald ritt mit Globusz und den beiden Gergelffis umher – auch sonst standen für den Engländer allezeit Reitpferde und Stallbursch bereit – und abends hielten die Parteien sozusagen getrennten Kriegsrat, Donald und Chwostik im Zimmer des einen oder des anderen (beide schönen Räume sahen auf den See, dessen rückwärtiger Rand den Horizont beruhte), und die Runzel rechnete auf Grund von Donald's technischen Angaben, und errechnete einen möglichen Sonder-Rabatt für die Budapester Firma, der es dem Gergelffi wiederum ermöglichte an Globusz preisgünstig zu liefern. Tibor für sein Teil verhandelte nach zwei Seiten und stand gewissermaßen zwischen den Parteien, und es ging schließlich, als alle dann zusammen saßen, gut ab, und jeglicher machte seinen

Schnitt dabei. Die Lieferung war so umfänglich, mit so knappem Ziel, ja fast sofortiger Kassa, daß auch die Fabrik befriedigend dabei weg kam. Schließlich telegraphierte Chwostik die Liste der für Budapest alsbald erforderlichen Positionen nach Wien.

Nachdem alles Geschäftliche in's Reine gebracht war, feierte man ein Fest, an welchem auch das ganze Gesinde teilnahm. Tische, Bänke, Tanzboden – alles war im Freien aufgeschlagen, zwischen dem See-Ufer und der Rückseite jenes Wirtschaftsgebäudes, in dessen Dachgeschoß Finy und Feverl geräumig hausten. Alles bunt, Fülle der Stiefel. Das Fisch-Gulyás bereitete man im Kessel über offenem Feuer. Die Zigeuner kamen mit einem Leiterwagen, der die großen Instrumente fuhr, Cimbal, Baß und Violoncello. Jetzt ergraute der See, die Windlichter auf den Tischen wurden entzündet.

Aber Tibor, wie ist's mit ihm, was erlebte er? Fülle der Stiefel, sagten wir – aber sie umschlossen heute zum größten Teile die Beine von Mannsbildern. Er hätte es wissen können, wissen müssen, er hat es ja auch gewußt. Und doch war's niederschlagend, die Mädchen in langen weißen Strümpfen zu sehen und in einer Art roter Halbstiefelchen, bis zur Mitte der Wade nur. Sie waren ja nicht zur Feldarbeit hier erschienen. Burschen und Mädeln waren aus der Umgebung gekommen auf laubgeschmückten und bunt bebänderten Leiterwagen mit quer befestigten Sitzbrettern. Manche Burschen auch zu Pferde. Sie trugen dementsprechend Sporen.

Auf den langen Tischen blinkten die Weingläser, und wo das Kerzenlicht durch sie schien, leuchteten sie wie große Tropfen von Bernstein oder Blut. Globusz strahlte von breitestem Wohlwollen. Am kleinen Tische der Herren begann man bereits mit dem Servieren des Fisch-Gulyás. Die Zigeuner, nachdem auch sie gegessen und getrunken hatten, rückten sich zurecht, ergriffen ihre Instrumente.

Es war ein Lied, und leise; alles schwieg alsbald. Das Cimbal wehte hinter der einsamen Geige des Primas wie Wind, der in die Weiden fällt oder in's Schilf. Sonst fehlte jeder Accord, die Instrumente ruhten. Für sich allein kletterte die Geige im Gehör. Dann endlich, unter ihre höchste Höhe, legte sich antwortend ein breiter Strich aller und fußte auf der Tiefe des Basses. Weiter, als der csárdás zu pochen begann, kamen die Paare, eins nach dem andern, auf die Fläche und tanzten die freien Figuren mit höchster Gemessenheit und Decenz. Man sah eine Feier, ein bäuerliches Fest, bei allem Rauschen und Bohren der Musik doch voll Würde und Wohlanständigkeit. Und so blieb das, bis in die Nacht.

Nächsten Morgens schlief man aus und machte sich fertig nicht ohne kräftig zu frühstücken. Dann rollte, nach vielfältigem Abschiede (im übrigen auch von Finy und Feverl) und einer Art Satteltrunk, den der alte Globusz persönlich am Wagen kredenzt hatte, die altertümliche Auto-Kalesche in Richtung Győr zurück, wo man wieder ausgezeichnet zu Mittag speiste, um sich sodann bequem und rechtzeitig im Kurswagen nach Agram zu installieren, den der von Budapest kommende Schnellzug führte. Gergelffi stand klein und schlank, wie ein gespitzter Bleistift, am Perron und winkte, als der Zug hinausglitt.

Wie fast immer, seit sie von Konstantinopel abgereist, hatten die Herren ein Coupé erster Klasse für sich allein, ja, Harbach pflegte im benachbarten Abteile seinen Platz zu belegen, damit sie alle drei sich ausstrecken konnten. So kam man auch jetzt zu einem guten Nachmittags-Schlafe. Man hatte ihn nötig. Der Aufenthalt in Moson war nicht eben anstrengend gewesen (angestrengt hatte sich dort eigentlich nur der stiefelnde Gergelffi), aber doch reich an Abwechslung, beweglich, fast bewegt; letzteres mindestens für Donald. Im ganzen befand man sich bei leidlichem Wohlsein.

Sie langten spät an in Agram und gingen, nach einem vortrefflichen kleinen Abendessen im Hotel, bald zur Ruhe. Schon bei Tische war, infolge einer bei allen dreien neuerlich hervorbrechenden Müdigkeit, ihr Gespräch fast ganz eingeschlafen.

Donald erwachte früh, trat an's Fenster. Was er hier sehen konnte, war für ihn unbenannt: ein ferner Turm (wiederaufgebaut, so wissen wir, nach jenem schrecklichen Erdbeben von 1880), und, näher vor dem Blicke, Gärten.

Hier entlang also führte der Umweg, ein vernünftiger Umweg.

Die vierte Pfeife war futsch. Im Traum war es eigentlich so gewesen, daß er sie noch hätte holen können.

Draußen wurde die Sonne breiter. Donald dachte die dunkle Hitze des Tages voraus. Im Hinausblicken fühlte er sich ein wenig schwindlig, wandte sich in das Zimmer zurück und begann seine Toilette.

In Slunj sollte die Reise enden, oder eigentlich wenden. Dort war die Kehre des Umweges nach Wien. Mit jener Stadt in Kroatien verband Donald keine Vorstellung. Der Vater hatte wiederholt gesagt, ja, beinahe ihm eingeschärft, sie sei sehenswert, wegen schöner Wasserfälle. Die Firma, mit der sie heute vormittags zu tun haben sollten, unterhielt in Slunj eine Expositur. Es wurde hier in Agram Wert darauf gelegt und man hatte darum gebeten, daß von seiten der Firma Clayton & Powers die besonderen technischen Voraussetzungen der Landwirtschaft in jener Gegend studiert würden, um danach den Maschinenbau tunlichst zu accomodieren. Also Aufgaben mehr für Donald als für Chwostik. Hier in Agram umgekehrt. Nur dabeisitzen, Briefbeschwerer.

Nun war er rasiert und geduscht auch, und stieg mit seinen langen Beinen in ein Paar frischgebügelte graue Pantalons. Fertig angezogen ergriff ihn ein plötzlicher Widerwille, jetzt zum Frühstück hinunterzugehen, andere Leute dort vor ihrem Tee sitzen und weiche Eier beklopfen zu sehen. Er klingelte und befahl das Frühstück auf sein Zimmer.

Auf dem Tablett lag dann auch Post, so, als sei sie eben jetzt gekommen. In Wirklichkeit hatte der Portier gestern vergessen, die Briefe aus dem Fach zu nehmen und auszuhändigen, und auch Chwostik, ebenso schläfrig wie Donald, war nicht mehr auf den Gedanken gekommen, nach Post zu fragen. Der Doctor Harbach hingegen hatte sich, schon vor der Türe seines Zimmers, noch einmal umgewandt und hinab begeben, und auf diese Weise erhielt er einen ganz reizenden Brief der Braut aus Budapest noch am Abend seiner Ankunft in Agram.

Donald sah auf dem ersten Umschlag die Hand seines Vaters. Der andere zeigte Maschinenschrift. Auch hier war außen kein Absender angegeben, was damals, nebenbei bemerkt, überhaupt nicht so durchgängig üblich war wie heutzutage, nach durchlaufenen zensurbesessenen Zeiten. Nur die Engländer sind dem alten Brauche treu geblieben und schreiben auch jetzt noch keinen Absender auf den Umschlag.

Robert schrieb verschiedenerlei, vor allem einmal hocherfreut über die von der Reise eingelangten zahlreichen festen Aufträge. Dann, privatim, daß Donald in Budapest ja „einige Abenteuer" erlebt zu haben scheine; auch Gollwitzer habe so etwas angedeutet.

Auch Gollwitzer. Wer vorher noch? Daß die Sachen nach Bukarest gelangt waren, ist uns bekannt, und damit erscheint auch ihr weiterer Weg bis in die Wiener Fichtnergasse nicht erstaunlich. Doch ist hier zweifellos auch eine direkte Leitung von Budapest nach Wien anzunehmen; und wir werden nicht fehlgehen, wenn wir als ihren Ausgangspunkt den Herrn Ingenieur Radinger, als ihre Zwischenstationen aber die Frau Direktor Henriette Frehlinger und weiterhin Monica Bachler annehmen.

Etwas unvermittelt floß ein väterlicher oder, wenn man will, brüderlicher Rat an Donald ein, nämlich an's Heiraten zu denken, an die Begründung von Familie und Hausstand.

Dem folgte die Eröffnung, daß er selbst, Robert, solches zum zweiten Male in's Werk zu setzen beabsichtige, und die Mitteilung seiner Verlobung mit Fräulein Monica Bachler, nebst der Ankündigung baldiger Heirat.

Hier griff Donald mit einer kalten Hand nach jenem anderen Brief, der auf dem Tablette lag, beschädigte den Umschlag beim Öffnen erheblich, und fand darin einige maschinengeschriebene, mit ‚M' unterzeichnete Zeilen, worin es unter anderem (und mit einiger Vorsicht) hieß: „. . . sei versichert, daß ich mich gewiß niemals zwischen Dich und Deinen Vater drängen werde. Ich bin sehr glücklich. Bleibe immer mein Freund!'

Die Hitze dunkelte wie Stahl. Der Aufenthalt in Agram war kurz. Am folgenden Tage schon reisten sie weiter. Einmal trafen sie mit ihren Geschäftspartnern auch in einem Café zusammen. Donald war schweigsam wie ein Briefbeschwerer. Dieses Lokal machte ihm den Eindruck, als sei es vom Dampfer ,Cobra' hierher versetzt, und der Ober sah fast ganz so aus wie dort der Saalchef Kostazky. Dennoch war ja damals alles noch viel besser gewesen. Donald befand sich jetzt auf einer tieferen Kehre, und er wußte das. Die Wende des Wegs oder Umwegs bei Slunj versank vor seinen Augen, er ließ sie aus dem Blicke. Einmal hatte er großes Verlangen, mit der Pastorin, der Kruhlow, zu sprechen. Sie war versunken, ebenso wie seine vierte Pfeife vor Beirut.

Die Reise nach Slunj, das damals schon zum teilweise an der Küste gelegenen Komitat Modrus-Fiume gehörte und nicht mehr, wie früher, zur kroatisch-slovenischen Militärgrenze, war einigermaßen umständlich, und mußte in ihrem letzten Teile mit aufgenommenem Fuhrwerk bewältigt werden, wollte man sich nicht in den schwerfälligen Postwagen quetschen, was auch angesichts des immerhin erheblichen Gepäckes der drei Herren kaum diskutabel gewesen wäre. In Sturlić übernachteten sie, recht gut sogar, wenn auch einigermaßen altertümlich. Es gab aus Holz gedrechselte Kerzenleuchter auf jedem Nachttische, die einen so breiten Fuß hatten, daß er die Platte fast ganz bedeckte; um Portefeuille und Uhr abzulegen, mußte man die kleine Lade aufziehen. Donald legte hier auch seine drei ihm verbliebenen Pfeifen hinein und die ,pouch', den Tabaksbeutel, halb aus Gummi, halb aus Leder. Dem Doctor Harbach gefiel dieser letzte Teil der Reise weitaus am besten. Von Sturlić gelangten sie in's Tal der oberen Korana und folgten ihr flußabwärts, bis nahe dahin, wo von links die Slunjčica mit gewaltigen Fällen einmündet. Man hatte empfohlen, im altertümlichen Einkehrgasthof am Flusse zu nächtigen. So taten sie, und fanden alles solide wie in Sturlić, nur die Leuchter waren nicht so gewaltig. Von hier aus erschien im Rückblick die Fahrt von Budapest nach Györ in jenem kastenförmigen Automobil schon als ein Gipfel der Modernität.

Oben im Markte Slunj wurden sie erst für den folgenden Nachmittag erwartet. Harbach und Chwostik gedachten sich uferlos auszuschlafen, und dann ein wenig spazieren zu gehen. Für den alten Herrn (so schien es dem Doctor) mochte der letzte Reise-Abschnitt schon anstrengend genug gewesen sein. Und Donald hätte sich den langschläferischen Vorsätzen seinerseits gern angeschlossen. Aber schon seit Budapest erwachte er jetzt immer zeitiger am Morgen. So gedachte er denn allein zu frühstücken und den Vormittag mit Spaziergang und Besichtigung zu verbringen.

Sie nahmen das Abendessen auf einer Art von Terrasse, bei Windlichtern, über dem tiefeingeschnittenen Flusse. Der Wirt behauptete, daß man von hier schon die Wasserfälle hören könne. Zumindest war es so, wenn man schwieg. Das in irgendeiner Weise grundräumende und profunde Geräusch schien wie aus dem Boden zu kommen. Sie tranken nach Tische noch roten Požeganer Graševina. Doctor Harbach unterhielt sich lebhaft mit Chwostik, über das Fest in Moson, das gemessene Csárdás-Tanzen der Land-Leute, und über Ungarn überhaupt. Beide dachten zugleich darüber nach, was eigentlich in Budapest mit Donald vor sich gegangen sein mochte, ja, sie hätten ihn gerne provociert, damit er ihnen etwas darüber sage. Aber es gelang nicht. Er war auch im Privatleben zum Briefbeschwerer geworden, und saß gleichsam einen halben Meter noch hinter dem Mundstück seiner Pfeife, die er schweigend zwischen den Zähnen hielt, so daß sie ganz gerade hervorstand.

Seit seiner Ankunft in Vanice fast ausschließlich allein, vermeinte Zdenko dann und wann ein Schwindelgefühl zu spüren. Etwa morgens, wenn der alte Diener das Frühstück in den

Speisesaal brachte, wo ganz am Ende einer langen spiegelnden eichenen Tafel gedeckt war. Der weite Raum war nicht eben dunkel, er hatte hohe Bogenfenster gegen die Terrasse. Auf dieser aber lag ein so mächtiger Sonnenglast, daß dem Zdenko fast schien, als sitze er hier im Finstern. Die Tante blieb unsichtbar. Der Diener, befragt, sagte: „Ihre Gnaden sind indisponiert." Zdenko erfaßte den schwachen Blitz von Ironie, der dabei über das rasierte Gesicht huschte. Die Tante Ada holte wohl ausgiebig nach, woran sie durch die Ärzte in Wien wahrscheinlich verhindert, mindestens aber dabei behindert worden war.

Vanice war eine Herrschaft von neunhundert Joch, auch mit Wald und Jagd. Die Frau von Vuković, der eine Überdosis von praktischem Verstand eignete und die dessen Aktionsgebiete alle gepachtet zu haben schien, war in Wirklichkeit infolge ihrer schweren Trunksucht ganz auf den Verwalter Brlić angewiesen. Denn so ausdauernd sie hier oft herumstiefelte (wir kennen das aus Wien), so andauernd kehrten ihre Vacua wieder, die sich wie Sauglöcher bis an den Rand mit Spiritus füllten, und zwar in kurzen Abständen. Kommandierte sie etwa morgens noch beim Bau eines neuen Schweinestalles herum, so lag sie am gleichen Vormittage schon vollgelaufen und grunzend auf ihrem Diwan. Auf diese Art ist eine kontinuierliche Tätigkeit nicht möglich. Vielleicht hat sie häufige Anfälle eines tiefen Mißvergnügens gehabt und sich dann eben besoffen. Wir wären die Letzten, die so etwas nicht aus tiefstem Herzen verstehen würden. Ihr Glück bestand darin, daß der tüchtige Brlić ein frommer und fleißiger Ehrenmann war. Die Vuković hatte ihn aus der Armseligkeit eines Waisenkindes vom Kleinhäuslerstande emporgezogen, lernen lassen, sogar auf einer Hochschule für Bodenkultur, und zum Verwalter bestellt. Man sieht: keine üble Frau. Für Brlić war sie mehr als das, nämlich das Höchste auf der Welt schlechthin; und das ihm anvertraute Eigentum seiner Wohltäterin wurde dem Verwalter eine Art Sanctuarium, das er administrierte. Er hätte sich ohneweiters für seine Herrin auch regelrecht gerackert, aber das war unnötig, denn Arbeitskräfte standen reichlich zur Verfügung. Zudem besaß Brlić eine Art Genie im

Organisieren und eine ausgeprägte Fähigkeit, jeden an den richtigen Platz zu stellen. Vanice war ein Mustergut, Ada eine Erbtante. Der alte Diener, Popovici hieß er, für sein Teil und auf seine Art auch ein treuer Mann, hielt doch Brlić für den größten Idioten, der ihm jemals vorgekommen. Für uns scheint übrigens bemerkenswert, daß der Verwalter eine gewisse Ähnlichkeit mit Münsterer hatte (der garnicht weit von hier als kgl. ungarischer Postamts-Vorstand saß), dem Stiefsohn der auf Seite 111 mit Vehemenz ausgeschleuderten Wewerka. Jedoch auf einem primitiveren Niveau, sozusagen. Wohl zerfiel sein Gesicht wie in Brocken. Aber es kam nie zu einer Synthese, Beruhigung, Zusammenfügung. Er war schandbar häßlich, und war das schon als Kind gewesen, als ihn die Frau von Vuković schnappte. Auch das spricht für Tante Ada.

Zdenko streunte in der Gegend. Er mußte das nicht einmal zu Fuße tun. Es gab für ihn ein Reitpferd und einen Burschen auf einem zweiten, der ihn begleitete. Dieser hieß Ivo (oder wurde so gerufen, denn eigentlich lautete sein Name Istvan, was so viel wie Stephan bedeutet, man hätte ihn also Pista rufen müssen, auch weil er ein Ungar war, aber nun blieb es einmal bei Ivo).

Warum die Reitpferde, sogar vier? Wer ritt, außer Brlić, hier umher? Wer stieg da in den Sattel?

Die Frau von Vuković (wenn nicht besoffen). Und zwar in Stiefeln, freilich, aber auch in Reithosen, und, wie sich aus dem letzteren Umstand schon ersehen läßt, im Herren-Sitz. (Höchst ungewöhnlich, für damals, schon gar bei einer alten Dame.)

No servus! Aber sie saß fest. Und sie hatte was zum Sitzen, viel! Und weil sie fest saß, muß jeder Vergleich mit jener einst von dem Doctor Harbach geschilderten Libanon-Kavalleristin, der Frau Pastor Kruhlow, weit ab bleiben. Auch die hatte viel zum Sitzen gehabt, aber meistens war es in der Luft gewesen, wenn der schreiende Eseltreiber mit dem Tiere zu laufen anfing.

Sie saß fest, die Vuković. Die Großärschigen haben überhaupt Talent zum Sitze, auch die Mannsbilder. Der Verfasser dieser Berichte ritt einmal hinter seinem älteren Bruder, einem ehemaligen Ulanen-Offizier, und staunte, wie dieser sich gleichsam um den Sattel herum-gegossen hatte. Da ist unsereiner mager dran.

Ivo war in Zdenko's Alter und sprach etwas deutsch. Er sagte ‚Euer Gnaden‘ zu dem Gymnasiasten, und dieser wäre kein Mitglied des M.C. gewesen, hätte er dies nicht wie selbstverständlich hingenommen.

Im übrigen ließ das Mitglied des M.C. sich nicht lumpen, und die Pappschachtel unter dem Strohsack in der Kammer, wo Istvan seine Ersparnisse aufbewahrte, erhielt nach jedem Ritte mit Zdenko anständigen Zuwachs. Es gehört zu den bezeichnenden Zügen des Lebens auf Vanice, daß dem Istvan nie etwas daraus gestohlen worden ist, obwohl bald jedermann hier von dieser Schachtel wußte (man fragte Istvan geradezu, wie es seiner Schachtel gehe), denn die Magd, welche die Kammern des Gesindes säuberte, mußte freilich auch diesen Strohsack manchmal wenden und klopfen. Istvan war ein hübscher Bursch, gutmütig, leicht melancholisch, mit etwas schräg stehenden, lang geschlitzten Augen. Bei seinen Arbeiten auf dem Gutshofe trug er eine blaue Schürze und immer hohe Stiefel. In der Pappschachtel befanden sich Münzen aller Art, kleinste, größere, Heller, Kreuzer, Kronen (Zdenko!), Gulden, Fünfkronenstücke und einige wenige blaue Zehnkronenscheine. Die Summe war dem Istvan stets genau bekannt.

Aber man ritt nicht nur, war nicht nur auswärts, wenngleich das Wetter immer blau blieb, der Himmel tief und die Sonne allgegenwärtig und Hitze überall sammelnd, wo sie hindrang, kleinste intensive Portionen um irgendein Mäuerchen hinter dem Hof, und den ungeheuren Glast über dem Lande, wenn man in die Ferne sah. Die Hitze erdunkelte, sie machte schwindlig. In der Bibliothek neben dem Speisesaal herrschte verhältnismäßig Kühle, aber das gleiche kompakte Schweigen wie draußen über den Feldern. Hier las Zdenko die alten Skandalgeschichten des Brantôme in einer entzückenden ledergebundenen Oktavausgabe aus dem achtzehnten Jahrhundert. Dieses Büchlein hielt er gern in der Hand, ohne doch seinen bibliophilen Wert zu erkennen. Es gab auch einen Petitot, den hundertbändigen, ‚Collection des Mémoires'. Das alles war angemessen, der ganzen Lage nämlich, auch dem M.C. Er, Zdenko, sank rasch und tief in diese Lage ein. Ohne Hemmung, ohne sich von irgendetwas trennen zu müssen, weil es nicht hierher und jetzt nicht ganz zu ihm gehörte. Nein, er paßte hierher, so wie er eben war, und er fühlte sich passen, wie eine Lade in ein Schubfach.

Nur, daß der M.C. eigentlich vergangen war, machte ihm Schmerz, so gut das alles hier dem M.C. entsprechen wollte: dieser war doch dahin. Aber es kam der Schmerz nicht eigentlich aus solchem Verluste; sondern eben der war es erst, welcher die vergehende Zeit fühlbar gemacht hatte, und sie geradezu war es, die den Schmerz erzeugte, den er empfand, wenn er hier in der Stille zwischen den bis zur Decke reichenden Bücher-Regalen stand.

Man hätte dem jungen Herrn von Chlamtatsch derlei nicht angesehen, wenn er vor der Terrasse zu Pferde stieg, und Istvan den Bügel hielt. Unser Bürschl sah gut aus: die Reithosen waren ausgezeichnet geschnitten, die Stiefel auch. Beides teuer, vom Besten, wie man zu sagen pflegt. So also hatte man ihn neu ausgestattet, schon für den Sommer. Genau besehen waren das Instrumente der Erbschleicherei, wie etwa das Bridge im Hause Chlamtatsch auch. Aber die Tante Ada bekam unseren hübschen Buben in solcher reizvoller Tournüre nicht zu sehen, weil sie soff. Ein einziges Mal nur erschien sie zum Abendessen.

Das Ganze, was jetzt zu Pferd stieg, wog damals etwa zweiundfünfzig Kilogramm. Dieses blonde Gesichtel, im Schnitt zärtlich und breit, zeigte doch seit längerem den uns bekannten strengeren Zug, welcher schon der Ingenieurin Monica Bachler im Clayton'schen Garten als reizvoll erscheinen wollte. Die Grundlinien waren von der Frau Henriette Frehlinger verstärkt worden, und darüber erst legte sich dann, was der M.C. diesbezüglich postulierte. Bei der Lektüre des Brantôme dachte Zdenko jetzt oft an Frau Henriette, es war eigentlich das erste Mal, daß er sich ihrer wiederum bildhaft entsann, und diese Bilder blieben nicht ohne Wirkung auf ihn, das läßt sich denken.

,Blöde Kuh' (Monica Bachler, in Gedanken) war doch eine

das Wesen der Person nicht ganz verfehlende Bezeichnung für die schöne Freundin gewesen. Wenn man jetzt an den aus Budapest inzwischen längst wieder nach Wien gelangten und dort herumtratschenden Herrn Radinger denkt und ihn mit Zdenko vergleicht, Zdenko, dem ‚Bombensicheren‘ (Monica B.), dem mit Geistesgegenwart Diskreten, ja, da kann einem die Wahl nicht wehtun. Und für Frau Henriette hätte es da garkeine Wahl geben dürfen. So aber hat sie uns um die Möglichkeit gebracht, sie und Zdenko als den vierten Fall einer hochdiskreten Liebes-Konserve unserer Sammlung anzufügen. Wirklich eine ‚Schnee-gans‘. Monica hat recht.

Es war also die vergehende Zeit, im Grunde, was ihm weh tat, sonst nichts, Schmerzen wie bei einem Verbandwechsel. Sie zog durch ihn, die Zeit, sie wurde hindurchgezogen, und dann schwindelte ihm leicht, und die Hitze glänzte dunkel. Unter ihrer gleichsam deckenden Schicht – sie war wie tiefes aber klares Wasser – konnte Zdenko unten am Grunde jetzt, unleugbar zu erkennen, jene Tage liegen sehen, als es noch lange keinen M.C. gegeben und die beiden Engländer noch keine Änderung und Verlängerung des Schulweges bei ihm bewirkt hatten. Nun zum ersten Male wieder seit dieser Zeit konnte er wieder um die Ecke sehen, welche damals entstanden war, und in sein hinter solcher Ecke wie in eine Nische vermauertes Dasein. Damit untergriff er auch alles was heute war, gewesen war, sollte man sagen. Denn der M.C. war tot. Und dort hinter der Ecke wurde es jetzt weit lebendiger, die Nische brach auf. Jetzt erinnerte er sich ganz deutlich der Jahre noch lange vor seiner Aufnahmsprüfung in's Gymnasium – die er hatte machen müssen, um die fünfte Volks-schulklasse überspringen zu dürfen, und es war bei der Prüfung eher schlecht als recht gegangen – er wußte wieder von den häu-figen, starken Schmerzen in den Fußgelenken abends im Bett, die ihn oft sogar am Einschlafen hinderten, wozu die englische Gouvernante bemerkt hatte „Du wächst eben, mein Lieber“, wohl nur um ihn zu trösten.

Es war erstaunlich. Da stand er, den Brantôme in der Hand, den sauberen, reservierten Geruch der vielen Bücher auf den hohen Regalen in der Nase, und die Stille im Ohr, die draußen glühend über den Feldern und Wäldern lag.

Er glaubte, sie fast greifen zu können. Sie ruhte in einem einzigen goldenen Block auf der Terrasse und brach hier herein moduliert ab, in ein verhältnismäßiges Dunkel. Wo blieb der Eifer, den sie entfaltet hatten, bei der Lektüre von des alten Staatskanzlers Schriften und Denkschriften? Wo stand die kleine hochstielige Vase mit der weißen Nelke? ,Petschens holdes Angesicht hat Quadratform, irr' ich nicht.' War es unwiederbringlich? Mußte es denn wirklich unwiederbringlich sein? Ihm war das garnicht so einleuchtend und selbstverständlich. Erst an zweiter Stelle kam die neuerdings dem Brantôme entstiegene Frau Henriette. Jetzt explodierte sie, zersprang, eine Protuberanz in der Auhofstraße, jetzt überflutete die weiße Gletscherei alles in Strömen, gewaltiger und anwesender als das Gold auf der Terrasse draußen, das modulierte Dunkel hier in der Bibliothek. Sie allein aber, Henriette, war in überzeugender Weise dahin und vorbei, eindringlicher vergangen noch als die verlängerten Schulwege, die kleine weiße Blume in der Vase. Es kitzelte und spannte die heilende Zeitwunde unter dem Verband der Monate, als würden Fäden herausgezogen, als sollte sie nun von selbst schon zusammenhalten und verheilt sein. So begriff Zdenko endlich und wie noch nie, daß er verhoben war, anderswo sich befand, jenseits. Und immer noch rührten sich leises Sträuben und Ungläubigkeit in ihm. Er wollte die Hand nicht öffnen. Würde man nicht, in ein paar Tagen schon, wieder Tennis spielen im Clayton'schen Garten? Waren nicht Fritz und Heribert eben jetzt dort, mit dem dicken Augustus, und der alte Engländer mit Monica auf der Terrasse? Wie denn anders?

Merkwürdig, dennoch, er glaubte das alles nicht. Von hier aus sah's anders aus, er wußte es besser. Es gab den Tennisplatz so wenig mehr wie die Frau Henriette und den M.C. und die kleine Vase mit der Nelke.

Und nur, weil er die Tante Ada hierher nach Vanice hatte begleiten müssen? Er würde doch nach wenigen Tagen wieder in Wien und im Gymnasium sein? Nein, keinesfalls deshalb, weil er hierher gefahren war. Sondern die Reise war erfolgt, weil alles schon zu Ende gehen wollte, nicht nur der M.C., auch das Tennis.

Am letzten Vormittage ritten Zdenko und Ivo zu den Wasserfällen von Slunj, als der größten Sehenswürdigkeit der Umgebung. Der Weg war nicht weit. Etwa zwanzig Minuten im Trabe, zum Teil durch Laubwald.

In's letzte Drittel etwa des Weges einreitend war's, daß Ivo sein Pferd verhielt – Zdenko tat ein gleiches – und, den Finger lauschend auf die Lippen gelegt, damit Schweigen bedeuten und erbitten wollte.

In der Tat hörten sie hier schon die Fälle, und das dumpfe Geräusch schien als ein schwaches Rumoren aus dem Erdboden zu kommen. Auf die Pferde wirkte das augenscheinlich nicht. Die standen ruhig. Das Pferd ist für Plötzlichkeiten am meisten anfällig. Dies hier war nichts weniger als plötzlich. Es wäre vielleicht schon früher hörbar gewesen, hätten sie anhalten mögen. Es gehörte zur Gegend, es war immer da und lag mit den Sonnenkringeln am Grunde des Laubwalds so ruhig wie der blaue Himmel über den Kronen.

Aber auf Zdenko wirkte mächtig der tiefe stehende Ton, und Zdenko war es, der, wenn auch nur figürlich, die Ohren zurücklegte, und nicht sein Reitpferd, das dazu ohne weiteres und wirklich befähigt gewesen wäre. Ihm war plötzlich, als sollte jetzt viel mehr noch sichtbar werden als ein bekannter Wasserfall, als ritte er einer Entschlüsselung oder Aufdeckung entgegen, ja, dem größten und eigentlichen Abenteuer seines Lebens.

So erfüllt trieb er sein braunes Pferd wieder an, blieb jedoch im Schritte, was den Ivo oder Pista etwas verwundern mochte. Aber in Zdenko war jetzt nichts weniger als Neugier lebendig und keinerlei Bestreben, rasch an ein Ziel zu gelangen, wo jene befriedigt werden mochte. Sondern, wonach er nun heftig begehrte und strebte, das war die Sammlung. Ohne des Burschen neben ihm irgend zu achten, versank er in diese jetzt und hier gehenden Minuten, sah die Sonne auf dem gefleckten Wege, den Himmel über den Baumkronen, hörte den tiefen Ton, der zu einem bloßen Teile dieser Landschaft und Gegenwart für ihn geworden war.

Man kann sagen, er verhielt sich souverän. Sein Verhalten war zugleich ein völliges Verhalten jeder automatischen Hingegebenheit an das, was die Stunde feil als naheliegend heranbrachte, um ihn damit zu überschwemmen und auszufüllen. Er aber suchte nicht diese Stunde, sondern mehr, und versuchte in diese Stunde hereinzuziehen, alles, was er gewesen war und was er gehabt hatte.

Was natürlich nicht gelang. Dennoch ritt er im Schritte weiter. Auch bei solcher langsamer Gangart wurde allmählich der Fälle Mahlen und Rumoren deutlicher, und schon ward's ein Brausen, und schien nicht mehr aus der Erde zu kommen, sondern lag, wenn auch noch weit entfernt, dem Ritte voraus.

Jetzt sprengte Zdenko sein Pferd in den Galopp ein, der auf dem breiten grasigen Weg voll hohen Genusses war. Ivo, neben ihm, lächelte, warum eigentlich, das bleibt dunkel. Sie sahen nach einer Weile – schon waren die Fälle lärmend geworden – Weißes von Ferne.

Danach, heranreitend, fiel ihr Blick über die schäumende Planei oberhalb der Katarakte, wo das Wasser in starken Armen, da und dort aufstäubend, dahinschoss, und auf der ganzen Breite brausend hinein zwischen die lange altbraune Mühlenbekrönung des Abbruches. Links schloß unmittelbar schon der Ort mit seinen Häusern an.

Sie fanden da einen größeren Einkehrgasthof. Zdenko wünschte die Pferde loszuwerden und versorgt zu sehen. Das war hier möglich. Sofort, beim Anblick der festen und mit Geländern versehenen Stege von Mühle zu Mühle, von Fels zu Fels, zögerte er nicht, den Katarakt zu überschreiten. Er war nicht ängstlich, der Zdenko.

Auch Ivo nicht. Sie gingen zu den aufgeregten Wassern hinunter und zu der ersten Brücke, die hier ansetzte. Der Bursche sorglich hinter dem jungen Herrn. Das Lärmen und Toben des

Wassers wurde bald gewaltig. Hätte man sprechen mögen, wäre
es nur schreiend möglich gewesen. Aber sie schwiegen, und ach-
teten wohl, und kamen immer weiter hinaus, schon zur ersten
Mühle. Sie war verschlossen. Man stand ja nicht in der Jahreszeit des Getreidemahlens. Die Brücken führten weiter, nicht
ganz am Abbruche, sondern von diesem ein Stück zurückgesetzt.
Es waren diese Stege so schmal freilich nicht, wie sie von weitem
ausgesehen hatten. Da und dort führte der Weg auch, gangbar
gehauen und mit anscheinend festem Geländer, über Klippen,
welche die Fälle teilten. Zdenko und Ivo gingen bei solchen Stellen lieber auf des Pfades Bergseite, ohne das hölzerne Geländer
in Anspruch zu nehmen.

So näherten sie sich der Mitte der Fälle, ohne daß irgendwer
ihnen begegnet wäre. Das Übermächtige an diesem Gange, der
drohende Überhang gleichsam, unter welchem er sich vollzog,
war die Wucht des Wasserlärmes, der, mochte er immerhin
schon beim Passieren der ersten Mühle so angewachsen sein,
daß jede Verständigung, außer durch Schreien, bereits ausgeschlossen blieb, bald eine weitaus gewaltigere Stärke erreicht
hatte. Hier auch stäubten schon die Wasser allenthalben hoch
auf, fielen in Schleiern nässend auf die Stege, unter welchen anderwärts wieder die Strömung in dicken Schlangen zwischen
den Mühlen durchschoss, glatt und glashart aussehend infolge
ihrer Geschwindigkeit. Der Lärm schien viele Lagen oder
Schichten zu haben, höhere und tiefere, Donnern sowohl wie
helles Pfauchen, dumpfes Mahlen ebenso wie schneidendes Ge-
spritze; und darunter, als das eigentlich Schreckliche, war ein
ununterbrochenes Heulen hörbar.

Hier, während Zdenko anhielt, und über die in weißem
Schaum und Sonnenglanz sich erstreckende Planei oberhalb der
Fälle hinblickte, wurde ihm voll bewußt – und mit ehrlichem,
eingestandenem Staunen – daß er sich nicht fürchtete. Und, mehr
als das: fast gleichzeitig wußte er auch, warum ihm die Furcht
fernblieb. Sie hätte unter diesem Gedröhn sich rühren müssen.
So weit kennt sich jeder, weiß, wo die Grenzen seines Mutes
oder seiner Nerven sind, sei er jetzt ängstlich oder sei er's nicht,

wie Zdenko. Aber daß er hier so sehr gesammelt spazierte, das lag mindestens an jener Grenze, wenn nicht darüber. Nun wußte er bereits, was ihn befähigte: es war ein Fortfall, der Fortfall einer Erscheinung aus den letzten Tagen, aber schon in Wien gekannt – daß er nämlich den Sonnenglast oft als dunkel empfand, bei leichtem Schwindel. Wann jedoch war dieser Fortfall eingetreten? Seit heute morgen? Seit jenem Galoppe auf dem Waldweg? Plötzlich erkannte er's mit voller Klarheit, daß der Gang hier über den Fall ihm hätte furchtbar werden können, wäre jenes dunkelnde und schwindlige Gedrücktsein gegen den Boden noch in ihm gewesen. Es war fort. Scharfen Lichtes, hell und glänzend, lag die Weiße des schäumenden Wassers in der Sonne. In diesem Augenblick empfand er hohe Sicherheit, ja Kraft. Was er vor sich sah, das hatte er gleichsam fest und bändigend in der Hand. Vielleicht lächelte Ivo eben deshalb, als Zdenko ihm jetzt in die Augen sah. Dieses Lächeln war anschmiegsam und unterwürfig zugleich.

Sie erblickten auf einige Entfernung vor sich drei Männer bei einer Mühle, die daran etwas ausbessern mochten, man sah sie hämmern – doch freilich konnte man den Schlag nicht hören – und dann und wann verschwand einer von ihnen im Inneren der braunen Hütte. Es zeigte sich jetzt auch ein vierter Mensch, der von drüben, von der anderen Seite des Falles, aus größerer Entfernung auf die Mühle zu kam.

Zdenko und der Reitbursche blieben stehen und schauten auf den Mann, der über die Stege sich näherte, die linke Hand dann und wann auf das Geländer legend. Als er von der Mühlenhütte und den werkenden Männern noch etwa zwanzig Schritte entfernt war, fuhr etwas aus seiner linken Hand empor wie ein Stab oder eine Lanze, im nächsten Augenblick aber sah man dieses Geländerstück fallen, und hinter ihm Donald, gegen den Katarakt hinab.

Zdenko hatte ihn fast genau im Augenblicke des Sturzes erkannt, vielleicht sogar an einer ausfahrenden Bewegung, mit welcher der Engländer noch zuletzt auf den übersprühten und feuchten Bohlen das Gleichgewicht wieder hatte gewinnen wollen.

Sie eilten vorwärts, wurden aber von den Männern bei der Mühlhütte, welche den Abstürzenden gesehen hatten, und nun hinunter blickten, aufgehalten, mit warnend, ja beschwörend erhobenem Zeigefinger, wobei sie immer wieder das gleiche Wort wiederholten (es war der kroatische Ausdruck für ‚Vorsicht!‘, also ‚pozor!‘). Sie zeigten, in der Richtung, aus welcher Donald gekommen war, den stäubenden Abgrund hinab, und hielten Zdenko an den Hüften, als er, sich ein wenig über das Geländer beugend, hinunter sah.

Dort, nur wenige Meter unterhalb des Steges, der hier über einem flacher geneigten, teils moosbärtig glitschigen, teils zackigen Felsen hinlief, lag Donald auf dem Rücken, oder eigentlich er hing, ohne sich zu regen, denn an irgendetwas mußte er ja über dem Abgrunde hängen geblieben sein. Man sah, wohl nur wenige Handbreiten neben Donald, eine glasglatte Schlange Wassers von der Stärke eines großen Baumstammes vorbeischießen.

Die Männer waren inzwischen rasch in die Hütte getreten und kamen mit zwei mächtigen Bündeln von Seilen wieder hervor. Sie bedeuteten den beiden Burschen, hinter ihnen zu gehen, und bewegten sich, so schnell es die Vorsicht erlaubte, auf den übersprühten Stegen gegen die Stelle des Unglücks zu.

In der Tat lag Donald nicht viel mehr als einen Fußbreit neben dem Wasser, dort wo es sich heulend und donnernd in eine Tiefe von neunundzwanzig Metern hinabstürzte.

Der älteste – nicht der jüngste – von den drei Kroaten legte, nachdem beide Seile in geordneten Schlingen bereit gemacht worden waren, das eine Ende unter seinen Armen durch, und schlug den Knoten, wie man das auch beim Felsklettern zu machen pflegt. Schon saß er am Rande des Steges. Die beiden anderen sicherten das Seil um einen jener senkrechten Pfosten, welche die Joche für den Steg trugen und zum Teil auch das Geländer; dieses allerdings fehlte jetzt auf der Seite des Absturzes von hier an für mehrere Meter. Der Sitzende hatte des zweiten Seiles Ende um seinen linken Arm geknüpft, jedoch locker. Nun ließen sie ihn rutschen, in kleinen Schüben nur. Es galt, den Retter links neben den Ohnmächtigen zu bringen, so daß um diesen das mitgeführte zweite Seil geschlungen und geknotet werden konnte, um ihn dann herauf zu ziehen. Doch wußte man ja nicht, wie und woran der Körper knapp vor dem Abgrunde hängen geblieben war, vielleicht an einer nur geringen Unebenheit. Eine einzige unrichtige Berührung und Bewegung konnte ihn sogleich hinabfahren lassen. Ein Vorteil war darin zu sehen, daß der Rücken auf den Steinen hohl zu liegen schien, und die Arme über den Kopf erhoben und nach rückwärts geworfen waren.

Nun wirklich hing der alte Bauer knapp neben Donald.

Zdenko sah zu, von donnerndem Lärme eingehüllt.

Schon begann er sich daran zu gewöhnen.

Während der ganzen Aktion blieb vor seinem inneren Auge der verzerrte Umriß Donald's stehen, als dieser zuletzt versucht hatte, das Gleichgewicht wieder zu gewinnen: an der ausfahrenden und langstieligen Bewegung wirklich hatte er den Engländer erkannt.

Hier nun, bei fortwährendem übermächtigen Donner und noch ganz unter der Gewalt plötzlich hereingebrochener Vorgänge, setzte der auf dem Stege noch strauchelnde Donald sich zurück in der Zeit, das Bild doppelte sich, und jetzt sah er ihn, wie er dort auf der Straße gestrauchelt war (über irgendeine Obstschale), von ihm und Heribert Wasmut abscheidend, und gleichsam mit einer durch ihn selbst dem Donald zugefügten nicht mehr rückgängig zu machenden Verletzung, und in dieser Weise entlassen auf seine Reise ‚in den Vorderen Orient‘, nachdem man ihm noch gesagt hatte, daß Monica, während seines Aufenthaltes in England, in den Park und zu den Tennispartien gekommen war. Und nun hatte er Donald Clayton strauchelnd und stürzend wiedergesehen. Die beiden Bilder klammerten ein, was dazwischen war, und hoben es als ein Ganzes heraus. Und viel nachdrücklicher und unabweisbarer schien dieses vergangen als der M.C., die weiße Nelke in der Vase, ja sogar die Frau Henriette, oder was immer ihn dort in der Bibliothek von Vanice besucht haben mochte, wenn er über seinem Brantôme gesessen war, die ein oder zwei Male. Das lag jetzt und von hier aus wie durch ein umgekehrtes Opernglas gesehen. Donald aber umgriff er durchaus, Anfang und Ende, das erste und das zweite Straucheln.

Es war dem tapferen alten Kroaten unten in der Tat gelungen, das Seil – mit ganz langsamer und ruhiger Bewegung – unter Donalds Rücken durchzuschieben; nun schlug er vor der Brust den Knoten und bog dann dem Regungslosen die Arme herab. Schon zogen sie oben straff. Er konnte nicht mehr fallen.

Schubweise geschah der Rückzug von dem gefährlichen Unternehmen. Auch Zdenko und Ivo mußten jetzt an die Seile, und der eine von den beiden Bauern führte das Kommando. Zweimal, als Donald's Körper hängen blieb, im unteren Teil, an irgendeinem Zacken, mußte erst der alte Mann nachgezogen werden, der ihn dann befreite. Seilwechsel und Sicherung geschahen mit äußerster Vorsicht. Weiter heroben, wo der Fels glatt war und glitschig vom Moose, ging's leichter. Schließlich brachte man Donald mit den Schultern über den Steg und auf die Bohlen, und half sodann seinem Retter. Dieser saß erschöpft auf dem Stege nieder. Zdenko berührte der Anblick Donald's unheimlich. Die Augen waren halb geschlossen und schienen fast verdreht. Ivo kniete neben ihm; der jüngste von den drei Kroaten sagte jetzt etwas zu diesem, in sein Ohr sprechend. „Was sagt er?" fragte Zdenko auf die gleiche Weise. „Dieser Mann ist vor Schrecken gestorben", übersetzte der Ungar. Sie hatten den regungslosen Körper um und um gewandt, er zeigte keinerlei Verletzung, war trocken, bis auf ein paar Spritzer; am Rücken wies der karrierte Reiseanzug die breite grüne Schleifspur vom glitschigen Moose. Zdenko fiel ein, daß er Cigaretten und Streichhölzer bei sich hatte, und so teilte er aus. Der alte Mann saß noch immer erschöpft auf den feuchten Bohlen.

Donald war tot. Als diese unabweisbare Tatsache bei Zdenko Eingang fand, war's ihm, als schlüge ein Paukenschlegel den Punkt hinter jenes Zeitstück, das sich eben vorhin wie in Klammern herausgehoben hatte, von Donald's Straucheln zu Wien auf der Straße, bis zu seiner letzten verzerrten Bewegung hier auf dem feuchten Steg. Damit war es vergangen – ja, es war von

allem das Einzige, was nun wirklich und deutlich und ganz ver
gangen war! – es zeigte sich als klar abgesetzt, fast körperhaft,
man konnte es fest im Blicke halten, als griffe man es mit der
Hand, es war gebändigt. Die Empfindung kehrte wieder, mit
welcher Zdenko vor kurzem ohne jede Furcht über die schäumende Planei hingeblickt hatte, und dann Ivo in die Augen.
Plötzlich bemerkte er, daß dieser weinte. Ihn kam das nicht an.
Er besaß jetzt schon den nächsten Schritt, den er tun würde, das
Heraustreten aus sich selbst, wie aus einer Höhle, sah jetzt wieder die Sonne über dem schäumenden Wasser, hörte jetzt wieder
und wie zum ersten Mal dessen tosenden Lärm, und erblickte
neu die Männer auf dem Stege, und den hingestreckten Toten.

Diesen hoben dann die beiden jüngeren Kroaten auf. Zdenko
und Ivo wollten beispringen, aber ihnen ward ernsthaft und mit
Kopfschütteln abgewunken und bedeutet, sich an den Schluß
zu setzen. Bevor man die Stelle passierte, wo jetzt gegen den Ab-
sturz zu das Geländer fehlte, untersuchte der Alte die Pfosten,
denen es aufgelegen hatte. Sie standen freilich fest. Aber jene
Zimmermanns-Kerben, darin die Stange eingesenkt gewesen
war, erwiesen sich als stark verquollen, und das mochte wohl
auch bei den aufliegenden Enden der Stange selbst ganz ebenso
gewesen sein, so daß diese durch die Feuchtigkeit, und vielleicht auch die vom Wasser erzeugte Vibration, schließlich samt
dem großen Nagel aus ihrer Bettung hatte gedrängt werden
können. Ein vergleichsweiser Blick auf das nächste Widerlager
zeigte jedoch nichts von alledem. Hier hätte das Geländer den
schwersten Mann gestützt, ohne zu weichen.

Sie bewegten sich nun mit der Leiche – der alte Mann ging
knapp hinter Zdenko und Ivo – weiter in der Richtung gegen
das andere Ufer zu, woher Donald gekommen war, nachdem
vorher noch der jüngste von den drei Männern die Seilbündel
in die Mühlenhütte zurückverbracht hatte. Oftmals mußten die
Burschen rasten, welche den Toten auf diesem Vorsicht fordern-
den Wege trugen. So von Mühle zu Mühle, die alle verschlossen
waren, und Steg nach Steg weiter bis zur letzten. Der Donner
des Wassers wich etwas aus den Ohren, wie jene leichte Ertau-

bung, wenn man von einem hohen Berge kommt. Nun eine längere Brücke. Nun das steinige Ufer. Von links kam zum Brückenkopfe ein ländlicher Fahrweg herab. Vor ihnen stand die Böschung, wo das steinige Bett der Wasser randete. Der jüngste von den Bauern ging gleich davon und in den Marktflecken hinein, um den Gemeindearzt zu holen, wie sich später zeigte, und jemand vom Rathaus oder der Gendarmerie.

Sie knieten bei dem Toten, öffneten seine Kleider, behorchten das Herz.

Es bestand kein Zweifel mehr.

Zdenko blickte, nachdem gebetet worden war, in die Planei hinaus, über das schäumende Wasser, in die Sonne. Dann auf Ivo. Es mag sein, daß Zdenko's Augen geblitzt hatten. In den noch feuchten Blick des Reitburschen trat etwas wie ein erschrockenes Staunen, fast ein ehrliches Entsetzen. Zdenko sah weg. Von jetzt an wußte er, daß es galt, sich zu beherrschen, den seltsamen neuen Mut zu verbergen, der ihn, und gerade angesichts dieses Toten, erfüllte, notwendigerweise beleidigend für jeden Zeugen der Stunde, die Trauer gebot.

Fast gleichzeitig mit dem Arzte, dem Postenkommandanten der Gendarmerie und dem Bürgermeister, erschienen, auf ihrem Spaziergange, der Doctor Harbach und Chwostik bei der Abzweigung des Fahrweges zum Wasser und zur Brücke.

Das Zusammentreffen der drei Menschengruppen, die alsbald um den toten Mann am Ufer als um ihren für jetzt natürlichen Mittelpunkt geschart waren und sich dabei mischten, wobei zwischendurch und zunächst ohne weitere Erklärung Chwostik und Zdenko einander begrüßten (letzterer in aller Stille auch von Doctor Harbach in außenstehender Weise wiedererkannt) – dieses Zusammentreffen erzeugte viel flügelschlagende Bewegung, die schließlich von der amtlichen Seite der Sache her eine einheitliche Richtung erhielt und sich etwas beruhigte. Nachdem vom Gemeindearzte – mit welchem sich sein Münchener College inzwischen bekannt gemacht hatte – der Eintritt des Todes bei Donald festgestellt worden war, ein Herztod und kein Ertrinkungstod (das letztere lag auf der Hand), lud der Bürgermeister die Zeugen des Unfalls auf's Rathaus, um ein Protokoll aufzunehmen. Die beiden Ärzte erwogen halblaut die etwa bestehende Möglichkeit, angesichts der klaren Sachlage um eine Leicheneröffnung herumzukommen, anderseits, bei der herrschenden Sommerhitze, die Notwendigkeit sofortiger Conservierungsmaßnahmen; schon auch hatte Chwostik davon gesprochen, daß der Tote überführt werden müsse, wahrscheinlich sogar nach England.

Inzwischen waren noch zwei Leute des Postenkommandanten mit einer Tragbahre aus dem Marktflecken gekommen.

Zdenko tat ein paar Schritte abseits gegen das Wasser zu. In tiefer Beruhigung stand der Ton der Fälle, von hier nicht mehr heulend, rauschend und zischend, sondern als ein einiger Orgelpunkt. Die gewaltige Bewegung der Wasser ward solchermaßen stehend, ein in sich gekehrter Donner, das Kommen und Gehen in einem, im Ohr ein Massiv aufrichtend, an dessen sonorer Ruhe all sonstiges klein vorüberging.

Chwostik schritt durch die Straßen der Ortschaft, über Brükken und Wasserarme. Den Weg zum Postamt wies man ihm. Nun meinte er plötzlich zu begreifen, was ihm auf der ‚Cobra‘, noch im adriatischen Meer, unverständlich gewesen war: die lebhafte Wiederkehr jener so außerordentlich bewegten Zeit vor zweiunddreißig Jahren, seiner damaligen Mühen, Sorgen und Ängste (im Hinblick auf die Engländer auch, wegen der zwei Weiber, die er bei sich gehabt hatte!). Und daß etwas von jener Bewegtheit wiederkehren wollte. Gut! Sollte es sein! So hatte er gedacht. Aber was eigentlich, was sollte da sein? Nun war es da, war der Kern aus der Nuß gesprungen, ein harter Kern. Während er das Amt betrat, noch schwangen die Klapptüren, senkte er den Kopf in tiefer Benommenheit. Am Schalter saß Münsterer und erkannte ihn sofort. „Was führt Sie hierher nach Slunj, Herr Chwostik?" sagte er, während sie einander die

Hände schüttelten. „Ein trauriger Anlaß", antwortete Chwostik. Aber das stimmte wohl nicht ganz. Nur auf das Postamt hier hatte ihn der traurige Anlaß geführt. „Womit kann ich Ihnen dienen, Herr Chwostik?" fragte Münsterer. „Ich bin hier ganz allein, meine Beamten sind eben zum Essen gegangen", setzte er, die herrschende Stille gleichsam erklärend und rechtfertigend, hinzu. „Ein Telegramm", antwortete Chwostik. Er sah Münsterer lange an und blickte in dieses entwirrte und ruhig gewordene Antlitz, als läge hier der gelöste Knoten dieser letzten Zeit vor ihm zu Tage.

Heimito von Doderers Werke
im Biederstein Verlag

Die Strudelhofstiege oder Melzer und die Tiefe der Jahre. Roman. 40. Tausend. 909 Seiten. Leinen DM 32.–

Die Dämonen. Nach der Chronik des Sektionsrates Geyrenhoff. Roman. 28. Tausend. 1345 Seiten. Leinen DM 45.–

Ein Umweg. Roman aus dem österreichischen Barock. 15. Tausend. 277 Seiten Leinen. DM 7,50

Ein Mord den jeder begeht. Roman. 27. Tausend. 372 Seiten. Leinen DM 18.50

Die Merowinger oder Die totale Familie. Roman. 3. Auflage. 368 Seiten. Leinen DM 16.80

Roman No 7. Erster Teil: Die Wasserfälle von Slunj. 22. Tausend. 394 Seiten. Leinen DM 19,80. Zweiter Teil: Der Grenzwald. 272 Seiten. Leinen DM 19.80

Frühe Prosa. Die Bresche. Jutta Bamberger. Das Geheimnis des Reichs. Hrsg. Hans Flesch-Brunningen. 395 Seiten. DM 25,–

Unter schwarzen Sternen. Erzählungen. 240 Seiten. Leinen DM 17,80

Ein Weg im Dunkeln. Gedichte und epigrammatische Verse. 100 Seiten. Leinen DM 7.80

Tangenten. Tagebuch eines Schriftstellers. 1940–1950. 848 Seiten. Leinen DM 58.–

Repertorium. Ein Begreifbuch von höheren und niederen Lebens-Sachen. Hrsg. Dietrich Weber. 287 Seiten. Leinen DM 18,50

Die Wiederkehr der Drachen. Aufsätze, Traktate, Reden. Vorwort von W. Fleischer. Hrsg. Wendelin Schmidt-Dengler. 325 Seiten. Leinen DM 24,–

Die Erzählungen. Herausgegeben von Wendelin Schmidt-Dengler. 504 Seiten. Leinen DM 18,50

Einen Sonderprospekt verlangen Sie bitte beim Biederstein Verlag, 8 München 40, Wilhelmstraße 9, oder bei Ihrem Buchhändler

Romane
Erzählungen

Biographien
Erinnerungen

Augenzeugen-berichte

dtv Lexika

dtv-Lexikon
Ein Konversations-
lexikon in 20 Bänden
mit insgesamt über
100 000 Stichwörtern
von A–Z, 5600 Abbil-
dungen und 32 Farb-
tafeln
Komplett in Kassette
5981 / DM 120,–

dtv-Lexikon der Antike

I. Philosophie, Literatur,
Wissenschaft
4 Bände
3071–3074

II. Religion, Mythologie
2 Bände
3075, 3076

III. Kunst
2 Bände
3077, 3078

IV. Geschichte
3 Bände
3079–3081

V. Kulturgeschichte
2 Bände
3082, 3083

**dtv-Lexikon
politischer Symbole**
Von A. Rabbow
3084

**dtv-Lexikon
Die Bibel und ihre Welt**
Eine Enzyklopädie
Hrsg. von G. Cornfeld
und G. J. Botterweck
6 Bände
3092–3097

**dtv-Lexikon
der Goethe-Zitate**
Hrsg. von R. Dobel
2 Bände
3089, 3090

**dtv-Lexikon
zur Geschichte und
Politik im
20. Jahrhundert**
Hrsg. von C. Stern,
T. Vogelsang, E. Klöss
und A. Graff
3 Bände
3126–3128

dtv-Lexikon der Physik
Hrsg. von H. Franke
10 Bände
3041–3050

**dtv-Lexikon
der Raumfahrt und
Raketentechnik**
Von H. Mielke
3098